L'énigmatique
Dany Kane

Traduction : Serge Dubuc
Photo de la couverture : *Allô Police*

**Catalogage avant publication de
Bibliothèque et Archives Canada**

Sanger, Daniel

L'énigmatique Dany Kane : un informateur
chez les Hells

Traduction de : *Hell's Witness*

1. Kane, Dany. 2. Hell's Angels.
3. Motards (Gangs)- Québec (Province) - Histoire. :
3. Gangsters - Québec (Province) - Biographies.
4. Indicateurs - Québec (Province) - Biographies.
I. Titre.

HV6491.C32Q4   2005b   364.1'092
C2005-941826-5

Pour en savoir davantage sur nos publications,
visitez notre site : **www.edhomme.com**
Autres sites à visiter : www.edjour.com
www.edtypo.com • www.edvlb.com
www.edhexagone.com • www.edutilis.com

09-05

L'ouvrage original a été publié
par Viking Canada (Penguin Group),
succursale de Pearson Penguin Canada Inc.,
sous le titre *Hell's Witness*

Dépôt légal : 4ᵉ trimestre 2005
Bibliothèque nationale du Québec

ISBN 2-7619-2160-7

DISTRIBUTEURS EXCLUSIFS :

• Pour le Canada et les États-Unis :
MESSAGERIES ADP*
955, rue Amherst
Montréal, Québec H2L 3K4
Tél. : (514) 523-1182
Télécopieur : (450) 674-6237
* Filiale de Sogides ltée

• Pour la France et les autres pays :
INTERFORUM
Immeuble Paryseine, 3, Allée de la Seine
94854 Ivry Cedex
Tél. : 01 49 59 11 89/91
Télécopieur : 01 49 59 11 96
Commandes : Tél. : 02 38 32 71 00
Télécopieur : 02 38 32 71 28

• Pour la Suisse :
INTERFORUM SUISSE
Case postale 69 - 1701 Fribourg - Suisse
Tél. : (41-26) 460-80-60
Télécopieur : (41-26) 460-80-68
Internet : www.havas.ch
Email : office@havas.ch
DISTRIBUTION : OLF SA
Z.I. 3, Corminbœuf
Case postale 1061
CH-1701 FRIBOURG
Commandes : Tél. : (41-26) 467-53-33
Télécopieur : (41-26) 467-54-66
Email : commande@ofl.ch

• Pour la Belgique et le Luxembourg :
INTERFORUM BENELUX
Boulevard de l'Europe 117
B-1301 Wavre
Tél. : (010) 42-03-20
Télécopieur : (010) 41-20-24
http://www.vups.be
Email : info@vups.be

Gouvernement du Québec – Programme de crédit d'impôt pour
l'édition de livres – Gestion SODEC – www.sodec.gouv.qc.ca

L'Éditeur bénéficie du soutien de la Société de développement
des entreprises culturelles du Québec pour son programme
d'édition.

 Conseil des Arts   Canada Council
du Canada   for the Arts

Nous remercions le Conseil des Arts du Canada de l'aide
apportée à notre programme de publication.

Nous reconnaissons l'aide financière du gouvernement du
Canada par l'entremise du Programme d'aide au
développement de l'industrie de l'édition (PADIÉ) pour nos
activités d'édition.

Daniel Sanger

L'énigmatique
Dany Kane

Un informateur chez les Hells

LES ÉDITIONS DE L'HOMME

Les seuls noms qui ont été changés dans ce livre
sont ceux des enfants de Dany Kane.
Les noms de famille de Josée et de Patricia,
les mères de ces enfants, ont été omis à leur demande
pour des raisons de sécurité et pour préserver leur anonymat.

CHAPITRE PREMIER

La fin

Certaines choses – les visages et les pierres précieuses, par exemple – paraissent plus belles, plus séduisantes lorsqu'elles sont vues sous un certain angle. De même, il y a de ces points de vue qui avantagent une ville. Sur les berges de la Rive-Sud, de l'autre côté du fleuve Saint-Laurent, le coup d'œil sur Montréal est absolument saisissant : quelques grands navires ancrés dans le port se la coulent douce sous l'œil impassible des bâtiments de pierre de la vieille ville ; non loin derrière, les gratte-ciel du centre-ville montent la garde devant le mont Royal, volcan depuis longtemps éteint dont les flancs verdoyants sont incrustés de demeures fastueuses. Au sommet de cette élévation, que les habitants de la ville surnomment affectueusement «la montagne», trône une immense croix électrifiée qui, chaque nuit, illumine religieusement le ciel montréalais.

Vue de la Rive-Sud, Montréal ressemble parfois, dans ses magnifiques incandescences nocturnes ou quand la lumière du jour se fait clémente, à une cité magique sortie tout droit d'un conte de fées, imposante, irrésistiblement attirante, si proche et pourtant éternellement insaisissable.

La Rive-Sud, en revanche, ne sera jamais confondue avec un royaume de conte de fées. Sur ce vaste territoire, les banlieues tentaculaires et les terres fertiles des campagnes se succèdent, les premières avec leurs quartiers résidentiels aux maisons modernes et anonymes, leurs stations-service, leurs centres commerciaux linéaires et leurs magasins entrepôts colossaux ; les secondes avec leurs villages isolés et leurs champs de maïs ondoyants. En été, il y règne une chaleur torride ; quand vient l'hiver, tout cela est balayé par la neige et le froid.

Dany Kane est né sur la Rive-Sud. C'est dans cette région qu'il passera l'essentiel de son existence. C'est aussi là qu'il mourra, en août 2000, à l'âge de 31 ans.

Au moment de sa mort, Kane vivait en bordure de Saint-Luc, à quelque 35 kilomètres du centre-ville de Montréal, dans une magnifique maison à demi-niveaux qu'il avait achetée l'année précédente pour la somme de 250 000 $ et qui était sise sur un grand terrain boisé longeant la rivière L'Acadie. Kane avait téléphoné un jour à Patricia, sa compagne de longue date, pour qu'elle visite avec lui une propriété qui l'intéressait. Comme le couple n'avait jamais parlé d'acheter une maison, Patricia était étonnée de l'invitation, mais elle se rendit tout de même sur place pour satisfaire sa curiosité. Lorsque Kane lui demanda si elle aimait l'endroit, la jeune femme répondit par l'affirmative. «Tant mieux, rétorqua Kane, parce que je l'ai déjà achetée.»

Kane s'installera dans sa nouvelle résidence en juillet. Patricia, que son emploi pour une firme de recherches du centre-ville tient très occupée, suivra en septembre. La maison demeurera presque inhabitée pendant plusieurs mois à cause des fréquents déplacements de Kane et du travail de sa compagne à Montréal. Puis la venue d'un nouvel enfant viendra tout changer : en avril 2000, Patricia donne naissance à un fils, Jesse. Les trois enfants de Kane issus d'une relation précédente et le garçon de Patricia, qui est âgé de huit ans, ont désormais un nouveau demi-frère. À la venue du bébé, Kane entreprend des rénovations de l'ordre de 60 000 $ dans sa propriété. Cet été-là, la maison de Saint-Luc deviendra véritablement leur foyer. Les enfants de Kane, qui vivent la plupart du temps avec leur mère dans la municipalité voisine de Saint-Jean-sur-Richelieu, ont leurs chambres au sous-sol. Une piscine hors terre viendra agrémenter la cour arrière. Steve, le fils de Patricia, va à l'école à Montréal et habitera un temps en ville chez sa grand-mère maternelle. Dès la fin de l'année scolaire, il ira vivre en permanence avec sa mère et son beau-père.

Isolée de tout dans le froid et les neiges de l'hiver, la propriété de Dany Kane devient un petit paradis idyllique dès les premiers souffles de l'été. Les oiseaux piaillent sous la voûte des arbres, les fleurs s'épanouissent et le gai bouillonnement de la rivière L'Acadie devient une véritable bénédiction. La première semaine d'août s'avérera particulièrement plaisante, ensoleillée, mais sans cette chaleur oppressante, moite et torride qui afflige habituellement la Rive-Sud à cette période de l'année. Le samedi 5 août est une journée parfaite pour un mariage ; or, justement, Kane, Patricia ainsi que 300 autres invités ont été conviés cet après-midi-là aux noces de René Charlebois, membre en règle des Nomads – le chapitre d'élite des Hells Angels au Québec – et ami intime de leur leader, Maurice « Mom » Boucher, sans doute le motard le plus notoire du Canada entier. La fastueuse réception a lieu au luxueux domaine de Mom à Contrecœur, une municipalité de la Rive-Sud située à une cinquantaine de kilomètres au nord-est de Saint-Luc. Il ne fait aucun doute que Dany Kane, qui travaille comme subalterne au sein des Hells Angels depuis près d'une décennie, sera accueilli à bras ouverts à ces festivités.

Patricia, par contre, n'a pas très envie d'assister à la cérémonie. Elle se sent toujours mal à l'aise lorsqu'elle accompagne son amoureux à un événement organisé par les Hells. Comme les hommes ne mêlent pas les femmes à leurs discussions, celles-ci doivent s'efforcer de bavarder entre elles, mais elles ont toujours du mal à se trouver des points communs qui viendraient alimenter la conversation. Le problème est que la majorité de ces femmes, les épouses comme les maîtresses, se font entretenir par leur compagnon motard et mènent par conséquent une existence passablement oisive. Patricia, qui a tenu à continuer de travailler même après que Kane a proposé de pourvoir à ses besoins financiers, a généralement peu en commun avec ses interlocutrices.

Le malaise de Patricia est d'autant plus vif qu'elle est bien souvent la seule personne de race noire dans une foule majoritairement blanche. Bien que les Hells du Québec soient généralement plus tolérants que leurs confrères de l'extérieur, ils appartiennent néanmoins à une organisation farouchement raciste qui refuse systématiquement d'accepter des membres de couleur. C'est sans regret que Patricia avait éludé une invitation à un mariage précédent : contrairement à son habitude, le nettoyeur à qui elle avait confié sa robe avait fermé boutique durant le week-end, laissant la jeune femme sans tenue convenable pour assister à la noce. Lorsque Kane avait montré à sa compagne le carton d'invitation pour le mariage de René Charlebois, elle lui avait annoncé de but en blanc qu'il allait devoir trouver une autre femme pour l'accompagner.

« Mais ils savent que je sors avec une Noire ! avait protesté Kane.

— Alors trouve-toi une autre fille noire pour y aller ! avait rétorqué Patricia. »

Quelques semaines plus tard, Kane réussit à convaincre son amoureuse de l'accompagner. Pour l'occasion, Patricia s'achète une nouvelle robe et trois paires de chaussures parmi lesquelles elle pourra choisir.

Le 5 août au matin, le couple se rend au gymnase de Saint-Jean-sur-Richelieu, à 10 minutes de la maison. Kane se paie une leçon de boxe ; Patricia, qui est petite et svelte, s'entraîne vigoureusement pour être à son meilleur dans sa nouvelle robe. Sur le chemin du retour, Kane annonce brusquement à sa compagne qu'ils ne pourront pas assister au mariage. À la fois sonnée et contrariée par la nouvelle, Patricia exige des explications. « J'ai des affaires à m'occuper », de répondre Kane laconiquement.

Comme de fait, peu après leur retour à la maison, Kane monte dans sa voiture et file à Kingston puis à Belleville, deux villes de l'Ontario. Il reviendra le soir même, tard dans la nuit. Au matin, la petite famille retrouvera sa routine habituelle, à cette différence que Kane ne se lèvera pas de bon matin pour emmener les enfants déjeuner au restaurant comme il le fait si souvent, permettant ainsi à Patricia de faire la grasse matinée. Un peu avant midi, après avoir pris livraison d'un nouveau lit pour le bébé, Kane emmène Steve et un petit voisin faire du patin à roues alignées. Le motard retourne ensuite à Saint-Jean avec Jesse pour une courte visite chez sa sœur. Plus tard dans la journée, Kane va chercher Steve, le fils de Patricia – qu'il traite comme son propre fils puisqu'il lui tient lieu de père depuis qu'il est bébé – et l'emmène au gym en moto. Père et fils reviendront peu après parce que le gymnase a refusé d'admettre Steve sous prétexte qu'il est trop jeune. Furieux, Kane jure qu'il ne fréquentera plus jamais cet établissement.

Kane annonce ensuite à Patricia qu'il attend deux visiteurs dans la soirée et que, par conséquent, elle va devoir passer la nuit à Montréal-Nord chez sa mère avec Steve et Jesse. Compte tenu de la nature secrète et illicite de ses activités, il n'est pas rare que Kane demande à sa compagne de s'éclipser en pareilles occasions. À l'époque où ils vivaient ensemble dans un appartement du centre-ville de Montréal, Patricia devait souvent sortir pour se balader ou faire du shopping quand les confrères motards de Kane se pointaient pour parler affaires. Cela dit, Kane lui demandait rarement de passer la nuit entière à l'extérieur, ce qui explique sans doute pourquoi en ce cas-ci sa compagne s'objecta. Sa mère venait de repeindre son appartement ; or, Patricia craignait que des vapeurs nocives ne fassent du tort au bébé. Kane insista, la mère de Patricia affirma que son logis était sans danger, si bien que l'affaire fut close : Patricia irait passer la nuit à Montréal-Nord avec les deux enfants.

Plus tard dans l'après-midi, Kane reçoit un appel de Josée, la mère de ses trois autres enfants. La conversation s'avère d'abord agréable, ce qui est plutôt rare dans leur cas, mais les choses se gâtent quand Josée lui demande s'il compte toujours aller chercher leur fille cadette, Nathalie, au camp d'été. Kane lui répond qu'il n'a pas le temps de se taper ce trajet d'environ 30 kilomètres, ce qui donnera lieu à un échange orageux. Josée lui dira finalement qu'elle ne peut jamais compter sur lui, ce qui poussera Kane à lui raccrocher la ligne au nez.

Kane manquera peu après à une autre de ses obligations. Ayant récemment fait de Kane son chauffeur et coursier, Normand Robitaille, membre des Nomads et confident de Mom Boucher, lui demande de venir le chercher ce soir-là à l'aéroport. Invoquant une excuse quelconque, Kane confiera cette tâche qui lui incombe à un autre subalterne des Hells Angels.

Après la dispute avec Josée, un calme étrange envahit la maison. Patricia passe la soirée à regarder des dessins animés avec Steve et Jesse tandis que son compagnon, allongé sur le divan du salon, écoute un album des Doors. Pour une raison obscure, Kane a averti Steve et Patricia de ne répondre à aucun des téléphones – la maison est dotée de deux lignes et Kane a trois cellulaires. Peut-être le motard attend-il – ou cherche-t-il à éviter – un appel important.

Le téléphone avait été source de stress pendant tout le week-end. Tout commença le vendredi, jour où Kane eut une prise de bec avec un homme pour qui il avait garanti un prêt auprès d'un usurier des Hells. Ce n'était pas la première fois que ce gars-là omettait de payer son dû hebdomadaire. Furieux, Kane avait l'intention de se rendre au domicile de l'individu à Laval pour lui forcer un peu la main. Effrayée de ce que Dany pourrait faire au malheureux débiteur, Patricia l'avait dissuadé de mettre son projet à exécution.

Plus tard dans l'après-midi de vendredi, Gisèle, la sœur cadette de Kane, avait rendu visite au couple. Patricia et elle avaient alors été les témoins d'une autre conversation téléphonique enflammée. L'identité de l'homme à l'autre bout du fil était difficile à déterminer ; par contre, le sujet de la conversation était on ne peut plus clair : Kane et son interlocuteur parlementaient au sujet du remboursement d'une importante somme d'argent. À un moment, Kane affirma qu'il n'avait aucunement l'intention de puiser dans ses économies pour assurer lui-même le paiement. Patricia se faisait un point d'honneur de ne jamais questionner Kane au sujet de ses tractations financières et ignorait donc tout des mystérieuses « économies » dont il parlait ; elle soupçonnait que la dispute était liée à la dette de l'homme qui avait téléphoné précédemment.

Quarante-huit heures plus tard, Kane a beau faire mine d'écouter la macabre poésie de Jim Morrison, Patricia se doute bien qu'il est en train de ressasser dans son esprit les prises de bec téléphoniques du week-end et qu'il pressent que la semaine à venir sera particulièrement éprouvante. Le motard ne se montre pas aussi énergique et exubérant que de coutume ; néanmoins, il ne semble pas déprimé outre mesure. Patricia l'a déjà vu dans un bien pire état : l'année précédente, durant la période des fêtes, il avait refusé de voir qui que ce soit et n'était pas sorti de la maison pendant deux semaines entières. Bien que sombre, son humeur actuelle n'a rien d'aussi dramatique. Jesse était venu illuminer son existence depuis ces deux semaines ténébreuses ; or, Kane est bien déterminé à être un meilleur père pour lui qu'il ne l'a été pour ses autres enfants. Il parle même de quitter le milieu des motards pour recommencer sa vie à zéro.

À cette époque, Kane répète souvent que, dans quelques semaines ou tout au plus quelques mois, il aura suffisamment d'argent pour que ses enfants et lui n'aient plus jamais besoin de travailler. De fait, ce dimanche-là, il annonce à toute la famille qu'il va bientôt être très riche : il dit à Gisèle qu'il va enfin pouvoir acheter à Josée cette maison de campagne dont elle rêvait tant ; à son père, il promet une nouvelle camionnette. Père et fils prendraient ensuite la route et se rendraient jusqu'en Floride pour taquiner ensemble le poisson. Kane a été si animé durant la journée que Patricia ne voit en son mutisme de la soirée qu'une mauvaise humeur passagère. La jeune femme va le voir au salon, puis s'assoit sur le divan en laissant reposer sur ses cuisses les jambes de son amoureux allongé.

« Qu'est-ce qui ne va pas ? lui demande-t-elle.

— Rien, de répliquer Kane froidement.

Peu intéressée à devenir la cible de son humeur massacrante, Patricia se relève pour retourner auprès des enfants.

— Je m'excuse, dit alors Kane. Ce n'est pas de ta faute.

— Tu veux qu'on en parle ?

— Non. »

Aux environs de 20 h 30, Kane annonce à sa compagne qu'il a demandé à ses parents de venir les chercher, elle et les enfants, pour les conduire à Montréal. Jean-Paul et Gemma Kane sont déjà en route ; comme ils vivent à Saint-Jean – un trajet de quelques minutes à peine –, Patricia prépare hâtivement sa valise puis fait mine de ramasser les jouets du bébé qui traînent dans le salon. Kane lui dit de ne pas se donner cette peine puisque Gisèle fera le ménage le lendemain, comme tous les lundis matin.

La Volkswagen Coccinelle que Kane a louée pour sa mère apparaît bientôt à l'entrée de la propriété. Une fois bagages et enfants installés dans la fourgonnette de Kane, Jean-Paul empoche les 50 $ que Dany lui a donnés pour l'essence puis reprend le volant, cette fois en direction de Montréal. Sur la route, la circulation est dense ; les vacanciers quittent chalets et maisons de campagne pour retourner en ville, ainsi qu'ils le font tous les dimanches. Il se met bientôt à pleuvoir, ce qui aggrave encore davantage l'encombrement sur le pont qu'ils empruntent pour passer de la Rive-Sud à l'île de Montréal. Il est plus de 22 h passés lorsqu'ils arrivent chez la mère de Patricia. Après avoir fait descendre leurs passagers, les parents de Kane reprennent immédiatement le chemin du retour. Quelques minutes plus tard, Dany téléphone à sa compagne pour lui souhaiter bonne nuit, lui dire qu'il l'aime et lui demander à quelle heure, selon elle, Jean-Paul et Gemma arriveront à Saint-Luc.

Lorsque les Kane arrivent chez leur fils peu après 23 h, celui-ci est assis sur la véranda située à l'avant de la maison, ce qui est étrange, considérant qu'il préfère généralement s'installer dans le jardin de la cour arrière pour relaxer. Dany explique à ses parents qu'il attend le retour d'un ami qui lui a emprunté sa Mercedes 500 SEL pour en faire l'essai – Kane avait loué la luxueuse voiture à peine un mois auparavant. L'ami en question va revenir d'un moment à l'autre, assure le motard en invitant ses parents à réintégrer leur propre véhicule et à retourner chez eux à Saint-Jean.

Patricia est très inquiète lorsqu'elle se couche ce soir-là. Elle sent que quelque chose ne va pas. Elle deviendra encore plus anxieuse quand Jesse, qui fait toutes ses nuits depuis l'âge de deux semaines, s'éveille en hurlant au milieu de la nuit. Le bébé pleurera à chaudes larmes pendant une bonne demi-heure avant de se rendormir.

Le lendemain matin, dès 8 h, Patricia tente de joindre Kane à plusieurs reprises, mais sans succès. Ses appels répétés à la maison et aux cellulaires de son compagnon demeurent sans réponse. Inquiète, la jeune femme envoie deux messages sur son téléavertisseur avec la mention « 911 », ce qu'elle a l'habitude de faire quand elle veut qu'il l'appelle de toute urgence. À ce moment, Patricia croit que Dany a déjà quitté la maison et qu'il est tout simplement trop occupé pour songer à la rappeler. Elle tient cependant à l'avertir de l'arrivée, peu après 9 h, des travailleurs qu'elle a engagés pour réparer la piscine. Laissant Jesse aux bons soins de sa grand-mère, conduite par un collègue motard de Kane, Patricia repart pour Saint-Luc avec Steve vers 8 h 30. Elle est tout à la fois inquiète et très contrariée.

À son arrivée à la maison, une mauvaise surprise l'attend : la porte avant est fermée à clé. Elle a pourtant bien averti Dany de ne pas la verrouiller parce qu'elle n'avait pas sa clé ! Elle essaie d'ouvrir la porte du garage avec le dispositif de déverrouillage à distance dont elle dispose, mais sans succès. Furieuse, elle se rend à l'arrière de la maison avec Steve et le chauffeur pour essayer de pénétrer dans le garage par la porte arrière, mais quelque chose empêche celle-ci de s'ouvrir complètement. En poussant tous ensemble, ils parviennent à l'entrebâiller juste assez pour que Steve puisse se glisser à l'intérieur. Leur chat, qui de toute évidence était resté enfermé dans le garage, leur file entre leurs jambes aussitôt la porte entrouverte. Patricia remarque tout de suite la forte odeur d'essence qui émane de l'endroit, mais se dit que la moto de son compagnon en est sans doute la source. La Mercedes de Kane est garée à l'intérieur. Lorsque Steve s'en approche, il crie aussitôt : « Dany est tombé dans les pommes ! »

Effectivement, Dany Kane se trouve dans la voiture, inconscient. Patricia pousse de toutes ses forces sur la porte et réussit enfin à pénétrer dans le garage. Les fenêtres de la Mercedes sont ouvertes. Vêtu d'un jeans et d'une camisole blanche, Kane est affaissé derrière le volant, bras pendants à ses côtés, tête rejetée vers l'arrière, buste incliné vers la droite. Son corps est rigide, son pouls imperceptible, mais sa peau est encore tiède et arbore une teinte rosée.

À cet instant précis, Patricia croit que son amoureux peut encore être réanimé. Elle confie Steve au chauffeur pour qu'il le reconduise chez sa grand-mère, puis elle compose le 911. Il est 9 h 22. Elle fait ensuite deux appels téléphoniques, l'un à Gemma Kane, l'autre à Patrick Lambert, l'homme qui a fait entrer Dany Kane dans le milieu des motards criminalisés quelque 10 années auparavant. Les policiers et les pompiers arrivent sur les lieux à 9 h 27, suivis peu après des ambulanciers. Après un bref examen, ceux-ci constatent le décès du motard. « Lui, il est fini », dit simplement l'un d'eux.

Dany Kane n'est plus.

Patricia se voit aussitôt refuser l'accès à la maison. Ayant entré le nom de Kane dans leur ordinateur, les policiers de Saint-Luc ont évidemment découvert qu'il était lié aux Hells Angels et en déduisent qu'il était impliqué dans la guerre sanglante qui, depuis bientôt six ans, oppose les bandes de motards rivales du Québec, particulièrement dans la région montréalaise. Alertés de cette manière, les policiers locaux contactent immédiatement la GRC, la Sûreté du Québec et une escouade spéciale de la police de Montréal affectée à la lutte contre les motards. Patricia est ensuite emmenée au poste de police de Saint-Luc où elle sera interrogée pendant plusieurs heures par la police locale et la Sûreté du Québec en attendant l'arrivée de l'escouade spéciale. Les policiers se montrent peu compatissants. Patricia se souvient qu'ils ont été très durs à son égard, allant jusqu'à se moquer d'elle en disant : « Pauvre toi ! ta vie va changer maintenant. »

Une fois relâchée, Patricia retourne chez elle. On l'autorise cette fois à pénétrer dans la maison, mais pour cinq minutes seulement, le temps que le coroner et la police obtiennent un mandat de perquisition leur permettant de fouiller le domicile dans le but « d'examiner ou de saisir tout objet ou document jugé pertinent ».

Les autorités ne saisiront au bout du compte que quelques objets : la facture du concessionnaire où la Mercedes avait été louée ; la Mercedes elle-même ; un boyau de 10 mètres de longueur que Kane avait apparemment tenté de fixer entre le tuyau d'échappement et la fenêtre du véhicule ; un ordinateur portable ; et un pistolet Jennings Model 48 de calibre .38 dont le chargeur était enrayé. Une maison funéraire locale transportera le corps de Kane à la morgue de Montréal afin qu'il y subisse une autopsie.

Lorsque, à 18 h 30, la police autorise enfin Patricia à réintégrer son domicile, la jeune femme sait exactement ce qu'elle doit faire. Durant leurs quatre années de cohabitation, Kane lui avait maintes fois répété que s'il mourait, il fallait qu'elle fasse disparaître immédiatement tous les objets le rattachant aux Hells Angels. Sans réfléchir, machinalement, la jeune femme entasse dans deux grands sacs à ordures verts les t-shirts, écussons, papiers, photos et autres articles qui relient son défunt amoureux aux Hells Angels ainsi qu'à d'autres bandes affiliées telles que les Rockers, les Evil Ones, les Demon Keepers et les Road Warriors. Elle contactera ensuite un membre des Rockers qui ordonnera à un subalterne d'aller chercher immédiatement les sacs compromettants.

Un autre Rocker téléphonera à Patricia ce soir-là pour discuter des arrangements funéraires. La jeune femme ne veut pas que les obsèques de Dany deviennent un cirque, un cortège de corbillards croulant sous les couronnes funéraires et de motards qui chevauchent bruyamment leur Harley en exhibant leurs couleurs. Les Hells ont l'habitude de se prêter à ce genre de démonstration au décès d'un des leurs ; c'est pour eux une excellente occasion d'étaler leur force et d'intimider la populace. Patricia préférerait une cérémonie plus simple, plus intime. Les Hells ne s'opposeront pas à ce souhait – de toute manière, Mom Boucher a promptement décrété que Kane n'aurait pas droit à de plus somptueuses obsèques du fait qu'il s'est lui-même donné la mort.

Les funérailles de Dany Kane auront lieu le vendredi suivant au salon funéraire Lesieur et Frères de Saint-Luc. Un membre confirmé des Rockers se chargera de payer les frais. Ainsi que l'avait craint Patricia, la chapelle est remplie de couronnes funéraires envoyées par les Rockers de l'Ouest et les «gars du Nord», par l'avocate de Kane, Danièle Roy, et par l'agence de danseuses Aventure appartenant à Patrick Lambert. Un appréciable contingent de motards est présent, contingent dont Mom Boucher ne fait pas partie.

Même en l'absence d'un motif valable, tous les motards sans exception acceptent l'hypothèse d'un suicide. Comme Dany Kane semblait avoir tout pour être heureux – un nouveau bébé, une ravissante petite amie, une vie de famille heureuse, etc. –, tous en sont arrivés à la conclusion qu'il s'est donné la mort à cause de problèmes financiers. Dans un monde aussi matérialiste et obsédé par l'argent que celui des motards, ce genre de geste était compréhensible. Au terme de la cérémonie, les motards se présenteront un à un devant Patricia, Josée et le reste de la famille pour leur offrir leurs condoléances. Chacun d'eux prétend qu'il aurait volontiers aidé Dany s'il avait su quelle était sa situation, si celui-ci en avait seulement exprimé le souhait. Patricia comprend que l'un des hommes est l'usurier qui a prêté l'argent pour lequel Kane a donné sa garantie. Ce prêteur déclare que Dany n'aurait pas dû faire ce geste extrême et qu'ils auraient pu trouver une autre façon de régler l'affaire, ce qui donne à Patricia l'impression que la dette demeure impayée.

Tout au long des funérailles, le cercueil de Kane restera fermé. Jean-Paul Kane avait demandé que le cercueil demeure ouvert durant la cérémonie, mais le directeur du salon funéraire lui avait répondu que la dépouille de son fils n'était pas en état d'être exposée. De même, la police, qui avait pris possession de la dépouille avant de la confier à l'entreprise de pompes funèbres, n'avait pas accepté que la famille voie le corps. «Vous voulez pas le voir magané comme ça, leur avait-on dit. Il faut pas que ce soit votre dernier souvenir de lui.» L'explication avait laissé la famille perplexe. Devenait-on aussi défiguré que la police le prétendait lorsqu'on mourait par intoxication au monoxyde de carbone ? Dans le doute, les Kane n'ont pas insisté. De toute manière, ils avaient l'habitude de se soumettre à l'autorité. Patricia a par ailleurs convaincu – ou forcé, ainsi que le prétendra la famille par la suite – les Kane d'incinérer le corps. Il ne restera bientôt plus rien de Dany Kane, sinon un litre de cendres dans une petite urne cubique de couleur rouge.

Dans la semaine suivant les funérailles, Patricia et Gisèle entreprennent de trier les effets qui ont appartenu à Kane mais qu'elles ne reconnaissent pas ou dont elles ne comprennent pas la signification. Elles jetteront au foyer des tas de papiers, de lettres et de photos sur lesquelles apparaissent des visages étrangers. Parmi ces documents, il y a un chèque de plus de 500 000 $ émis par le gouvernement du Québec au nom d'une compagnie dont Patricia n'a jamais entendu parler.

Dans le courant de cette même semaine, les Rockers offriront à Patricia trois appartements différents sur l'île de Montréal, lui laissant le soin de choisir celui qui lui plaît le plus. Les gars de la bande savent que la veuve de Kane ne peut assumer les paiements d'une hypothèque de plus de 1 600 $ par mois pour la propriété de Saint-Luc et ils se doutent bien que, de toute manière, elle ne voudra probablement plus habiter là. En tant que conjointe de fait d'un des leurs, Patricia n'aurait pas à s'inquiéter : les motards vont s'assurer qu'elle ne manque de rien. Elle choisira un appartement situé dans Hochelaga-Maisonneuve, le quartier ouvrier de l'est de la ville où a grandi Mom Boucher et qui a été l'un des endroits les plus chauds de la guerre des motards. Comme il reste quelques petits travaux à faire dans l'appartement, Patricia vivra un temps chez sa mère avec les enfants. Le jour du déménagement, une équipe de membres aspirants, ou *hangarounds,* de la bande se chargera d'effectuer le gros du travail. Patricia est consciente que c'est sans doute là son dernier contact avec les anciens confrères de Dany. Cette perspective ne l'attriste pas outre mesure.

Bien qu'à cette époque la guerre des motards continue de fasciner les médias québécois, aucun des grands quotidiens de la province ne fera mention de la mort de Kane. On ne le compte manifestement pas parmi les victimes du conflit. L'hebdomadaire *Allô Police* sera la seule publication à couvrir son décès : le vendredi des funérailles de Kane, ce journal d'actualité criminelle lu tant par les policiers que par les malfrats publiera à ce sujet un petit entrefilet enfoui dans les huit pages consacrées aux noces de René Charlebois. Le journal fait par contre grand cas du fait que Ginette Reno et Jean-Pierre Ferland ont été invités à chanter à ce mariage. La photo qui fera le plus de bruit est celle où Mom Boucher, tout sourire dans son smoking, exprime son enthousiasme en embrassant et enlaçant la célèbre chanteuse.

À l'hiver 2000-2001, Dany Kane n'est déjà plus qu'un souvenir. L'urne rouge dans laquelle reposent ses cendres se trouve toujours dans le salon de ses parents qui n'ont pas les moyens de lui payer une stèle ou un terrain au cimetière. Patricia marche au radar, se concentrant sur le bien-être de ses fils sans se donner le temps de faire son deuil. Chaque fois que la guerre des motards fait la manchette, elle ne peut s'empêcher de songer à tout ce qu'elle a perdu, à ce monde qu'elle a quitté. L'automne 2000 est particulièrement riche en rebondissements : un assassin des Hells attente à la vie du journaliste montréalais Michel Auger ; un propriétaire de bar qui avait refusé de laisser les dealers de la bande vendre de la drogue dans son établissement est battu à mort ; une escouade spéciale de procureurs affectée à la lutte contre les motards est mise sur pied ; presque chaque semaine, on assiste à de nouvelles arrestations visant des membres et des sympathisants des Hells Angels. Sachant que ces événements troublent sa fille, la mère de Patricia l'appelle souvent pour la consoler. Mère et fille se disent que, compte tenu de la présente situation, Dany a somme toute bien choisi son heure.

Puis vient la grande rafle policière qui va conférer à Dany Kane une incroyable notoriété posthume : le mercredi 28 mars 2001, au petit matin, quelque 2 000 policiers des forces locales, provinciales et fédérales fondent sur les Hells Angels et sur leurs sympathisants. Les autorités procéderont à 128 arrestations et saisiront ou gèleront des millions de dollars en argent liquide et en capitaux. Du jour au lendemain, tous les membres des Nomads et des Rockers se retrouvent en prison. Le succès sans précédent de cette initiative policière baptisée « opération Printemps 2001 » entraîne une vague de critiques visant les différents corps policiers : on reproche aux autorités d'avoir attendu trop longtemps avant de lancer pareille opération ; aux yeux de certains, la police avait affiché jusque-là une telle tolérance envers les Hells qu'elle en devenait pratiquement complice des crimes qu'ils avaient perpétrés. On assistera dans les jours suivants à un véritable déluge d'articles de journaux qui décriront l'opération dans ses moindres détails et dans lesquels la police aura peine à dissimuler sa jubilation.

Un article paru le 30 mars en dixième page du *Journal de Montréal* révélera qu'un agent source qui s'est suicidé huit mois avant l'opération a fourni à la police des renseignements cruciaux concernant les membres et l'organisation des Hells Angels. « Dany Boy » Kane, ainsi que le nomme l'auteur de l'article, a témoigné sous serment des activités illégales de la bande ; qui plus est, ces témoignages ont été enregistrés sur vidéocassette. Kane avait par ailleurs installé des micros et des caméras cachées dans les repaires et lieux de rencontre de ses anciens acolytes. Plus loin dans l'article, le *Journal* affirme que ces révélations ne constituent pas une entrave aux procès en cours puisque Kane est décédé. De toute manière, la Cour suprême du Canada avait déclaré inadmissibles les témoignages vidéo de Kane, sous prétexte que celui-ci n'était plus « disponible » pour témoigner devant les tribunaux. Bien que le journaliste ne cite pas sa source, il est clair qu'il tient ses renseignements de la police, voire des procureurs de la Couronne eux-mêmes.

Le jour de la parution de l'article, Patricia recevra un appel de Gisèle – ou de Josée, elle ne se souvient plus très bien. La conversation sera plutôt brève :

« As-tu vu ce qu'ils disent dans le *Journal de Montréal* ?

— Non, répond Patricia.

— Ben, va tout de suite l'acheter. »

Pour Patricia, la nouvelle de la double vie de Kane est un dur coup à encaisser. Depuis l'opération Printemps 2001, la jeune femme se consolait en se disant que son amoureux s'était épargné bien des épreuves en se donnant la mort. Maintenant, elle ne sait plus que penser. Un sympathisant des Hells se présentera à son appartement plus tard dans la journée pour lui demander si elle avait su, avant la parution de l'article, que Dany travaillait comme informateur et agent source pour le compte de la police. « Non, jamais ! » s'est-elle exclamée. La jeune femme est visiblement si ébranlée par la nouvelle que le motard n'a aucune peine à croire qu'elle dit la vérité.

Dans les jours suivants, Gisèle téléphonera à plusieurs reprises au numéro sans frais que la police a institué pour recueillir de l'information concernant les motards. Contrairement aux autres utilisateurs de cette ligne directe, Gisèle n'a pas de tuyaux à offrir aux autorités; au contraire, c'est elle qui veut être renseignée. En fait, toute la famille veut savoir si ce qu'on dit sur Dany est vrai et s'il faut s'attendre à d'autres révélations du même genre. Les Kane se rendront à plusieurs reprises aux quartiers généraux de la SQ, espérant en vain qu'on leur confirmera que Dany Kane était bel et bien informateur et qu'il s'était vraiment suicidé.

Les Kane recevront enfin la visite du sergent-détective Benoît Roberge et du caporal Gaétan Legault. Ces deux enquêteurs qui font partie d'une escouade antigang mixte ont été les « contrôleurs » de Kane, c'est-à-dire les agents chargés de le contacter et de recueillir les renseignements qu'il avait à leur donner. Legault et Roberge confirment les révélations du *Journal de Montréal*, mais n'ont rien à ajouter. « La meilleure chose que vous pouvez faire en ce moment, c'est de vous faire soigner, d'annoncer les policiers à la famille. Quand la vérité va sortir au procès, vous allez trouver ça difficile. »

Les deux policiers diront la même chose le lendemain à Patricia, ajoutant qu'ils l'avaient souvent prise en filature à son insu et qu'ils lui avaient souvent parlé au téléphone sans révéler leur identité. Selon eux, Dany a toujours été un « bon gars ». Patricia se dit alors que « sacré bon comédien » aurait convenu davantage à son défunt compagnon. La jeune femme n'a d'autre choix que de remettre en cause tout ce que Dany lui dit durant leur relation, tout ce que, du moins en apparence, il avait été. Maintenant qu'elle sait qu'il a travaillé pour la police, elle comprend certaines choses qui jusque-là lui avaient échappé : la provenance de son argent, ses mystérieuses absences matinales, ses promesses de richesse imminente, tout cela trouve désormais explication dans son esprit. Quelque temps auparavant, ses parents, qui sont des gens superstitieux, avaient consulté une diseuse de bonne aventure qui leur avait dit que leur gendre cachait un grand secret. Ce secret était alors révélé au grand jour.

Certains détails restent à élucider en ce qui concerne le suicide de Kane. Plusieurs questions subsistent : comment le chat avait-il réussi à survivre dans un garage envahi par le monoxyde de carbone ? D'où venait ce mystérieux oreiller de soie que l'on avait trouvé sur le sol du garage et qu'aucun membre de la famille ne reconnaissait ? Qui avait laissé l'empreinte de sa chaussure au milieu de la porte du garage ? Et pourquoi Kane, qui laissait régulièrement à Patricia et aux enfants des petits messages écrits à la main, avait-il rédigé le message concernant son suicide sur un ordinateur portable dont il savait à peine se servir ? La veuve et les parents du défunt se demandent pourquoi Dany se serait donné la peine d'aller chez le dentiste quelques jours avant de s'enlever la vie, pourquoi il aurait déboursé 650 $ pour un nouveau permis de conduire, le sien ayant été révoqué, et pourquoi il se serait acheté une nouvelle paire de patins à roues alignées. S'il savait qu'il allait se suicider, pourquoi aurait-il passé tant de temps à planifier le baptême de Jesse, qui devait avoir lieu le 27 août ? Et pourquoi aurait-il annoncé à tous ses amis et aux membres de sa famille qu'à cette occasion il allait officiellement demander Patricia en mariage ? Tout cela n'a aucun sens.

Patricia et les Kane ne sont pas les seuls à penser qu'il y a anguille sous roche. La majorité des criminels qui croupissent en prison à cause de Dany Kane croient que son suicide n'a été rien de plus qu'une mise en scène orchestrée par la police dans le but de protéger son informateur vedette. Bien que cette hypothèse ne trouve pas écho dans d'autres milieux, le suicide de Kane continue d'être sujet à conjectures. Comme les avocats des Hells Angels sont sur le point de le constater en épluchant les documents déposés par la Couronne, Kane a entretenu des liens étroits avec trois corps policiers différents. À la lumière de cette double vie que menait Dany Kane, l'hypothèse d'un suicide semble de moins en moins plausible.

CHAPITRE 2

Le début

Pour un acheteur éventuel, le principal attrait de la maison dans laquelle Dany Kane a vécu la dernière année de sa vie réside dans le terrain lui-même : avec plus de 4 600 mètres carrés, sa superficie est supérieure à celle d'un terrain de football. Parsemé d'arbres matures, il s'incline doucement vers la rivière L'Acadie, large d'une quinzaine de mètres à cet endroit. Sur la berge opposée, qui est très boisée, l'inclinaison du terrain est beaucoup plus forte ; de là, il n'y a pas d'accès à la rivière. Le tout forme une barrière dense et bucolique qui procure un surplus d'intimité à la maison du 18, rue Létourneau. Kane se baladait souvent le long de cette rivière dans la chaleur de l'été, parfois seul, parfois discutant affaires avec un confrère motard, un client ou possiblement avec ses contrôleurs.

La rivière L'Acadie constituait une sorte de constante dans la vie de Dany Kane. Bien qu'il soit né à Greenfield Park, en banlieue de Montréal, la maison de son enfance se trouvait elle aussi en bordure de la rivière L'Acadie, à environ sept kilomètres en amont de sa dernière demeure, dans un village qui, tout comme le cours d'eau, se nomme L'Acadie. Le nom renvoie au peuple acadien d'origine, à ces familles exilées du Canada qui, à la fin du XVIIIᵉ siècle, quittèrent les États-Unis pour s'implanter au Québec, dans un pays qui partageait leur langue et regorgeait de terres fertiles à cultiver.

Gemma Kane, la mère de Dany, est une Acadienne du Nouveau-Brunswick. Près de 200 ans après la déportation de son peuple, elle choisit de s'installer dans la région montréalaise. C'est là qu'elle rencontrera Jean-Paul Kane, son futur époux. Issu d'une famille nombreuse, celui-ci a grandi sur la Rive-Sud à une époque où la région entière était faite de paisibles villages ruraux. Lorsque le couple Kane s'y installe vers la fin des années 1960 pour fonder un foyer, les petites bourgades campagnardes ont déjà commencé à céder le pas aux vastes banlieues dortoirs d'aujourd'hui. Le Québec vit alors une période de grands chambardements. La Révolution tranquille annonce le déclin de l'Église catholique et de son emprise sur les Canadiens français et, par le fait même, la montée d'une culture laïque et du nationalisme québécois. Montréal se trouve à l'épicentre de ce mouvement nationaliste. Désenchantés après des décennies de magouilles municipales, les citoyens de la ville ont décidé d'élire un maire réformiste. Expo 67 amène le monde entier aux portes de la cité. Les municipalités du comté de Saint-Jean-sur-Richelieu, dont L'Acadie fait partie, conservent un certain cachet rural tout en étant à quelques kilomètres seulement des feux de la métropole.

Mais les Kane n'ont ni le temps ni les moyens de profiter des plaisirs que Montréal peut offrir. Maçon de son métier, Jean-Paul Kane vit d'un contrat à l'autre. Le premier enfant du couple, une fille qu'ils baptiseront Jacqueline, naît en juillet 1967, en plein cœur des festivités qui marquent le centenaire du Canada. Quinze mois plus tard, Daniel Kane, que tous surnommeront aussitôt Dany, voit le jour. Bien que débordant d'énergie, Dany n'a rien d'un enfant terrible. Néanmoins, quand Gemma tombe enceinte d'un troisième enfant en 1972, le fardeau familial s'avère soudain trop lourd à porter. La mère de Dany se met alors à éprouver des problèmes de santé.

Comme la plupart des bambins de quatre ans, Dany est un enfant actif et exubérant qui exige de ses parents un niveau d'attention que Gemma et Jean-Paul Kane ne peuvent lui accorder. Les Kane trouvent alors la solution idéale : Dany ira vivre chez son oncle et sa tante dans un village voisin. Frère aîné de Jean-Paul, Gérard Kane est technicien à Radio-Canada ; Jeanne, son épouse, enseigne à l'école primaire. Plus fortuné que les parents de Dany, le couple habite Lemoyne, une municipalité de la Rive-Sud située à proximité du pont Jacques-Cartier ; le trajet entre Lemoyne et L'Acadie est suffisamment court pour que Dany puisse aller passer week-ends et jours de vacances chez ses parents. N'ayant jamais pu avoir d'enfants eux-mêmes, Gérard et Jeanne sont heureux d'accueillir le petit Dany dans leur foyer.

Vivre avec oncle Gérard et tante Jeanne comporte certains avantages matériels. Dany a sa propre chambre et il ne manque pas de jouets ou de livres avec lesquels s'amuser. Puisqu'il est le seul enfant de la maisonnée, son oncle et sa tante le gâtent et le traitent aux petits oignons. Retournant régulièrement chez ses parents durant les week-ends, Dany semble véritablement avoir le meilleur des deux mondes. Certains habitants de L'Acadie se souviennent que Dany aimait accompagner son père quand il faisait les courses ou lorsqu'il effectuait des travaux de maçonnerie.

Ces allers-retours entre Lemoyne et L'Acadie permettent au petit Dany de comparer l'existence confortable de son oncle et de sa tante à celle de ses parents. Malgré son jeune âge, il saisit très vite l'importance de l'argent. Il voit que son père, un honnête ouvrier, arrive à peine à joindre les deux bouts même en travaillant d'arrache-pied – une constatation qui le marquera profondément. Kane répétera toute sa vie que ses parents étaient des gens pauvres et que, lorsqu'il rentrait à la maison pour le week-end, il devait dormir sur le canapé. Le milieu modeste dont il est issu explique sans doute cette obsession quasi maladive qu'il nourrira à l'égard de l'argent, et particulièrement à l'égard de l'argent facilement gagné.

Deux ou trois ans après que Dany a emménagé chez Gérard et Jeanne, la santé de sa mère s'améliore. Son nouveau bébé, une petite fille nommée Gisèle, est elle aussi une enfant éclatante de santé. La situation étant rétablie, les Kane proposent à leur Dany de revenir habiter la demeure familiale en permanence. L'enfant choisira cependant de rester chez son oncle et sa tante. Ceux-ci le garderont auprès d'eux pendant encore une bonne dizaine d'années et le traiteront comme leur propre fils. Ils l'inscriront chez les scouts, lui paieront des cours de natation, l'emmèneront en vacances avec eux; bref, ils lui donneront tout ce dont il a besoin et plus encore.

En dépit du fait que sa tante est maîtresse d'école, Dany ne brillera jamais sur le plan scolaire. C'est un enfant vif et intelligent, mais il manque de discipline et déteste l'autorité. Lorsque Dany entre au secondaire, son oncle et sa tante l'inscrivent comme externe dans un collège privé situé près de chez eux. Dans l'univers enrégimenté du collège, Dany se rebelle encore davantage. Chaque matin, sous l'œil vigilant de son oncle, il revêt l'uniforme réglementaire avant de partir pour l'école, mais il lui arrive souvent de cacher des vêtements moins austères dans son sac à dos et de se changer en cours de route. Au collège, il défie l'autorité à la moindre occasion en fumant des cigarettes et en désobéissant ouvertement au règlement. Sa présence dans cette institution privée sera de courte durée : il se retrouvera bientôt à la polyvalente Monseigneur-Alphonse-Marie-Parent, l'école publique du quartier. L'établissement offre à ses élèves divers programmes techniques ; Dany choisira d'y étudier l'imprimerie. Ses nouveaux compagnons de classe sont peu impressionnés par ce garçon qui ne pratique aucun sport et ne participe pas aux activités parascolaires. Le fait que Dany passe ses fins de semaine à L'Acadie ne l'aide pas à se faire de nouveaux amis.

C'est pourtant dans le village de ses parents qu'il rencontrera, en 1983, à l'occasion d'une danse communautaire, la femme avec laquelle il entretiendra jusqu'à la fin de sa vie une relation pour le moins mouvementée. Josée a treize ans à l'époque ; Dany est son aîné de deux ans et deux jours. Ce soir-là, les deux adolescents se contentent d'échanger quelques timides œillades. Ils se rencontreront au terrain de base-ball du village deux ans plus tard et se reconnaîtront immédiatement. C'est le soir et Josée joue à la balle molle avec un groupe d'amies. Après la partie, dans les dernières lueurs du crépuscule, Dany et Josée bavardent avec animation, un peu comme s'ils voulaient rattraper le temps perdu. Petit de taille et maigrichon, Kane n'a rien de ces princes charmants qui hantent les rêves des jeunes écolières, mais Josée n'en a cure : elle aime son énergie, son sourire, son sens de l'humour et ses yeux bleus qui pétillent. Les deux adolescents découvrent qu'ils ont des goûts musicaux similaires quoique variés, allant de Kenny Rogers à Iron Maiden en passant par Plume Latraverse. Et puis, bien sûr, il y a la moto.

Bien plus que la musique, la drogue ou l'instruction, le « bicycle à gaz » est pour les adolescents et les jeunes adultes de L'Acadie un véritable symbole de liberté. Dès leur seizième anniversaire, les garçons du village troquent leurs dix-vitesses contre une moto qui, par-delà les confins pour le moins restreints de L'Acadie, les propulsera sur la grille rectiligne des chemins ruraux jusqu'aux cités environnantes : vers le nord et vers l'est, il y a Montréal, ses dangers et ses délices; vers le sud et l'est, sous l'horizon que les collines montérégiennes et la chaîne des Adirondacks viennent ponctuer, des villes comme Saint-Bruno et Saint-Hilaire sont autant de destinations potentielles.

La première moto de Dany Kane est une Honda Rebel 250 cc; c'est son oncle Gérard qui la lui a offerte. Par son allure, elle ressemble à une Harley-Davidson miniature. Pour parfaire l'illusion, Kane l'agrémentera de quelques autocollants à l'effigie de cette marque mythique qui est la préférée des bandes de motards du monde entier. La vitesse de pointe d'une Rebel 250 cc ne dépasse guère 100 km/h, mais pour deux adolescents de la campagne qui ont le goût de l'aventure, cela s'avérera largement suffisant. Dany et Josée passeront l'été à sillonner la région sur l'échine de cette modeste monture mécanique.

En septembre, Kane retourne à Lemoyne chez son oncle et sa tante. Moins de 20 kilomètres séparent Lemoyne de L'Acadie, mais les appels entre les deux bourgades sont interurbains. Délaissant le téléphone au profit de la plume, Josée écrit régulièrement de longues lettres romantiques à Dany. Celui-ci n'entretient pas cette correspondance avec la même assiduité ou la même verve que sa compagne; par contre, il passe chaque week-end auprès d'elle à L'Acadie. Durant ces visites, il se plaint souvent à Josée de la discipline que son oncle tente de lui imposer.

Les sujets de discorde entre oncle et neveu sont nombreux. Gérard Kane réprimande fréquemment Dany à propos de ses piètres performances scolaires; il réprouve ses goûts musicaux ainsi que le volume d'écoute élevé que favorise son protégé. À cette époque, Dany consomme très peu de drogue et d'alcool. Tout comme ses parents et ses sœurs, il fume la cigarette, mais étant asthmatique il est incapable de tolérer la marijuana ou le haschisch. Côté alcool, il peut aisément siroter une bière pendant des heures. Son attitude rebelle et son comportement indiscipliné à l'école sont en fait la principale source de conflit entre son oncle et lui. À l'occasion d'une dispute, Gérard demandera à son neveu pourquoi il ne peut pas agir comme ses compagnons de classe. « Parce que je ne suis pas comme les autres! » s'écriera Dany avant de prononcer cette phrase prophétique: « Un jour, on va écrire des livres à mon sujet. »

À Lemoyne, la situation va en se dégradant. Kane projette de fuir la maison de son oncle avant la fin de l'année scolaire. Son plan d'évasion consiste à enfourcher sa moto, puis à filer plein sud jusqu'à la frontière américaine qui se trouve à environ 75 kilomètres de là. Dans l'esprit du jeune Dany, les États-Unis offrent, même pour un francophone unilingue, la promesse d'un monde nouveau. Ayant découvert le projet de son neveu, l'oncle Gérard décide de le défier. Si Dany ne veut plus vivre avec eux, dit-il, alors eux non plus ne veulent plus de lui. Maintenant âgé de 17 ans, Kane quitte l'école et retourne vivre chez ses parents.

Peu après son retour à L'Acadie, ses parents vendent la maison pour s'installer dans un parc de maisons mobiles. Situé entre L'Acadie et Napierville, le Camping des cèdres est très fréquenté des vacanciers durant la belle saison, mais il compte également un contingent de résidants permanents dont les Kane font désormais partie. À cette époque, Dany en arrive à la conclusion que Josée et lui ne sont pas faits l'un pour l'autre et il met fin à leur relation. Lorsqu'il se ravise trois mois plus tard, Josée décide de garder ses distances. Étudiante sérieuse, elle compte aller au cégep et à l'université. À l'opposé, Dany ne songe qu'à s'éclater. Josée se doute bien que cette quête de plaisir l'amène dans les bras de diverses amours passagères.

Libéré de toute contrainte, Dany Kane vivra une année d'excès et d'oisiveté. Il besogne parfois avec son père, mais préfère autant que possible se dispenser de travailler. En revanche, il ne se prive pas de faire la fête et se drogue régulièrement. Il n'a aucun mal à se procurer ses substances illicites favorites puisque le petit ami de sa sœur Jacqueline est dealer et consomme avec la même avidité que lui. Kane finance ses vices en commettant quelques rares cambriolages. Ces larcins lui rapportent peu, mais au moins les risques sont minimes. Il ne se fera d'ailleurs jamais pincer.

Ce n'est que lorsqu'il découvre la cocaïne que Dany Kane commence à s'endetter. Pris à la gorge, il demande à ses parents de le tirer d'embarras même s'il sait qu'ils n'en ont pas les moyens. Mais Kane a appris sa leçon : à la suite de cet épisode, il consommera beaucoup moins et n'aura plus jamais de problèmes de drogue ou d'alcool.

À l'automne 1987, Josée et Dany se réconcilient. Bien que Kane soit de deux ans l'aîné de leur fille, qu'il ne fréquente plus l'école et n'ait pas de boulot stable, les parents de Josée approuvent la relation. Ils apprécient le sens de l'humour et le charme du jeune homme et permettent à leur fille de sortir plus souvent et de rentrer plus tard quand elle est avec lui.

Les parents de Josée ont également été séduits par cette capacité qu'a Dany de se moquer de lui-même. Kane, qui mesure à l'époque 1 m 70 et pèse moins de 60 kg, veut désespérément devenir plus fort, plus costaud, plus imposant. Quand il leur annonce qu'il va un jour avoir du muscle, les parents de Josée le taquinent gentiment en s'écriant: «Mais où tu vas les trouver, tes muscles? Tu vas te les faire venir par la poste?»

Au printemps 1988, Josée obtient son diplôme d'études secondaires et s'inscrit en cinéma et littérature dans un cégep du nord-est de Montréal; ses classes commenceront à l'automne. Sans emploi et vivant toujours chez ses parents, Dany visite régulièrement l'appartement que sa compagne partage avec une amie. Un cambriolage qui dépouillera Josée et sa colocataire de l'ensemble de leurs biens sera le seul bémol d'une année par ailleurs excellente.

En septembre 1989, Josée décide qu'il serait plus sécuritaire et plus économique pour elle d'habiter chez ses parents. De L'Acadie, elle doit compter une bonne heure de route pour se rendre au cégep, un trajet qu'elle fera matin et soir. Quant à Dany, il emménage dans une petite maison située à Saint-Jacques-le-Mineur, un minuscule village entouré de terres agricoles se trouvant à 10 kilomètres au sud-ouest de L'Acadie. Dany proposera au propriétaire de louer avec option d'achat cette maison située juste en face du cimetière du village. Une raison bien précise motive son empressement à quitter le nid familial: sa compagne, Josée, est enceinte. L'hiver durant, la jeune femme allait devoir négocier les routes enneigées de la région pour se rendre à ses cours, son ventre occupant chaque jour un peu plus l'espace entre elle et le volant.

Ce genre de circonstance n'a rien d'étonnant pour la famille Kane. Au début de l'année, plus précisément en février, Gisèle, la sœur cadette de Dany, a donné naissance à un enfant quelques jours à peine après son seizième anniversaire. Son autre sœur, Jacqueline, accouchera de son premier-né avant la fin de l'année, au moment où Josée entreprendra son cinquième mois de grossesse.

Jean-Paul et Gemma Kane, qui sont alors tous deux dans la quarantaine, se retrouvent bientôt entourés d'une flopée de petits-enfants. Leur situation financière et personnelle ne leur permet pas de venir en aide à tout ce beau monde, quoique leur condition s'améliorera quelque peu lorsque Jean-Paul décrochera un emploi de maçon à la base militaire de Saint-Jean-sur-Richelieu. Il n'aurait plus, du moins pour un temps, à vivre au jour le jour, toujours en quête d'un prochain contrat.

Comparativement aux Kane, les parents de Josée ont toujours été des gens relativement aisés. Son père a travaillé pendant des années pour Tissus et fibres d'Amoco, une usine textile située dans un parc industriel de Saint-Jean. Conscient que Dany aura bientôt une autre bouche à nourrir, le père de Josée lui décroche un boulot chez son employeur. Dany se retrouve bientôt aux commandes d'une machine d'enfilage.

Tout semble indiquer que le destin de Dany et Josée va suivre le même tracé que celui de tant d'autres jeunes couples issus de la classe ouvrière : une grossesse imprévue vient juguler les ambitions, niveler les attentes, ce qui mène à une scolarité incomplète et à une vie entière passée à travailler en usine.

À la fin de l'année scolaire, Josée en est à son huitième mois de grossesse. Dany, qui vit toujours dans la maison de Saint-Jacques-le-Mineur, vient d'acheter sa première Harley : une Knucklehead datant de 1946 que son nouveau propriétaire entend faire repeindre d'un beau jaune pimpant. En attendant qu'on lui refasse une beauté, l'engin demeure entreposé dans la future chambre du bébé. Josée habite toujours chez ses parents, mais elle a l'intention d'emménager avec son amoureux peu après l'accouchement.

Le premier-né de Dany Kane vient au monde en juin 1990 dans un hôpital de Montréal. Dany assiste à l'accouchement dans une salle remplie de docteurs, d'internes et d'étudiants en médecine. L'un d'eux est de race noire, ce qui irrite considérablement Kane. Issu d'un milieu caractérisé par un profond racisme, Dany s'insurge contre la présence de l'individu ; toutefois, son étroitesse d'esprit n'aura pas gain de cause et on lui demandera de se calmer.

Dany et Josée baptisent leur enfant Benjamin. La petite famille s'installe dans la maison de Saint-Jacques-le-Mineur, mais la vue du cimetière qui se trouve de l'autre côté de la rue déplaît à Josée en cette pénible période postnatale. La jeune mère se sent isolée dans ce village où aucune de ses amies ne vient lui rendre visite, bien qu'il ne soit qu'à 20 minutes de route de Saint-Jean-sur-Richelieu. Aucune d'entre elles n'a d'enfant et elles n'ont manifestement aucune envie de s'embarrasser du sien. Dans le minuscule village de Saint-Jacques, les distractions sont rares et les occasions de lier de nouvelles amitiés, pratiquement inexistantes. Une caisse d'épargne, une boucherie, un fournisseur de semences et un dépanneur sont les seuls commerces de l'endroit. Ce dernier établissement est le centre de la vie sociale de la petite communauté ; potins et commérages y sont des marchandises aussi prisées que les chips, la bière et les billets de loterie. La petite famille de Dany Kane est l'un des sujets de conversation favoris des habitués et habituées du dépanneur. La fille est si jeune, si « flyée », se plaît-on à répéter. Et son homme est si souvent absent !

Josée, qui vient de fêter ses 18 ans, n'aime pas du tout habiter Saint-Jacques, aussi n'est-elle pas contrariée outre mesure lorsque Dany lui annonce qu'il a perdu son emploi à l'usine et que, par conséquent, ils vont devoir quitter la petite maison et le village tant détesté. La jeune femme n'exprime pas plus de mécontentement lorsque Dany commence à graviter autour des Condors, une bande de motards de la Rive-Sud basée à Saint-Hubert. D'aussi loin qu'elle se souvienne, son compagnon n'a jamais eu qu'une seule et unique ambition : se joindre à un club de motards, de préférence aux Hells Angels.

CHAPITRE 3

Les Hells débarquent au Québec

À la fin des années 1980, le désordre le plus complet règne chez les Hells Angels du Québec. Pour tout dire, un Québécois aurait finalement pu choisir un moment plus propice pour se joindre à l'organisation.

Le club a fait son entrée dans la province en 1977 par le biais des Popeyes, une bande montréalaise qui a réussi à se faire parrainer par le chapitre new-yorkais des Hells et a plus tard hérité des couleurs du club mythique. Comme presque toutes les bandes de motards d'Amérique du Nord, les Popeyes ont émergé du climat de conformité et de complaisance de l'après-guerre. Alors que le club des Hells Angels a été fondé par des militaires américains désireux de perpétuer l'ambiance de camaraderie et de danger qu'ils avaient connue durant la guerre, celui des Popeyes est composé de jeunes gens issus de la classe ouvrière qui veulent se rebeller contre les contraintes de la société.

Pourtant, de tous les clubs de motards qui se sont établis au Québec dans les années 1950 et 1960, ce sont sans doute les Popeyes qui ont le moins de raisons de s'insurger : contrairement aux clubs de l'extérieur de Montréal – les Missiles au Saguenay et au Lac-Saint-Jean ; les Gitans et les Atomes en Montérégie ; les Dragueurs et les Flambeurs dans les Laurentides ; etc. – les Popeyes bénéficient d'un territoire riche en distractions licites et illicites. À cette époque, la métropole abrite un monde clandestin où pullulent bordels, maisons de jeu et boîtes de nuit.

S'étant façonnées sur le modèle du motard rebelle mis en valeur par les Hells Angels, les bandes de motards du Québec leur doivent une bonne part de leur identité. Les clubs québécois ont en effet adopté des rituels, mais aussi des attributs culturels et esthétiques propres aux Hells. Certaines bandes vont jusqu'à choisir un nom évoquant l'origine californienne des Hells ; c'est le cas des Pacific Rebels de la région de Québec et des Beatniks de Havre-Saint-Pierre.

À l'instar de bien des clubs américains, les bandes de motards québécoises aiment faire usage d'images et de références tirées de l'Allemagne nazie : les Missiles accrocheront un grand drapeau nazi, avec sa croix gammée géante, au mur de leur repaire ; un club de l'est de Montréal auquel appartiendront Mom Boucher et Salvatore Cazzetta, futur fondateur des Rock Machine, se donnera pour nom les SS.

L'arrivée des bandes de motards au Québec coïncide avec le début de la Révolution tranquille et la montée du nationalisme. Certains clubs locaux déborderont du modèle américain du motard rebelle pour se donner une vocation révolutionnaire indépendantiste. C'est le cas des Citoyens de la terre, un club de l'île d'Orléans dont la rhétorique révolutionnaire marxiste carbure à la drogue et à l'alcool. Leur leader, Raymond Cardinal, se fait appeler « Che Raymond ».

Mais les Citoyens ne sont qu'un gang parmi tant d'autres. Dans les années 1950, 1960 et 1970, des centaines de clubs de motards indépendants s'établissent au Québec et au Canada. Aux États-Unis, leur nombre se chiffre à plusieurs milliers. Or, tous ces clubs ont une mythologie commune : celle de l'homme libre, affranchi des contraintes du travail, de la famille et des autres valeurs conventionnelles ; un homme qui refuse de se plier aux règles établies et qui fait ce qu'il veut, quand il le veut. Si l'archétype du motard rebelle est souvent comparé à d'autres archétypes similaires – le Viking cruel et sans scrupules ; le guerrier mongol sanguinaire ; le cow-boy flingueur du Far West ; etc. –, c'est justement parce qu'il s'est approprié les principales caractéristiques de ces figures mythiques plus anciennes.

Le club lui-même est la seule institution à laquelle le motard doit se soumettre, la seule entité à laquelle il doit vouer une loyauté absolue. Dans un remarquable ouvrage intitulé *The Rebels : A Brotherhood of Outlaw Bikers*, l'anthropologue Daniel Wolf explique que les clubs de motards sont nés d'une volonté de rejeter l'ordre social, mais que c'est la solidarité et la loyauté de leurs membres qui ont fait de ces clubs des institutions. Pour tout membre digne de ce nom, le club doit passer avant toute chose. Les obligations d'un membre envers sa femme, ses enfants, ses amis ou ses employeurs ne doivent pas l'empêcher d'assister aux réunions du club, de participer aux randonnées en moto ou de s'éclater dans le repaire de la bande avec ses confrères. Il est clair que les motards ne saisissent pas toute l'ironie de leur situation : d'une part, ils rejettent les codes et les conventions de la société ; d'autre part, ils jurent loyauté à un club hautement hiérarchisé qui leur impose des règles extrêmement rigides. Ceux d'entre eux qui reconnaissent qu'il y a là contradiction affirment que c'est somme toute peu cher payé pour qui veut se joindre à une confrérie d'iconoclastes si particulière et s'en faire accepter.

Avant de s'intégrer à un club, le membre potentiel doit d'abord être reconnu comme « ami » de la bande ; il pourra ensuite accéder au rang de *hangaround*, ou membre aspirant. Daniel Wolf précise qu'à ce stade, le candidat doit prouver sa loyauté et sa valeur en faisant sans rechigner tout ce qu'on lui demande de faire. Dans certains clubs, ces tâches se limitent aux courses et aux corvées ménagères ; dans les gangs plus criminalisés, l'ami ou membre aspirant est appelé à commettre des crimes sérieux, voire des meurtres. Ce n'est parfois que plusieurs années plus tard que le motard se verra accorder le statut de *striker* ou de *prospect*, ce qui veut dire « candidat » ou « membre apprenti » ; il recevra alors un écusson – la *patch* – qu'il coudra à sa veste. Dès lors, il sera autorisé à porter les couleurs du club. Vient ensuite le titre de membre *full patch* qui permet au motard de devenir membre en règle et d'obtenir ses pleines couleurs. L'ascension de chacun des échelons de cette hiérarchie implique au moins un an de service au sein de l'organisation.

À la fois simple et obscure, cette structure organisationnelle suffisait amplement aux motards des premiers jours. La majorité des clubs comptaient à l'origine un ou deux chapitres tout au plus et se confinaient à des territoires bien délimités. Un club de motards n'était généralement pas connu à l'extérieur de sa province ou de son État d'origine. Les gangs entretenaient bien sûr des contacts les uns avec les autres, mais leurs relations étaient essentiellement de nature sociale – randonnées, visites à des salons de la moto, festivités, etc. À la fin des années 1970, plusieurs gangs américains étendent leur territoire en fondant de nouveaux chapitres ou en assimilant d'autres clubs indépendants. La criminalisation du milieu et les luttes territoriales liées à la drogue et à la prostitution seront les principaux moteurs de cette expansion.

Avant cette période transitoire, les bandes de motards étaient précisément ce qu'elles prétendent être encore aujourd'hui, c'est-à-dire des clubs sociaux spécialisés de même nature que le club Kiwanis ou le club Optimiste. S'il y avait criminalité, celle-ci n'était pas structurée ou institutionnalisée. On ne pouvait pas parler d'organisation criminelle, mais plutôt d'une organisation recelant certains éléments criminels : tel motard vendait de la mari ou du hasch pour arrondir ses fins de mois ; tel autre gagnait sa croûte en faisant du recel. À cette époque, le crime organisé employait souvent des motards, dont tous connaissaient la réputation et l'apparence terrifiantes, pour faire de l'extorsion et de la collecte de dettes. Vedettes de rock et autres célébrités les engageaient parfois comme gardes du corps.

Avec les années 1960 viennent la culture hippie et l'éclosion du marché de la drogue. Les motards comprennent alors qu'il serait beaucoup plus lucratif pour eux de fonder leur propre organisation criminelle plutôt que de travailler pour le crime organisé. De l'ère du motard rebelle dont la seule préoccupation était de faire la fête en produisant un maximum de grabuge, on passe à celle du motard criminalisé, avide de l'argent du crime. Il faut dire que la structure et la philosophie inhérentes aux bandes de motards ont facilité cette transition vers une organisation criminelle. On retrouve au sein d'un club de motards une sorte d'étroitesse d'esprit rudimentaire : alors que chaque membre du groupe est *a priori* au-dessus de tout soupçon, tous ceux qui ne font pas partie du groupe ne sont pas dignes de confiance jusqu'à preuve du contraire. Le fait que les motards méprisent l'ordre et les valeurs sociales établies est un autre facteur qui a ouvert la voie à leur criminalisation. Qu'il ait perpétré un crime ou en soit la victime, jamais un motard ne s'adressait à la police. Les motards rebelles préféraient régler leurs problèmes entre eux plutôt que de coopérer avec les forces de l'ordre.

De la fin des années 1960 jusqu'au milieu de la décennie suivante, un seul club canadien jouira d'une renommée nationale :

créé en 1965 pour juguler les ambitions prédatrices d'un gang de Toronto maintenant oublié, Satan's Choice fondera 10 chapitres en moins de 5 ans. Tous ces chapitres seront basés dans le sud de l'Ontario, à l'exception d'un seul, établi dans l'ouest de Montréal. Même leur existence sera brève, d'autres chapitres créés dans le nord et l'ouest de l'Ontario ainsi qu'en Colombie-Britannique feront de Satan's Choice le club de motards le plus important au pays.

Impressionnés par la formidable croissance de Satan's Choice, les Hells Angels, qui ne comptent en 1968 qu'une douzaine de chapitres aux États-Unis, dépêchent un émissaire au nord de la frontière pour discuter d'une fusion entre les deux clubs. Les membres de Satan's Choice rencontreront le délégué des Hells à l'aéroport de Toronto, mais rejetteront promptement sa proposition. Peut-être le nationalisme canadien, alors en plein essor, a-t-il influencé le refus des Choice.

La belle assurance de Satan's Choice sera toutefois de courte durée. Dans les années 1970, usant de méthodes qui outrepassent parfois la légalité, les forces policières de l'Ontario séviront durement contre la bande. Quand Bernie Guindon, fondateur et charismatique leader du club, est emprisonné, on ne trouve personne pour lui succéder à la présidence. Le gang compte plusieurs membres d'âge mûr qui décideront à cette époque de quitter la bande pour devenir d'honnêtes – ou du moins relativement honnêtes – citoyens. Les tensions internes au sein de Satan's Choice atteindront leur paroxysme lorsque des membres d'un des chapitres accepteront de collaborer avec deux journalistes qui publieront un article peu flatteur sur la bande. À l'automne 1977, seuls les chapitres de la région de Toronto portent encore les couleurs de Satan's Choice; les chapitres de Windsor, St. Catharines, Hamilton, Ottawa et Montréal sont passés dans le camp des Outlaws, les rivaux américains des Hells Angels.

À Montréal, l'assimilation de Satan's Choice par les Outlaws a tout pour inquiéter les Popeyes. Majoritairement francophone, la bande est basée au Plateau-Mont-Royal, un quartier s'étendant au nord-est du centre-ville. Les Satan's Choice convertis en Outlaws sont quant à eux implantés dans le quartier Saint-Henri, lequel est situé au sud-ouest du centre-ville, ainsi que dans les banlieues de l'ouest de l'île. À l'opposé des Popeyes, ces nouveaux Outlaws sont principalement anglophones. Si les relations entre les deux gangs n'ont jamais été cordiales, elles se détérioreront encore davantage tout au long des années 1970. Voyant leurs rivaux fusionner avec un club américain en pleine expansion, soucieux d'assurer leur propre survie, les Popeyes décident de suivre leur exemple. Ayant triplé le nombre de leurs chapitres depuis 1969, les Hells Angels ne sont que trop heureux d'accueillir la bande en leur sein. Le 5 décembre 1977, les Popeyes se convertissent aux couleurs des Hells et deviennent par le fait même le premier chapitre canadien des Hells Angels.

Même avant de se joindre aux Hells, les Popeyes étaient reconnus comme l'un des clubs les plus dangereux de la province. Même si leurs activités illicites se résument généralement au trafic de drogue et à des crimes mineurs tels les cambriolages et les vols de voitures, plusieurs de leurs membres se sont déjà montrés capables d'aller jusqu'au meurtre. C'est le cas d'un des fondateurs du club : mince et de petite taille, Yves « Apache » Trudeau n'en est pas moins un tueur aguerri qui, au début des années 1970, a abattu au moins quatre individus qui s'étaient avérés gênants tant pour lui que pour la bande elle-même.

Certains membres des Popeyes ont pris l'habitude de régler leurs comptes à la dynamite. Leur aptitude à manipuler les explosifs laisse toutefois à désirer : avant leur transfert aux couleurs des Hells, les effectifs des Popeyes ont subi autant de dommages liés à leurs expérimentations avec la dynamite qu'ils en ont causés à leurs ennemis. « Tiny » Richard, le futur président national des Hells Angels du Canada, a perdu un œil et subi des blessures permanentes quand une bombe qu'il assemblait lui a explosé entre les mains. Deux autres membres du club ont perdu la vie dans l'explosion prématurée d'une bombe qu'ils entendaient placer dans le métro de Montréal pour protester contre le mauvais traitement subi par un collègue emprisonné. Curieusement, ces incidents malheureux ne parviennent pas à tempérer l'engouement des Popeyes pour la dynamite. Qui plus est, les Hells adopteront bientôt les méthodes explosives de leurs nouveaux associés : la dynamite demeurera pendant près de deux décennies l'arme de prédilection des Hells Angels du Québec.

L'assimilation de Satan's Choice par les Outlaws et celle des Popeyes par les Hells ont pour effet de raviver les hostilités entre les deux gangs montréalais. Au cours des 4 années suivantes, Apache Trudeau commettra à lui seul 17 nouveaux meurtres, ses victimes étant pour la plupart des motards rivaux. Les Outlaws disparaissant peu à peu de la scène montréalaise, les Hells du Québec se forgeront durant cette période une redoutable réputation. Usant de tactiques brutales, ils parviendront à se tailler une place de choix dans les annales du crime organisé canadien, mais aussi au sein de leur propre organisation qui connaît à cette époque une expansion mondiale sans précédent.

L'expansion des Hells va également bon train au Québec. Ayant recruté les meilleurs éléments des autres clubs de la région, le chapitre de Montréal se retrouve bientôt avec un surplus de membres. Forcé par la police à quitter son repaire du centre-ville, le chapitre se scinde en deux chapitres distincts, l'un basé à Sorel et l'autre à Laval. La majorité des membres à l'origine du chapitre de Montréal se retrouveront dans le chapitre de Laval.

Des tensions naissent bientôt entre les deux chapitres. Certaines frictions sont causées par des dettes impayées et des conflits de personnalité, mais l'antagonisme provient surtout du fossé idéologique qui sépare les deux clans. Le chapitre de Laval embrasse la tradition nihiliste du Hells Angel qui ne vit que pour l'instant présent, sans songer à l'avenir, consommant de copieuses doses de drogues et vendant au besoin ses talents d'assassin au plus offrant. À l'opposé, le chapitre de Sorel est davantage en accord avec une nouvelle vision des Hells Angels. Cette vision, émergente à l'époque, est celle d'une organisation criminelle à intégration verticale et horizontale qui serait spécialisée dans la drogue et la prostitution, mais qui s'intéresserait en fin de compte à tout ce qui pourrait lui rapporter beaucoup d'argent.

Au début de 1982, on assiste à une première confrontation majeure. Denis « le Curé » Kennedy, un membre du chapitre de Laval qui consomme énormément de cocaïne, doit une somme importante à son fournisseur, Frank « Dunie » Ryan. Chef de la West End Gang, laquelle est reconnue à l'époque comme le pivot central de la mafia irlandaise à Montréal, Ryan est l'un des principaux importateurs de drogue au pays. Kennedy, qui, tout comme Apache Trudeau, est un tueur prolifique, projette de kidnapper un des enfants de Ryan pour exiger ensuite une rançon dont il se servira pour payer sa dette. Ayant eu vent du projet plutôt farfelu de Kennedy, Ryan demande à des Hells de Sorel avec lesquels il fait régulièrement affaire de s'occuper de leur confrère dissident et de ses complices. Soucieux de rester en bons termes avec leur principal fournisseur, les motards éliminent Kennedy et ses trois acolytes. Ils se débarrasseront ensuite des quatre cadavres en employant une méthode chère aux Hells du Québec : les corps seront enveloppés dans des sacs de couchage, attachés à l'aide de chaînes, lestés avec des blocs de ciment, puis jetés dans le fleuve Saint-Laurent.

Après avoir réglé le cas de Kennedy, les membres du chapitre de Sorel tentent de rétablir l'ordre en instaurant une règle qui autorise les Hells Angels du Québec à faire le commerce de la cocaïne, mais qui leur interdit d'en consommer. Le chapitre de Laval rejette le nouveau règlement et continue d'autoriser la consommation de cocaïne chez ses membres.

L'appétit d'Apache Trudeau pour la coke n'a d'égal que son goût du meurtre. Au cours des trois années qui suivront, il participera à plus de 18 assassinats. Certaines de ses victimes sont des motards rivaux ou des dealers de drogue, d'autres sont d'anciens complices qu'il veut réduire au silence. Trudeau a également tué pour le compte de la West End Gang, laquelle emploie régulièrement des membres du chapitre de Laval pour faire son sale boulot. La police s'intéresse peu à ces meurtres. Elle considère qu'il s'agit de règlements de comptes entre individus ayant choisi une existence dangereuse qui, dans bien des cas, se termine tout naturellement par une mort violente.

Si elle n'inspire que de l'indifférence aux autorités, la rage meurtrière de Trudeau a cependant de quoi inquiéter certains de ses confrères motards. Le 13 novembre 1984, Dunie Ryan est abattu par un membre de sa propre organisation. Jouant d'imprudence, l'assassin se vantera de son coup d'éclat. Moins de deux semaines après l'assassinat de son chef, le lieutenant de Ryan, Allan « the Weasel » Ross, charge Trudeau d'éliminer le coupable. Pour ce faire, Trudeau fera livrer une télé et un magnétoscope piégés au domicile de l'assassin, dans un édifice situé à proximité du Forum de Montréal. Les clauses du contrat entre Ross et Trudeau sont extrêmement généreuses : une fois la cible éliminée, Trudeau recevra

200 000 $ en argent comptant et Ross passera l'éponge sur 300 000 $ en dettes contractées par des membres du chapitre de Laval. La bombe explose comme prévu, tuant l'assassin de Ryan ainsi que trois autres individus, mais Ross refuse de payer quoi que ce soit par-delà l'acompte de 25 000 $ déjà perçu par Trudeau. Si Trudeau veut empocher le reste de l'argent promis, de dire l'homme de la West End Gang, il n'a qu'à récupérer le solde des dettes que les Hells de Sorel et 13th Tribe, un club de Halifax en voie de devenir le premier chapitre des Hells Angels dans les Maritimes, avaient envers Ryan au moment de sa mort.

Les Hells de Sorel refuseront carrément de payer Trudeau. Les membres de 13th Tribe lui donneront environ 100 000 $ avant de porter plainte contre lui en 1985, année où ils se convertiront aux couleurs des Hells. Dans la confrérie des Hells Angels, on n'accepte pas qu'un membre s'en prenne à un autre membre, surtout pour une question d'argent. Donnant raison à ses frères des Maritimes, le chapitre de Sorel condamne le comportement de Trudeau et décrète le démantèlement du chapitre de Laval. Ayant assimilé 13th Tribe à Halifax et les Gitans à Sherbrooke, les Hells Angels peuvent désormais se dispenser du dangereux et turbulent chapitre de Laval.

Les Hells annoncent bientôt qu'un grand rassemblement aura lieu à la fin du mois de mars 1985 à Lennoxville, dans le repaire des Hells de Sherbrooke. Tous les membres des quatre chapitres de l'est du pays se doivent d'assister à la réunion et aux festivités subséquentes. En réalité, ce n'est pas une réunion que projettent les Hells, mais un massacre : à la date dite, pas moins de six membres du chapitre de Laval, dont Apache Trudeau, feraient l'objet d'une exécution sommaire ; on demanderait à deux membres du chapitre de se retirer et à deux autres de se joindre au chapitre de Sorel. Moins de cinq ans après sa création, le chapitre de Laval serait dissous de façon définitive.

La majorité des Hells de Laval ne se rendront pas à la réunion du samedi 23 mars. Peut-être se doutaient-ils de quelque chose ; peut-être étaient-ils trop bourrés ou défoncés pour faire le trajet de 150 kilomètres jusqu'à Lennoxville. Quoi qu'il en soit, seulement trois des individus ciblés répondront à l'appel ce jour-là. La réunion sera reportée au lendemain et les absents seront contactés ; leur présence, d'avertir leurs confrères, est obligatoire et non négociable. Deux des motards manquants arriveront le lendemain, mais Trudeau brillera toujours par son absence. Ce que tous ignorent, c'est qu'il s'est inscrit une semaine auparavant dans un centre de désintoxication à Oka, une décision qu'il a prise au terme d'une période de consommation de cocaïne si intense que lui-même l'avait jugée excessive.

Dès leur entrée dans le repaire de Lennoxville, les membres ciblés du chapitre de Laval seront criblés de balles. Ceux dont on exige la retraite ou le transfert à Sorel devront prendre une décision à la pointe du fusil. Comme à leur habitude, les Hells se débarrasseront des cadavres de leurs confrères déchus en les jetant dans le fleuve Saint-Laurent. Dans les jours qui suivront, le repaire de Laval et les appartements des motards exécutés seront vidés de leur contenu ; les trois chapitres restants se diviseront le butin. La tête d'Apache Trudeau et celle d'un autre Hells de Laval seront aussitôt mises à prix.

Outre les motards présents, personne n'est au courant de l'incident. Le massacre ne deviendra un fait public qu'au début de juin, lorsque les corps remonteront à la surface. La presse québécoise, et particulièrement les journaux d'actualité criminelle, couvre l'événement de façon exhaustive, dans ses détails les plus macabres. Les médias ne se lassent pas de montrer les photos de police sur lesquelles on aperçoit les cadavres bouffis et décomposés des motards. Même s'ils faisaient régulièrement la manchette, les Hells du Québec n'avaient jamais eu droit à pareil branle-bas médiatique. Il faut dire que c'est la première fois que des motards s'en prennent ainsi aux leurs et qu'ils anéantissent, sauvagement et de sang-froid, un de leurs propres chapitres.

La police et les procureurs comprennent très vite qu'il s'agit d'un règlement de comptes. Mais avant de prouver la chose, ils devront convaincre Trudeau et un *prospect* du chapitre de Laval de témoigner contre leurs confrères. Une première série d'accusations sera déposée en octobre 1985. Quatre mois plus tard, un Hells qui a assisté au massacre acceptera de témoigner, ce qui permettra à la Couronne de se présenter devant les tribunaux avec un dossier solide.

Les procès reliés à l'affaire s'étendront sur plusieurs années ; le *Journal de Montréal*, *Allô Police* et *Photo Police* en publieront la chronique assidue. Or, ce sont précisément ces journaux qu'aimait lire Dany Kane. Plus que des médias d'information ou de simples divertissements, ces publications ont très certainement été pour lui une source d'inspiration.

CHAPITRE 4

Un premier séjour en taule

Fondé au début des années 1980, le club des Condors ne jouit pas de la visibilité ou de la réputation qu'ont des bandes plus anciennes comme les Popeyes, les Gitans ou Satan's Choice. Il y a à cette époque une sérieuse décroissance du nombre de clubs au Québec. On estime qu'il y avait environ 350 clubs de motards dans la Belle Province à la fin des années 1960 ; 20 ans plus tard, moins du dixième demeurent actifs. Dans le reste du Canada, on observe le même phénomène.

Ce genre de déclin est commun à bien des jeunes industries. Au début du XXᵉ siècle, l'industrie automobile était en plein essor ; on comptait alors des douzaines de fabricants indépendants en Amérique du Nord. Quelques décennies plus tard, à l'aube de la Deuxième Guerre mondiale, les trois grands manufacturiers que sont Chrysler, Ford et General Motors ont déjà écrasé ou assimilé tous leurs compétiteurs. Le même phénomène de dégraissage frappe les clubs de motards dans les années 1980 : le nombre de clubs décroît et l'univers des *bikers* se transforme en un vaste système oligopolistique.

Au sein de ce système, un nouveau club comme celui des Condors n'a le droit d'exister que s'il s'associe dès le départ à l'une des trois bandes principales, à savoir les Hells Angels, les Outlaws ou les Bandidos, un club relativement récent basé au Texas. Ces petits «clubs satellites» sont comme des filiales qui remplissent une fonction bien précise ou gèrent un territoire spécifique pour le compte des méga-clubs. La mission des Condors, qui sont affiliés aux Hells Angels, est d'établir un réseau de distribution de drogue sur la Rive-Sud.

Bien que leur repaire ait été le théâtre de rafles policières en 1984 et en 1991, les Condors n'ont jamais fait trop de grabuge.

Outre l'occasionnelle bagarre de bar, les policiers locaux n'ont pas grand-chose à leur reprocher et les considèrent même comme relativement pacifiques comparativement aux Hells, qui font régulièrement la manchette à cette époque. « Ils ne nous ont pas donné trop de trouble, affirme un détective de Saint-Hubert qui travaille dans la région depuis le début des années 1980. Au fond, c'était juste une gang de gars en moto. »

La police ignorait peut-être qu'à ce moment-là les Condors contrôlaient une bonne partie du commerce de la drogue sur la Rive-Sud et dans ses environs, et ce, jusqu'à la frontière américaine. L'un de leurs meilleurs dealers, Patrick Lambert, est lui aussi natif de la région de Saint-Jean-sur-Richelieu et de L'Acadie. Dany Kane et Josée le connaissaient depuis le milieu des années 1980, époque où Lambert s'employait à implanter un réseau de stupéfiants sur le territoire de la bande. Josée l'a rencontré pour la première fois quand elle était en secondaire III, un soir où elle se rendait à Montréal avec une amie pour assister à un concert du groupe rock Iron Maiden. Lambert avait accepté de conduire les deux amies en ville, mais quand celles-ci arrivèrent chez lui, la police était en train de fouiller son appartement. Il va sans dire que les deux filles ont manqué leur spectacle.

Lambert deviendra un personnage important dans la vie de Josée et de Dany. Client assidu des bars et clubs de Saint-Jean, on le reconnaît à sa longue chevelure foncée qui camoufle une partie de son visage. Timide et réservé, Lambert est à bien des points de vue l'antithèse de Kane ; sans doute leurs personnalités contrastantes ont-elles contribué à alimenter leur amitié. Lambert et Kane deviennent en fait de si bons amis que lorsque Kane perd son emploi chez Tissus et fibres d'Amoco, Lambert lui propose aussitôt de travailler pour lui.

Kane ne débutera pas au bas de l'échelle comme simple revendeur : il occupera d'entrée de jeu un poste de superviseur, ce qui signifie qu'il va de bar en bar pour approvisionner les dealers et recueillir l'argent qu'ils doivent à Lambert. Travaillant trois soirs par semaine pour un salaire hebdomadaire de 700 $, Kane entreprend de développer son propre réseau de trafic de narcotiques. Il s'implante peu à peu au sud de Saint-Jean et tout le long de la frontière américaine, dans des petites bourgades telles que

Napierville, Sherrington, Bedford et Lacolle. Kane contrôle bientôt le commerce de la drogue dans six ou sept bars de la région. Il achète son produit – principalement de la cocaïne – de Pat Lambert pour le distribuer ensuite à son réseau de dealers. Il a aussi quelques bons clients qui le contactent directement par téléavertisseur lorsqu'ils ont besoin de quelque chose.

Le réseau que Kane met sur pied s'avère beaucoup plus lucratif que son poste de superviseur puisqu'il lui rapporte en moyenne 3 000 $ par semaine. Dany a désormais les moyens de se payer du luxe. Il aime s'acheter des voitures tape-à-l'œil et a son chauffeur personnel, ce qui est pour lui une nécessité puisqu'il a un permis de moto, mais pas de permis pour conduire une voiture. Du temps où il travaillait pour Lambert, c'est Josée qui était sa conductrice. Tous les jeudis, vendredis et samedis soir, au volant de sa modeste Hyundai Pony, elle devait faire la navette d'un village à l'autre, d'un bar à l'autre avec Benjamin à l'arrière, solidement arrimé à son siège d'enfant. Les mois d'hiver avaient été particulièrement éprouvants. Josée devait rester garée des heures durant à grelotter dans la Pony, la chaufferette de la petite voiture crachant une chaleur largement insuffisante, tandis que son conjoint vaquait à son sombre business dans le ventre bouillant de tel ou tel bar.

Kane a tôt fait de constater qu'il est plus lucratif et beaucoup plus intéressant de vendre de la drogue que de travailler dans une usine textile. Les aptitudes requises sont loin d'être les mêmes. Kane le dealer se doit d'être autoritaire et intimidant, ceci afin de dissuader quiconque aurait la mauvaise idée de l'escroquer ou de ne pas lui payer son dû. En 1989, empressé de développer un physique propre à inspirer la crainte et le respect, Kane commence à prendre des stéroïdes. Sous l'effet de la drogue, le voyou maigrichon se transforme en un molosse aux muscles saillants. Il porte désormais une arme et fait en sorte que tout le monde le sache. En dépit de toutes ces stratégies d'intimidation, il arrive qu'un dealer ou un client ne veuille pas ou ne puisse pas lui payer ce qu'il lui doit. En pareilles circonstances, Kane se montre inflexible. Un revendeur qui ne réglait pas ses créances assez rapidement voyait sa dette monter en flèche et risquait même de perdre son gagne-pain. De la menace, Kane doit parfois passer aux actes. Un jour, ayant vu la chose à la télé, il enfoncera le canon de son pistolet dans la bouche d'un individu qui lui doit de l'argent et menacera de lui éclater la cervelle s'il ne paie pas.

Durant cette période, Kane vend de la drogue, mais aussi des armes qu'il obtient de fournisseurs établis le long de la frontière ainsi que dans la réserve mohawk de Kahnawake, laquelle est connue comme un point de transit pour les armes de contrebande en provenance des États-Unis. Pour Kane, il s'agit d'un autre commerce lucratif. De son propre aveu, il aurait vendu au début des années 1990 une cinquantaine d'armes à feu, réalisant pour chacune d'elles un profit de 300 ou 400 $. Les mitraillettes et les pistolets équipés d'un silencieux sont les armes qui lui assurent les meilleures ventes.

Mais Kane prouvera bientôt que son arsenal n'est pas exclusivement composé d'armes à feu. Perdu dans un coin isolé de La Prairie, le Delphis est un bar très fréquenté par les motards. Le propriétaire de l'établissement, Réal « Tintin » Dupont, s'est toujours montré hostile aux Hells Angels. Au printemps 1992, Kane et les Condors lui feront payer cher son antagonisme. Peut-être Dupont a-t-il évincé un revendeur des Condors, peut-être a-t-il permis à un dealer d'une bande rivale de vendre dans son bar, peut-être les Hells ont-ils tout simplement perdu patience, bref, pour une raison ou une autre, le 2 mai 1992 vers minuit, Kane fera sauter le Delphis à la dynamite, ce qui entraînera sa fermeture définitive. Fort heureusement, le bar est désert au moment de l'explosion.

L'incident ne fera qu'aviver l'intérêt et la fascination de Kane pour les explosifs. Il achètera par l'entremise d'un contact à la base militaire de Val-Cartier 4,5 kg de plastic C4 au coût de 5 000 $. Kane n'a pas d'objectif précis en tête lorsqu'il se procure ces explosifs ; il se dit tout simplement que ce C4 pourrait éventuellement lui être utile, qu'à tout le moins il pourra le revendre à profit. Cet été-là, curieux de constater *de visu* la puissance du produit, Kane fera exploser en pleine campagne de petites quantités de C4. Il entreposera le reste dans le réfrigérateur de Josée.

Josée et Dany ne vivent plus ensemble à cette époque. La jeune femme habite à Saint-Jean avec son fils dans un immeuble de 12 logements dont elle est la concierge, ce qui lui permet d'y vivre sans payer de loyer. Dany est de retour à L'Acadie où il partage une maison avec deux autres membres des Condors ainsi qu'avec un homme plus âgé du nom de Robert Grimard, qui est connu au village comme un criminel notoire ayant eu maille à partir avec les autorités. Ce sont des questions d'ordre pratique et non des conflits au sein de leur couple qui ont poussé Josée et Dany à vivre séparément. L'un des problèmes est que Kane travaille toujours très tard alors que son fils, Benjamin, s'éveille tôt le matin. Il y a aussi le fait que Josée obtient un plus gros montant d'aide sociale en vivant seule en tant que mère célibataire. Ne profitant pas des revenus que les activités illicites de Kane génèrent, la jeune femme a grand besoin de cet argent.

Bien que n'habitant plus ensemble, Dany et Josée n'en forment pas moins un couple. En 1992, Josée devient enceinte pour la seconde fois. Le bébé naîtra en novembre.

Dany Kane a toujours été très sociable. Aux yeux de sa famille, son comportement grégaire frôle parfois l'imprudence. Il engage la conversation avec à peu près n'importe qui, se lie très vite d'amitié avec cette personne, puis l'invite chez lui ou chez Josée. Peu lui importe que l'individu en question soit marginal ou de caractère douteux. Or, le problème est justement que Kane rencontre dans l'exercice de ses fonctions toutes sortes de personnages peu recommandables que la plupart des gens se feraient un point d'honneur d'éviter.

Un jour de l'été 1992, Dany se pointe à l'appartement de Josée avec Martin Giroux et Éric Baker, deux jeunes voyous de 19 ans qui, même compte tenu des fréquentations suspectes dont Kane fait son pain quotidien, sont d'apparence particulièrement inquiétante. Après le départ du sinistre tandem, Josée dit à son compagnon qu'elle ne veut plus jamais revoir ces individus chez elle et lui recommande même de les éviter autant que faire se peut. Dany repousse tout de go les conseils de sa conjointe.

Si Giroux et Baker ne sont pas les bienvenus chez Josée, la porte de la maison de L'Acadie, par contre, leur est grande ouverte. À la fin du mois d'août, Kane montre fièrement aux deux hommes l'arsenal impressionnant dont disposent ses colocataires Condors. Du coup, Giroux et Baker décident de subtiliser les armes à feu.

Le vol lui-même se déroulera sans anicroches : les armes – qui sont au nombre de 20, dont au moins 1 mitraillette – sont cachées sous un escalier dans un sac de hockey ; les voleurs n'ont qu'à attendre que la maison soit déserte pour commettre leur larcin. Ils auront cependant plus de mal à fourguer la marchandise. Baker et Giroux tenteront d'écouler les armes à Saint-Jean, mais aucun de leurs acheteurs potentiels ne sera preneur. Réprouvant leur geste, ceux-ci conseilleront même aux deux hommes de restituer le butin à ses propriétaires.

Quelques heures à peine après avoir perpétré leur délit, Giroux et Baker rapportent le sac de hockey et son contenu à la maison du 514, chemin des Bouleaux. Le vol ayant été découvert, Kane, Grimard et deux autres hommes, dont Louis David des Condors, attendent les deux vauriens de pied ferme. Baker réussit à s'enfuir en coupant à travers un champ de maïs, mais Giroux est pris. Après l'avoir malmené quelque peu, Kane et ses acolytes lui disent qu'un sort bien pire l'attend s'il ne les aide pas à mettre la main au collet de Baker.

Cinq jours plus tard, ils retrouvent Baker à La Prairie et le kidnappent en pleine rue au beau milieu de l'après-midi. Après avoir enfourné leur victime dans la voiture de Grimard, Kane et ses hommes se rendent à une carrière de sable située non loin de Napierville. Là, Baker paiera cher son geste. Kane commencera par lui tirer une balle dans la jambe droite ; traversant cette jambe de part en part, le projectile ira se loger dans la jambe gauche de l'infortuné cambrioleur. Baker raconte que Kane a ensuite placé le canon de son arme contre sa tempe et a fait feu, mais de manière que la balle ne fasse qu'effleurer son crâne. (Aux dires de Kane, le coup serait parti accidentellement alors qu'il frappait Baker à coups de pistolet.) Tout en tabassant Baker, Kane demande à ses complices s'il doit ou non le tuer, et ce, dans le but évident de le terroriser encore davantage. S'il n'en tenait qu'à lui, dit Kane, Baker serait un homme mort.

Sur ces entrefaites, Louis David et un autre individu du nom de Richard Proulx arrivent à la carrière dans une seconde voiture. Les deux hommes prennent aussitôt la relève de Kane et rouent Baker de coups. Appliquant une clé solide, David lui casse promptement le bras. Proulx lui assène à son tour plusieurs coups de bâton, le blessant cruellement à proximité de l'œil. Les deux tortionnaires tentent ensuite de brûler le visage de leur victime sur un feu de camp, mais Baker se tortille désespérément et réussit à échapper aux braises ardentes. Proulx décide finalement de l'humilier en lui urinant à la figure.

Kane juge le moment bien choisi pour revenir en scène. Selon Baker, celui-ci aurait dit : « Je devrais-tu le tirer ? Il me reste encore une balle. » Kane se ravise cependant quand un de ses acolytes mentionne qu'il y a trop de témoins présents. Après avoir jeté Baker au sol, Kane et David montent dans les voitures et font mine de lui passer sur le corps, ce qui n'est finalement qu'une autre tactique d'intimidation puisqu'ils freineront chaque fois juste à temps. Les hommes quittent enfin la carrière de sable, abandonnant Baker à son sort.

Tantôt rampant, tantôt titubant, Baker met plus d'une heure à atteindre la maison la plus proche, parcourant de peine et de misère un peu plus d'un kilomètre. Couvert de sang, il demande aux habitants du domicile de l'aider tout en les suppliant de ne pas alerter la police. Avant de partir, Kane lui a conseillé d'oublier les noms de ses tortionnaires ; or, Baker semble tout disposé à obtempérer. Mais son bon Samaritain ne l'entend pas de cette oreille et contacte immédiatement la Sûreté du Québec. Au bout du compte, Baker passera deux semaines à l'hôpital. Son diagnostic est pitoyable : blessures par balles, fracture au bras, côtes fêlées, tympan crevé, coupures et lésions multiples. Affirmant qu'il craint toujours pour sa vie, il refuse de porter plainte ou de coopérer avec les autorités.

La police a néanmoins un sérieux doute quant à l'identité des individus impliqués dans l'affaire. Le jour de l'agression, des policiers au volant d'une voiture banalisée ont pris le véhicule de Grimard en filature et ont été témoins de l'enlèvement de Baker ; les agents ont malheureusement perdu la trace du véhicule en cours de route. Motivé par la promesse d'une protection policière, Baker acceptera enfin de témoigner. Deux semaines après avoir kidnappé et battu sauvagement Éric Baker, Kane et ses collègues seront appréhendés. Ayant obtenu un mandat de perquisition pour fouiller la maison de Grimard, la police découvrira les armes que Baker et son comparse avaient eu la mauvaise idée de voler, mais aussi des explosifs, un détonateur à distance et diverses pièces d'équipement servant à fabriquer des bombes. Sans doute par manque de prévoyance, la police ne se rendra chez Josée qu'après avoir fouillé le domicile de Kane. Lorsque les autorités arrivent sur place, le C4, les armes à feu ainsi que les balances et les produits servant à couper la cocaïne sont déjà entreposés dans un autre appartement de l'immeuble.

Les agresseurs de Baker seront incarcérés à la prison de Saint-Jean, à l'exception de Proulx, qui sera libéré sous caution. Après un mois de négociation entre avocats et procureurs, Kane, Grimard ainsi qu'un troisième homme nommé Daniel Audet acceptent de plaider coupables à la majorité des accusations qui pèsent contre eux à condition que le chef le plus sérieux, tentative de meurtre, soit retiré. N'ayant pas participé à l'agression, Grimard et Audet écopent d'une peine de dix mois et demi pour kidnapping, séquestration et conspiration. En tant que principal protagoniste de l'affaire, Kane est reconnu coupable des mêmes délits que Grimard et Audet, mais aussi de voies de fait et d'utilisation d'une arme à feu dans l'accomplissement d'un crime ; il sera condamné à deux ans moins un jour d'emprisonnement. En plus de leurs sentences, les coupables font l'objet d'une ordonnance de probation de trois ans. Le tribunal imposera par ailleurs à Kane une interdiction de posséder des armes à feu et des explosifs pour une période minimale de cinq ans.

Josée n'est pas trop affectée par l'incarcération de son conjoint. Déjà flageolante après la naissance de Benjamin, leur relation s'était détériorée encore davantage depuis que Dany fréquentait les Condors. La compagne de Kane avait pris énormément d'embonpoint durant sa grossesse, si bien qu'elle pesait maintenant près de 90 kg. Elle avait beaucoup de mal à perdre cet excédent de poids ; or, Dany n'était pas le partenaire compréhensif et compatissant qu'elle aurait espéré. Au début de leur relation, ils faisaient régulièrement des sorties d'amoureux ; Dany l'emmenait souvent admirer les motos chez Bob Chopper, un concessionnaire de la région, ou dans les salons spécialisés. Mais depuis la naissance du bébé, Kane ne voulait plus être vu en sa compagnie. Dany ira jusqu'à la harceler pour qu'elle essaie un produit amaigrissant conseillé et vendu par le membre des Condors qui lui fournissait ses stéroïdes. À cours de ressources, Josée capitule, mais le produit, qui est en réalité un médicament pour les chevaux, lui occasionne de violents tremblements. Après un jour et demi de ce régime, la jeune femme est si mal en point qu'elle ne peut même plus tenir un stylo.

À cette époque, Kane se montre de plus en plus hargneux et désagréable envers sa conjointe. En tant que *hangaround* des Condors, Kane doit obéir au doigt et à l'œil aux membres de la bande. C'est à lui que sont confiées les corvées les plus dégradantes : il nettoie les toilettes, fait le service des boissons et monte la garde pendant que ses confrères font la fête. Certaines des tâches qui lui échoient sont reliées aux activités criminelles de la bande ; agression et intimidation sont autant d'aptitudes qu'il doit développer s'il veut un jour devenir membre en règle des Condors ou d'un autre club de motards. Le mauvais traitement réservé à Kane fait partie d'un long rite d'initiation au cours duquel celui-ci doit démontrer sa bravoure ainsi que son dévouement envers la bande. Josée deviendra donc la cible du ressentiment causé par les humiliations quotidiennes que Kane subit aux mains des Condors. « C'était comme une avalanche, raconte-t-elle, et moi, j'étais direct dessous. »

Lorsque Kane demande à sa compagne de retourner à L'Acadie pour s'occuper de la maison de Robert Grimard jusqu'à ce que ses occupants habituels sortent de prison, Josée accepte malgré tout. Arrivée sur les lieux, elle constate que la police a tout mis sens dessus dessous en fouillant la maison ; enceinte de plusieurs mois et avec Benjamin accroché à ses jupes, elle doit remettre de l'ordre dans ce fatras. Josée doit ensuite songer à se trouver un travail. Dany ne lui a jamais donné beaucoup d'argent, mais maintenant qu'il est en prison il ne lui en donne plus du tout. De toute manière, elle en a assez d'être bénéficiaire de l'aide sociale.

Coup de chance, Pat Lambert est à ce moment-là gérant de l'Aventure, une agence de danseuses nues appartenant à un membre en règle des Hells Angels, et il a justement besoin d'une secrétaire réceptionniste. Avec le commerce de la drogue, l'industrie du sexe est l'un des principaux champs d'activité des motards criminalisés.

Josée prend rendez-vous avec Lambert pour discuter du poste, mais le matin de l'entrevue, elle perd les eaux. Après avoir déposé Benjamin chez ses grands-parents, elle boucle sa valise, reprend le volant et se rend à ce même hôpital de la Rive-Sud où Dany est né. Une fois arrivée à bon port, elle téléphone à Lambert pour lui expliquer la raison de son absence. Ami fidèle, Lambert va la rejoindre à l'hôpital et assistera à la naissance du second enfant de Dany Kane, une fille que ses parents baptiseront Nathalie.

Pendant ce temps, Kane purge sa peine au pénitencier provincial de Waterloo, qui est situé à environ 60 kilomètres à l'est de Saint-Jean-sur-Richelieu. Quelques jours après l'accouchement, les autorités carcérales l'autorisent à aller voir sa fille ; deux gardes accompagnent le prisonnier durant cette visite. Une semaine ou deux plus tard, Kane heurte les dirigeants du pénitencier et est transféré à la prison de Bordeaux, dans le nord de Montréal.

À Bordeaux, Kane se lie d'amitié avec un travesti du nom de Tamara. On retrouve parfois en milieu carcéral de ces êtres équivoques, de physiologie mâle mais d'apparence féminine, qui considèrent le pénitencier comme leur seul véritable foyer ; une fois libérés, ils commettent aussitôt un nouveau crime pour pouvoir retourner en prison le plus vite possible. En milieu correctionnel, les travestis comme Tamara nouent des relations avec d'autres prisonniers qui se font leurs protecteurs. Tout ce que Josée sait de la relation qui lie Dany et Tamara, c'est que celle-ci se charge de lui couper les cheveux – à cette époque, Kane favorise la célèbre « coupe Longueuil » et porte donc les cheveux courts sur le dessus et longs à l'arrière. Josée ne se doute pas que le travesti gratifie son conjoint de faveurs sexuelles. À ses yeux, Tamara n'est qu'un nouvel élément dans le cercle d'amis pour le moins hétéroclite de Kane. La jeune femme ne comprend cependant pas pourquoi Dany lui demande de lui apporter des revues de mode masculine quand elle vient lui rendre visite. Kane précise même qu'il veut des magazines contenant beaucoup de publicités de sous-vêtements pour hommes.

Kane passera neuf mois à Bordeaux. Durant l'été de 1993, il sera transféré dans un centre de transition situé non loin de la prison. Là, il recevra une formation de préposé aux soins en foyer pour personnes âgées – un domaine qui, selon les autorités, convient parfaitement à son tempérament extraverti. Mais Kane n'a que faire de ce genre de carrière. Aussitôt libéré du centre de transition, il retourne à Saint-Jean et se remet en ménage avec Josée. Celle-ci n'est pas restée très longtemps dans la maison de Grimard. Avec une seule condamnation antérieure à son actif – un vol de voiture perpétré 20 ans auparavant –, Grimard avait été libéré après avoir purgé seulement quatre mois de sa sentence. À son retour, Josée quitte immédiatement la maison de L'Acadie, mais découvre bientôt combien il est difficile de se trouver un nouveau logis en plein milieu de janvier quand on a un bébé de deux mois dans les bras. Lorsque les parents de Dany lui proposent de s'installer à l'étage supérieur de leur duplex à Saint-Jean – une propriété qu'ils ont achetée après avoir quitté le parc de maisons mobiles –, Josée accepte.

Il ne s'agit pas là pour la jeune maman d'une situation idéale. Elle n'a jamais été à l'aise avec la mère de Dany et elle sait que, quoi qu'il advienne, les Kane se ligueront toujours du côté de leur fils. Josée a souvent été témoin de la façon cavalière dont Dany s'adressait à ses parents ; ceux-ci encaissaient toujours son impertinence avec le sourire, sans broncher. Si son père occupait une chaise sur laquelle il voulait s'asseoir, Dany lui disait de dégager ; lorsque Dany voulait un Coke ou un café, il ordonnait à sa mère d'aller le lui chercher. Chez les Kane, les rôles s'étaient inversés : Dany était le père tyrannique et Jean-Paul, le fils sage et obéissant. La passivité de Jean-Paul et Gemma Kane était peut-être due au fait que Dany était leur unique fils ; peut-être se sentaient-ils encore coupables de l'avoir envoyé vivre chez son oncle et sa tante quand il était petit. Quelle qu'en soit la raison, il est certain que l'attitude conciliante des Kane était reliée au fait que, dès que ses activités criminelles avaient commencé à lui rapporter gros, Dany s'était mis à leur envoyer régulièrement de l'argent. Les sommes étaient suffisantes pour que les Kane puissent se payer un peu de luxe par-delà leurs dépenses courantes.

Jean-Paul et Gemma Kane sont sans doute très heureux que Dany vienne vivre à l'étage du dessus avec Josée. Ce qu'ils ignorent, c'est que leur source de revenus complémentaires est presque à sec : ayant perdu le contrôle de son réseau de trafic de stupéfiants durant son séjour en prison, Dany Kane est fauché. Ses anciens confrères les Condors ont pris possession de son territoire ; or, la bande est plus forte que jamais depuis qu'elle s'est ralliée aux couleurs des Evil Ones, un club-école des Hells Angels.

Bien que les deux clubs aient été fondés à la même époque, les Evil Ones sont plus forts et plus solidement implantés que les Condors. En cette époque d'alliances et de fusions entre clubs de motards, les Hells ont décidé que les Condors les plus productifs et les plus prometteurs passeraient dans le camp des Evil Ones ; les membres restants seraient écartés. Pat Lambert est de ceux que l'on convie à se joindre à la bande. Préférant garder ses distances, il décline l'invitation. Il veut faire affaire avec les Evil Ones et entretenir avec eux des relations amicales, mais il n'est pas prêt à gagner leurs rangs.

Kane aurait pu aisément se joindre aux Evil Ones à sa sortie de prison ; une fois accepté à titre de *hangaround*, il aurait pu commencer à gravir les échelons de leur hiérarchie. Kane préférera plutôt suivre l'exemple de son copain Pat Lambert. Ce n'est pas que la vie de motard ne l'intéresse plus – bien au contraire, Kane désire plus que jamais devenir un Hells Angel –, mais il est tout simplement trop impatient pour recommencer au bas de l'échelle. Et puis, il a eu vent d'un projet intéressant susceptible de l'élever rapidement au rang de membre *full patch*.

CHAPITRE 5

Le chef des Demon Keepers

Pat Lambert a un jour présenté Kane à David « Wolf » Carroll, un motard de la Nouvelle-Écosse ayant appartenu au club 13th Tribe. Lorsque les Tribes se sont ralliés aux couleurs des Hells, Carroll est automatiquement devenu un Hells Angel. Une fois les présentations faites, Kane se liera très vite d'amitié avec Carroll.

En 1985, Wolf Carroll et trois autres membres du chapitre de Halifax font face à des accusations en relation avec le massacre de Lennoxville. Les quatre motards sont acquittés ; par contre, quantité de leurs confrères québécois n'auront pas cette chance et écoperont de peines sévères. Durant cette période difficile, Carroll aide les Hells du Québec à résister à l'avancée des Outlaws et d'autres organisations criminelles.

Tout en conservant ses quartiers généraux à Halifax, Carroll établit des contacts importants dans la région de Montréal. Au début des années 1990, de nouvelles charges pèsent contre lui à Halifax, ce qui l'incite à boire. Il décide alors de s'installer à Montréal, espérant ainsi tempérer son alcoolisme tout en restant dans le feu de l'action. Carroll est conscient de la position stratégique et potentiellement fort lucrative qu'il occuperait en faisant affaire dans les deux villes – il en viendra éventuellement à contrôler le pipeline de la drogue entre Montréal et Halifax. À son arrivée dans la région montréalaise, il devient membre du chapitre de Sorel, mais n'en délaisse pas pour autant ses intérêts en Nouvelle-Écosse. Même après son départ, il demeure le leader incontesté du chapitre de Halifax.

De prime abord, Kane et Carroll semblent avoir peu en commun. Outre le problème linguistique – le premier parle à peine l'anglais, le second baragouine le français –, une différence d'âge importante sépare les deux hommes, Carroll étant de 16 ans l'aîné de Kane. Celui-ci réussit malgré tout, par son entregent et son enthousiasme communicatif, à gagner l'amitié de cet éminent personnage de l'organisation des Hells. En 1991 ou 1992, Kane et Carroll suivront ensemble un cours d'une journée consacré au maniement d'armes. Ce jour-là, Carroll confiera la garde de son fils à Josée et lui donnera une boîte remplie de vêtements pour bébés devenus trop petits pour son enfant, mais qui feront sûrement à Benjamin, qui est plus jeune de quelques mois.

À cette époque, Kane courtise une autre figure dominante des Hells : tout comme Wolf Carroll, Wolodumyr (dit « Walter ») Stadnick est anglophone et de 15 ans l'aîné de Kane. Petit de taille et de tempérament calme, Stadnick est marqué d'horribles cicatrices, conséquences de brûlures sévères occasionnées par un accident de moto. Au moment où Kane fait sa connaissance, Stadnick est président national des Hells Angels du Canada. Le poste est beaucoup moins prestigieux qu'il n'en a l'air, puisqu'il s'agit d'un titre officieux pour lequel les motards n'ont pas créé d'écusson – chose rare dans leur milieu. Le titre national est d'autant moins significatif que les motards sont par définition individualistes ; les chapitres et membres d'un club demeurent pour la plupart farouchement autonomes et, de ce fait, n'aiment recevoir d'ordres de personne, surtout pas de quelque obscure et lointaine instance. En tant que président national, Stadnick agit à titre de diplomate et de médiateur. Son rôle consiste à inciter les différents chapitres à travailler ensemble pour servir les intérêts communs de l'organisation.

Walter Stadnick, « Nurget » de son surnom, accédera à la présidence nationale des Hells à la fin des années 1980, époque où il y a peu de prétendants au poste, et pour cause : le massacre de Lennoxville et les condamnations subséquentes ont privé les chapitres du Québec de leurs meilleurs éléments ; les chapitres de Halifax et de la Colombie-Britannique sont relativement récents et leurs membres n'ont ni l'expérience ni le statut nécessaires. Stadnick, par contre, compte de nombreuses années de loyaux services et jouit d'un statut quasi légendaire au sein de l'organisation. Le choix était donc clair.

Issu d'une famille d'immigrants d'Europe de l'Est, Stadnick a grandi dans les quartiers ouvriers de Hamilton, en Ontario. À l'instar de Kane, c'est un élève médiocre qui, avec sa stature peu imposante, n'est pas très populaire auprès de ses compagnes et compagnons de classe. Il n'y a que deux choses qui intéressent le jeune Walter : la mécanique automobile et le commerce de la drogue. Au milieu des années 1960, alors qu'il fréquente l'école secondaire, Stadnick forme avec quelques copains de son quartier une bande qu'ils baptiseront les Cossacks. Chaque Cossack porte un casque de moto percé d'un trou par lequel il fait passer sa longue chevelure pour se donner l'apparence d'un féroce guerrier mongol. Les membres de la bande chevauchent des motos peu puissantes qui sont généralement de fabrication britannique.

Dans les années 1970, Stadnick se joint à une bande plus sérieuse : les Wild Ones. Comme bien des clubs de l'époque, les Wild Ones, qui furent un temps affiliés aux Hells Angels, vendent leurs services à diverses organisations criminelles. Leurs spécialités sont la pose de bombes, l'extorsion et l'intimidation. À Hamilton, ville où la mafia est solidement implantée, les Wild Ones ne manquent pas de travail.

En 1978, les Wild Ones se sentent menacés par l'expansion des Outlaws qui ont absorbé les chapitres de Satan's Choice à St. Catharines et à Windsor ; un nouveau chapitre des Choice dans la région de Hamilton et Burlington empiète lui aussi sur leur territoire. Accompagné d'un confrère Wild One, Stadnick se rend à Montréal pour négocier une alliance avec les Hells Angels. Ayant eu vent des desseins de Stadnick, les Outlaws tentent de stopper la coalition en dépêchant deux tueurs à gages à Montréal pour éliminer Stadnick et son collègue. Ils abattront cet individu dans un bar de l'Est de la ville mais Stadnick, lui, s'en tirera sain et sauf.

Bien que la réunion avec les Hells n'ait produit aucun résultat concret, les Outlaws décident d'attaquer les Wild Ones sur leur propre territoire. Un membre des Wild Ones mourra lors d'une attaque à la bombe ; un autre perdra une jambe dans une seconde explosion. Deux autres membres de la bande perdront la vie en faisant accidentellement sauter la bombe qu'ils étaient en train de fabriquer. En 1980, les Wild Ones semblent destinés à disparaître.

En dépit de ce fâcheux contretemps, Stadnick est déterminé à poursuivre sa carrière de motard et maintiendra ses contacts avec les Hells de Montréal. Bien que son français soit imparfait et qu'il ne veuille pas quitter Hamilton, Stadnick deviendra membre en règle du chapitre montréalais en 1982.

C'est en septembre 1984 que survient l'incident qui fera connaître Stadnick auprès du grand public et qui lui vaudra le sobriquet peu flatteur de French Fry (patate frite), un surnom que certains policiers emploient encore aujourd'hui pour le désigner. L'épisode en question est si improbable qu'il semble sorti tout droit d'un film de série B. Nous sommes le 11 septembre et le pape Jean-Paul II, qui est de passage à Montréal, doit dire une messe à ciel ouvert. Ce même jour, les Hells Angels du Québec célèbrent le premier anniversaire du décès de leur premier président national, Yvon « le Boss » Bluteau ; l'événement sera souligné par une procession commémorative en moto suivie d'un *party* monstre. Le cortège de motards traverse une intersection quelque part dans la campagne entourant Drummondville lorsque, filant à tombeau ouvert parce qu'il a peur de manquer la messe du pape, un prêtre issu d'une petite bourgade grille son stop et frappe de plein fouet le cortège des Hells. Daniel Matthieu, un membre apprenti de la bande, meurt sur le coup. Le réservoir d'essence de la moto de Stadnick explose. Le brasier est si intense qu'il fait fondre son casque. Tout le haut du corps de ce petit homme de 1 m 60 sera grièvement brûlé. Stadnick y laissera deux doigts ainsi que son nez, néanmoins sa mésaventure aura du bon puisqu'elle fera la manchette partout au pays, le transformant en un personnage de notoriété publique.

Des membres de 13th Tribe viendront expressément de Halifax pour veiller sur Stadnick durant son séjour à l'hôpital de Hamilton. Même s'ils seront plus tard remplacés par des policiers locaux engagés par Stadnick lui-même, l'initiative des Tribes portera fruit : moins de deux mois plus tard, la bande de Halifax se verra promue aux couleurs des Hells Angels.

En tant que membre anglophone des Hells Angels du Québec, Stadnick est le médiateur idéal entre les chapitres anglophones et francophones de la bande. Il contribuera effectivement à assainir les relations entre ces deux pôles, mais ce n'est pas pour cette raison que les Hells le nommeront président national. En vérité, on lui accorde le poste dans l'espoir qu'il implante la bande en Ontario, sa province natale, et plus spécifiquement dans la région méridionale du « Golden Horseshoe », sans doute la plus lucrative au pays pour une organisation criminelle comme celle des Hells.

À la fin des années 1980 et au début des années 1990, les Hells Angels tentent de s'introduire dans ce territoire par la voie diplomatique. Ils courtisent les gangs déjà implantés en Ontario, notamment Satan's Choice, mais font également des démonstrations de force dans le but d'intimider ces clubs et de les contraindre à s'affilier avec eux en vue d'une éventuelle assimilation. Les bandes ontariennes se montrent réticentes à l'avancée des Hells. Divers incidents impliquant le club – le massacre de Lennoxville, par exemple – ont considérablement attisé leur méfiance. La campagne de sollicitation de Stadnick se poursuit néanmoins avec moult réunions courtoises, quelques longs dîners d'affaires et une poignée de fiestas endiablées. Ces civilités s'étendent sur des mois, puis sur des années, mais au bout du compte Stadnick récolte toujours la même réponse : non merci, sans façon. Les motards de l'Ontario désirent de toute évidence maintenir le *statu quo* : les Outlaws, les Satan's Choice et les autres gangs de la province coexistent de façon relativement pacifique depuis une quinzaine d'années déjà, partageant dans certains cas un même marché et un même territoire. La région est si lucrative, si riche en possibilités de toutes sortes qu'il est inutile pour eux de se battre simplement pour obtenir une plus grosse part du gâteau. Satisfaits de cet état de choses et connaissant les tendances prédatrices des Hells Angels, les clubs ontariens se gardent bien d'inviter à leur table ce convive notoirement vorace.

En 1993, Stadnick en a assez de la diplomatie et opte pour une nouvelle stratégie qui nécessite la participation d'une douzaine de motards téméraires et ambitieux de la trempe de Dany Kane. Plutôt que d'essayer de persuader les clubs ontariens existants de se rallier aux couleurs des Hells, Stadnick allait former un club-école qu'il implanterait dans les principales cités de la province. Les premières villes ciblées sont Cornwall, Ottawa, Niagara Falls et, territoire convoité entre tous, Toronto. Le plan de Stadnick comporte deux volets : premièrement, le nouveau gang allait bâtir un réseau en fournissant de la drogue de bonne qualité à des revendeurs indépendants, et ce, à un prix tout à fait raisonnable ; deuxièmement, le club-école allait s'attaquer de façon agressive aux bandes ontariennes établies, soit pour les éliminer totalement, soit pour les convaincre de s'affilier aux Hells Angels.

Kane était tout indiqué pour ce genre de travail : il avait mis sur pied et géré son propre réseau de trafic de drogue ; il avait fait sauter un bar à la dynamite ; il avait même fait de la prison. Aux yeux de Stadnick, Kane a les compétences et la crédibilité nécessaires pour assurer la présidence du chapitre torontois du nouveau club, mais aussi pour superviser ses activités dans toute la province. Kane lui-même dira par la suite qu'il était l'un des seuls candidats qualifiés pour ce poste, les autres recrues étant trop inexpérimentées et trop indisciplinées pour assumer pareille responsabilité. Nouvellement promu, Kane s'occupera de la planification du club-école et du recrutement des effectifs. Partant de ses propres initiales, il donnera à la bande son identité : le nouveau club-école des Hells aura pour nom les Demon Keepers. En approuvant ce choix, les Hells permettaient à Kane de laisser sa marque dans les annales de l'organisation.

Fin 1993, début 1994, Kane veille aux derniers préparatifs. De retour dans la région de Montréal, il voit à la création du logo des Demon Keepers et à la confection des *patchs* qui seront attribuées aux membres. Le 29 janvier, tout est prêt pour la cérémonie d'intégration du club dans l'organisation des Hells Angels, un événement qui, curieusement, se déroulera à Sorel. Les Hells ne voient par ailleurs rien de bizarre dans le fait que les membres des Demon Keepers sont presque tous originaires de la Rive-Sud et connaissent très peu l'Ontario.

Dans les premiers mois de 1994, Kane tente de remédier à cette lacune en passant davantage de temps en Ontario. Il lui arrive de s'absenter pendant une semaine ou deux sans donner de nouvelles à Josée. Ne sachant pas où se trouve son conjoint, elle se dit parfois qu'il peut tout aussi bien être sain et sauf de l'autre côté du continent que mort dans un fossé à quelques kilomètres de chez elle. Les absences répétées de Kane ne portent toutefois pas atteinte à leur couple. « Il n'était pas là les trois quarts du temps, raconte Josée. Ça doit être pour ça qu'on est restés ensemble si longtemps. »

Lorsqu'ils quittent Montréal, Kane et son chauffeur se dirigent invariablement vers l'ouest, empruntant l'autoroute 401 jusqu'à Toronto. C'est dans cette ville que Kane devra établir le premier repaire de la bande. Plutôt que de se conformer à la tradition des motards en choisissant un solide bâtiment dans un secteur industriel ou une maison dans un quartier malfamé, Kane installe les quartiers généraux des Demon Keepers de Toronto dans un petit appartement situé au troisième étage d'un immeuble de l'avenue Eglinton. La police et les bandes rivales ridiculiseront le choix de Kane par la suite, mais l'appartement a l'avantage d'être situé à deux pas des logements qu'occupent les danseuses nues québécoises de Pat Lambert lorsqu'elles viennent travailler à Toronto.

Outre Toronto, Kane visite souvent Cornwall, Kingston et Belleville. Kane et ses collègues s'y rendent dans le but d'espionner leurs rivaux, mais aussi pour établir des contacts en vue de démarrer leur réseau de narcotiques. Ces deux tâches s'avèrent cependant plus difficiles que prévu. En plus d'ignorer tout de la communauté criminelle ontarienne – son histoire, ses protocoles, ses principaux protagonistes, etc. –, les Demon Keepers ont du mal à se faire comprendre du fait qu'ils sont presque tous francophones. Les clients potentiels les considèrent généralement comme des excentriques et non comme des hommes d'affaires sérieux.

Côté espionnage, les Keepers se concentrent surtout sur les ennemis jurés des Hells Angels: les Outlaws. Après tout, n'était-ce pas l'arrivée de cette bande en Ontario qui avait poussé les Hells à s'installer au Québec? Au début de 1994, les Demon Keepers sont occupés à planifier l'assassinat de plusieurs Outlaws et à surveiller les bars fréquentés par la bande ainsi que les résidences de ses membres. Il leur arrive même de prendre des Outlaws en filature. Tout cela ne mènera finalement à rien: au bout du compte, les hommes de Kane s'avéreront être des incapables doublés de parfaits imbéciles. Leur amateurisme est tel qu'ils ne réussiront qu'à attirer sur eux l'attention de la police.

Stadnick avait demandé aux Demon Keepers d'afficher leurs couleurs autant que possible afin de faire connaître leur nom et de répandre la nouvelle de leur arrivée. Cette quête de reconnaissance a toutefois ses désavantages: informée de la présence de la bande à Toronto, la police décide de sévir en frappant fort et de façon répétée. Ainsi, moins d'un mois après la création du club, 11 des 18 membres du chapitre de Toronto ont déjà été arrêtés pour divers crimes mineurs. Certains d'entre eux seront libérés sous caution à condition qu'ils quittent l'Ontario pour ne revenir qu'au moment de leur procès. Toutes ces arrestations ont bien entendu mis un frein aux activités de la bande.

Même s'il dira par la suite que ses confrères étaient des « idiots sans aucun talent », Kane n'attribue pas l'échec des Demon Keepers uniquement à l'inexpérience de ses hommes. Une partie du problème vient d'en haut, c'est-à-dire des Hells qui supervisent le projet. Stadnick se préoccupe davantage de l'expansion des Hells Angels au Manitoba et de ses négociations avec Satan's Choice et les Para-Dice Riders en Ontario que des tribulations de son club-école ontarien. Quant à Wolf Carroll, il a des problèmes d'un tout autre ordre : il a recommencé à boire et n'est donc pas en état d'exercer quelque leadership que ce soit. Scott Steinert, le *striker* vif et actif qui sert d'intermédiaire entre Kane et les Hells, est le seul supérieur dont Kane n'a pas à se plaindre.

À la fin du mois de mars, bien décidés à montrer qu'ils n'entendent pas à rigoler, les Demon Keepers projettent d'éliminer Gregory Walsh, un gérant de bar de danseuses et revendeur de drogue de Belleville qui a la réputation de ne pas payer ses fournisseurs. Désirant se bâtir rapidement une clientèle, les Demon Keepers lui avaient probablement avancé une marchandise que Walsh refusait maintenant de payer. Peut-être les Keepers voulaient-ils l'éliminer parce que les Outlaws lui avaient offert leur protection – chose qu'ils proposaient à bon nombre de dealers dans l'espoir de juguler l'initiative des Hells. D'une manière ou d'une autre, Walsh allait payer.

Ce que les Demon Keepers ignorent, c'est qu'un informateur travaillant pour le compte de la Sûreté du Québec se cache dans leurs rangs. Par conséquent, une escouade mixte des forces policières provinciales du Québec et de l'Ontario entrera en action aussitôt que la bande décidera de mettre son complot de meurtre à exécution.

Le 1er avril au soir, des policiers de la SQ prennent Kane et Denis Cournoyer, un autre membre des Demon Keepers, en filature. Partant de Sorel, les deux motards se rendent à Montréal pour y prendre un troisième membre de la bande, Michel Scheffer, et pour recueillir leurs armes à feu. Le trio quitte la ville à bord d'une Corsica 1992 rouge puis s'engage sur l'autoroute 20 Ouest. Des agents de la police provinciale de l'Ontario (OPP) prendront la relève dès que la Corsica passera la frontière ontarienne ; ils suivront les motards en se relayant dans une série de véhicules banalisés. La SQ sait déjà que Kane, Cournoyer et Scheffer doivent rencontrer quatre autres Demon Keepers à la sortie de Belleville. Leurs quatre confrères seront à bord d'une Mustang jaune garée dans le parking d'un restaurant Wendy's situé juste en bordure de l'autoroute 401. C'est là que les policiers de l'escouade passeront à l'action. Lorsque la voiture de Kane arrive dans le stationnement à 22 h 05, les hommes de l'OPP sont déjà en place et parés à intervenir.

L'opération s'avérera être un modèle du genre. L'intervention policière s'est en fait si bien déroulée que l'OPP, qui a filmé le tout sur vidéo, utilisera ces images pour réaliser un montage promotionnel de huit minutes pour démontrer l'efficacité de ses agents dans la lutte contre les motards. D'entrée de jeu, les voitures de police entourent la Corsica et la Mustang, ne laissant aux Demon Keepers aucun espoir de fuite. Sidérés du fait que la police intervienne avant même qu'ils aient pu faire quoi que ce soit, les motards se rendent sans résister.

L'informateur de la SQ avait averti la police que les motards cacheraient des armes dans leurs voitures. Forts de cette information, les policiers ontariens localisent rapidement deux armes de poing dans la Corsica : un Magnum .357 repose sous le siège du passager que Kane occupait quelques instants auparavant ; sur le siège arrière où se trouvait Scheffer, un pistolet chromé de calibre .32 est dissimulé sous un sac vert. Dans le coffre du véhicule, les agents découvrent deux vestes en jean et un blouson de cuir aux couleurs des Demon Keepers, une carabine de marque Remington, une quantité importante de munitions et une paire de gants lestés. C'est ensuite au tour de Dillon le chien policier d'entrer en action. Celui-ci trouvera un gramme de hasch entre les deux sièges avant. N'ayant trouvé aucun article compromettant dans la Mustang jaune ou sur ses occupants, les policiers se voient dans l'obligation de relâcher ces individus.

Kane, Cournoyer et Scheffer seront conduits au poste de police de Belleville où ils feront face à diverses accusations relatives au port et à l'utilisation d'armes à feu prohibées. Les trois prévenus seront ensuite incarcérés. Un agent de l'OPP fera remarquer à ses collègues que, par son apparence, Kane ne répondait pas au stéréotype du motard. « Il était très mince, petit de taille et avait l'air très jeune », raconte le sergent Bruce Townley. En dépit de sa stature peu imposante, Kane joue les criminels endurcis et refuse de parler ou de coopérer avec la police. Peter Girard, l'avocat criminel que les Demon Keepers ont engagé pour assurer leur défense, partage cette impression. « La première fois que j'ai vu Kane, je me suis dit : voilà un assassin avec un visage d'enfant sage. Il avait l'air d'un écolier tranquille et studieux. Il parlait peu. Même à moi, il ne disait presque rien. »

Cournoyer et Scheffer, dont les casiers sont relativement vierges, seront libérés sous caution le lendemain. Reconnu comme le chef des Demon Keepers et ayant une condamnation à son actif, Kane ne sera pas relâché. Durant ses sept semaines d'incarcération au *Quinte Regional Detention Centre*, des images de l'arrestation ne cesseront de le hanter. Que s'était-il passé au juste ? Et qui avait parlé ? Kane saisit alors toute l'absurdité de la mission qu'on lui a confiée. L'implantation des Demon Keepers en Ontario était un projet qui, dès le début et pour diverses raisons, semblait voué à l'échec. Surpeuplé d'organisations criminelles de toutes sortes, l'Ontario abrite l'une des communautés de motards les plus profondément enracinées de la planète. Comment une poignée de jeunes Québécois francophones avaient-ils pu espérer s'établir ou même laisser leur marque sur ce territoire tant convoité ? À force de réfléchir à la chose, Kane commence à soupçonner qu'il a été victime d'un coup monté. Si c'est le cas, se dit-il, il fera payer aux Hells leur fourberie.

Mais avant de songer à se venger, Kane doit se défendre des trois accusations portées contre lui. Les deux premières relèvent de l'article 91.3 du Code criminel (possession non autorisée d'une arme à feu prohibée). Le fait que le Magnum trouvé dans la voiture des motards soit une arme volée entraîne une violation de l'article 354.1 (possession de biens criminellement obtenus), d'où la troisième accusation. Après avoir discuté de la chose avec son avocat et ses confrères inculpés, Kane accepte d'endosser la responsabilité du Magnum ; la propriété du pistolet de calibre .32 sera attribuée à Scheffer.

À l'audience préliminaire du 19 mai, Kane et Scheffer plaideront coupables en échange d'accusations réduites. Les charges contre Cournoyer seront retirées. Scheffer écopera d'une peine de deux mois pour possession non autorisée d'une arme prohibée ; Kane sera condamné à quatre mois de prison pour la même raison et écopera en plus d'une peine simultanée de quatre mois pour possession de biens criminellement obtenus.

Immédiatement après l'audience, Kane sera conduit au centre de détention de Napanee. Là, il se liera d'amitié avec un voleur de banques prénommé Steve dont le *modus operandi* consiste à présenter aux caissiers des institutions qu'il détrousse une note écrite les enjoignant à lui remettre l'argent de la caisse. (Voulant héberger son nouvel ami à sa sortie de prison, Kane dira à Josée que cette méthode pacifique prouvait que Steve était un « bon gars ».) À Napanee, Kane a peu de visiteurs. Josée, qui est devenue enceinte d'un troisième enfant à l'époque où Dany a été transféré de Bordeaux au foyer de transition, en est à son dernier trimestre au moment du procès de Belleville. Mais son état ou la distance la séparant de Napanee ne sont pas les seules raisons qui l'empêchent de rendre visite à son compagnon en taule. Pour tout dire, Josée est très mécontente que Dany se retrouve de nouveau en prison.

Tout au long de son incarcération, Kane songe aux circonstances qui l'ont mené de nouveau derrière les barreaux. Il se demande qui l'a trahi et rêve d'obtenir réparation. Il imagine mille et un scénarios de vengeance, dont un qui lui semble de loin le plus élégant et le plus satisfaisant de tous. En choisissant cette voie, il pourrait faire beaucoup d'argent sans quitter pour autant l'univers des motards et réaliserait du même coup un vieux rêve d'enfance : celui de devenir agent secret. Peu après la naissance de son troisième rejeton, Kane annonce discrètement à ses geôliers qu'il veut parler à un agent de la GRC.

CHAPITRE 6

Occupation : agent secret

S'il faut en croire la version des faits qu'avance la GRC, le lundi 17 octobre 1994, en début d'après-midi, un interlocuteur non identifié aurait contacté les quartiers d'Interpol à Ottawa et aurait demandé à parler à un agent affecté à la lutte contre les motards. L'appel sera aussitôt transféré au bureau du sergent Jean-Pierre Lévesque, grand spécialiste des motards criminalisés à la GRC et analyste en chef au Service canadien des renseignements criminels (SCRC).

Le SCRC est un organisme géré par la GRC qui a pour mission de rassembler les renseignements relatifs au crime organisé recueillis par les diverses forces policières canadiennes. Dans ses rapports annuels, Lévesque insiste toujours sur le fait que les bandes de motards, et plus particulièrement les Hells Angels, constituent la menace criminelle la plus importante au pays. Qui plus est, ces organisations sont en plein essor.

Selon Lévesque, il n'y avait encore jamais eu à cette époque d'espion ou d'informateur chez les Hells – du moins pas aux échelons supérieurs de l'organisation. S'il arrive parfois qu'un *hangaround* issu d'un club-école lâche telle ou telle bribe d'information pour échapper aux tribunaux ou pour un peu d'argent, les *prospects* et membres *full patch*, eux, ne collaborent jamais avec les autorités. Incapable de soudoyer les Hells ou de leur forcer la main, la police n'avait aucune chance de convaincre l'un d'eux de retourner sa veste ou d'infiltrer leurs rangs grâce à un de ses propres agents.

Lévesque commence par douter que son interlocuteur anonyme puisse lui apprendre quoi que ce soit d'intéressant, mais, de fil en aiguille, celui-ci réussit à piquer sa curiosité. Bien que n'étant pas un membre en règle des Hells, l'homme lui donne les noms de plusieurs membres *full patch* et sympathisants de la bande et révèle certaines de leurs activités illicites. Après avoir tenté de le prendre en défaut sur certains détails, Lévesque doit se rendre à l'évidence : son interlocuteur en sait autant sinon plus que lui sur les Hells Angels du Québec.

Les deux hommes parlent de se rencontrer, mais n'arrêtent aucune date de rendez-vous. L'homme au bout du fil dit à Lévesque qu'il le rappellera plus tard dans l'après-midi ou le lendemain. Le policier ne lui demande pas son nom. Aussitôt la conversation terminée, Lévesque contacte le caporal Pierre Verdon aux bureaux de la GRC à Montréal. Grand ami de Lévesque, Verdon est un agent qui a 20 années de service à son actif. Le sergent Lévesque sait que si le motard qui vient de l'appeler consent à devenir informateur, il ne pourra pas agir lui-même en tant que contrôleur puisque le motard en question est basé à Montréal, alors que lui, Lévesque, travaille à Ottawa. Admettant que le motard accepte de travailler pour eux, Lévesque veut que ce soit Verdon qui s'occupe de son dossier. Le sergent de la GRC sait que Verdon n'hésitera pas à lui relayer toute information pertinente. Or, dans l'univers de la police, rien n'est plus précieux qu'un renseignement obtenu de source sûre.

Le motard rappellera Lévesque le lendemain après-midi comme promis. Les deux hommes conviennent de se rencontrer le soir même à 18 h, à l'entrée d'un centre commercial de l'ouest de Montréal. Sur la route menant à la métropole, Lévesque ne se laisse pas distraire par les riches coloris de l'automne. Son esprit file à toute allure. Il se questionne entre autres choses sur l'identité du mystérieux interlocuteur. Il dira par la suite que, tout au long du trajet, la photo d'un motard aperçue dans un de ses volumineux dossiers revenait sans cesse le hanter. Le jeune homme sur la photo était petit et mince et portait de fines lunettes. Le dossier spécifiait que le motard en question occupait un échelon inférieur dans la hiérarchie des Hells, néanmoins Lévesque n'avait pu s'empêcher de penser qu'il y avait quelque chose d'étrange et de particulier dans l'attitude du jeune homme. « Est-ce que ça se pourrait que ce soit lui ? » se demande Lévesque en filant vers le rendez-vous fatidique.

En arrivant à Montréal, Lévesque va d'abord chercher Verdon, puis les deux policiers se rendent à la porte Est du centre commercial de Pointe-Claire, lieu désigné du rendez-vous. Quel n'est pas leur soulagement lorsque, à l'heure dite, ils aperçoivent leur homme, tenant un exemplaire du journal *Le Devoir* sous son bras gauche tel que convenu. Lévesque reconnaît aussitôt le jeune homme de la photo.

Ce jeune homme, c'est Dany Kane.

Le pressentiment du sergent Lévesque peut sembler extraordinaire de prime abord, mais en vérité il y a longtemps que Kane se prépare à cette rencontre. Au mois de juin précédent, Kane a été libéré du centre de détention de Quinte après avoir purgé la moitié de sa sentence de quatre mois. Or, Josée raconte que dès son retour, Dany s'était mis à parler d'une entente fort lucrative qu'il venait de conclure. Il disait qu'à court terme l'affaire allait lui procurer un revenu régulier quoique modeste, mais qu'en bout de ligne elle était susceptible de lui rapporter gros. Comme à son habitude, Josée n'avait pas exigé de détails. De toute manière, personne dans l'entourage du motard, pas même sa conjointe, n'aurait pu croire qu'il avait consenti à faire affaire avec la GRC.

Dans les milieux policiers, certains individus bien informés contestent le récit de la GRC et avancent une version beaucoup plus prosaïque des faits. Selon eux, il est vrai que durant son incarcération à Napanee, Kane était convaincu que les Hells Angels, et possiblement Walter Stadnick lui-même, l'avaient trahi ; pour se venger, il aurait décidé de les trahir en retour en se faisant l'espion de la police. Ce plan risqué allait lui permettre de poursuivre son ascension dans la hiérarchie des Hells et de devenir un jour membre à part entière, un titre qui lui conférerait enfin ce pouvoir et ce prestige qu'il convoitait tant. Par-delà les sensations fortes inhérentes à ses ambitions de motard, son rôle d'agent secret allait lui procurer un frisson supplémentaire. Son double jeu serait particulièrement avantageux sur le plan financier : Kane pourrait ainsi continuer de faire de l'argent avec ses activités illégales tout en étant rémunéré par la police.

Selon cette version des faits, Kane aurait exprimé à un gardien du centre de détention son désir de s'entretenir avec un agent de la GRC. Celui-ci aurait contacté le sergent Lévesque qui, à son tour, aurait visité Kane en prison. Au terme de leur rencontre, le motard aurait accepté d'agir en tant qu'informateur actif pour le compte de la GRC – un rôle qu'il aurait à assumer peu de temps après sa libération.

Cette seconde interprétation des événements a de quoi laisser songeur. Si cette histoire est véridique, alors pourquoi la GRC aurait-elle ressenti le besoin d'en inventer une autre, au demeurant beaucoup plus compliquée ? Pour protéger les gardiens de prison impliqués dans l'affaire ? Peut-être. Il est vrai qu'il est risqué pour un gardien de servir d'intermédiaire entre la police et un détenu qui veut devenir informateur. En adoptant ce rôle, le gardien peut effectivement mettre sa vie en danger, tant à l'intérieur qu'à l'extérieur du milieu carcéral. La sécurité du prisonnier est également compromise du fait que, tôt ou tard, les autres détenus apprendront qu'il est ou veut devenir informateur.

Les circonstances entourant le recrutement de Kane ne changent finalement pas grand-chose à l'affaire. La légende veut donc que Lévesque et Verdon l'aient rencontré pour la première fois au centre commercial de Pointe-Claire. Sur la route menant au Best Western de l'aéroport de Dorval, où ils ont réservé une chambre en prévision de ce premier entretien, les deux policiers ont peine à contenir leur enthousiasme. Dans l'anonymat de cette simple chambre d'hôtel, Kane parlera pendant plus de trois heures. Tout en consignant fébrilement ses propos dans leurs calepins de notes, Lévesque et Verdon se disent qu'ils ont enfin touché le gros lot.

Kane commence l'entretien en annonçant qu'il a accès à plusieurs membres haut placés des Hells Angels ainsi qu'à presque tous les membres de leur club-école de la Rive-Sud, les Evil Ones. Il fera ensuite le bilan de sa carrière de motard, incluant sa récente déroute avec les Demon Keepers en Ontario. Durant son séjour en prison, les Hells ont retiré aux Keepers leurs couleurs et ont dissous la bande. Les Hells ont « conseillé » aux membres du défunt club-école de disparaître en leur faisant bien comprendre qu'ils n'avaient aucun avenir chez les Hells Angels et qu'ils ne devaient pas espérer faire affaire un jour avec eux.

Kane raconte qu'il est l'un des rares Demon Keepers à qui les Hells ont donné une seconde chance. À sa sortie de prison, il se lie d'amitié avec Scott Steinert, jeune prodige de la bande qui a assuré la liaison entre les Hells et les Keepers. Brillant, ambitieux, séduisant et débordant d'assurance, Steinert a récemment été promu au rang de *prospect*, sautant par le fait même plusieurs échelons dans la hiérarchie de l'organisation. Steinert doit son ascension fulgurante à Robert «Tiny» Richard, un Hells de plus de 140 kg qui, en juin 1994, a remplacé Walter Stadnick à la présidence nationale du club.

Steinert n'a pas le profil du motard typique. D'abord, sa famille appartient à la classe moyenne supérieure. Les Steinert sont issus de Beloit dans le Wisconsin, foyer de la Beloit Corporation. D'usine sidérurgique de faible importance, la compagnie prend peu à peu de l'expansion et se spécialise dans la fabrication de machines à papier. Dans les années 1970, la Beloit Corporation compte plusieurs milliers d'employés et confie au père de Steinert un poste de direction dans son usine de Sorel, une ville reconnue à cette époque pour ses chantiers navals et son industrie lourde. Personne n'aurait pu imaginer que quelques années plus tard le plus éminent chapitre des Hells Angels de la province y installerait ses quartiers généraux.

Issus d'un milieu privilégié, les enfants des cadres supérieurs de Sorel fréquentent tous une école anglaise de la ville. Scott Steinert est un petit garçon vif et intelligent, mais les études ne l'intéressent pas. Un de ses anciens compagnons de classe se souvient qu'il avait le don d'exaspérer ses maîtres, au point que le directeur de l'école l'avait un jour empoigné par le col de sa chemise et littéralement soulevé de terre. Dès son jeune âge, Steinert commet des crimes mineurs. Il fume son premier joint de hasch à 16 ans pour passer ensuite à des drogues chimiques tels le PCP et le LSD. À 18 ans, ayant déjà comparu à 3 reprises devant le Tribunal de la jeunesse, il quitte parents et maîtres pour se rendre en Colombie-Britannique. Durant l'été, il travaille aux manèges de la Pacific National Exhibition, une fête foraine annuelle tenue à Vancouver; l'hiver venu, il perçoit de l'assurance-chômage et vend un peu de drogue. «Ces activités lui permettaient de poursuivre ce mode de vie hédoniste et marginal qu'il favorisait», note un agent du Service correctionnel du Canada dans son dossier. À cette époque, Steinert forme une petite bande de motards indépendante avec un groupe d'amis.

À l'époque de ses 20 ans, Steinert semble voué à une carrière criminelle de bas étage. Son dossier indique qu'il a déjà été arrêté pour vol avec effraction, recel, voies de fait et possession de narcotiques. En octobre 1985, de retour à Sorel, il tente un coup d'éclat en vendant 2 kg de PCP à un client qui s'avère être un agent de la GRC. Pris la main dans le sac, Steinert est aussitôt arrêté. Plaidant coupable devant les tribunaux deux jours avant Noël, il sera condamné à cinq ans de prison.

Steinert soutient que la transaction de PCP était un incident isolé, qu'il n'avait pas voulu être impliqué dans l'affaire, mais que finalement il avait succombé parce qu'il avait besoin d'argent. Il jure n'entretenir aucun lien avec les Hells Angels – une affirmation peu plausible selon un autre agent des services correctionnels. « On peut difficilement imaginer qu'un Hells aurait permis ce genre d'intrusion, affirme l'agent, surtout quand on sait avec quelle vigilance les Hells contrôlent le trafic de stupéfiants sur leur territoire. »

Les autorités de la prison sont néanmoins très impressionnées par Steinert. « Il se comporte bien et a beaucoup d'entregent, peut-on lire dans un rapport. Il répond aux questions qu'on lui pose sans réticence et avec une transparence remarquable ! » Steinert arbore plusieurs tatouages, est maniaque de musculation et refuse de rencontrer le psychologue de la prison, ce qui n'empêche pas les autorités carcérales de louanger ses « qualités intéressantes » et son « potentiel au-dessus de la normale ». Les agents qui étudient son cas décident finalement qu'il est « plus marginal que délinquant ».

Le fait que Steinert a vendu de la drogue uniquement à des adultes incite les services correctionnels à la clémence : après avoir purgé un peu plus de deux ans de sa sentence, Scott Steinert accède à la libération conditionnelle. Ses parents sont retournés au Wisconsin durant son incarcération, mais qu'importe puisque sa petite amie de longue date n'est que trop heureuse de l'accueillir chez elle, à Sorel. Lorsque Scott fonde sa propre entreprise d'isolation à l'aide de fonds empruntés à son père, le Service correctionnel du Canada ne peut que se féliciter de sa sage décision : « Scott passe presque tous ses temps libres avec Louise. Il va au cinéma, fait du ski l'hiver et joue au soccer l'été. Il a un cercle d'amis restreint, mais il nous assure que ce sont tous des gens réglo. »

Moins d'un an plus tard, Steinert fait face à des charges d'extorsion. Tout a commencé lorsqu'un bénéficiaire de l'aide sociale qui avait emprunté 300 $ à un usurier a porté plainte à la police pour harcèlement. Bien qu'ayant déboursé plus de 2 000 $ en intérêts sur sa dette, l'individu a été battu et menacé parce qu'il refusait de payer davantage. La victime affirme que l'homme de main de son créancier est nul autre que Scott Steinert. Reconnu coupable, Steinert écope d'une nouvelle peine de prison. Les agents qui l'évaluent se montrent cette fois moins indulgents à son égard. Dans son dossier, on parle de sa «moralité élastique» et de son «penchant marqué pour le luxe». Ses évaluateurs sont désormais convaincus qu'il est impliqué dans le milieu des motards criminalisés.

Condamné à un mois de prison pour extorsion, Steinert sera relâché au milieu de 1989. À sa libération, il gravitera de plus en plus autour des Hells de Sorel, mais se montrera néanmoins beaucoup plus prudent qu'auparavant. Il n'a bien sûr aucune envie de retourner en prison. Au moment où Kane fait sa connaissance, Steinert, qui est de six ans et demi son aîné, est considéré comme l'enfant prodige du club. Kane se dit qu'il a tout à gagner à le fréquenter.

Dans les mois suivant sa libération, Kane se liera d'amitié avec Steinert. En mai 1995, il lui demandera même d'être le parrain de Guillaume, son troisième enfant. Sur les photos du baptême, Kane a l'air d'un petit garçon maigrichon déguisé en grande personne dans son complet-cravate. De fait, il a l'air si jeune qu'on jurerait qu'il porte une fausse moustache. À la fois viril et menaçant dans son blouson de cuir, son jean et ses bottes de cow-boy, Steinert, qui est par ailleurs grand et costaud, fait contraste à ses côtés.

Bien que très différents physiquement, les deux hommes s'entendent à merveille. Kane semble tout disposé à devenir le protégé de Steinert. Ce faisant, il délaissera Wolf Carroll qui, à l'automne 1994, l'encouragera à se joindre aux Evil Ones, ce qui assurerait sa place dans l'organisation des Hells Angels. Au même moment, Steinert demande à Kane de l'aider à former un club-école qui succédera aux Demon Keepers dans les régions de Kingston et de Belleville. Le club que veut fonder Steinert sera plus restreint, mais plus sérieux que ne l'avaient été les Keepers. Lors de son entretien avec Lévesque et Verdon, Kane admet que l'offre de Steinert est tentante, mais qu'il faudra du temps avant que le projet devienne réalité. Avant de pouvoir parrainer son propre club-école, Steinert doit d'abord être sacré membre en règle des Hells Angels. Or, tout indique que cette promotion n'arrivera pas avant l'été 1995.

En s'associant à Steinert, Kane met également en péril ses entreprises illicites avec son vieux copain Pat Lambert. Kane et Lambert ont repris leurs activités de trafic de stupéfiants à ce moment-là, mais le problème est que Lambert est aussi associé à Wolf Carroll au sein de l'agence Aventure. Or, plus Kane passe de temps avec Steinert et plus sa relation d'affaires avec Lambert se détériore. Aux dires de Kane, ces conflits professionnels n'affectent en rien leur amitié.

S'entretenant toujours avec Lévesque et Verdon, Kane fait état des progrès de la bande à Toronto. Les quelque 80 membres des Para-Dice Riders de cette région sont divisés à l'idée de se joindre aux Hells Angels. On observe le même phénomène au sein de Satan's Choice : alors que les chapitres de Toronto sont ouverts à une fusion avec les Hells, ceux du nord de la province se rangent plutôt dans le camp des Outlaws.

Kane parle ensuite des enjeux politiques au sein de la bande, notamment des personnalités diamétralement opposées de ses deux dirigeants anglophones : le premier, Walter Stadnick, est riche et parcimonieux ; le second, Wolf Carroll est dépensier et constamment fauché. Bien que détenant des intérêts fort lucratifs dans les milieux de la drogue et de la prostitution, Carroll, qui est alcoolique et désorganisé, se retrouve toujours sans le sou. C'est en fait un si mauvais administrateur que le club de Sorel a dû lui prêter de l'argent pour qu'il s'achète une voiture ! Stadnick et Carroll entretiennent des relations cordiales, mais sans plus. Ils brassent rarement des affaires ensemble, à cause de leurs personnalités différentes, mais aussi parce que les activités des Carroll sont concentrées dans les Maritimes alors que Stadnick s'intéresse davantage à l'Ontario, au Manitoba et aux provinces de l'Ouest. Quant à Scott Steinert, il collabore indifféremment avec plusieurs membres en règle des Hells et ne s'en tient pas à un territoire défini. En théorie, Steinert, qui n'est alors qu'un *prospect*, est le subalterne de Carroll, de Stadnick et de tous les autres membres *full patch* de la bande. Cela dit, le fait qu'il soit le protégé de Tiny Richard lui confère un statut supérieur à celui de bien des membres en règle.

Au terme de leur première rencontre, Kane annonce à Verdon et Lévesque qu'il est spécialiste en explosifs et fabrique des bombes pour le compte des Hells. Il s'agit là d'une révélation importante considérant que, dans les prochains mois, de violentes explosions viendront secouer Montréal, donnant le coup d'envoi à la guerre des motards au Québec.

CHAPITRE 7

L'enfant chéri de la GRC

Dans le rapport de 10 pages qu'il rédigera à la suite de son premier entretien avec Kane, le caporal Verdon a peine à contenir son émoi. À la lecture de ce document, on sent que le policier est très enthousiaste à l'idée d'avoir un informateur chez les Hells, et pour cause : ce serait pour lui le couronnement d'une carrière par ailleurs très ordinaire. Et si son homme parvenait à se hisser au rang de membre *full patch*, eh bien, ce serait la consécration !

Verdon écrit ceci au sujet de Kane dans son rapport : « Son potentiel est illimité […] Le but de la source est de travailler pour nous à long terme et elle s'attend à être acceptée comme membre à part entière des H. A. dans environ trois à cinq ans. Nous savons tous comment il est difficile d'infiltrer le milieu motard et que jamais telle opportunité ne nous avait été présentée. Une telle source pourrait nous servir non seulement au point de vue intelligence du milieu motard, mais en plus elle pourrait être utilisée dans toutes les activités illégales où trempent ces derniers – et nous sommes tous conscients de la diversité de leurs activités. »

Bien que louables, les desseins de Verdon ont le désavantage de s'appuyer sur des objectifs à long terme. Son rapport ne tient pas compte des récents événements survenus au Québec : depuis juillet, la guerre des motards fait rage dans la Belle Province. Le conflit oppose les Hells Angels à une coalition d'organisations criminelles indépendantes qui s'est donné pour nom « l'Alliance » avant de se réunir sous la bannière de son élément principal, les Rock Machine. Ces groupes criminels disparates contrôlent le commerce de la drogue dans les rues de Montréal depuis plusieurs années déjà et s'approvisionnent auprès de différents fournisseurs, dont les Hells Angels. Mais le vent tournera en 1994. À cette époque, les leaders des Rock Machine sont tous en prison tandis que les Hells, neuf ans après l'épisode de Lennoxville, ont retrouvé tout leur élan. Mom Boucher et ses acolytes estiment qu'il est temps pour eux d'étendre leur territoire au centre-ville. Résolues à juguler les désirs expansionnistes des Hells, les bandes du centre-ville formeront l'Alliance.

Le 13 juillet, soit une semaine et un jour avant que Dany Kane soit libéré du pénitencier de Napanee, l'Alliance lance une première offensive contre ses rivaux : deux hommes armés se rendent dans un atelier de moto de l'est de Montréal et abattent son propriétaire, Pierre Daoust, sympathisant de longue date des Hells Angels. Le lendemain, Normand Robitaille, un autre sympathisant des Hells, sera grièvement blessé par balles dans un garage de l'est de la ville. Dans la même journée, 5 membres des Rock Machine seront appréhendés ; au moment de leur arrestation, les individus se rendaient au repaire des Evil Ones armés de 3 bombes contrôlées à distance et de 12 bâtons de dynamite. Trois jours plus tard, deux autres Rock Machine lourdement armés seront capturés alors qu'ils sillonnent les rues de l'est de la ville à la recherche de Mom Boucher. Les Hells amorceront leur contre-attaque peu de temps après. Tout comme leurs adversaires, ils connaîtront un succès mitigé ; néanmoins, le nombre des victimes ne cesse de croître. Curieusement, lors de leur premier entretien avec Kane, Lévesque et Verdon ne lui ont pas posé de questions concernant ces événements.

Dans son rapport, Verdon précise que sa source potentielle entend obtenir rétribution en échange de ses faveurs. « Il nous indique clairement qu'il peut nous aider énormément, mais s'attend à être rémunéré en conséquence. » Il n'y avait pas eu échange d'argent lors du premier rendez-vous, néanmoins ce sera la dernière fois que Dany Kane joue gratuitement les informateurs. Le motard a conscience de sa valeur et entend monnayer ses services à juste prix.

La rencontre suivante avec Kane aura lieu le dimanche 30 octobre sur le territoire de Lévesque, c'est-à-dire à Ottawa. Se rendant seul dans la capitale, Kane rencontre les deux policiers en début d'après-midi dans le stationnement d'un hôtel. Les trois hommes se rendent ensuite au Welcome Inn, un hôtel de l'est de la ville.

C'est une journée chaude et ensoleillée, néanmoins Lévesque et Verdon jugent plus prudent de tenir la réunion à l'intérieur, vu que quelques jours plus tôt un membre du clan Pelletier et pilier de l'Alliance a été « déchiqueté », pour emprunter le langage des journaux à sensation, lors d'un attentat à la voiture piégée.

Lévesque et Verdon ne semblent pas avoir questionné Kane à ce sujet. Tout au long de l'entretien, les deux policiers de la GRC se montreront davantage intéressés à des détails généraux concernant l'organisation et les activités des Hells Angels. L'essentiel de la conversation portera en fait sur les nombreuses entreprises commerciales de Wolf Carroll ainsi que sur ses affiliations criminelles. Kane dira à ses contrôleurs que Carroll et quatre de ses associés, dont un membre des Hells, sont propriétaires de plusieurs bars à LaSalle et veulent étendre leurs activités au Village gai de Montréal – un secteur en plein essor. L'un des partenaires de Carroll, un ancien portier d'hôtel, est un homosexuel non avoué; or, Carroll espère qu'il aidera le groupe à s'implanter dans le quartier gai. « Selon la source, d'écrire Verdon, il est difficile de s'établir dans le quartier gai et il ne sert à rien d'utiliser la violence pour y parvenir. Il faut apparemment être accepté des gais afin de pouvoir y faire business. »

Kane poursuit en disant que Carroll est copropriétaire, avec un partenaire mafioso, d'un bar de Saint-Sauveur, dans les Laurentides. Carroll entretient de si bonnes relations avec la mafia italienne que celle-ci lui a concédé un territoire de vente de drogue dans la région. Il nourrit par ailleurs d'excellents rapports avec un gang anglophone de l'ouest de Montréal ainsi qu'avec les Loners, une bande de motards de Toronto elle aussi étroitement liée à la mafia italienne – le club compte même trois chapitres en Italie. Verdon notera dans son rapport que Carroll avait un talent fou pour établir et maintenir de nouvelles relations d'affaires, ce qui contrebalançait quelque peu son incompétence en tant que gestionnaire.

Durant l'entretien, Kane soulève un point important. La GRC du Québec s'est récemment retrouvée au cœur de plusieurs affaires scandaleuses impliquant certains de ses agents qui ont accepté l'argent du crime organisé. Sur le point d'être démasqué, l'un des officiers s'est suicidé avec son revolver de service; un autre s'est enfui dans son pays natal, le Portugal, d'où il ne pouvait être extradé.

Kane sait fort bien que les gars de la GRC ne sont pas tous des incorruptibles. « La source s'inquiète du fait qu'un policier qui gagne 55 000 $ par année pourrait se faire acheter par l'autre côté, écrira Verdon dans son rapport. Selon la source, un membre des H. A. comme Maurice "Mom" Boucher, l'un des plus influents et riches du groupe, serait prêt à payer le double du salaire d'un policier pour que celui-ci lui fournisse de l'information. » Verdon tentera de rassurer Kane en lui disant que les fuites de ce genre sont extrêmement rares. Le policier ajoutera qu'il ne nomme jamais Kane dans ses rapports confidentiels, utilisant plutôt son numéro d'informateur – C-2994 – ou simplement le terme « la source » pour le désigner. « J'ai essayé de rassurer la source du mieux que je pouvais et celle-ci est partie avec un sentiment de confiance », notera Verdon, avant de souligner encore une fois la qualité du rapport que Lévesque et lui entretiennent avec Kane. Un seul sujet de discorde plane à l'horizon : l'argent. Il reste en effet à concilier les montants offerts à la source et les sommes que celle-ci exige. Ce jour-là, Kane recevra 500 $. « La source nous a bien fait comprendre qu'elle s'attendait à une augmentation substantielle dans un avenir rapproché », écrit Verdon. Le policier précisera ensuite que des rémunérations plus importantes ne pourraient être approuvées que si Kane leur fournissait des renseignements solides pouvant mener à des arrestations. Du coup, le motard se montre plus bavard. « Sur ce, il affirma avoir vu un kilo de cocaïne à la résidence de Pat Lambert ainsi qu'une grande quantité de produits servant à fabriquer des bombes […] Il dit ne pas nous avoir avertis au moment de sa découverte car il n'avait pas encore atteint le niveau de confiance actuel à ce moment. » Kane promet d'avertir les deux policiers dans le cas où Lambert aurait toujours la drogue et les explosifs en sa possession.

Lévesque et Verdon repartent satisfaits de cette seconde rencontre. Quant à Kane, il aura appris que pour soutirer un maximum d'argent à ses contrôleurs, il allait devoir fournir à la GRC des renseignements de qualité – ou du moins des renseignements qui pouvaient sembler alléchants même s'ils n'étaient pas de la toute première fraîcheur. L'entretien d'Ottawa marquera la première fois, mais non la dernière, où Kane donnera à ses contrôleurs des renseignements appétissants qui ne leur seront d'aucune utilité, soit parce que l'information vient trop tard, soit parce que Kane a omis certains détails essentiels. Dans un cas comme dans l'autre, le résultat est le même: la police ne peut pas intervenir à temps, si bien que les suspects ne seront jamais appréhendés.

Kane contactera Verdon à trois reprises au cours des deux semaines suivantes, offrant chaque fois de nouvelles bribes d'information qui s'avéreront incomplètes. Durant l'une de ces conversations téléphoniques, Kane rapporte que Pat Lambert a fabriqué huit détonateurs pour les Hells, mais prétend qu'il ne sait pas où et quand les bombes seront utilisées. À une autre occasion, l'informateur révèle que deux membres des Pirates de Valleyfield, un autre club-école des Hells Angels, ont incendié un bar de Granby. Kane refuse cependant de nommer les coupables sous prétexte qu'il est seul à savoir qu'ils ont fait le coup; si ces hommes se font pincer, ils sauront forcément que c'est lui qui les a dénoncés. Kane dira à Verdon que Pat Lambert cache sa cocaïne et fabrique ses bombes dans un appartement du 2289, rue Hochelaga, mais il néglige de donner le numéro de l'appartement au policier. Le nom de Lambert ne figure évidemment pas au répertoire des locataires.

Verdon et ses collègues de la GRC ne semblent pas s'inquiéter du fait que leur source ne leur fournit que des renseignements incomplets ou périmés – leur collaboration avec Kane ne fait après tout que commencer. De toute manière, il n'est pas du ressort de la GRC d'intervenir dans des incidents reliés à la guerre des motards. Le mandat de la Gendarmerie est en effet beaucoup plus limité au Québec, doté d'une force policière provinciale (Sûreté du Québec), que dans les provinces qui n'ont pas de police provinciale. Bien qu'elle compte quelque 1 200 agents dans la Belle Province, dont plusieurs sont affectés exclusivement au crime organisé, la GRC ne peut jouer au Québec qu'un rôle de soutien; elle n'est habilitée à intervenir directement que dans des affaires de contrebande internationale ou lorsque la sécurité nationale est menacée. Ce rôle restreint de la GRC au Québec est dû en partie à des raisons politiques – dans les années 1970, elle a mené des opérations secrètes visant le mouvement souverainiste; les politiciens et citoyens québécois nourrissent depuis ce temps une certaine méfiance à son égard –, mais aussi à des raisons d'ordre pratique. En restant ainsi à l'arrière-plan, la GRC demeure à l'abri des foudres de l'opinion publique. Verdon appréciait très certainement le fait que, chaque fois que l'on critiquait l'intervention policière dans le cadre de la guerre des motards, c'était la SQ ou la police de Montréal que l'on blâmait. De vieilles rivalités subsistaient toujours entre les trois corps policiers. Le degré de coopération auquel on pouvait s'attendre variait d'une enquête à l'autre et dépendait en partie des agents affectés à l'affaire. De façon générale, plus une affaire était médiatisée et moins les différents organismes policiers étaient enclins à communiquer entre eux. Ainsi, la GRC gardait jalousement le secret de l'identité de Kane et ne divulguait pratiquement jamais à la SQ ou à la police de Montréal les renseignements qu'elle obtenait de lui.

Pour incomplète qu'elle soit, l'information que Kane relaie à ses contrôleurs a au moins le mérite de les renseigner sur le milieu des motards. Kane leur apprendra par exemple qu'en dépit des rivalités qui opposent les Pirates de Valleyfield aux Death Riders de Laval, les deux bandes se tolèrent parce qu'elles sont toutes deux affiliées aux Hells Angels. Kane rapportera également que Wolf Carroll et Mom Boucher ont mis à prix les têtes de deux motards sympathisants incarcérés, le premier parce qu'il est devenu informateur, le second parce qu'il est passé dans le camp des Rock Machine et jure d'abattre Mom Boucher dès sa sortie de prison. Grâce à Kane, la GRC apprendra que les Hells de Trois-Rivières et de Montréal se sont installés dans la région d'Ottawa sans résistance aucune de la part des Outlaws locaux.

En novembre et décembre, Kane parle souvent d'une montée des hostilités entre certains Hells Angels et les Rock Machine. L'informateur prétend que les Hells sont en train de renflouer leurs stocks d'explosifs en prévision d'un conflit prolongé. Scott Steinert s'est procuré 9 kg de C4. À la demande de Steinert, Kane a acheté d'autres explosifs ainsi que diverses composantes utilisées dans la confection de bombes.

À la mi-novembre, Kane, Lévesque et Verdon se rencontrent pour la première fois au Ramada Inn de Longueuil. Cet hôtel situé tout près du pont Jacques-Cartier deviendra plus tard un lieu de rencontre de prédilection pour Kane et ses contrôleurs. Verdon a réservé une chambre pour l'occasion – une tâche qu'il va devoir répéter presque chaque semaine au cours des deux années suivantes. Cette réunion a ceci de particulier que c'est la dernière à laquelle Léves-que assistera; travailler comme contrôleur auprès d'un informateur, et qui plus est, en territoire montréalais, ne relève pas de ses attributions. À partir de ce moment, c'est le supérieur de Verdon, le sergent Gaétan St-Onge, qui prendra le relais. Avec ses 23 ans de service, St-Onge est un policier expérimenté et il a très hâte de rencontrer enfin cette fameuse source dont ses subordonnés ont tant vanté les mérites.

Au cours de cet ultime entretien avec le duo Verdon-Lévesque, Kane révèle que les Hells Angels ont mis la main sur une quantité importante d'ecstasy, une drogue dont les policiers ignorent tout, si ce n'est qu'elle est très en demande dans le quartier gai de Montréal. La bande compte établir un bar *after hour* dans le secteur pour satis-faire à la demande actuelle et éventuellement élargir le marché. Dans un autre ordre d'idée, Wolf Carroll songe à fonder une société d'import-export avec un contact en Russie; l'entreprise exporterait des fruits et importerait… des filles. Kane mentionne aussi qu'il connaît deux douanières qui travaillent aux postes frontaliers situés au sud de Saint-Jean, l'une du côté canadien, l'autre du côté améri-cain. Les deux femmes ont l'habitude de fermer les yeux, dans un sens comme dans l'autre, quand Kane traverse la frontière.

L'informateur reparlera du bar de Granby que les Pirates de Val-leyfield ont incendié, mais en présentant cette fois aux deux poli-ciers une version différente des faits : l'ancien propriétaire de l'éta-blissement aurait demandé à Pat Lambert de faire sauter l'endroit sous prétexte que le nouveau proprio refusait de lui payer la valeur des stocks. Aux dires de Kane, Lambert aurait fabriqué la bombe incendiaire tandis que Johnny, l'ancien portier d'hôtel et parte-naire de Wolf Carroll dans le Village gai, se serait chargé de la mettre en place et de la faire exploser.

Ce brusque revirement dans les propos de Kane démontre qu'il pouvait modifier la vérité d'un entretien à l'autre, ce qui aurait dû inciter ses contrôleurs à la méfiance et les amener à se poser de sérieuses questions. Pat Lambert était-il réellement impliqué dans les crimes que Kane lui attribuait ? Se pouvait-il que Lambert ne fût qu'un bouc émissaire que l'on accusait des méfaits de quelqu'un d'autre ? Dans les rapports de Verdon, aucun doute ne transparaît quant à la véracité des renseignements fournis par Kane. Au contraire, ces documents suggèrent que Verdon, Lévesque et par la suite St-Onge accordaient toute crédibilité aux affirmations de leur source.

Il faut dire qu'il y avait sans doute quelque chose d'enivrant dans ce flot ininterrompu d'informations que déversait Dany Kane. En novembre, le motard téléphonera au moins huit fois à ses contrôleurs et il les rencontrera à trois reprises ; en décembre, il y aura neuf contacts téléphoniques et quatre rendez-vous à Longueuil. À l'occasion d'une de ces rencontres, l'informateur et les deux policiers feront la tournée des résidences de plusieurs membres ou sympathisants des Hells Angels à Longueuil, Chambly, Sorel et Varennes. Lors de cette balade en voiture, Kane montrera également à Verdon et St-Onge la résidence d'un assassin à la solde des Rock Machine que les Hells se proposaient d'éliminer.

Kane continue d'informer ses contrôleurs des derniers développements dans l'organisation des Hells Angels. À la fin de janvier, les Hells comptent fonder en sol québécois un chapitre d'élite, les Nomads, qui ne sera lié à aucune ville ou localité particulière. La vocation première des Nomads sera d'approvisionner en cocaïne tous les autres chapitres de la bande. « Ces derniers [les Nomads] sont environ une dizaine et vont avoir pour territoire toute la province de Québec, note Verdon dans son rapport. Ils vont mettre de la pression sur les clubs qui ne fonctionnent pas assez en ce qui concerne les territoires de vente de drogue. Seuls quelques H. A. sont au courant de cette information. C-2994 l'a appris parce qu'il était présent au local. »

Les Nomads auront pour leader Maurice « Mom » Boucher ; le reste du chapitre sera composé de membres établis des Hells Angels ainsi que de recrues prometteuses puisées à même les rangs de l'organisation. Certains membres des Rockers – à ne pas confondre avec les Rock Machine –, un club-école des Hells qui « appartient » à Mom Boucher, se joindront aux Nomads à titre de coursiers ou de subalternes. Nourrissant des ambitions expansionnistes qui s'étendent à la grandeur du pays, les Nomads veulent établir des chapitres des Rockers au Manitoba, au Nouveau-Brunswick et à London, en Ontario. « Il s'agit principalement des membres confirmés et des membres les plus actifs des H. A. de Montréal, écrit Verdon. D'après les informations reçues, les Nomads seront beaucoup plus *rock-and-roll* et prendront des territoires partout dans le Canada. »

Ces changements organisationnels ne parviendront cependant pas à atténuer les querelles intestines qui continuent de diviser les Hells. André « Toots » Tousignant, un Rocker qui allait bientôt s'imposer comme l'un des principaux assassins de la bande, fera sauter un collègue Rocker de la Rive-Sud sous prétexte qu'il est considéré comme une « pomme pourrie ». À la mi-décembre, dans le Vieux-Montréal, un autre Rocker indésirable sera l'objet d'une tentative de meurtre orchestrée par ses confrères. À la même époque, les Hells ordonnent aux Evil Ones de tuer un membre des Rock Machine ; plutôt que d'éliminer l'ennemi, les membres du club-école se contentent de le tabasser, ce qui n'est pas sans irriter leurs supérieurs. L'efficacité des Evil Ones est dès lors remise en cause.

En cette ère de dissension, même les membres en règle de la bande ne peuvent échapper aux récriminations. Le club déplore en effet le manque de dynamisme de plusieurs de ses nouveaux membres *full patch*. « Ils restent assis sur leurs lauriers depuis qu'ils ont reçu leurs couleurs. On leur reproche de ne pas assez s'impliquer dans la guerre contre l'Alliance et de vivre une vie paisible et sans histoire. » Pour cette raison, mais aussi pour éviter une surabondance de membres sur son territoire, le chapitre de Montréal décide de ne plus accepter de nouveaux *prospects* pour les deux années à venir. Pour Kane et ses contrôleurs de la GRC, il s'agit là d'une très mauvaise nouvelle. Avec ce moratoire, ce sont leurs espoirs d'infiltrer un jour le noyau de l'organisation qui s'envolent.

Kane a alors une idée pour le moins farfelue : pourquoi ne tenterait-il pas d'être nommé *prospect* avant que la nouvelle règle entre en vigueur ? Le projet semble intéressant de prime abord, mais il est en vérité impraticable. Kane ne jouit même pas du statut de *hangaround* ou de *striker* à ce moment-là ; or, dans toute l'histoire des Hells, personne n'a gravi aussi rapidement les échelons de la hiérarchie. Au fond, Kane sait fort bien qu'une telle ascension relève de la fiction ; s'il se montre si optimiste, c'est sans doute parce qu'il veut soutirer davantage d'argent à la GRC. Ses contrôleurs ne semblent pas avoir envisagé cette possibilité puisque, dans un rapport subséquent, St-Onge écrira : « Pour devenir *prospect*, il aurait besoin de beaucoup plus d'argent. Je sais qu'on va devoir prendre bientôt des décisions importantes à ce sujet. »

Verdon et St-Onge croient de toute évidence qu'un soudain influx d'argent impressionnerait suffisamment les supérieurs de Kane pour qu'ils lui consentent une promotion.

Bien qu'occupant un rang inférieur dans l'organisation, Kane prétend toujours qu'il est en contact direct avec les hauts dirigeants des Hells Angels. Il affirme qu'on lui a donné libre accès au nouveau repaire de Longueuil et que Mom Boucher « commence même à lui adresser la parole et à lui faire confiance ». Dans leurs rapports, les contrôleurs de Kane se perdent parfois en fanfaronnades. Après le réveillon de Noël des Hells à Sherbrooke, Verdon rédige un rapport dans lequel il se vante d'avoir obtenu grâce à Kane deux fois plus de renseignements que la SQ concernant l'événement. La SQ, de préciser Verdon, avait dépêché une équipe de surveillance sur les lieux au coût de plusieurs dizaines de milliers de dollars ; la GRC, elle, n'avait déboursé que 250 $ pour couvrir les dépenses de son informateur.

Une quinzaine de jours auparavant, la GRC avait donné 500 $ à Kane pour qu'il puisse se rendre à Toronto dans le but de négocier le territoire de la drogue et des danseuses nues avec Pat Lambert. Cette incursion en sol ontarien venait une semaine après que Lambert, Carroll et un autre Hells anglophone du nom de Donald « Pup » Stockford eurent tenté en vain de négocier une alliance avec les Loners, un club solidement implanté dans la Ville Reine. Le voyage de Kane et de Lambert ne connaîtra pas plus de succès. Les deux motards comptaient brasser des affaires à Toronto et à Ottawa, mais à peine arrivé à Kingston, Kane reçoit un appel de Lambert qui, l'ayant précédé à Toronto, l'enjoint à rebrousser chemin. Lambert prétend que des agents d'une escouade antimotards l'ont interrogé en laissant entendre qu'un informateur de la police de l'Ontario avait infiltré leur milieu. « L'épisode renforce la théorie de Wolf Carroll à l'effet que les motards de l'Ontario ne sont pas fiables et par le fait même dangereux, écrira Verdon dans son rapport. De plus, Lambert mentionne avoir vu certains policiers donner la main à certains motards, ce qui est impensable ici. Les H. A. ont perdu beaucoup de respect pour les groupes motards de l'Ontario. »

Selon Kane, l'inverse se produit au Québec : ici, c'est la police qui vend des renseignements aux motards. Kane affirme que les Evil Ones ont des contacts dans la police de Brossard et qu'un policier de Greenfield Park travaille lui aussi pour le compte des motards. Un autre policier corrompu aurait donné à Scott Steinert un album contenant les photos des quelques rares Outlaws qui se trouvent toujours dans la Belle Province.

Kane en a également long à dire au sujet des explosifs. Fin novembre, il révèle à ses contrôleurs que les Hells ont commandé à Pat Lambert une douzaine de nécessaires à fabriquer des bombes, incluant des détonateurs qui seront actionnés à l'aide de commandes à distance achetées dans un magasin de jouets. Quelques jours plus tard, Kane annonce que Steinert, qui est en voie de devenir le premier lieutenant de Mom Boucher dans la guerre des motards, a posé entre 8 et 10 bombes à Montréal. « Le but de ces bombes, écrit Verdon, était d'avertir les Rock Machine et leurs sympathisants du sérieux des H. A. relativement à leur prise entière du contrôle de Montréal. » Fort heureusement, aucune de ces bombes n'explosera à cause d'un problème avec les détonateurs.

Ce regrettable échec ne décourage en rien les Hells Angels. Cinq jours plus tard, Kane déclare que les Hells ont commandé vingt autres nécessaires à bombes et qu'ils lui ont demandé de réaliser des photos aériennes des quartiers de Montréal où se trouvent les repaires des Outlaws et des Rock Machine. Les Hells se sont donné pour objectif d'éliminer leurs rivaux « soit à la bombe ou à la mitraillette ou les deux », précise Verdon. « Ces photos vont servir à faire bloquer les rues d'accès par les véhicules volés aux forces policières, aux pompiers et aux ambulanciers dans les minutes suivant le coup. Ce plan en est à ses débuts et ne devrait pas se concrétiser avant la mi ou la fin de janvier 1995. » Au lieu de commandes à distance pour jouets, les motards emploieraient désormais des détonateurs à très longue portée activés par téléavertisseur.

En janvier, Kane décrira un incident survenu entre Noël et le jour de l'An : dans un geste de provocation délibéré, Mom Boucher et plusieurs autres membres de sa bande ont porté les couleurs des Hells Angels dans un bar de l'Est contrôlé par la famille Pelletier. Il n'y a pas eu de violence mais, quelques minutes à peine après le départ des Hells, une quarantaine de membres de l'Alliance se sont rués sur les lieux. Informés de l'intervention de leurs rivaux, Mom et ses hommes conçoivent un projet diabolique : ils referaient le coup quelques jours plus tard, mais en prenant soin de

garer au préalable une fourgonnette bourrée de clous et de dynamite à l'extérieur du bar. Coup du sort, les membres de l'Alliance
ne réagiront pas à cette seconde incursion des Hells sur leur territoire. Voyant que l'ennemi ne se présentait pas dans ce bar plein d'habitués de l'endroit, les Hells n'ont pas fait sauter la fourgonnette.

Rien dans les rapports de Verdon et St-Onge n'indique que la
GRC s'inquiétait du fait que sa source pouvait participer à l'assem-
blage, à la pose ou même à la détonation de toutes ces bombes.
En vérité, il ne fait aucun doute que Kane était impliqué dans ces
activités. Kane lui-même admettra avoir participé durant cette
période à de nombreux attentats à la bombe, incluant celui du bar
de Granby et l'attaque avortée contre l'établissement des Pelletier.
Sa contribution allait de la planification à la détonation en passant par l'achat des composantes.

Il est possible que l'informateur et ses contrôleurs aient convenu
de ne pas discuter de ces choses. Considérant qu'un agent se doit
d'intervenir immédiatement lorsqu'il découvre qu'une source est
impliquée dans une quelconque activité criminelle, il est compréhensible que Verdon et St-Onge aient préféré rester dans l'ignorance. En omettant d'intervenir, ils auraient enfreint la loi et
contrevenu au règlement de la GRC. Kane prend donc garde de
ne rien révéler de son implication dans ces attentats… et ses
contrôleurs prennent garde de le questionner à ce sujet. Verdon et
St-Onge doivent pourtant bien se douter que Kane n'a pas tiré un
trait sur ses activités criminelles depuis qu'il s'est fait informateur.
Au contraire, il doit poursuivre ses activités pour ne pas éveiller
les soupçons de ses collègues motards.

Si Verdon et St-Onge sont au courant des escapades de Kane, ils
n'en font aucune mention dans leurs rapports, sans doute parce qu'ils
ne veulent pas laisser de preuves écrites de la chose. Ces rapports sont
classifiés « Protégé B », ce qui constitue le deuxième plus haut niveau
de sécurité de la GRC; néanmoins, un juge pourra exiger la déposition de ces documents si Kane est appelé un jour à témoigner devant
les tribunaux. Or, s'il y avait quelque preuve que ce soit démontrant
que les contrôleurs de Kane ne sont pas intervenus alors qu'ils
savaient que celui-ci perpétrait des crimes graves, tous les efforts
déployés par la GRC – et par Kane lui-même – tomberaient à l'eau.

CHAPITRE 8

Un double jeu dangereux

Au début de janvier 1995, Kane apprend à ses contrôleurs que le Rock Machine Normand Baker figure en première position sur la liste des futures victimes des Hells Angels. Baker est l'un des suspects dans le meurtre de Pierre Daoust, le propriétaire d'un magasin de motos qui a été tué par balles le 13 août 1994, ainsi que dans la tentative de meurtre du lendemain qui visait Normand Robitaille, membre des Rockers et proche collaborateur de Mom Boucher. Les Hells Angels interprètent ces attentats comme des actes d'agression perpétrés contre eux par les Rock Machine. Aux yeux des Hells, c'est ni plus ni moins qu'une déclaration de guerre.

Scott Steinert avait rendu manifeste l'animosité des Hells envers Baker lorsqu'il l'avait rencontré quelques semaines auparavant à un concert des Rolling Stones au Stade olympique. Là, sous l'œil vigilant d'une cinquantaine de membres et de sympathisants des Rock Machine, Steinert et Baker s'étaient toisés longuement, échangeant des regards chargés de haine. Steinert était armé et il est possible qu'il ait exhibé son pistolet pour se tirer de ce mauvais pas. Les choses en sont restées là, mais, ainsi que le notera St-Onge dans son rapport, l'incident ne pouvait qu'envenimer encore davantage le conflit entre les deux camps.

Le 5 janvier, Kane confirme qu'un des frères du clan Pelletier « est le prochain sur la liste des H. A. » et que « Scott Steinert en veut personnellement à Normand Baker des R. M. et que ce dernier serait aussi l'un des prochains à partir ». Armé d'une information aussi précise, un agent de la GRC a normalement le devoir d'avertir les individus visés que leur vie est en danger et de leur recommander de prendre les précautions qui s'imposent. Or, rien n'indique que Verdon et St-Onge ont appliqué ces mesures préventives. D'une manière ou d'une autre, il était déjà trop tard puisque la veille au soir, à Acapulco, Baker avait été abattu par François Hinse, un *prospect* des Hells de Trois-Rivières. Douze heures avant que Kane annonce à ses contrôleurs que les jours de Baker étaient comptés, Hinse s'était rendu au *Hard Rock Café* d'Acapulco, s'était approché de Baker et lui avait souhaité la bonne année avant de lui tirer une balle dans la tête. Croyant d'abord qu'il s'agissait d'une blague, les clients du bar ont vite compris le sérieux de la situation en voyant Baker baigner dans son sang tandis que Hinse, vêtu d'un simple maillot de bain, s'esquivait en plongeant à travers une baie vitrée. La sortie était digne d'un cascadeur hollywoodien ; néanmoins, Hinse fut pris en chasse par un ami de Baker et par des serveurs de l'établissement qui l'appréhendèrent à moins de 100 mètres de là.

L'écho du meurtre de Hinse est parvenu au Québec peu de temps après. Kane téléphonera à Verdon le 8 janvier pour lui annoncer la nouvelle et la GRC confirmera la chose dès le lendemain. Selon Kane, les Nomads font déjà le nécessaire pour que Hinse soit libéré de sa geôle mexicaine. « Les H. A. ont plusieurs contacts dans tous les domaines dans la région d'Acapulco et à peu près tout le monde est achetable dans ce milieu, note Verdon dans son rapport. Il semblerait que l'arme du crime disparaîtrait aujourd'hui du poste de police. De plus, deux des témoins principaux ne seraient plus un problème. La source n'a pas pu préciser de quelle façon les témoins sont tenus au silence. »

Les funérailles de Baker auront lieu à Montréal, une semaine après son assassinat. Steinert profitera de l'occasion pour jouer les espions, mais il se fera harceler par la police qui effectue elle aussi une surveillance de l'événement. Le lendemain des obsèques, Kane met la GRC au courant des dernières nouvelles. « Deux témoins du meurtre d'Acapulco vont être éliminés », dit-il. Quelques pots-de-vin bien placés ont assuré que le meurtrier sera détenu à l'infirmerie de la prison plutôt qu'en cellule. Pour un léger supplément, Hinse aura accès à des drogues et à des prostituées.

Le jour suivant, Kane raconte à Verdon que c'est Mom Boucher lui-même qui s'est chargé de négocier la libération de Hinse. Un policier mexicain avec qui Boucher entretient des liens étroits aurait dit au chef des Nomads qu'il aurait été plus simple et plus économique pour lui d'engager un tueur local pour éliminer Baker – un contrat de ce genre aurait coûté aux Hells la modique somme de 5 000 $. Mom s'envolera pour Acapulco le 14 janvier; dès le lendemain après-midi, Hinse sera libéré «faute de preuves». Le soir même, St-Onge contacte un agent de la GRC au Mexique. «L'officier de liaison mexicain nous informe de la libération de Hinse malgré toute la preuve. Il s'agit d'un cas flagrant de corruption selon lui.»

Il en coûtera aux Hells un million de pesos – environ 270 000 $ CAD à l'époque – pour que Hinse soit relâché. Le meurtrier réintégrera le Canada peu après sa libération. Cet incident qui a vu la guerre des motards déborder des frontières du Québec convainc Verdon et St-Onge de la portée des Hells Angels, mais aussi de la validité de leur source. «Notre source nous avait affirmé depuis le début que Hinse ne serait pas condamné et ne serait pas détenu longtemps. Les événements lui ont donné raison, ce qui nous prouve une fois de plus l'importance et la fiabilité de cette source dans le milieu motard, qui est de plus en plus impliqué dans diverses activités criminelles.»

Persuadée de la valeur de Kane, la GRC lui propose dès le début de janvier un contrat d'informateur d'une durée de trois mois qui lui rapporterait 500 $ par semaine. Si la GRC espère que cela mettra fin aux exigences financières sans cesse grandissantes de Kane, elle aura vite fait de se détromper. Une dizaine de jours plus tard, Kane a déjà reçu ses 2 000 $ mensuels plus 500 $ additionnels, mais cela ne lui suffit pas. «Il dit que ce n'est pas assez, écrit St-Onge dans son rapport du 12 janvier. Je lui confirme poliment que c'est tout ce qu'il aura et que je ne veux pas me faire dire que la GRC existait avant lui et qu'elle existerait sans lui. Il m'a dit qu'il comprenait, mais insistait quand même.»

Plus tard dans la journée, St-Onge reçoit de son supérieur, le sergent d'état-major Pierre Lemire, un message on ne peut plus clair: «L'entente avec C-2994 sera respectée. C'est seulement par exception qu'une somme supplémentaire lui serait accordée, pour des raisons particulières et justifiables.» La GRC se veut inflexible, mais c'était sans compter sur les pouvoirs de persuasion de Dany

Kane. Dès le lendemain, St-Onge et Verdon rencontrent leur informateur vedette au Ramada Inn de Longueuil pour lui remettre, sans raison particulière, une somme additionnelle de 1 000 $. Moins d'une semaine plus tard, Kane empochera 500 $ de plus.

Kane continuera de rechigner sur des questions d'argent jusqu'à la fin de son contrat. Il aura parfois des exigences pour le moins extravagantes. La GRC refusera par exemple de lui donner les 25 000 $ qu'il réclame pour s'assurer une place au sein du « Groupe des cinq », un consortium d'importation de drogue organisé par Wolf Carroll. Projetant d'établir un pipeline de trafic de cocaïne entre les Caraïbes et le Canada, le groupe veut acheter en Guadeloupe une boîte de nuit qui lui servira à la fois de couverture et de base opérationnelle. « Les fils d'un très haut politicien français seraient aussi impliqués », de noter Verdon.

Kane arrive tout de même parfois à soutirer des fonds additionnels à ses contrôleurs, et ce, même quand ses « raisons particulières et justifiables » s'avèrent invalides. Le 21 février, Verdon et St-Onge remettent 1 500 $ à leur source en prévision d'un voyage à Halifax avec Wolf Carroll. « La source devrait être capable de nous renseigner sur plusieurs sujets étant donné qu'elle agira comme chauffeur sur ce trajet d'environ 16 à 20 heures. De plus, nous devrions être renseignés sur les buts précis relativement à la prise du territoire de la Nouvelle-Écosse par les H. A. Nomads. »

Deux jours après avoir reçu l'argent, Kane contacte ses contrôleurs non pas de Halifax, mais de Toronto. L'informateur raconte qu'il se trouve dans la Ville Reine à la demande de Steinert. Bien que celui-ci ne soit qu'un *prospect*, Mom Boucher lui a donné préséance sur Carroll en lui détachant Kane. St-Onge note dans son rapport que Kane devra rembourser la somme allouée pour le voyage à Halifax; toutefois, rien n'indique que ce montant a été restitué, voire perçu à même son salaire d'informateur.

Quatre jours à peine après avoir appelé ses contrôleurs de Toronto, Kane se voit accorder 1 500 $ supplémentaires.

Les rapports de la GRC nous apprennent que durant cette période Kane a fourni le seul tuyau de toute sa carrière d'informateur qui mènera à une saisie ou à une arrestation. En échange de ce renseignement, il recevra une prime alléchante accordée non pas par la GRC, mais par la police de Montréal. L'information concernait la fourgonnette remplie de clous et de dynamite dont les Hells avaient compté se servir pour faire sauter le bar du clan Pelletier au mois de décembre précédent. Les motards avaient entreposé le véhicule dans un garage de la Rive-Sud en vue de l'utiliser contre l'Alliance dans un avenir rapproché. Kane dira à St-Onge qu'il y a dans ce même garage une deuxième fourgonnette volée qui est possiblement elle aussi bourrée d'explosifs. Selon l'informateur, pas moins de sept personnes connaissent l'emplacement des véhicules piégés. St-Onge informera la police de Montréal de la chose un vendredi après-midi; malheureusement, n'ayant ni les effectifs ni le budget en heures supplémentaires nécessaire pour intervenir immédiatement, la force policière de la métropole reportera l'opération au lundi suivant en espérant que les véhicules ne seraient pas déplacés durant le week-end et que les Hells ne trouveraient pas une cible tentante entre-temps. Par bonheur, la police aura la chance de son côté : les véhicules seront saisis et Kane empochera une récompense de 2 000 $.

Il est vrai que Kane risquait beaucoup en dévoilant cette information. Un jour ou deux après la saisie, les Hells se réuniront pour tenter de comprendre comment la police s'y était prise pour découvrir leur cachette. Croyant que les autorités avaient appris la chose en mettant les lignes téléphoniques de la bande sous écoute puis en procédant à des filatures, Mom Boucher incite ses troupes à la prudence. « Il n'y a aucun doute sur la source ni sur aucune source », écrira St-Onge avec soulagement. *Photo Police* aura malheureusement la mauvaise idée de publier dans son numéro suivant un article racontant comment les Hells avaient garé une fourgonnette piégée devant un bar du clan Pelletier, mais ne l'avaient pas fait sauter parce qu'il y avait trop de clients à l'intérieur. Ce simple article suffit à convaincre les Hells qu'une taupe se cache parmi eux. Du coup, Kane devient de plus en plus anxieux. Quelque temps auparavant, il avait questionné Scott Steinert au sujet des contacts que les Hells entretenaient dans la police. Steinert lui avait confié que la bande bénéficiait d'une source dans l'escouade anti-gang de la police de Montréal, ajoutant que « Mom Boucher a plusieurs contacts à l'intérieur de différents corps policiers et qu'il peut obtenir à peu près tout ce dont il a besoin ». La bande avait par ailleurs mis la main sur un second album de photos de motards rivaux, lequel provenait manifestement des bureaux de la GRC et plus précisément de celui du sergent Lévesque. « La source est nerveuse à ce sujet puisqu'elle a peur qu'un policier parle trop et qu'elle se fasse découvrir », écrit Verdon dans son rapport.

Dès les premiers mois de 1995, la victoire des Hells Angels sur l'Alliance semble acquise. À la mi-janvier, un membre des Rock Machine est victime d'une bombe qu'il transportait et qui était destinée aux Rockers. Wolf Carroll déclare alors en rigolant que l'accident porte le pointage à 8-0 en faveur des Hells. Dans la même semaine, un Rock Machine approche Mom Boucher dans l'espoir de négocier la paix ; le leader des Nomads le rabroue en lui disant que l'offre vient trop tard. Début février, conscients que leurs rivaux sont en voie de contrôler le marché de la drogue à Montréal, trois membres des Rock Machine passent dans le camp des Hells. Ils révéleront à leurs anciens ennemis tous les détails d'un complot visant à assassiner Mom Boucher.

À ce moment-là, Mom et sa bande sont convaincus qu'il suffirait de quelques coups bien placés pour que leurs adversaires s'écrasent de façon définitive. Kane affirme que Boucher est prêt à fournir des armes à quiconque promet de les utiliser contre les Rock Machine. L'informateur donnera ensuite à ses contrôleurs une liste de cibles où figurent les noms de 16 membres de l'Alliance.

À l'occasion d'une seconde balade en voiture, Kane mènera Verdon et St-Onge aux résidences de deux individus ciblés par les Hells : le premier est un dealer indépendant qui fait trop souvent affaire avec les Rock Machine ; l'autre est membre d'une bande rivale. Verdon écrira que « les H.A. semblent déterminés à régler le problème une fois pour toutes et à démontrer à qui de droit leur force et leur suprématie ». Dans son rapport de continuation, le sergent d'état-major Lemire fera bien comprendre à ses subalternes qu'il n'était pas question de prévenir les individus ciblés : « Dans la guerre qui se livre, tous les membres des divers clubs impliqués sont tout à fait conscients des dangers qui les menacent. Nous agirons seulement dans le cas d'une menace directe et précise contre un individu. »

Tout triomphants qu'ils soient, les Hells Angels n'en sont pas unis pour autant. Scott Steinert s'avère encore une fois être l'homme de tous les conflits. Certains Hells sont mécontents du fait que Steinert deviendra très certainement membre des Nomads, le chapitre le plus prestigieux et le plus riche du Québec, aussitôt qu'il obtiendra ses pleines couleurs. Estimant qu'une telle promotion serait injustifiée, les Hells organisent une « messe » – c'est ainsi que les membres de la bande appellent leurs réunions – à l'issue de laquelle ils permettront à Steinert de choisir l'une des deux options suivantes : soit devenir membre en règle du chapitre de Montréal, auquel il appartient déjà, pour possiblement être transféré chez les Nomads « après un bon bout de temps » ; soit renoncer à ses couleurs pour recommencer au bas de l'échelle dans le chapitre des Nomads. N'ayant aucune envie d'être rétrogradé au rang de *hangaround*, Steinert choisira de rester dans le chapitre montréalais.

Le ton froidement bureaucratique que les Hells ont employé pour régler le cas de Steinert fait contraste avec leurs méthodes habituelles. Ces procédés méthodiques cherchent en réalité à camoufler les tensions linguistiques qui divisent la bande. Steinert a grandi à Sorel et parle le français couramment, néanmoins ses confrères le considèrent comme un anglophone. À une époque où l'échec des accords du lac Meech et de Charlottetown scinde encore davantage Canada français et Canada anglais, les Hells francophones estiment que les « blokes » occupent une trop grande place au sein de leur organisation. Dans l'ensemble, les bandes de motards ne sont pas insensibles aux enjeux politiques qui secouent le pays. À l'époque de Charlottetown et du débat souverainiste, les Hells Angels ont adopté une position stratégique en se liguant résolument du côté des fédéralistes. Il n'était pas dans leur intérêt que le Canada établisse de nouvelles frontières.

Les deux solitudes se manifesteront de nouveau quand on refusera à Donald « Bam-Bam » Magnussen, bon ami de Steinert et ancien protégé de Stadnick, le privilège de se joindre au chapitre de Montréal à titre de membre aspirant. Tous croyaient que le chapitre passerait outre au moratoire sur les nouveaux membres dans le cas de Magnussen ; après tout, celui-ci contrôlait pour le compte des Hells une bonne part du marché de la drogue à Winnipeg et à Thunder Bay. Les membres francophones du chapitre montréalais s'objecteront néanmoins, prétextant qu'ils ne connaissent pas suffisamment Magnussen pour le nommer d'office membre *hangaround*.

Mais Steinert a aussi des problèmes avec ses confrères anglophones. Outre le fait qu'il a empiété sur l'autorité de Carroll en s'assurant les services de Kane en février, Steinert s'intéresse trop à des territoires tels que les Laurentides et l'ouest du centre-ville de Montréal, secteurs que Carroll considère comme siens. Walter Stadnick n'apprécie pas lui non plus l'arrogance qu'affiche Steinert dans sa quête d'un territoire à l'ouest de l'Ontario, notamment à Winnipeg. Énergique et ambitieux, Steinert sait qu'il y a beaucoup d'argent à faire dans l'ouest du pays : à Montréal, le kilo de cocaïne se vend 35 000 $ alors que, 2 400 kilomètres plus à l'ouest, il vaut au moins 45 000 $. Stadnick a consacré beaucoup de temps et d'efforts à cultiver ses contacts à Winnipeg et il ne voit pas d'un bon œil qu'un jeune arriviste soutenu par Mom Boucher cherche à l'évincer. En piquant Kane à Carroll et Magnussen à Stadnick, Steinert s'était mis à dos deux figures dominantes des Hells Angels du Canada.

Kane n'a pas l'intention de se détourner de Steinert simplement parce que celui-ci s'est fait de puissants ennemis. Steinert est un joyeux luron qui aime faire la fête, mais ce n'est pas uniquement cet aspect de sa personnalité qui plaît à Dany. Kane cherche à gagner la confiance de Steinert et à entrer dans son entourage immédiat parce qu'il admire son dynamisme et son sens des affaires. Aux yeux de Kane, Steinert représente l'avenir de la bande tandis que Carroll et Stadnick représentent son passé. Au bout du compte, on peut dire que Kane s'identifie à Steinert – ce qui ne l'empêchera pas de le trahir.

En février, Steinert confie à Kane qu'il craint l'expulsion. Il a vécu au Canada presque toute sa vie, mais n'a jamais demandé la citoyenneté canadienne. Un mois plus tard, lors d'une conversation avec Kane et Magnussen, planant sur un trip d'ecstasy, Steinert, raconte que Mom Boucher s'est plaint du fait que ses Hells ne s'impliquaient pas suffisamment dans le combat contre les Rock Machine et a dit qu'il fallait faire quelque chose pour raviver leurs ardeurs guerrières. Boucher estime que ses troupes se montreraient plus vaillantes si un Hells perdait la vie en défendant leur cause. Or, si les Rock Machine n'étaient pas capables d'éliminer un Hells, de dire Mom, alors il s'acquitterait lui-même de cette tâche pour rejeter ensuite la responsabilité du meurtre sur le dos des Rock Machine. Steinert dit à Kane et à Magnussen que Boucher est décidément l'homme le plus dangereux qu'il connaît.

Pour dangereux qu'il ait été, Boucher se retrouvera bientôt hors d'état de nuire – du moins pour un temps. Le vendredi 24 mars, soit 10 jours à peine après son retour d'un voyage au Mexique, Mom se rend à Sherbrooke dans une voiture conduite par Toots Tousignant pour assister à un salon de la moto commandité par les Hells Angels. L'événement annuel permet à la bande de rehausser son image publique tout en fournissant des fonds pour couvrir ses frais juridiques. Avant même que les deux motards aient quitté Montréal, leur véhicule fait l'objet d'un contrôle de police. Portant à la ceinture un revolver 9 mm dont le numéro de série a été effacé, Boucher est arrêté puis interrogé par la SQ. Durant l'interrogatoire, un enquêteur laisse échapper que la police a un « informateur codé » chez les Hells et que ce sont des renseignements fournis par cet espion qui ont mené à la saisie de la fourgonnette piégée. Après mûre réflexion, Boucher identifie six informateurs potentiels, dont Tousignant, Steinert et Kane. Marc Sigman, un subalterne qui figure lui aussi sur la liste de Mom Boucher, dira à Kane que, des six suspects, c'est Kane que Boucher soupçonne le plus parce que c'est lui qu'il connaît le moins.

Le 1er avril 1995, en début d'après-midi, Kane reçoit l'ordre de se présenter au repaire de Sorel pour rencontrer « certains membres ». Un an jour pour jour après son arrestation à Belleville, Kane se retrouve à nouveau dans le pétrin, sauf que cette fois il aura affaire à des individus beaucoup moins conciliants que les agents de l'OPP. Craignant d'avoir été démasqué, Kane panique et contacte aussitôt Verdon. Le policier lui conseille de se présenter au rendez-vous ; un désistement de sa part équivaudrait à un aveu de culpabilité.

Durant la réunion, les Hells disent à Kane que seuls les *prospects* et les membres *full patch* seront désormais admis au repaire de Sorel afin d'éviter d'autres fuites de ce genre. Pendant qu'il est à Sorel, Kane en profite pour aller voir son copain Steinert. Celui-ci l'enjoint à ne pas prendre cette histoire de fuite au sérieux parce que c'est « juste du bla-bla ». Malgré ces bonnes paroles, Steinert se montre plus distant que de coutume à son égard. « Pour l'instant, personne ne fait confiance à personne », dira Kane à Verdon avant d'ajouter que Mom Boucher a promis de « remuer mer et monde pour trouver coûte que coûte celui qui a donné l'information ».

Bien que bénéficiant d'un sursis inespéré, Kane vit dans une angoisse constante. Puis viendra un coup du destin : Serge Quesnel, un tueur à gages du chapitre de Trois-Rivières que les Hells paient 500 $ par semaine plus une prime pour chaque contrat réalisé, est arrêté et retourne promptement sa veste. Le 3 avril, grâce aux renseignements divulgués par Quesnel, la police appréhende 13 membres et sympathisants du chapitre de Trois-Rivières. Du coup, les Hells ne songent plus à la fuite survenue à Montréal.

L'avenir semble soudain plus rose pour Dany Kane. D'autant plus qu'il vient de tomber amoureux.

CHAPITRE 9

De l'amour et des bombes

Après sa libération du centre de détention de Quinte en juillet 1994, Kane passe de moins en moins de temps à la maison avec sa famille. Son absence ne trouble pas Josée outre mesure. Elle et Dany se sont beaucoup disputés ces derniers temps. Or, de la violence psychologique et verbale, Kane est passé aux actes. Emporté par de violents accès de rage, le motard fracasse des assiettes, brise des radios et démolit même un four à micro-ondes. Bref, il détruit tout ce qui lui tombe sous la main. Il a frappé Josée à deux ou trois reprises sans exprimer ensuite quelque remords que ce soit.

Le désordre constant qui règne dans l'appartement irrite considérablement Kane. S'occupant seule de trois enfants en bas âge, Josée a peu de temps à consacrer au ménage. La jeune femme estime plus important de passer du temps avec ses enfants, de jouer avec eux ou de les emmener au parc que de vaquer à des tâches domestiques. Son conjoint, par contre, ne l'entend pas de cette oreille. Pour Kane, toutes les excuses sont bonnes pour laisser libre cours à sa colère. Lorsque Josée lui demande pourquoi il se met dans un tel état, Dany répond simplement : « Un jour, tu vas comprendre. »

Josée se doute bien que le comportement violent et agressif de son conjoint est lié à sa consommation de stéroïdes. À son retour du pénitencier de Napanee, Kane a commencé à prendre une hormone de croissance, que Josée appelle « l'hormone des morts » parce qu'il lui a dit qu'elle provient de cadavres humains. Le motard a au moins la délicatesse de se piquer dans la salle de bain, hors de la vue des enfants. Si la substance l'aide à développer ses muscles, l'effet sur ses humeurs et son comportement est catastrophique.

Kane projette parfois sa névrose narcissique sur Josée. Bien que le couple sorte rarement ensemble, Dany estime que l'apparence de sa conjointe de fait a une incidence sur sa propre réputation. Chaque fois qu'il essaie de convaincre sa partenaire de se faire refaire le nez et de se faire poser des implants mammaires, il essuie un refus catégorique : ayant perdu presque tout le poids gagné lors de sa première grossesse, Josée est redevenue mince et s'aime telle qu'elle est. Plutôt que de subir une chirurgie plastique, elle préférerait que Dany lui donne de l'argent pour qu'elle puisse s'acheter de nouveaux vêtements ; sa garde-robe est remplie de vêtements de maternité qui sont maintenant beaucoup trop grands pour elle. Avec son salaire d'informateur et les profits de ses activités illicites, Kane aurait aisément pu lui accorder ce qu'elle désirait, mais il ne le fera pas. « C'est moi qui dois avoir belle apparence parce que c'est moi qui sors tout le temps, dira-t-il à Josée. Toi, t'as pas besoin de t'habiller parce que tu restes toujours à la maison. »

Au fur et à mesure que ses enfants grandissent, Kane s'intéresse davantage à eux et commence à prendre son rôle de père plus au sérieux. Il emmènera un jour son aîné, Benjamin, chez le coiffeur pour lui faire faire une coupe Longueuil en tous points identique à la sienne. Avec Josée, par contre, Kane devient de plus en plus distant. Tout en sachant qu'elle ne doit pas questionner Dany sur la nature de ses activités, Josée l'encourage à s'ouvrir davantage et à dévoiler ses sentiments, mais Kane demeure de marbre. Elle tentera à plusieurs reprises de réserver du temps pour leur couple, espérant qu'ils pourraient discuter tranquillement ensemble. Encore une fois, Kane se montre désintéressé. Au bout d'un certain temps, Josée cessera de faire des efforts pour se rapprocher de son compagnon.

Josée n'aurait pas été étonnée d'apprendre que Kane couchait avec d'autres femmes. Le couple continuait d'avoir des relations sexuelles fréquentes ; néanmoins, la jeune femme savait fort bien que son conjoint n'était pas partisan de la monogamie. Fidélité et exclusivité sont des mots qui ne figurent pas au vocabulaire des motards, surtout quand il s'agit d'un motard qui, comme Dany Kane, fraie régulièrement avec une agence d'escortes et de danseuses nues. Josée est au courant de la liaison que Kane entretient avec une danseuse dont le nom de scène est Stevie Wheels. En tant que *feature*, c'est-à-dire « danseuse vedette », mademoiselle Wheels jouit d'un statut privilégié dans l'univers des strip-teaseuses. Fidèle à son surnom, elle effectue une partie de son numéro en patins à roulettes.

À l'époque de sa liaison avec la danseuse, Kane contracte une maladie transmissible sexuellement. Il cache la chose à Josée pendant un certain temps, mais, un soir où il repoussera ses avances, il n'aura d'autre choix que de s'expliquer. Josée s'était tout de suite doutée que quelque chose clochait puisque c'était la première fois que Dany refusait d'avoir une relation sexuelle avec elle. L'incident incitera Kane à subir régulièrement des tests de dépistage de MTS sans pour autant modérer son penchant pour les danseuses nues et les aventures extraconjugales.

C'est au printemps 1995, lors d'une sortie en ville, que Dany Kane a rencontré Patricia. Pour cette jeune mère célibataire de 21 ans, une occasion de ce genre se présentait rarement.

Troisième d'une famille de quatre filles, Patricia est née en Haïti de parents instituteurs. Le début des années 1970 a été une période de grands bouleversements pour l'île. Le règne brutal de François « Papa Doc » Duvalier prit fin en 1971, mais le dictateur fut aussitôt remplacé par son fils Jean-Claude, lequel s'avéra aussi barbare que son paternel. Fuyant le régime Duvalier, le père de Patricia part s'établir à Montréal ; sa femme et ses enfants le rejoindront peu après. À peine installée sur sa nouvelle terre d'accueil, la famille apprend que le père est atteint d'un cancer. La mère de Patricia se retrouve bientôt veuve et doit veiller seule à la subsistance de ses quatre filles. Enceinte à l'âge de 16 ans, Patricia abandonne l'école momentanément. Elle amorcera des études en administration quelques années plus tard et travaillera comme danseuse nue pour subvenir à ses besoins et à ceux de Steve, son fils.

Les destins de Patricia et de Dany Kane se croiseront en avril 1995 dans un bar de la rue Sainte-Catherine. Installé à une table voisine, Kane lui envoie un verre qu'elle refuse. Ne se laissant pas démonter pour autant, le motard lui envoie un second verre qu'elle accepte. L'ami qui accompagne Patricia connaît Kane et encourage la jeune femme à aller le remercier, voire à engager la conversation avec lui. Patricia se rend donc à la table de Kane… et la magie opère. Ils ne tardent pas à se découvrir des atomes crochus : Patricia ressent une forte attirance pour cet homme charmant, musclé, énergique et d'apparence soignée ; Kane apprécie au plus haut point la vivacité d'esprit de la jeune femme. Exaltés par cette rencontre, les deux tourtereaux boivent sans retenue. « J'étais très soûle », se souvient Patricia.

N'étant pas prête à inviter un étranger dans l'appartement qu'elle partage avec son fils, Patricia téléphone à sa baby-sitter pour l'avertir qu'elle ne rentrera pas, puis accompagne Kane à un motel de Joliette, à quelque 50 kilomètres au nord-est de Montréal. Pourquoi Joliette ? Parce que Kane doit se présenter à la cour municipale de cette ville le lendemain pour une affaire de contraventions impayées – du moins est-ce ce qu'il racontera à sa nouvelle conquête.

Le lendemain matin, à son réveil, Patricia se retrouve seule dans la chambre du motel. Son premier réflexe est de vérifier le contenu de son sac à main ; elle constate avec soulagement que son argent et ses cartes de crédit sont toujours là. La jeune femme prend une douche, puis s'habille. Elle est sur le point de quitter la chambre lorsque Kane réapparaît. Gratifiant son amante d'un de ces sourires engageants dont il a le secret, Kane lui dit : « Tu pensais que j'allais te laisser ici, hein ? »

« Je m'étais faite à l'idée que ce serait une histoire d'un soir et que je ne le reverrais plus jamais », dit Patricia. En cela, elle se trompait du tout au tout puisque Kane lui téléphonera plus tard dans la journée.

À cette époque, Kane n'arbore pas encore les tatouages explicites dont il ornera son corps par la suite, aussi Patricia ne peut-elle pas deviner que son nouvel amant est un motard qui fricote avec les Hells. En revanche, elle se doute bien que Kane n'est pas un enfant de chœur. Ce jour-là, elle contacte l'ami qui l'avait accompagnée au bar la veille et le questionne au sujet de Kane. Si l'ami en question sait que Kane est un motard criminalisé, il n'en laisse rien paraître. Il se contentera de dire : « C'est pas le genre de gars qui va t'amener à la messe le dimanche. » L'explication est plutôt vague, néanmoins elle fait comprendre à Patricia que Kane trempe dans des affaires pas très catholiques. Ce n'est que bien plus tard que certains détails – ses fréquentations douteuses, le fait qu'il ne manque jamais d'argent bien qu'il n'ait pas de boulot « normal » – convaincront Patricia que Kane est impliqué dans le crime organisé.

Patricia ignore tout des autres facettes de la vie de Kane. Elle ne sait pas qu'il vit avec Josée et leurs trois enfants. La jeune Noire ignore même que son nouvel ami a souvent affiché des comportements racistes par le passé. Kane aime beaucoup bavarder avec Patricia, mais il ne parle jamais de lui-même. Il l'informera ensuite de l'existence de son fils Benjamin, mais en l'assurant qu'il est son seul enfant, issu d'une relation amoureuse terminée depuis longtemps. Peu après avoir rencontré Patricia, Kane met fin à sa liaison avec Stevie Wheels. Pour autant que Patricia le sache, il n'a pas d'autres femmes dans sa vie.

Par-delà ce semblant de monogamie, Patricia ne considère toujours pas sa relation avec Kane comme sérieuse. « Je me disais qu'on se fréquenterait jusqu'à ce qu'il y en ait un qui se fatigue de l'autre », se souvient-elle. Lorsque Kane dort chez elle, Patricia l'oblige à quitter la maison tôt le matin, avant que son fils se réveille. Cela ne revient pas à dire que Kane n'a aucun contact avec le fils de son amoureuse. Au contraire, Kane et Steve s'entendent à merveille. Le problème est que Patricia ne veut pas que son fils s'attache à un homme qui, de toute évidence, ne partagera que brièvement sa vie.

Un rapport de la GRC daté du 13 avril 1995 mentionne que « la nouvelle concubine de C-2994 est de race noire » et inclut le nom d'un de ses anciens petits amis, mais le reste du rapport démontre que la GRC s'intéresse davantage aux activités des Hells Angels qu'aux relations amoureuses de son informateur.

La guerre des motards atteint un nouveau sommet au printemps et à l'été 1995. Dans la région de Montréal, de nouveaux attentats à la bombe surviennent chaque semaine, voire chaque jour. D'autres explosions secouent sporadiquement la ville de Québec et le reste de la province. Bien que les cibles visées soient toujours reliées aux motards, il n'est pas rare que les fenêtres et vitrines des bâtiments environnants volent en éclats sous le choc de la déflagration. Il est évident que ces attentats feront tôt ou tard d'innocentes victimes. L'opinion publique s'insurge de plus en plus violemment contre les motards en général et les Hells Angels en particulier. Les leaders de la bande savent qu'ils doivent réagir rapidement avant que l'indignation du public pousse les autorités à sévir contre eux.

À la mi-avril, Kane apprend à ses contrôleurs que les Hells se sont entendus sur une nouvelle stratégie dans la guerre des motards : « Le milieu réglera ses comptes au revolver dorénavant et plus aux explosifs. Cette méthode alerte trop l'opinion publique. » Le décret semble raisonnable ; toutefois, les bandes de motards n'ont ni la cohésion ni la discipline propres à d'autres institutions ; leurs leaders ont tendance à prendre des décisions sur un coup de tête pour ensuite changer d'avis tout aussi rapidement. Peu après avoir proscrit l'usage de bombes, les Hells Angels en poseront de nouvelles.

Soucieux d'assainir leur image, les Hells lancent à cette époque une vaste campagne de relations publiques. Par le biais de communiqués de presse anonymes, ils accusent la SQ de « répandre des mensonges dans le milieu des motards » dans le seul but d'attiser le conflit. Dans un de ces communiqués, les Hells vont jusqu'à imputer à la SQ la responsabilité d'un attentat à la bombe survenu dans un bar.

Le Journal de Montréal ayant publié une photo de groupe des membres de la bande, les Hells déposent une plainte auprès du Conseil de presse du Québec, organisme qui a pour mission de faire respecter les droits et responsabilités des médias d'information de la province. Les Hells Angels prétendent que cette photo met la vie de leurs membres en danger du fait qu'elle permet à leurs ennemis de les identifier. En soumettant la plainte au Conseil, l'avocat Pierre Panaccio déclare que, pendant qu'on y est, on pourrait tout aussi bien publier l'adresse des membres ainsi que le nom des écoles que fréquentent leurs enfants. Dans une décision pour le moins nuancée, le Conseil décrète que le *Journal* avait le droit de publier une photo de la bande en alléguant qu'il s'agissait d'une organisation criminelle, mais qu'il n'aurait pas dû identifier sur le cliché les individus qui n'étaient pas mentionnés dans l'article.

De sa cellule, Mom Boucher s'inquiète lui aussi des attaques médiatiques dont ses confrères sont l'objet. Dans une conversation enregistrée par la police, il dira que les Hells et leurs avocats devraient peut-être laisser à une firme spécialisée en relations publiques le soin de défendre l'image du club. Le chef des Nomads discutera de la chose avec Gaétan Rivest, un policier corrompu tombé en disgrâce avec lequel il fera affaire jusqu'à la fin de la guerre. Non contents d'engager des spécialistes en communications, les deux hommes fonderont deux ans plus tard un journal à sensation traitant d'actualité criminelle : *Le juste milieu* se donnera pour mandat de critiquer ouvertement la police, le système judiciaire et particulièrement la SQ, organisme pour lequel Rivest a travaillé.

Curieusement, les Hells ne songeront pas un instant que la meilleure stratégie de relations publiques qu'ils pouvaient adopter était de déposer les armes et de ralentir leur expansion. Durant la première moitié de 1995, le combat des Hells pour l'acquisition de nouveaux territoires se poursuit et Kane se retrouve en première ligne. En février et mars, Kane et Pat Lambert jouent les émissaires dans le sud de l'Ontario. L'informateur racontera à Verdon que Lambert et lui avaient été accueillis « avec tous les égards » au repaire des Loners à Toronto et qu'à Hamilton ils avaient été « reçus comme des rois » dans une boîte de nuit contrôlée par la mafia ; le propriétaire de l'endroit s'était personnellement occupé d'eux et avait refusé qu'ils paient quoi que ce soit.

À la mi-avril, Kane retourne en Ontario pour étendre son réseau de contacts personnels. Après des escales à Ottawa, à Kingston, à Toronto et à Niagara Falls, l'informateur passera une semaine à Winnipeg en compagnie de Walter Stadnick. Maintenant que les Hells ont arraché aux Satan's Choice le marché de la drogue à Thunder Bay, Stadnick veut mettre sur pied un corridor de trafic entre Winnipeg et cette ville du nord-ouest de l'Ontario. Bam-Bam Magnussen a présenté Stadnick aux principaux trafiquants et criminels de l'endroit. À tout ce beau monde, Stadnick livre le même message : ralliez-vous aux Hells Angels avant qu'il soit trop tard !

Stadnick chargera Kane d'administrer le corridor Winnipeg-Thunder Bay, un poste dont les contrôleurs de Kane souligneront l'importance auprès de leurs supérieurs, et ce, afin de négocier un contrat plus lucratif pour leur informateur. « Cette source pourrait nous renseigner presque quotidiennement sur la prise de l'Ontario et des Prairies par les Hells Angels. Aucune escouade, aussi bonne soit-elle, ne pourrait nous renseigner de façon aussi rapide et précise. »

Le contrat de Kane touche à sa fin. Verdon et St-Onge savent qu'ils vont devoir lui offrir beaucoup plus que 500 $ par semaine pour retenir ses services. Les policiers proposent d'abord d'augmenter le tarif à 1 000 $ par semaine, mais Kane veut au moins le double de cette somme. Jusqu'à la fin d'avril, Kane, qui est un excellent négociateur, se montre de moins en moins bavard. Voulant prouver qu'il a besoin de sommes considérables en argent de poche, il mentionne qu'il a dû dépenser 4 000 $ lors de son séjour d'une semaine à Winnipeg. C'est ce qu'il lui en coûte pour faire bonne figure devant les criminels millionnaires avec lesquels il transige.

Verdon fera valoir sa cause auprès de ses supérieurs en insistant sur le fait que le sergent Jean-Pierre Lévesque, du Service canadien des renseignements criminels (SCRC), lui téléphone au moins deux fois par semaine de son bureau d'Ottawa pour obtenir des renseignements sur les récentes activités des motards au Québec et dans le reste du pays. «Quatre-vingt-dix pour cent de l'information transmise au sergent Lévesque provient de la source C-2994 […] Il compte beaucoup sur les renseignements transmis par C-2994, aussi est-il très important pour notre service de garder cette source.» Au début du mois de mai, les dirigeants de la GRC consentent à renouveler le contrat de Kane pour trois mois au coût de 2 000 $ par semaine. Lors d'une rencontre avec ses contrôleurs dans un hôtel du centre-ville de Montréal, Kane signe allègrement le contrat et empoche un premier paiement de 4 000 $.

Kane enfourche ensuite sa Harley et se rend à Halifax pour la randonnée du printemps, un événement annuel auquel à peu près tous les clubs de motocyclistes d'Amérique du Nord, criminels ou non, participent dans différents endroits. La plupart des clubs pénalisent ceux qui se désistent sans raison valable de cet incontournable rituel ou leur infligent une amende. Préférant désormais les tractations commerciales aux activités récréatives – et ne pouvant relâcher leur vigilance en ces temps de guerre –, les Hells Angels du Québec n'obligent plus leurs membres à respecter ce genre de tradition. Il faut dire aussi que la police profite d'événements comme celui-là pour harceler les motards en leur faisant subir des contrôles routiers fréquents, en inspectant leurs motos pour s'assurer qu'elles sont conformes aux normes routières et en vérifiant leurs papiers et leurs antécédents. Bref, les policiers font tout pour retarder les motards et gâcher leur plaisir.

La randonnée de Halifax attirera cette année-là une foule colossale ; néanmoins, quelques personnages importants brilleront par leur absence. Tiny Richard, le président national des Hells Angels, devra s'abstenir pour des raisons de santé ; son successeur éventuel, Richard Mayrand, qui n'a pas quitté l'organisation en dépit du fait que son frère a été l'une des victimes du massacre de Lennoxville, ne sera pas non plus de la partie. Autres absences notables : Normand « Biff » Hamel, membre des Nomads et l'un des plus anciens compagnons de Mom Boucher ; Wolf Carroll, parrain des Hells de Halifax et agent de liaison entre les chapitres du Québec et ceux de la côte Est ; et, bien sûr, Mom lui-même, qui croupit toujours en prison.

Kane est très fier de faire partie de l'impressionnant convoi de motos qui traverse le Québec et le Nouveau-Brunswick pour se rendre en Nouvelle-Écosse. On compte en tout une soixantaine de motards escortés par six voitures. Les gens qui croisent cette caravane apocalyptique sur leur passage sont absolument abasourdis face à ce déploiement de puissance, de violence et de liberté sauvage que leur offre le club de motards le plus notoire de la planète. En cours de route, les badauds demandent fréquemment aux Hells de poser pour eux, le temps d'une photo. Dans une station-service, un livreur de boissons gazeuses leur fera cadeau de plusieurs caisses de Pepsi.

À Halifax, la fête commence dans un restaurant réservé pour l'occasion, puis se poursuit au repaire des Hells. Les motards discuteront un peu affaires, mais pas trop. Scott Steinert dira à Kane qu'il vend 10 kilos de cocaïne par mois à un client de Thunder Bay ; à 45 000 $ le kilo, il réalise un profit mensuel d'environ 100 000 $ avec ce seul client. Steinert parle ensuite d'un gros projet d'importation qui ne pourra être lancé que lorsque Mom sortira de prison. L'informateur apprendra en outre que Steinert et un sympathisant projettent de se rendre en Jamaïque dans le but de recruter des candidats pour un gang de rue qu'ils veulent établir à Montréal. La nouvelle bande aura pour mission de déloger Master 13, un gang jamaïcain montréalais associé à l'Alliance. Le gang ne se matérialisera pas, ce qui n'est pas étonnant considérant qu'à ce moment-là Steinert a plusieurs projets en chantier. Les rapports de la GRC démontrent en effet qu'il trempe à cette époque dans toutes sortes de magouilles – il faut toutefois tenir compte du fait que si le nom de Steinert apparaît si souvent dans les rapports de la GRC, c'est en partie parce qu'il est la principale source d'information de C-2994.

Après que Mom Boucher a appris de la bouche d'un agent de la SQ qu'un informateur se cachait chez les Hells, les leaders de la bande ont redoublé de prudence ; l'affaire Quesnel est un autre incident qui les incite à la méfiance. Bien que tout indique que ses supérieurs continuent de lui faire confiance, Kane, comme la plupart des membres de rang inférieur, n'est plus mis au fait de ce qui se passe dans l'organisation. Les subalternes ne sont plus autorisés à assister aux « messes » qui se déroulent désormais à huis clos. Les Hells prennent d'infinies précautions pour échapper à la surveillance policière et aux oreilles d'espions potentiels : une réunion qui devait avoir lieu à Sherbrooke sera secrètement déplacée à Québec ; des messes seront tenues sur un bateau en plein milieu du fleuve Saint-Laurent. « Ils discutent de plus en plus en se faisant part de messages écrits qui sont brûlés après avoir été lus », dira Kane à la GRC.

Sans doute ce climat de méfiance généralisé ne régnait-il pas à Halifax, puisque Steinert se perdra en confidences à l'endroit de Kane. À la suite de ce week-end de célébrations, l'informateur apprendra à la GRC que les Hells sont affectés par une grave pénurie de cocaïne et de haschisch qui dure depuis le début du printemps. Cette disette, qui aux yeux de la bande est une conséquence directe de l'emprisonnement de Mom Boucher, a permis aux Rock Machine de reconquérir une partie du territoire perdu aux mains de leurs rivaux, notamment dans le Village gai. Écartant brutalement les dealers affiliés aux Hells Angels, les Rock Machine ont repris le contrôle de plusieurs clubs dans ce secteur. Victime lui aussi de la pénurie, Steinert a du mal à honorer les commandes de certains clients importants, dont celui de Thunder Bay, et craint que ces problèmes d'approvisionnement ne portent atteinte à sa réputation.

Dynamique et entreprenant, Steinert a d'autres cordes à son arc. Il a fondé l'agence Sensations, une agence de danseuses nues avec laquelle il compte monopoliser le marché au Québec et ailleurs. Les Hells n'approuvent pas ce projet audacieux qui le met en conflit direct avec l'agence Aventure, et donc avec Wolf Carroll et Pat Lambert. Mais Steinert ne s'en laisse pas imposer : favori du président national du club – Tiny Richard – et du chef des Nomads – Mom Boucher –, Steinert joue les gros bonnets ; il n'en fait toujours qu'à sa tête et agit comme s'il n'avait de comptes à rendre à personne. Au début du mois de juillet, il bat sauvagement un portier qui a refusé de le laisser pénétrer dans un bar du centre-ville, et ce, même après qu'il eut exhibé ses couleurs. Ce que le motard ignore, c'est que sa victime travaille pour Michel « The Animal » Lavoie-Smith, un membre en règle des Hells Angels reconnu pour son tempérament violent. En tabassant le portier, Steinert se mettait à dos un autre membre influent de la bande.

Les Hells qui sont plus modérés se fatiguent bientôt du comportement imprévisible et orageux de Steinert. Soucieux d'éviter les foudres de ses confrères, il quitte sa résidence de Sorel et va se mettre à l'abri pendant plusieurs semaines dans un motel de Longueuil avec Magnussen. Il s'agit là d'une sage précaution, considérant qu'à cette époque la bande élimine régulièrement ses membres problématiques. Durant sa réclusion, Steinert poursuit ses activités guerrières. C'est lui qui est chargé de payer la prime de 10 000 $ que les Hells Angels offrent à toute personne ayant éliminé un motard ennemi. À la mi-juillet, une douzaine de sympathisants des Hells, Steinert en tête, se rendent dans un bar fréquenté par les Rock Machine avec l'intention de casser la baraque. À leur arrivée, Steinert et ses acolytes découvrent que l'ennemi n'est pas au rendez-vous.

Le mardi 8 août, Kane annonce à ses contrôleurs que Steinert a commandé trois autres nécessaires à bombes à Pat Lambert. Impatient et survolté, Steinert insiste pour que le matériel soit livré le soir même. Sa requête vient deux semaines après que la bande eut décrété qu'il n'y aurait plus d'attentats à la bombe sans l'autorisation expresse d'un membre haut placé – une décision motivée par un attentat bâclé au cours duquel un couple de Saint-Lin et leurs deux jeunes enfants ont failli perdre la vie. Wolf Carroll avait décrit l'incident comme une « sale job », non seulement parce que les deux enfants avaient failli être tués, mais aussi parce que c'était le frère du père et non le père lui-même que les Hells avaient voulu cibler. Carroll songeait même à éliminer l'auteur

de l'attentat pour lui faire payer son incompétence. « Selon la philosophie des H. A., de dire Kane à ses contrôleurs, tu ne peux pas
tuer des enfants, même pas ceux de ton pire ennemi. »

Bien qu'étant au courant de l'interdit, Steinert choisira de désobéir. Plus que jamais, cet été-là, il agira comme s'il se trouvait
au-dessus de la loi des Hells. Or, il apprendra bientôt que, par-
delà le code d'honneur de la bande, tuer des enfants est un acte
aux conséquences pour le moins désastreuses.

CHAPITRE 10

Kane le tueur

Le 9 août 1995, en début d'après-midi, Kane reçoit un appel du sergent St-Onge. Le policier veut savoir si l'informateur sait quoi que ce soit au sujet d'un attentat à la bombe survenu quelques heures auparavant dans l'est de Montréal. À 12 h 30, dans le quartier Hochelaga-Maisonneuve, une bombe placée dans une jeep sous le siège du conducteur a été déclenchée à distance. L'explosion a été si puissante qu'elle a soulevé le véhicule de terre et catapulté son occupant à trois mètres dans les airs. L'individu est mort sur le coup, les jambes arrachées par le souffle de la déflagration.

On retrouvera des morceaux de la jeep dans un rayon de 50 mètres, mais ce sera un petit éclat de métal en apparence insignifiant qui changera à tout jamais la destinée des Hells Angels québécois. Ce bout de métal gros comme le pouce a filé tel un projectile de l'autre côté de la rue Adam et atteint un garçon de 11 ans à la tête, fracassant l'arrière de son crâne pour se loger finalement dans son cerveau. Daniel Desrochers jouait sur la pelouse de l'école Saint-Nom-de-Jésus avec son meilleur ami quand la jeep a explosé. La jeune victime passera quatre jours à l'hôpital dans un état critique avant de rendre l'âme.

Kane, qui dit ne rien savoir de l'incident, rappellera St-Onge dans la soirée pour lui dévoiler que la cible de l'attentat était Marc Dubé, un dealer travaillant pour le compte de Mom Boucher. Kane rappellera le lendemain pour confirmer que l'attaque visait bel et bien les Hells Angels et pour préciser que Dubé n'était pas vendeur, mais livreur de drogue. Étonné que l'Alliance s'en prenne ainsi à un simple coursier, St-Onge charge Kane d'en apprendre le plus possible au sujet de l'attentat.

La GRC devra attendre deux semaines avant d'obtenir des renseignements supplémentaires de son informateur. Le 22 août, Kane se rendra à Ottawa pour y rencontrer Lévesque et Verdon ; le motif de la rencontre n'est pas précisé dans les documents de la GRC. Après avoir empoché son salaire bimensuel de 4 000 $, le motard amorcera la réunion en rapportant toutes sortes d'informations sans lien avec l'attentat du 9. Kane raconte d'abord que Tiny Richard a subi une opération à l'abdomen ; le président national des Hells Angels se trouve à l'hôpital de Sorel sous la garde d'un protégé de Steinert. Quant à ce Steinert, il a récemment contacté un armurier dans le but de faire vérifier et mettre au point une vingtaine d'armes à feu prohibées appartenant à la bande. Fraîchement sorti de prison, Mom Boucher a choisi un nouveau coursier pour livrer sa cocaïne ; l'individu en question possède un casier judiciaire vierge et arbore un style *clean cut* qui ne risque pas d'attirer l'attention des autorités.

En plein milieu de la réunion, Kane mentionne nonchalamment l'attentat à la jeep piégée. Les deux policiers ne semblent pas l'avoir questionné à ce sujet, ce qui est étrange considérant qu'à ce moment-là, l'indignation de la population est à son paroxysme : la mort de Daniel Desrochers galvanise l'opinion publique plus que tout autre incident dans la guerre des motards. Du jour au lendemain, le peuple a tourné vers la police un courroux réservé jusque-là aux motards. On reproche aux autorités de ne pas avoir fait tout ce qui était en leur pouvoir pour stopper le conflit ; pire encore, la police aurait fait preuve d'indifférence en adoptant un rôle de spectateur tandis que deux groupes criminels s'entre-déchiraient en usant d'armes potentiellement dangereuses pour le public. La police tentera de sauver la mise en soutenant que tout jouait contre elle dans cette affaire, qu'elle ne disposait pas des ressources nécessaires pour s'attaquer à des organisations criminelles violentes et complexes. Deux jours après l'attentat, un dirigeant de la police montréalaise avait demandé publiquement au gouvernement d'instaurer des lois antigang plus sévères qui permettraient aux diverses forces policières de sévir plus durement contre le crime organisé en général et les motards criminalisés en particulier. Nombreux sont ceux qui se rallieront à cette voix : le maire Pierre Bourque, les politiciens provinciaux et ceux de l'opposition, les chroniqueurs et les éditorialistes, tous clameront bientôt la nécessité d'une nouvelle loi antigang. Josée-Anne Desrochers, la mère de Daniel, s'imposera bientôt comme la figure de proue du mouvement.

Mais la police sait qu'elle ne peut pas se contenter d'attendre que tout ce beau monde trouve une solution au problème : elle doit agir, et vite. L'initiative viendra le 23 septembre, jour où on annoncera officiellement la création d'une brigade spéciale mixte, l'escouade Carcajou, qui aura pour mandat de mettre fin à la guerre des motards.

Carcajou sera composée à l'origine d'enquêteurs issus de la SQ et de la police de Montréal. Ce n'est qu'après avoir fait pression sur le ministre de la Sécurité publique Serge Ménard, un souverainiste reconnu, que la GRC sera invitée à se joindre à l'équipe. Les autorités fédérales avaient pourtant été mises au courant dès la mi-août de la création d'une nouvelle escouade mixte. Peut-être est-ce pour cela que Kane avait voulu rencontrer Lévesque le 22 août : l'informateur voulait être certain que les agents de la GRC qui seraient impliqués dans Carcajou ne révéleraient pas son identité à leurs collègues de la SQ et du SPCUM.

Il est étrange que les contrôleurs de Kane l'aient peu questionné au sujet de l'attentat qui a causé la mort de Daniel Desrochers. Dans les jours et les semaines qui ont suivi cette tragédie, la police avait grand besoin d'une arrestation, voire d'une simple piste pour redorer son blason considérablement terni. Même si Kane n'avait rien à ajouter aux renseignements qu'il avait déjà fournis à Verdon et St-Onge, les deux policiers auraient dû exiger de lui des détails supplémentaires, chose qu'ils n'ont pas faite s'il faut en croire leurs rapports subséquents.

À la rencontre du 22 août, Kane donne néanmoins une nouvelle information qui viendra contredire ce qu'il avait dit quelques semaines auparavant : selon lui, l'attentat était l'œuvre de Scott Steinert. Rappelant aux policiers que Steinert avait commandé d'urgence trois nécessaires à bombes la veille de l'incident, Kane ajoute : « Depuis ce jour, Steinert n'a jamais plus parlé de ces bombes qu'il avait commandées et n'a jamais parlé d'utiliser des bombes pour quoi que ce soit. De plus, Steinert a demandé à certains de ses proches ce qu'ils pensaient de cet événement et aussi

115

si l'auteur de cet attentat méritait d'être liquidé. Après que les proches eurent indiqué que l'auteur de cet acte de violence méritait d'être liquidé, Steinert n'a jamais répondu et était très songeur. » Dans le rapport qu'il rédigera après la rencontre, Verdon notera que l'information fournie par Kane les «porte à croire qu'il [Steinert] pourrait être impliqué dans l'événement». Verdon ajoutera cependant qu'il est nécessaire d'obtenir davantage de preuves avant d'envisager une intervention policière.

Kane parlera ensuite d'autres événements récents concernant le milieu des motards. La pénurie de drogue tire à sa fin, mais les affaires n'en sont pas florissantes pour autant. Steinert veut fonder une nouvelle bande à Kingston avec Kane et une poignée d'autres motards ; son objectif : «faire le ménage», puis s'emparer de tout le territoire de l'est de l'Ontario. Wolf Carroll estime au contraire que les Hells ne devraient plus se mêler aux conflits qui opposent les bandes de motards ontariennes. À Montréal, les membres des Nomads se montrent toujours aussi prudents ; ils font très attention à ce qu'ils disent et à ce qu'ils font. En guise de conclusion, Kane annonce que le nouvel associé de Pat Lambert l'a initié à un nouveau système de détonation déclenché par un téléavertisseur lui-même activé par un système d'alarme d'auto. L'associé en question est un ancien militaire des Forces armées qui, ainsi que l'indique le rapport de Verdon, «a comme prénom Roland».

Le père de Roland Lebrasseur travaillait à Sept-Îles en tant qu'opérateur de machinerie lourde lorsqu'un accident grave a mis fin à sa carrière. Roland a huit ans lorsque son papa perd l'usage de ses membres. Incapable de subvenir seule aux besoins de ses quatre enfants et de son mari tétraplégique, la mère de Roland confie ses enfants à des membres de la famille. À l'instar de Dany Kane qui avait vécu avec son oncle et sa tante dans sa jeunesse, Roland Lebrasseur vivra chez son oncle, sa tante et leurs trois enfants à Baie-Comeau. Tout comme la tante de Kane, celle de Lebrasseur est institutrice. Là s'arrête la comparaison puisque, contrairement au futur informateur, le petit Roland est un élève brillant – il sera même choisi pour représenter son école à la populaire émission *Génies en herbe*.

Roland veut devenir opérateur de machinerie lourde quand il sera grand, tout comme son père. Quelques jours après son dix-huitième anniversaire, il s'enrôle dans les Forces armées dans le but d'acquérir les aptitudes nécessaires à sa future carrière, mais aussi pour voyager. Au cours des sept années suivantes, il fera deux périodes de service à Chypre comme gardien de la paix pour les Casques bleus de l'ONU, puis sera basé un temps en Allemagne. C'est dans ce pays qu'il rencontrera la militaire québécoise qui deviendra sa femme. Le couple aura son premier enfant, une fille, en 1988. Roland et son épouse veulent que leur fille grandisse au Québec entourée des autres membres de sa famille, aussi quitteront-ils l'armée peu après sa naissance pour s'installer à Sept-Îles. Lebrasseur occupera au fil des ans plusieurs emplois différents ; entre autres choses, il conduira des véhicules blindés pour une compagnie de sécurité et enseignera l'électronique dans un collège. En dépit de ses efforts, il ne parvient pas à trouver sa place. Désabusé, il laisse son mariage aller à la dérive et puise son réconfort dans l'alcool. Sa mère, qui venait de se remarier à l'époque, se souvient qu'elle partait parfois à sa recherche dans les bars et tavernes de Sept-Îles à la demande de sa bru.

Après l'inévitable divorce, Lebrasseur s'installe dans les Basses-Laurentides dans l'espoir d'y refaire sa vie. Il vivra plusieurs mois à Saint-Jérôme dans la maison que sa mère partage avec son nouveau mari. Alors que la mère occupe un poste administratif dans la police locale, le fils, lui, aura encore une fois bien du mal à se trouver du travail. Lebrasseur n'a aucun contact dans la région et personne ne fait grand cas de ses années de service dans l'armée. Peu sociable et manquant d'assurance, Roland ne semble pas beaucoup impressionner les employeurs éventuels.

À l'été 1995, le député bloquiste du comté de Sept-Îles offre un poste d'attachée politique à la mère de Lebrasseur, poste qu'elle acceptera. Se retrouvant seul à Saint-Jérôme, Roland plie bagages et s'installe à Montréal. À la suite d'une rencontre fortuite dans un restaurant ou une salle de billard de la métropole, il postule pour un poste de chauffeur à l'agence Aventure. Cette fois, Lebrasseur est certain d'avoir les qualités requises : il possède sa propre voiture et est excellent conducteur puisqu'il a manœuvré toutes sortes de véhicules dans l'armée, notamment des chars d'assaut.

Une vieille connaissance de Lebrasseur, Daniel Bouchard, travaille également pour Wolf Carroll à l'agence Aventure. Natif lui aussi de Sept-Îles, Bouchard a travaillé pendant des années pour la Quebec North Shore and Labrador Railway Company avant d'aboutir à Montréal. Lebrasseur a peut-être rencontré Bouchard après son embauche chez Aventure, mais il est également possible que Bouchard ait été à l'origine de cette rencontre fortuite qui a valu à Lebrasseur d'être engagé par l'agence. D'une manière ou d'une autre, les deux hommes ont établi le contact durant cette période.

On peut dire que la famille de Daniel Bouchard appartient à l'élite de la classe ouvrière puisque son père travaille pour la Confédération des syndicats nationaux (CSN), une organisation syndicale extrêmement présente et influente dans des milieux ouvriers comme celui de Sept-Îles. Daniel se mariera très tôt et aura une fille ; après son divorce, il insistera pour avoir la garde de son enfant. Dans sa ville natale, on apprécie beaucoup sa belle apparence, sa personnalité engageante et, surtout, son dévouement inébranlable envers sa fille. Ces belles qualités n'empêchent pas Bouchard de frayer avec diverses bandes de motards, dont les Hells Angels. Il ne travaillera toutefois jamais à temps plein pour les Hells. Son expérience des chemins de fer lui permettra de décrocher un emploi chez VIA Rail peu après son arrivée à Montréal. Il est probable que, pour Bouchard, ces deux occupations aient été complémentaires : des rapports de police indiquent en effet qu'on le soupçonnait de profiter de ses fréquents déplacements en train pour transporter de la drogue un peu partout au pays.

Bref, par l'entremise de Daniel Bouchard et de l'agence Aventure, Roland Lebrasseur se trouve maintenant impliqué avec les Hells Angels. Il s'intégrera d'ailleurs très vite à l'organisation. Une semaine après que Kane a mentionné le nom de Lebrasseur pour la première fois à ses contrôleurs, celui-ci est nommé chauffeur attitré de Wolf Carroll. Évoluant désormais au sein d'un même réseau, il était inévitable que Kane et Lebrasseur se rencontrent.

Dès le lendemain de l'attentat à la jeep piégée, les dirigeants de la police de Montréal ordonnent aux bandes de motards de bannir séance tenante les explosifs de leur arsenal. En dépit de cet avertissement, les attentats se succèdent de plus en plus rapidement. Le 22 août, trois bombes explosent à Laval et dans les Basses-Laurentides. La police estime que la plus puissante de ces bombes contenait entre 10 et 15 kg de dynamite, une charge suffisante pour raser complètement le bungalow de Le Gardeur qui servait de repaire aux Rowdy Crew, un club-école des Hells Angels. À l'exception du chien de la bande, l'explosion ne fera aucune victime.

Quatre jours plus tard, une bombe presque aussi puissante que celle de Le Gardeur secoue la ville de Longueuil, ravageant la boutique de motos Bob Chopper, véritable monument pour les Hells du Québec. Une semaine auparavant, quelqu'un a lancé dans la vitrine du magasin une grenade qui n'a pas explosé. La seconde attaque ne fera pas davantage de victimes, néanmoins elle s'avérera plus fructueuse. L'explosion est d'une telle violence que les fenêtres de toutes les maisons situées dans un rayon de 60 mètres voleront en éclats sous le choc de la déflagration. À l'arrivée de la police, les avocats des Hells sont déjà sur les lieux et s'interposent : ils entendent bloquer l'accès au site tant que la police ne se présentera pas avec un mandat de perquisition. Le lendemain soir, les Hells ripostent en lançant une bombe incendiaire dans un studio de tatouage de Montréal-Nord lié aux Rock Machine.

Kane dira à Verdon que, depuis ces récents attentats, les Hells sont devenus complètement paranoïaques. Certains d'entre eux croient même que la police a fait sauter le magasin Bob Chopper pour favoriser le passage de la loi antigang. Selon Kane, les Hells Angels sont sur le point de lancer de nouvelles contre-attaques. Les membres seniors de la bande se disent mécontents des assauts précédents, les jugeant sporadiques et pauvrement orchestrés. Les Hells savent fort bien que ce n'est pas en larguant des cocktails Molotov dans des studios de tatouage déserts qu'ils gagneront la guerre. « Ils envisagent de limiter leurs ripostes à des actes plus importants, précise Verdon dans son rapport. On peut s'attendre à ce que des personnalités majeures de l'Alliance soient ciblées bientôt. »

Avant même que les Hells Angels puissent frapper, l'Alliance allait marquer un point de taille, sans doute le plus déterminant depuis le début des hostilités. Le vendredi 15 septembre, un assassin à la solde de l'Alliance abat froidement Richard « Crow » Émond, ancien membre des Missiles du Saguenay – Lac-Saint-Jean, fondateur du chapitre de Trois-Rivières et l'un des premiers motards rebelles du Québec. Le tueur a suivi Émond et sa compagne jusqu'à un centre commercial de Montréal-Nord. Une fois son magasinage terminé, le couple retourne à sa voiture et c'est là, dans le stationnement du centre commercial, que le tueur descend sa victime de trois balles au corps. Émond est le premier membre *full patch* des Hells à perdre la vie dans la guerre des motards ; son meurtre enrage et décourage la bande tout à la fois. Deux semaines auparavant, lorsque le clan Pelletier a abandonné l'Alliance pour passer dans leur camp, les Hells ont cru que la victoire leur était acquise. L'assassinat d'Émond leur fait comprendre qu'il n'en est rien.

Le lendemain du meurtre, Kane dit à Verdon que Mom Boucher est peiné par la mort d'Émond, mais que d'un autre côté il croit que l'incident « va réveiller les autres Hells Angels, ce qui servira sa cause ». Deux jours plus tard, Kane rapporte que les appels à la vengeance se multiplient ; Mom et Carroll sont parmi ceux qui envisagent des mesures de représailles. Les explosions suivantes seront néanmoins l'œuvre de l'Alliance. Le matin des funérailles de Crow Émond, l'Alliance fera sauter un autre bar associé aux Hells. Une seconde tentative d'attentat à la bombe aura lieu le soir même, celle-ci visant le repaire des Jokers, un club-école de Saint-Luc qu'Émond a pris sous sa tutelle.

La chose se déroulera comme suit. À 2 h du matin, une fourgonnette s'approche du repaire des Jokers, tous phares éteints. Un sympathisant des Rock Machine sort du véhicule puis rampe vers le bâtiment, sans doute pour repérer le bon endroit où poser la bombe que deux complices déchargent de la fourgonnette. Le conducteur, lui, ne quitte pas son poste. Ce que les ennemis des Hells ignorent, c'est que deux membres des Jokers sont en train d'observer leur manège au moyen d'un système de sécurité élaboré. Voyant que les intrus s'apprêtent à faire sauter leur antre, un des Jokers jaillit hors du repaire et fait copieusement feu sur leur fourgonnette à la mitraillette. Que l'un des projectiles ait atteint la bombe ou que le détonateur ait été déclenché accidentellement dans le feu de l'action, le résultat reste le même : la bombe explose, tuant tous les individus impliqués à l'exception du sympathisant qui était parti en éclaireur.

L'aube commence à poindre. Une légère brume matinale nimbée de lumière automnale plane sur la scène de l'attentat. Rien ne vient troubler cette sérénité bucolique, sinon les reniflements des chiens policiers occupés à débusquer les restes humains qui sont éparpillés dans un rayon de plus de 100 mètres. Des lambeaux de chair disparaissent parfois dans la gueule d'une bête qui les avale alors d'une goulée, avec délice. La police mettra trois semaines à réunir ce qui restait des motards – deux mois plus tard, elle découvrait encore des parties de leurs corps, dont un segment de colonne vertébrale de 30 cm de long que les Jokers conservaient dans un bocal rempli de formol et d'autres morceaux qu'ils entreposaient dans leur congélateur.

Les assauts contre les Hells Angels se poursuivent donc, mais l'attentat à la jeep piégée n'en est pas réglé pour autant. Le lendemain de la fête du Travail, Kane confirme que la bombe qui a tué Daniel Desrochers a bel et bien été posée par un Hells. L'informateur ignore cependant pourquoi Dubé était ciblé. Mom Boucher aurait-il orchestré l'attentat dans le but de secouer ses troupes ? Peut-être y avait-il eu erreur sur la personne : un dealer des Rock Machine conduisait une jeep presque identique à celle de Dubé ; peu de temps avant l'attentat, les deux hommes avaient même échangé leurs enjoliveurs de roue. Quoi qu'il en soit, Kane croyait Scott Steinert responsable de l'incident. Il restait à savoir si d'autres personnes dans le réseau des Hells Angels le soupçonnaient aussi.

Selon Kane, Steinert paraissait déprimé et accordait de plus en plus de temps à son agence d'escortes. Le rapport de Verdon précise que Steinert « perd de la crédibilité auprès de plusieurs membres du chapitre de Montréal [...] qui n'apprécient pas ses méthodes et sa façon d'agir en général ». Tout semble indiquer que le motard déchu n'obtiendra pas sa *patch* au début du mois de décembre ainsi qu'il l'avait espéré.

À cette époque, à la demande de Steinert, Kane incendiera la maison d'un voisin de Mom Boucher à Contrecœur – le chef des Nomads a eu des mots avec l'individu en question au sujet de l'achat d'un terrain. Au début d'octobre, Boucher fera flamber la propriété d'une autre personne qui l'a contrarié ; sa bombe incendiaire réduira en cendres la résidence du directeur adjoint de la prison de Sorel. Le motif de l'attaque est plutôt élémentaire : Boucher est mécontent du traitement qu'il a reçu et de la qualité de la nourriture qu'on lui a servie lors de son séjour dans cette institution carcérale.

De prime abord, les Hells n'ont pas pris l'escouade Carcajou au sérieux. Mom Boucher avait dit à ses collègues que cette brigade spéciale ne ferait que lui faciliter la tâche, puisque les policiers véreux qu'il avait à sa solde auraient maintenant accès à des renseignements provenant de diverses forces policières, et non plus seulement de celle pour laquelle chacun d'eux travaillait. Toots Tousignant déclarera que depuis la création de Carcajou à la fin de septembre son contact dans la police de Greenfield Park ne tarit plus de nouvelles informations.

Mais la joie des Hells sera de courte durée. Voulant s'assurer que l'impact de Carcajou se fera sentir rapidement dans le milieu des motards, le gouvernement du Québec ne regarde pas à la dépense. Ce sont d'abord les meilleurs agents et officiers de la SQ qui se joignent à l'escouade ; divers éléments du Service de police de la communauté urbaine de Montréal (SPCUM), puis de la GRC – incluant Verdon et St-Onge – viendront s'ajouter au noyau initial. Malheureusement, les rivalités existant entre les trois forces policières perdureront et seront même amplifiées au sein de Carcajou. Les agents de la GRC et du SPCUM prétendent que les enquêteurs de la SQ s'accordent des comptes de dépenses trop généreux à même le budget de l'escouade. De son côté, la SQ soutient que les policiers de la GRC et du SPCUM profitent de l'information obtenue lors des réunions de Carcajou, mais qu'ils ne partagent pas avec leur escouade les renseignements qu'ils détiennent.

Cela dit, plusieurs anciens membres affirment aujourd'hui que Carcajou a été la plus belle expérience de leur carrière parce que, pour une fois, ils disposaient du budget et de la liberté de mouvement dont ils avaient toujours rêvé. Dès septembre, mois où l'escouade commence ses activités, les motards remarquent que la SQ les surveille plus étroitement que de coutume. En novembre, les chefs des Hells ne voient déjà plus l'escouade du même œil.

« Ils [les motards] craignent la police et la nouvelle section Carcajou, qu'ils voient partout, dira Kane à Verdon. Les motards sont conscients qu'ils sont épiés constamment. »

Bien entendu, Carcajou concentrera l'essentiel de son effort de surveillance sur Mom Boucher. Ayant mis sa ligne téléphonique sur écoute, les agents de l'escouade l'entendront conseiller à un de ses lieutenants de battre en retour, à coups de bâton de base-ball, un homme qui l'a tabassé dans une bagarre de bar. La Couronne soutiendra qu'en donnant ce conseil Boucher contrevenait aux règles de sa libération conditionnelle. La police était dès lors en droit de l'appréhender. Après avoir arrêté le chef des Nomads, la police en profite pour fouiller les repaires de la bande ainsi que les résidences de plusieurs de ses membres. Boucher se rend sans résister ; par contre, les raids subséquents s'avéreront plus mouvementés. Une série de rafles effectuées à la fin d'octobre mèneront à l'arrestation de 15 sympathisants sous des accusations reliées à la drogue et aux armes à feu. Et ce n'était pas fini : succombant à la pression de l'interrogatoire, un des motards arrêtés vendra la mèche et fournira à la police des renseignements qui mèneront à l'arrestation de 10 autres sympathisants.

Les arrestations suscitent deux réactions opposées dans le camp des Hells. Certains membres veulent poursuivre le combat coûte que coûte. En octobre, Kane tient le discours suivant à ses contrôleurs : « Les Nomads sont tannés de la présente guerre qui leur coûte beaucoup d'argent et veulent en finir au plus vite. Ils sont prêts à tout pour y parvenir, même à s'attaquer aux familles de leurs ennemis, contrevenant ainsi à leurs habitudes antérieures. Ils planifient même de s'en prendre aux membres des familles de délateurs utilisés contre les H. A. » Tout à leur ardeur guerrière, les Hells qui veulent s'engager dans cette voie songent à utiliser une bombe chimique comme celle qui a causé tant de dévastation à Oklahoma City six mois auparavant. Aux dires de Kane, un colocataire de Pat Lambert féru d'informatique serait occupé à télécharger sur Internet des recettes permettant de fabriquer des bombes de ce type. La bande conserverait tous les ingrédients nécessaires dans un appartement de Longueuil.

Wolf Carroll est l'un des principaux partisans de la manière forte. Il prend la guerre très à cœur et a définitivement rejeté la possibilité de négocier une trêve. Contrairement à la plupart des autres membres en règle, Carroll s'implique activement dans les activités de surveillance visant l'Alliance et les Rock Machine : il recueille des renseignements sur les membres des factions ennemies ; il épie leurs lieux de rencontre dans le but d'identifier le plus de membres possible ; il les prend même en filature, notant soigneusement la marque et le numéro d'immatriculation de leur véhicule.

En ces temps difficiles, certains Hells ont une réaction plutôt inattendue. Au début du mois de décembre, peu de temps après avoir déclaré de nouveau la guerre à tout informateur potentiel, Mom Boucher annonce qu'il songe à se retirer. « Mom pense très sérieusement à prendre sa retraite au Mexique d'ici un an, ce qui expliquerait ses fréquents voyages dans ce pays, dira Kane à St-Onge lors d'une conversation téléphonique. Il explique sa décision par le fait que la police est devenue trop puissante, qu'elle est partout et qu'il ne peut plus bouger. Quelques autres Nomads penseraient aussi de la même façon. »

L'effondrement du marché de la drogue est une autre source de découragement pour les Hells Angels. La pénurie de l'été précédent est terminée depuis longtemps ; par contre, les attentats à la bombe et les descentes de police de plus en plus fréquentes dans les bars de la métropole sont autant d'éléments qui font peur aux clients. Fort heureusement pour les Hells, le marché de l'ecstasy est en plein essor. Certains prétendent que Mom Boucher empoche personnellement un profit de 1 $ sur chaque pilule vendue par un dealer associé à la bande. Avec l'approbation de Boucher, les membres débutants de l'organisation se sont vu concéder des territoires précis à l'intérieur desquels ils contrôlent le commerce de cette drogue. Les plus entreprenants d'entre eux organisent des raves pour stimuler la demande et, de ce fait, développer encore davantage le marché : ils louent des espaces industriels gigantesques, engagent des DJ ainsi que des équipes d'éclairage et de sécurité ; ils assurent même la promotion des événements. Même si les ventes de drogue ne sont pas toujours florissantes du fait que les clients amènent parfois leurs propres stupéfiants, les organisateurs réalisent des profits indécents en vendant des bouteilles d'eau à un prix exorbitant.

Peu après l'attentat à la jeep piégée, Mom Boucher conseillera à Kane et à Marc Sigman, un autre protégé de Steinert, de se joindre officiellement aux Rockers. Les deux motards font partie des rares membres « non patchés » qui seront autorisés à fréquenter de nouveau les repaires de Sorel et de Longueuil après l'interdit du printemps précédent. Usant de flatterie, Mom dira à Kane et à Sigman que, compte tenu de leurs contacts et de leur expérience, ils peuvent apporter beaucoup aux Rockers. À la fin d'octobre, Kane, Sigman et un autre motard sont admis dans la bande à titre de *strikers*. Cet insigne honneur a toutefois un prix : chacun d'eux doit payer des frais d'initiation de 1 500 $, plus 10 % de son revenu mensuel, somme qui ne doit pas être inférieure à 300 $ par mois. Bien que moins tangibles, les avantages découlant de leur nouveau statut n'en sont pas moins bien réels : ils inspireront désormais la crainte et le respect et auront la chance d'échafauder un réseau de contacts criminels qui deviendra de plus en plus lucratif au fur et à mesure qu'ils se hisseront dans la hiérarchie de la bande.

La promotion de Kane n'affectera en rien ses relations de travail. Il continuera de collaborer étroitement avec Steinert et veillera à ses affaires à Thunder Bay. Les rapports de la GRC ne disent pas si Kane transportait ou non de la drogue quand il allait dans cette ville ; néanmoins, il ne fait aucun doute que St-Onge et Verdon savaient que leur informateur était impliqué dans d'importantes transactions de cocaïne. Cela dit, les deux policiers ne semblent pas se préoccuper outre mesure de la chose. « Je lui ai demandé de m'appeler au milieu de son séjour, écrit Verdon dans son rapport du 9 novembre. Le but de sa visite concernera la cocaïne, car le prix à Thunder Bay est maintenant à 50 000 $ le kilo alors qu'il est à 32 000 $ à Montréal. » Si les policiers ont averti Kane d'éviter toute activité illégale, s'ils l'ont informé de ce qu'il devait faire en cas d'arrestation, leur rapport n'en fait aucune mention.

Il y a de toute évidence d'autres omissions importantes dans les rapports de Verdon et St-Onge. Bien que Kane ait très certainement abordé le sujet, ses contrôleurs ne mentionnent rien des attaques que les Hells projettent de lancer contre l'escouade Carcajou. À la mi-octobre, le sergent d'état-major Pierre Lemire glisse une note dans le dossier de Kane, chose qu'il fait occasionnellement.

Le supérieur de St-Onge écrit qu'il faut prendre Kane très au sérieux lorsqu'il dit que les Rockers songent à menacer le maire Pierre Bourque ainsi que certains policiers. Il est étrange que Lemire ait écrit cela alors qu'il n'a jamais été en contact direct avec Kane et que les rapports de Verdon et St-Onge ne disent rien à ce sujet.

Les rapports de la GRC passent également sous silence certaines ententes financières douteuses qu'elle a conclues avec son informateur. Peu après que Kane eut été nommé *striker* au sein des Rockers, St-Onge demandera des fonds additionnels de 1 200 $ par mois pour que l'informateur puisse louer «un véhicule sécuritaire» – avec une telle somme, Kane allait vraisemblablement pouvoir se payer une voiture de luxe, rien de moins! Dans sa demande de paiement, St-Onge écrit: «Étant très identifié comme motard, il devient une cible potentielle pour les ennemis des H.A. Le fait qu'il se déplace avec sa voiture personnelle en fait une proie facile.» Bien que le montant mensuel ait été accordé, les rapports subséquents de Verdon et St-Onge ne disent pas si Kane s'est effectivement procuré le véhicule en question.

Si Kane entretient à cette époque des rapports tortueux tant avec ses confrères motards qu'avec ses contrôleurs de la GRC, sa vie amoureuse n'est pas non plus exempte de complications. Patricia ignore toujours l'existence de Josée et de deux des enfants de Kane; elle ignore aussi que son amoureux maintient un semblant de vie familiale avec eux. De son côté, Josée ne sait pas que Kane est en amour avec Patricia et qu'il passe l'essentiel de ses nuits avec elle. Josée ne s'attend pas à ce que Kane lui soit fidèle; par contre, elle croit que pour lui la famille passe encore avant tout.

Et, effectivement, Kane ne s'est pas complètement détourné de ses obligations familiales. En décembre 1995, il invite Josée et les enfants à un *party* de Noël organisé par les Rockers à la cabane à sucre de Pierre Provencher, un membre haut placé de la bande. Un père Noël emmènera les enfants faire des promenades en traîneau; il y aura des boissons et de la nourriture en abondance. Même si elle doit constamment surveiller les enfants – comme à son habitude, Dany ne l'aide aucunement en ce sens –, Josée prendra beaucoup de plaisir à se mêler aux femmes des autres motards. À cette époque, le couple ne vit plus au-dessus de chez les parents de Kane. Josée a insisté pour qu'ils déménagent à cause des tensions grandissantes dans sa relation avec sa belle-mère.

En plus d'ignorer tout de la vie familiale de Kane, Patricia ne sait toujours pas qu'il fait partie d'une bande de motards criminalisés. La jeune femme admet qu'à l'époque elle a sans doute volontairement fermé les yeux sur cet état de choses. L'amour que Kane ressentait pour elle suffisait à son bonheur. Il faut dire que Dany était un amoureux attentif qui lui téléphonait plusieurs fois par jour pour bavarder avec elle et s'assurer qu'elle allait bien. Steve, le fils de Patricia, s'amusait beaucoup avec lui et l'adorait comme un père. Complètement séduite, Patricia songeait à fonder un foyer avec Dany Kane.

Le rêve romantique de la jeune femme frappera un sérieux écueil peu de temps après, par un soir de février 1996. Kane et Patricia sortent ce soir-là avec plusieurs amis, dont Roland Lebrasseur. À la fin de la soirée, Lebrasseur, qui, fidèle à ses habitudes, a beaucoup bu et pigé librement dans son sachet de cocaïne, entraîne Patricia à l'écart pour lui faire des avances :

« Pourquoi tu veux pas être avec moi ? demande Lebrasseur.

— Comment veux-tu que je sois avec toi quand je suis avec Dany ? de rétorquer Patricia.

— Tu perds ton temps avec lui, lâche platement Lebrasseur, il est marié pis il a trois enfants. »

La nouvelle laisse Patricia sans voix, mais pas pour longtemps. Quelques minutes plus tard, elle coince Dany et lui dit sa façon de penser. À la fin de sa tirade, elle rompt avec lui en lui disant qu'elle ne veut plus jamais le voir ni entendre parler de lui. Sachant combien Kane peut être tenace, Patricia se doute bien qu'il ne la laissera jamais tranquille. Dans l'espoir de lui échapper, elle quitte son appartement et s'installe à l'extérieur de la ville.

Le 4 mars 1996, soit un mois après sa rupture avec Patricia, Kane rencontre Verdon et St-Onge au Ramada Inn de Longueuil. Ce soir-là, Kane touchera son salaire d'informateur et mettra ses contrôleurs au fait des derniers développements dans la saga des Hells Angels. En dépit des sentiments mitigés qu'il suscite chez ses collègues et du fait que les Hells songeaient à l'expulser à peine un mois plus tôt, Scott Steinert a reçu sa *patch* et est maintenant membre en règle des Hells Angels. Certains prétendent que Steinert a été promu pour honorer la mémoire du président national de la bande, Tiny Richard, décédé d'une crise cardiaque le 23 février. Dans un autre ordre d'idées, Kane annonce que, la semaine précédente, les Hells ont fait entrer à Montréal 500 kg de cocaïne qu'ils vendent 34 500 $ le kilo. Les frères Matticks, qui sont les chefs de la West End Gang et contrôlent le transit de la drogue dans le port de Montréal, sont sur le point de prendre livraison d'un gros arrivage de haschisch. Voulant se libérer de son accoutumance à la cocaïne, Roland Lebrasseur s'est inscrit dans un centre de désintoxication et entamera sa cure aussitôt qu'une place se libérera. « Il semble que Wolf [Carroll] ne soit pas trop fier de cette situation puisque Lebrasseur s'était vu confier des tâches par lui dans le passé et qu'il démontre des signes de faiblesse », écrira Verdon dans son rapport.

Durant la rencontre, Kane omet de mentionner une conversation survenue deux jours auparavant, alors qu'il se trouvait chez Josée en compagnie de Lebrasseur. Après son départ, Josée dit à Dany qu'elle trouve Lebrasseur plus plaisant et affable que ses autres connaissances et permet à son conjoint de l'inviter chez elle aussi souvent qu'il le veut. « C'est dommage qu'il te plaise, lance Kane d'un ton moqueur, parce que c'est la dernière fois que tu le vois. »

Le 4 mars avant minuit, quelques heures à peine après avoir quitté le Ramada Inn, Kane téléphone à Verdon pour lui annoncer une grave nouvelle : Roland Lebrasseur a été assassiné. On a retrouvé son corps sur la Rive-Sud, dans les environs de Brossard. Verdon ne note aucun autre détail, sinon que la police de Brossard devra être avisée.

Les documents de la GRC indiquent que les contacts entre Kane et ses contrôleurs se raréfieront au cours des deux semaines suivantes. Il n'y aura en fait qu'une brève conversation téléphonique entre Kane et Verdon durant laquelle le meurtre de Lebrasseur ne sera pas mentionné. Le sujet ne reviendra sur le tapis que le 20 mars, à l'occasion d'une autre rencontre au Ramada Inn. Kane rapporte alors qu'un « homme de Wolf Carroll » – dont le nom sera rayé du rapport de Verdon – a entendu Daniel Bouchard dire qu'il tuerait Lebrasseur. Aux dires de l'homme en question – qui selon Kane avait lui aussi été menacé par Bouchard –, Bouchard aurait assassiné son compatriote de Sept-Îles pour des raisons d'ordre personnel ; Wolf Carroll n'y était pour rien. Sans doute pour épaissir encore davantage le mystère, Kane remettra en cause l'implication de Bouchard dans l'affaire en disant que « Lebrasseur était un coké qui menait une vie secrète et transigeait avec différents groupes, ce qui rend la liste des suspects assez longue ».

Le rapport de la rencontre ne dit pas si Kane a mentionné que Bouchard et Lebrasseur se connaissaient depuis longtemps et qu'ils étaient tous deux natifs de Sept-Îles. Quoi qu'il en soit, la GRC de Sept-Îles avait déjà Bouchard à l'œil, car elle le soupçonnait d'être l'un des plus gros trafiquants de drogue de la région. Quelques jours plus tard, s'appuyant sur les faits divulgués par Kane, St-Onge et quatre autres agents de la GRC s'envolent pour la Côte-Nord, mais en vain : Bouchard ne se trouve pas dans sa ville natale. Lorsque St-Onge revient bredouille à Montréal, Kane se ravise et lui dit que Bouchard se trouve plutôt à Ottawa ou à Toronto à cause de son travail pour VIA Rail.

Kane en a soudain très long à raconter sur Daniel Bouchard. Il dira par exemple que Les Boys, le bar de Wolf Carroll dans le Village gai, avait d'abord été enregistré au nom de Lebrasseur, puis à celui de Bouchard avant d'être transféré à un autre nom. Kane donnera ensuite à St-Onge pas moins de six numéros de téléphone et deux adresses où contacter Bouchard ; il précisera la marque et la couleur de sa voiture et donnera les noms de ses trois frères et de sa fille. Kane ajoutera que les Hells ne font pas vraiment confiance à Bouchard parce qu'ils savent qu'il a déjà transigé avec les Rock Machine. En guise de conclusion, l'informateur déclare que Bouchard et un autre homme du nom de Stéphane Boire ont partagé pendant un temps un logement avec Lebrasseur à Pointe-Saint-Charles. Or, de dire Kane, Boire a lui aussi disparu. Se pouvait-il que Bouchard ait éliminé ses deux anciens colocataires ? Kane laisse planer le doute.

Trois mois plus tard, la police apprend que Boire a effectivement été tué : ayant détecté une plantation de marijuana non loin de ses ruches, un apiculteur de la Rive-Sud a alerté les autorités qui découvriront parmi les plants le corps en décomposition de Stéphane Boire ; on l'avait enveloppé dans un sac de couchage, puis enterré dans une fosse peu profonde. La police aura toutefois du mal à établir un lien entre Boire et Bouchard. Natif de Saint-Jean-sur-Richelieu, Boire avait fréquenté la maternelle avec Josée, la conjointe de Kane. Ses démêlés avec la police commencent à l'adolescence, si bien que, au début de la vingtaine, son casier judiciaire s'avère déjà fort bien garni : vol, recel, voies de fait, trafic de drogue et condamnations reliées aux armes à feu sont autant de méfaits qui amèneront son destin à croiser celui de Dany Kane.

Contrairement à ce qu'affirme Kane, il est peu probable que Boire et Bouchard aient été un jour colocataires. Les gens qui connaissaient bien Bouchard disent tous que celui-ci n'aurait jamais exposé sa fille au milieu criminel dont il faisait partie, qu'il n'aurait jamais permis qu'un autre motard vive sous le même toit qu'elle. De même, il est presque certain que Lebrasseur n'a jamais vécu avec Bouchard, du moins pas avant le printemps 1995 ainsi que Kane le prétendait. C'est en effet à cette époque que Lebrasseur a quitté Sept-Îles pour s'établir chez sa mère à Saint-Jérôme. Cette dernière confirme que son fils n'a pas vécu ailleurs durant cette période.

St-Onge et Verdon ne sont pas au courant de ces faits au moment où Kane spécule sur l'identité de l'auteur des meurtres de Lebrasseur et de Boire. Ils ignorent également tout des faits et gestes de leur informateur au moment de l'assassinat, c'est-à-dire dans les heures qui ont précédé la rencontre au Ramada Inn.

La vérité se présentait ainsi. Le 3 mars 1996, sous le couvert de la nuit, Kane s'était fait conduire par Lebrasseur jusqu'à la montée Gobeil, une route de campagne peu fréquentée située en bordure de Brossard. À la pointe du fusil, il avait sommé Lebrasseur de descendre du véhicule puis l'avait abattu de trois balles à la tête et à la poitrine. Son cadavre sera découvert à 6 h 45 du matin par un ouvrier qui travaillait de nuit et coupait à travers champs pour rentrer chez lui. Le corps ayant été dépouillé de toutes pièces d'identification, l'identité de la victime ne sera confirmée que le 5 mars, soit après que Kane eut informé St-Onge de l'événement.

CHAPITRE 11

Au cœur de l'ouragan

Les rapports du caporal Verdon et du sergent St-Onge laissent présumer qu'ils n'ont jamais questionné Kane sur le meurtre de Roland Lebrasseur. Trouver le ou les assassins de Lebrasseur et de Stéphane Boire n'était manifestement pas une priorité pour la GRC – ces enquêtes relevaient de toute manière de la compétence de la SQ et des corps policiers locaux. La GRC a néanmoins ajouté les noms des deux défunts à la liste des quelque 50 victimes qui, en date de mars 1996, avaient perdu la vie depuis le début la guerre des motards. La majorité de ces meurtres demeurait irrésolue.

Patricia se préoccupait davantage de l'assassinat de Lebrasseur que la GRC. De toutes les fréquentations de Dany Kane, c'était Lebrasseur qu'elle avait apprécié le plus – sauf dans les moments où il avait consommé trop d'alcool ou de cocaïne, bien entendu. Les détails de sa mort avaient fait la manchette d'*Allô Police*; or, Patricia trouvait qu'il y avait dans tout cela quelque chose de déroutant. Elle soupçonnait Dany d'avoir assassiné Lebrasseur parce que celui-ci lui avait révélé l'existence de Josée et de ses deux autres enfants. La jeune femme était convaincue d'avoir pris la bonne décision en rompant avec Kane et en déménageant hors de la ville.

Moins de deux mois après leur rupture, Patricia croise son ancien amant par hasard au bureau de Pat Lambert. Croyant que Kane a orchestré la rencontre, Patricia se montre d'une humeur glaciale; d'un ton cassant, elle demande à Dany des nouvelles de Josée et des enfants. Lorsque Kane prétend que sa relation avec Josée est terminée, Patricia lui lance un regard rempli d'incrédulité. Sans faire ni une ni deux, le motard empoigne son cellulaire, appelle Josée et lui demande de confirmer la chose. Patricia se souvient que Josée lui a simplement dit : « Arrange-toi avec lui. C'est ton problème maintenant. »

Kane devra user de tout son charme pour reconquérir le cœur de Patricia. Lorsqu'elle lui demande s'il a tué Lebrasseur, Dany répond : « Es-tu folle ? » Kane nie la chose avec tant de véhémence et semble si déconcerté que Patricia ait songé à lui poser une telle question que la jeune femme finit par croire à son innocence et consent à renouer avec lui. Après tout, c'est le printemps… et Dany lui répète sans cesse qu'il l'adore. Le 1er juillet, journée nationale du déménagement au Québec, les deux tourtereaux emménagent ensemble dans un petit appartement de la rue Saint-Christophe, juste au sud de la rue Sherbrooke.

Leur nouveau logement comprend une chambre, une cuisine, un salon et une salle de bain – ce qu'au Québec on appelle un trois et demi. L'appartement n'étant pas suffisamment vaste pour accueillir Steve, le fils de Patricia, il continuera de vivre avec sa grand-mère. Kane, par contre, ne se prive pas d'y emmener ses trois enfants. Il restera à la maison pour s'occuper d'eux à leur première visite, mais la fois suivante, prétextant qu'il a une course à faire, Kane s'absentera toute la soirée, laissant son amoureuse seule pour garder les enfants. Le même scénario se répétera aux visites suivantes, à cette différence que Kane ne se donnera plus la peine d'invoquer quelque prétexte que ce soit.

Le petit trois et demi de la rue Saint-Christophe a l'avantage de se trouver en plein cœur du centre-ville et à deux pas du Village gai où les Rockers affichent une forte présence – les membres de la bande se rencontrent souvent dans les bars et restaurants de ce secteur. L'appartement de Kane se trouve par ailleurs à proximité des bureaux de l'agence Aventure et de son compétiteur, l'agence Sensations, exploitée par Scott Steinert. Étant donné la situation de l'appartement et le tempérament grégaire de son occupant, l'endroit devient vite le lieu de rencontre de prédilection des compagnons et associés de Kane. Steinert et Magnussen s'y rendent souvent, de même que plusieurs autres individus dont Patricia ignore les noms, mais dont elle reconnaîtra un jour les visages dans les journaux.

Patricia se doute bien que son amoureux trempe dans des affaires louches, voire dangereuses, mais elle ne sait pas encore qu'il est membre des Rockers et donc un protagoniste de la vague de violence qui secoue la ville. Elle découvrira la vérité lorsqu'un laboratoire photo lui enverra par erreur un jeu de clichés sur lesquels Kane et plusieurs de ses confrères motards exhibent leurs couleurs. La nouvelle n'étonne pas Patricia outre mesure : en son for intérieur, il y a longtemps qu'elle se doute que son amant fait partie d'une bande de motards. À partir de ce moment, chaque fois que le couple doit se déplacer ensemble dans l'auto de Kane, la jeune femme oblige son compagnon à faire le tour du pâté de maisons avant de monter elle-même à bord du véhicule. « Je me disais que s'il faisait deux fois le tour du bloc, ses ennemis auraient le temps de faire sauter son auto si c'est ça qu'ils voulaient. » Lorsque Kane rentre à la maison en lui annonçant qu'il a eu une rude journée ou qu'une de ses combines a foiré, Patricia ne lui pose pas de questions et n'exige aucun détail.

Comme c'est le cas dans la plupart des couples, certains aspects de leur vie commune agacent Patricia – ce flot quasi ininterrompu de visiteurs qui surviennent sans s'annoncer ; les fréquents appels à frais virés de copains qui se trouvent en prison ; le fait que Kane insiste pour que Patricia aille fumer ses cigarettes dehors alors que Steinert, lui, est autorisé à fumer du hasch librement dans l'appartement. Fort heureusement, Dany a le don de tout arranger et de faire en sorte que son amoureuse retrouve sa bonne humeur. À ce jour, Patricia dit que le Dany Kane qu'elle a connu est bien différent de cet homme mauvais et tyrannique qui a partagé la vie de Josée pendant des années.

Josée ne se souvient pas de la conversation téléphonique où elle aurait concédé Kane à Patricia ; elle soutient que sa rupture définitive avec Dany est survenue à l'automne 1996. Voulant s'inscrire ce jour-là à un cours à l'Université du Québec à Montréal, la conjointe de Kane avait besoin d'un espace de stationnement dans le secteur. Or, Dany lui avait dit qu'il avait loué un appartement tout près de son « travail », rue Saint-Christophe, ce qui lui évitait de faire chaque jour le trajet de 45 minutes de Saint-Jean à Montréal et vice-versa. Kane disait aussi avoir pris l'appartement parce que le chien qu'il avait acheté à Josée pour lui tenir compagnie – comme si ses trois enfants ne lui suffisaient pas – lui occasionnait des problèmes respiratoires.

Kane avait raconté à Josée qu'il partageait l'appartement avec une danseuse qui voulait quitter le milieu ; il l'avait accueillie en tant qu'ami pour la dépanner, disait-il, et elle dormait sur le sofa. Lorsque Josée a sonné à l'appartement de la rue Saint-Christophe pour demander à Dany si elle pouvait utiliser son espace de stationnement pour quelques heures, le temps d'aller s'inscrire à son cours, c'est Patricia qui a répondu à la porte. Josée a tout de suite compris qu'elle était plus qu'une simple colocataire pour Dany. À la suite de cette rencontre plutôt gênante, Josée accepte le fait que son conjoint a trouvé quelqu'un d'autre et s'estime libre de faire de même. Malheureusement pour elle, Kane ne verra pas les choses du même œil.

Tout au long de l'année 1996, la fraternité des Hells Angels du Québec sera rongée par la méfiance et les querelles intestines. Kane rapporte que « les Nomads, principalement Carroll et Boucher, considèrent les Evil Ones et la majorité des H. A. de Montréal comme des vieux et des peureux qui profitent de leurs couleurs pour conduire leur business, mais qu'en retour ils ne font rien quand la chaleur [c'est-à-dire les problèmes] arrive ». Le fait que Wolf et Mom estiment que les Hells de Montréal ne contribuent pas assez à l'effort de guerre donnera lieu à de violentes disputes quand viendra le temps de diviser les territoires arrachés aux Rock Machine.

Figure éminente quoique controversée des Hells de Montréal, Scott Steinert n'apprécie pas que les Nomads traitent ses confrères, et lui-même par la même occasion, de lâches et de peureux. En avril, les rapports entre le chapitre de Montréal et les Nomads deviennent si tendus que Steinert conseille à Kane de couper tout lien avec Wolf Carroll. Si Steinert l'oblige à choisir son camp, c'est sans doute parce qu'il s'attend à ce que Kane rejette les Rockers et les Nomads pour se joindre à lui. Il est possible que, précisément durant cette période, Kane ait été réceptif à ce genre de proposition : au printemps, il avait perdu son statut de *striker* au sein des Rockers à la suite d'une violente altercation avec un membre en règle de la bande. Kane et ses contrôleurs de la GRC ont été extrêmement déçus et frustrés de cette rétrogradation.

La méfiance règne toujours chez les Hells à cette époque ; la bande est très inquiète à l'idée qu'un informateur se cache peut-être dans ses rangs. Premier lieutenant de Steinert et bon ami de Kane, Donald Magnussen est le grand suspect du moment. Kane sait fort bien que si la loyauté de Magnussen peut être remise en question, la sienne risque de l'être aussi dans un avenir rapproché.

Grâce à son salaire d'informateur et aux revenus générés par ses diverses entreprises criminelles, Kane vit dans l'aisance et le confort. « Il avait la grosse bagnole, du beau linge et tout le bataclan, se souvient Patricia. Il disait que ça donnait rien d'avoir de l'argent si tu pouvais pas le montrer. » Mais Kane prend de gros risques en s'exhibant ainsi. Tôt ou tard, ses confrères motards se demanderaient comment il s'y prenait pour gagner autant d'argent, et ce, même quand les affaires de la bande tournaient moins que rondement. Tôt ou tard, quelqu'un découvrirait d'où lui venait tout son argent.

Kane sait qu'il lui faut rapidement fonder une entreprise légitime qui lui servira de couverture. C'est dans cette optique qu'il lance, au début de l'été 1996, avec l'aide financière de la GRC, une revue hebdomadaire intitulée *Rencontres sélectes*. S'adressant à un lectorat homosexuel tant masculin que féminin, la publication regorgera de publicités pour bars gais, agences d'escortes et lignes téléphoniques érotiques ; elle comprendra une section d'annonces pour personnes à la recherche de nouveaux partenaires sexuels. L'essentiel des revenus sera généré par un service de rencontres téléphoniques pour homosexuels dont le magazine assurera la promotion.

Mais Kane a besoin d'un capital initial pour lancer sa revue. Le 10 juin, le sergent St-Onge présente à ses supérieurs une requête de six pages dans laquelle il demande les fonds nécessaires. Le policier explique d'abord le contexte du projet : dans le milieu des motards, on ne pose jamais de questions directes concernant les sources de revenus d'un individu ; par contre, « les spéculations vont bon train » lorsqu'un membre ou un sympathisant fait de l'argent alors qu'il n'a pas de *business* connue. St-Onge conclut en écrivant : « Les dirigeants des H.A. savent que la police, et surtout la GRC, a des informateurs dans leurs rangs et ils tentent par tous les moyens de les découvrir. »

Kane était à la recherche d'une couverture quelconque pour justifier ses revenus lorsqu'il a rencontré une psychologue qui possédait « une agence de rencontres sérieuse » et qui voulait fonder une entreprise connexe, possiblement un magazine. Inspiré par le succès des revues gratuites qui sont distribuées dans le Village gai, Kane propose à la psy de s'associer avec lui pour créer un périodique gai du même genre. Il n'y a qu'un pépin : la psy en question est en instance de divorce et ne peut malheureusement pas financer le projet parce qu'elle « veut que rien ne paraisse ».

La requête de St-Onge inclura une liste de frais encourus et à venir comprenant les éléments suivants : lignes téléphoniques – 600 $; publicités dans d'autres publications – 2 200 $; ameublement de bureau – 1 500 $; photocopieuse – 3 118 $; télécopieur – 500 $; mise en page, impression et distribution – 5 500 $; présentoirs métalliques – 6 300 $. En ajoutant le loyer et le salaire des employés, le coût total de l'opération grimpe à 30 325 $. St-Onge soulignera le fait que Kane a déjà déboursé 5 500 $ de sa poche, ce qui prouve sa bonne foi et la mesure de son engagement. « Je crois franchement que cette affaire générera des profits, écrira St-Onge. Au minimum, du moment qu'ils couvriront les dépenses, notre but sera atteint. »

Après plusieurs semaines de délibération, le directeur Rowland Sugrue, l'un des dirigeants de la GRC au Québec, donne le feu vert au projet. Les fonds seront déposés dans un compte à la Banque Laurentienne ; la succursale se trouve à l'angle des rues Sherbrooke et Saint-Hubert, à deux pas de l'appartement de Kane et des bureaux de *Rencontres sélectes* et juste en face de l'agence de Pat Lambert. « L'emplacement de ce commerce est aussi très privilégié puisqu'il sera très visible des motards et danseuses qui se tiennent à l'agence Aventure », précise St-Onge dans sa demande.

Le week-end des 11 et 12 mai, les membres du chapitre des Hells Angels de Halifax invitent leurs confrères canadiens et du nord-est des États-Unis à célébrer avec eux leur douzième anniversaire. À défaut de marquer un jalon important de l'histoire des Hells, l'événement constitue un excellent prétexte pour faire le *party*. Alors que la plupart des motards présents profiteront de l'occasion pour se défoncer et s'envoyer en l'air, Walter Stadnick s'est donné pour mission d'établir de nouveaux contacts et de tisser de nouvelles alliances.

Après avoir travaillé à implanter les Hells Angels en Ontario, Stadnick avait visé le Manitoba et plus particulièrement Winnipeg, pivot central du transit de la drogue au Canada. Depuis le début

des années 1990, Stadnick courtise assidûment les deux principales bandes de la ville, les Spartans et Los Brovos (que bien des
gens font l'erreur d'appeler Los Bravos), mais les deux gangs sont
ambivalents à l'idée d'une alliance avec les Hells : d'une part, ils ne
veulent pas perdre leur autonomie ; d'autre part, il est tentant pour
eux de se convertir aux couleurs d'un club aussi prestigieux que
celui des Hells Angels. De leur côté, les Hells ne veulent recruter
que les meilleurs éléments de chaque club, la crème de la crème ;
ils ont besoin de motards endurcis et dévoués qui feront le nécessaire pour assurer la suprématie des Hells Angels à Winnipeg et
ailleurs dans la province. Fin stratège, Stadnick fondera un club-
école à Winnipeg, les Redliners, tant pour mettre de la pression sur
les bandes existantes que pour faire bouger les choses.

Au milieu des années 1990, Los Brovos s'imposera comme le
club dominant au Manitoba, ce qui poussera Stadnick à courtiser
ses membres sans relâche. Celui-ci veut absolument en arriver à
une entente qui permettra aux Hells Angels d'assimiler Los Brovos.
C'est dans cette optique que Mike McCrea, le président du chapitre
de Halifax, conviera David Boyko, l'un des membres les plus
influents des Brovos, aux célébrations de mai 1996. D'abord réti-
cent, Boyko finit par accepter l'invitation de McCrea, qui, il faut
le dire, s'était fait très insistant.

Donald Magnussen sera lui aussi de la fête, mais sa présence
ne fait pas que des heureux. À l'instar de son mentor Scott Steinert, Magnussen est un bon gagneur pour la bande ; néanmoins,
ses confrères le trouvent trop arrogant et téméraire. Du temps où
Magnussen était basé à Winnipeg, Boyko lui avait acheté de la drogue mais avait ensuite refusé de le payer ; or, Magnussen nourrit
depuis ce jour une franche animosité à l'égard du motard mani-
tobain. Lorsqu'il aperçoit Boyko à la fête de Halifax, Magnussen
décide qu'il est grand temps pour lui de lui régler son compte.
Dans le courant du week-end, Boyko sera abattu d'une balle dans
la tête ; on retrouvera son corps à Dartmouth, le long d'une route
de gravier. En plus de jeter une ombre sur les festivités, le meurtre
de Boyko risquait de compromettre l'expansion des Hells Angels
au Manitoba et dans les provinces des Prairies.

Aux yeux des Brovos, l'assassinat de Boyko est la pire trahison
qu'on puisse imaginer. Les membres de la bande soutiennent que

les Hells ont incité Boyko à se rendre aux festivités de Halifax simplement pour que Magnussen puisse l'éliminer. Pour certaines bandes de l'Ouest du pays qui se sont toujours méfiées des Hells, l'incident prouve que les Hells Angels, et plus particulièrement les Hells du Québec, ne sont pas dignes de confiance.

Désireux de démontrer aux motards du Manitoba et à leurs alliés que le meurtre de leur confrère était l'œuvre d'un individu ayant agi de son propre chef et non pas un acte orchestré par la bande, Mike McCrea se rend à Winnipeg pour assister aux obsèques de Boyko. Des membres du club ontarien Satan's Choice et des Grim Reapers de l'Alberta seront également présents. Jusqu'aux rivaux des Brovos, les Spartans, qui viendront rendre un dernier hommage à leur défunt adversaire. L'accueil réservé à McCrea sera on ne peut plus glacial : personne ne lui adresse la parole ; les membres de Los Brovos lui tournent le dos chaque fois qu'il fait mine de s'approcher d'eux.

La situation est si tendue que, cinq semaines plus tard, Kane confie à ses contrôleurs que les Hells craignent que les Brovos assouvissent leur vengeance en assassinant Stadnick. Plusieurs membres anglophones des Nomads, dont Carroll et Stadnick, estiment que les Hells doivent éliminer eux-mêmes Magnussen. « Ce serait en effet le seul moyen permettant de démontrer aux autres groupes de motards de l'Ouest canadien que l'assassinat de Boyko n'était pas commandé par les Hells Angels », écrira Verdon dans son rapport.

Contrairement à ses habitudes, la GRC décide d'avertir Magnussen du danger qui le menace. Les raisons de cette intervention sont plutôt floues. La menace qui plane sur Magnussen n'est pas plus « directe et précise », pour reprendre les critères du sergent d'état-major Lemire, que celle planant sur les autres individus ciblés par les Hells. Il est possible que la GRC ait adopté cette stratégie dans le but de juguler l'expansion des Hells : si Magnussen vivait, les bandes du Manitoba ne permettraient sans doute pas aux Hells Angels de s'établir dans leur province. Il se peut aussi que la GRC ait pris cette décision parce que Magnussen était le meilleur contact de Kane au sein de l'organisation. Bref, pour une raison ou une autre, Verdon et St-Onge décident de partager cette information avec leur plus proche allié dans l'escouade Carcajou, le sergent-détective Benoît Roberge. Verdon et Roberge se voient régulièrement puisqu'ils

partagent le même bureau dans les locaux de Carcajou. Or, chaque fois que les deux agents de la GRC ont une information – le
plus souvent divulguée par Kane – à relayer à un membre de l'escouade, c'est presque toujours à Roberge qu'ils la font parvenir. Les
policiers de la SQ qui sont membres de Carcajou soupçonnent
même que Verdon est une « source codée » pour Roberge au même
titre que Kane en est une pour Verdon. Quoi qu'il en soit, c'est effectivement de la bouche de Verdon que Roberge apprendra que les
Hells sont sur le point d'éliminer Magnussen.

Pendant une décennie entière, bien longtemps avant la création de Carcajou, Roberge avait été affecté au dossier des motards ;
aussi était-il un personnage bien connu dans leur milieu. Dès que
Verdon et St-Onge l'ont informé de la situation, Roberge, un grand
détective blond qui a la réputation de faire plus d'heures supplémentaires que tous ses collègues réunis, s'est lancé sur la piste de
Magnussen pour l'avertir que des membres de sa propre bande
allaient attenter à ses jours. Magnussen dira s'être moqué de
Roberge quand celui-ci lui a appris la nouvelle, mais tout indique
qu'il prendra l'avertissement très au sérieux. À partir de ce moment,
il sortira rarement seul.

Magnussen se fera plus prudent, mais son comportement ne
s'en améliorera pas pour autant. À la fin de juillet, Kane rapporte
l'incident suivant : dans un club *after hour* contrôlé par les Hells,
Magnussen a sauvagement battu un dealer qui l'avait prétendument insulté. La victime de Bam-Bam est dans le coma.

Déjà têtus et arrogants de nature, Magnussen et Scott Steinert
aggraveront leur cas en consommant des stéroïdes en quantités
industrielles ; l'usage abusif qu'ils font de ces substances les rend
encore plus violents et agressifs. Au printemps et à l'été 1996, leur
taux de consommation atteint son paroxysme, ce qui aura des
conséquences très marquées sur leur comportement. Si les stéroïdes
ont joué un rôle significatif dans la guerre des motards, dans le
cas de Steinert et de Magnussen on peut dire qu'ils ont été un facteur déterminant.

À l'été 1996, on assiste à une trêve dans la guerre des motards.
L'Alliance, les Hells ainsi que leurs acolytes respectifs semblent
davantage intéressés à brasser des affaires qu'à guerroyer.

Pat Lambert retournera en Guadeloupe pour discuter affaires avec deux criminels français installés aux Caraïbes. Selon Kane, l'un d'eux a été l'associé de Jacques Mesrine, le légendaire braqueur de banques français qui a échappé aux autorités tout au long des années 1960 et 1970. Le second individu est un agent corrompu de la police secrète française qui, d'annoncer Kane nerveusement, se vante d'avoir des contacts à la GRC. Il se peut aussi que Lambert soit retourné dans les Caraïbes parce que, à l'instar de Mom Boucher, il songe à prendre sa retraite. Kane raconte que Lambert « est très insatisfait […] et perd ses illusions face aux Hells Angels ». Bénéficiant de la double citoyenneté canadienne et espagnole, Lambert songe à s'établir en Europe pour y refaire sa vie.

Les voyages de Lambert ne sont rien comparativement à ceux de Guillaume « Mimo » Serra, un autre favori de Mom Boucher qui bénéficie d'une ascension vertigineuse. Grand importateur et distributeur de cocaïne, Serra a des liens avec les mafias italienne et colombienne, mais aussi avec les Hells Angels et les Rock Machine. En mai, Kane rapporte que Serra est parti en République dominicaine pour négocier une cargaison de coke. En juillet, Serra se rend au Costa Rica en vue d'y faire construire un hôtel ; son partenaire dans l'affaire est nul autre que Mom Boucher. En août, Mimo coordonne l'acheminement d'autres cargaisons de drogue, d'abord à Cuba, puis au Brésil.

Au début d'août, les Hells volent dans le port de Montréal une cargaison de pièces de 2 $ d'une valeur de 3 millions. Le geste est audacieux ; toutefois, découvrant qu'ils ne peuvent faire ni dépôts ni achats importants uniquement avec des pièces de monnaie, les voleurs auront du mal à écouler, voire à blanchir leur butin. L'homme que Carroll a chargé de fourguer ce pactole encombrant, un certain « Moune », offrira une prime de 25 % à quiconque consentira à lui prendre un minimum de 10 000 $ en pièces – en échange de 20 000 $ en billets, un client recevrait par exemple 25 000 $ en pièces.

Steinert est lui aussi très actif à cette époque. Kane dit de lui que c'est un des seuls Hells qui fait lui-même son sale boulot au lieu de le déléguer à d'autres. Cet été-là, Steinert étendra ses activités à Laval. Il formera une bande qui prendra d'assaut les bars et autres points de vente de la ville en vue de s'emparer du marché de la drogue sur ce territoire. Il fera ensuite avec Magnussen un voyage d'affaires relié au commerce de la drogue et des danseuses nues. Puis, à la fin du mois d'août, il portera un grand coup en organisant une attaque contre les Rock Machine à Verdun.

La chose devait se dérouler ainsi. Aidé de plusieurs complices – ce qui inclut très certainement Kane –, Steinert volera deux fourgonnettes grises qu'il maquillera en véhicules de service d'Hydro-Québec. Après avoir chargé 90 kg de dynamite dans l'un des véhicules, Steinert et ses hommes partiront pour Verdun, principal bastion de leurs rivaux. Leur objectif était de lancer la fourgonnette piégée contre les portes du bâtiment industriel qui abritait le repaire des Rock Machine et l'espace d'entreposage de leurs motos. Une fois le véhicule à l'intérieur, on devait faire exploser la charge à distance.

Le plan de Steinert foirera parce que le conducteur sautera trop tôt en bas de la fourgonnette. Sans plus personne pour le diriger, le véhicule déviera de sa course, frappera un panneau de signalisation, puis s'engagera dans une rue déserte où il s'arrêtera sans avoir causé quelque dommage que ce soit. La partie essentielle du plan, l'explosion, ne se produira pas parce que le détonateur n'a pas été branché correctement. La police estimera par la suite que si la bombe avait explosé, elle aurait rasé tout ce qui se trouvait dans un rayon de 30 mètres et aurait causé d'importants dommages sur une étendue beaucoup plus vaste.

Steinert devait être furieux de la manière dont l'opération s'était déroulée. C'était du travail bâclé, du boulot d'amateur. À la suite de ce cuisant échec, le motard est plus que jamais déterminé à s'emparer de Verdun et de tout autre territoire montréalais appartenant encore aux Rock Machine. Pour arriver à ses fins, il envisage de monter une nouvelle équipe qui sera composée de cinq membres-clés – qui ne seront pas tous nécessairement des Hells Angels – secondés par des hommes de main comme Magnussen et Sigman. En s'attaquant aux Rock Machine, Steinert cherche avant tout à défendre l'honneur du chapitre de Montréal. Selon Kane, Steinert en a assez d'entendre les Nomads dire que « le chapitre de Montréal n'est qu'une bande de téteux qui ont peur de l'action ». Avec sa nouvelle équipe, Steinert compte faire taire les mauvaises langues. Chaque membre conservera ses couleurs et ses affiliations actuelles, aussi ne peut-on pas parler de club-école en tant que tel, mais il ne s'agira pas moins d'une organisation à part entière, avec ses propres symboles et son propre repaire. À ce sujet, Steinert veut trouver un repaire qui soit à la mesure de ses ambitions. Un des endroits qui l'intéressent est connu sous le nom de « manoir des Lavigueur », une immense résidence de 17 pièces sise sur la rivière des Mille-Îles.

Le manoir des Lavigueur jouit d'une grande notoriété dans la région de Montréal, et pour cause. Dix ans plus tôt, en mars 1986, un homme du nom de William Murphy trouve au centre-ville de Montréal un portefeuille contenant les pièces d'identité de son propriétaire ainsi qu'une demi-douzaine de billets de loterie. Murphy se rend à l'adresse indiquée sur le permis de conduire, dépose le portefeuille dans la boîte aux lettres, mais garde les billets de loterie. Son geste est compréhensible : bénéficiaire de l'aide sociale, Murphy n'a plus que 56 ¢ dans son compte en banque ; il espère que le destin le récompensera de sa bonne action en lui faisant gagner un petit montant.

Lorsqu'il vérifie les numéros, Murphy découvre qu'il détient le billet gagnant.

Cette semaine-là, le gros lot du Loto 6/49 est de 7,6 millions de dollars. Après plusieurs heures d'hésitation et de tergiversations, Murphy retourne à l'adresse du portefeuille perdu avec l'intention de rendre le billet à son propriétaire. Une fois sur place, le bon Samaritain se fait claquer la porte au nez. L'homme qui l'a éconduit, le fils de Jean-Guy Lavigueur, explique son geste : « C'est un quartier dur, ici. Et puis on était tous couchés. » Il y a aussi le fait que la famille Lavigueur est unilingue francophone alors que Murphy, lui, ne parle que l'anglais.

Le lendemain soir, Murphy se présente de nouveau à l'appartement des Lavigueur, cette fois avec un ami qui parle français et qui est donc en mesure d'expliquer la situation. Licencié par son employeur après 32 ans de loyaux services, Jean-Guy Lavigueur, le propriétaire du portefeuille perdu, vit lui aussi de ses prestations d'aide sociale. Ayant acheté le billet gagnant avec ses enfants et son beau-frère, il offre aussitôt à Murphy un sixième du gros lot.

Cette histoire peu banale a tout pour captiver les Montréalais. Après avoir touché son dû, Murphy retombera dans l'anonymat. Par contre, les Lavigueur continueront de faire la manchette pendant plusieurs mois, notamment lorsqu'ils achèteront le fastueux manoir de la rivière des Mille-Îles pour la somme mirobolante de 850 000 $. Mais la famille découvrira bientôt que le luxe n'est pas nécessairement synonyme de bonheur : malheureux dans leur nouvel environnement, les Lavigueur remettent la propriété sur le marché moins de deux ans après l'avoir achetée.

Scott Steinert sera l'occupant suivant du château des Lavigueur. En octobre 1996, il achète la propriété pour 550 000 $. De cette somme, 300 000 $ seront payés en liquide et de main à main à l'agent immobilier. Aux dires de Kane, Steinert aurait enregistré la propriété par l'intermédiaire de prête-noms de façon qu'on ne puisse pas faire le lien entre elle et lui. Dans le milieu du crime organisé, on a souvent recours à des prête-noms pour mettre l'argent sale à l'abri des lois concernant les produits de la criminalité.

Steinert proposera à Kane de devenir l'un des prête-noms du manoir, mais à condition qu'il accepte d'être l'un des cinq dirigeants de sa nouvelle équipe. Ce poste prestigieux lui coûterait 100 000 $; par contre, l'entreprise risquait de rapporter gros une fois qu'ils auraient mis la main sur les territoires des Rock Machine. Pour rendre l'offre encore plus alléchante, Steinert ajoute que ces 100 000 $ donneraient à Kane la permission d'occuper un pavillon situé sur la propriété. Kane dépense beaucoup à ce moment-là ; il n'a pas la somme que réclame Steinert. De son côté, la GRC n'est pas intéressée à financer cette nouvelle aventure, d'autant plus que le magazine *Rencontres sélectes*, un projet dans lequel elle a investi plus de 30 000 $, semble d'ores et déjà voué à l'échec.

Kane passera tout de même pas mal de temps au château des Lavigueur. On le charge souvent de surveiller le domaine, une tâche usuelle tant pour les subalternes que pour les autres membres de la bande. Soucieux de fortifier la propriété, Steinert a fait installer une nouvelle clôture, de nouvelles grilles d'entrée ainsi qu'un système de surveillance vidéo complexe valant plusieurs dizaines de milliers de dollars. Plus qu'une simple tradition chez les motards, la surveillance du repaire est une précaution essentielle, surtout en temps de guerre.

Mais Kane ne fait pas que travailler lorsqu'il va au manoir. Il y emmènera un jour Benjamin, permettant au petit garçon de six ans de monter la garde et de manipuler des armes à feu – un jeu que Josée désapprouve vigoureusement.

Le magnifique manoir deviendra le théâtre de jeux d'un tout autre ordre lorsque les motards décideront d'y produire des films pornographiques. S'il y avait belle lurette que les Hells donnaient dans la porno, ils destinaient la plupart de leurs films à un usage personnel et récréatif. Ces productions amateurs dans lesquelles petites amies, danseuses nues et prostituées tenaient la vedette étaient rarement commercialisées; néanmoins, un certain nombre de ces films circulaient clandestinement et faisaient la joie d'un public underground.

Steinert n'a fait aucun effort spécial pour percer dans la porno : c'est l'industrie de la porno qui est venue à lui! Selon la légende, les choses se seraient passées ainsi. Steinert et plusieurs membres de son équipe se prélassaient au manoir quand un individu du nom de Stéphane Chouinard s'est présenté à l'entrée. Âgé de 26 ans, Chouinard est un entrepreneur tous azimuts qui a vendu des aspirateurs, des lits d'eau, du pain et des voitures; ce n'est que lorsqu'il tentera sa chance dans la production de films pornos qu'il trouvera enfin sa vraie vocation. En 1995, il produit avec un budget minime un premier film intitulé *Quebec Sexy Girls #1* qui connaîtra un certain succès du fait qu'il a été tourné dans des endroits publics de la ville de Québec, et notamment sur les pelouses du Parlement. Le second film de Chouinard, *Quebec Sexy Girls #2*, surpasse le précédent en popularité grâce à un trait de génie de son producteur: Chouinard a retenu les services d'une vedette pour le moins inusitée en la personne du caporal Patrick Cloutier, le soldat des Forces armées qui est devenu célèbre en 1991 pour avoir défié nez à nez – et devant les caméras – un guerrier Mohawk durant la crise d'Oka. L'armée l'avait renvoyé depuis parce qu'il consommait de la cocaïne.

Dans les derniers mois de 1996, Chouinard est à la recherche d'une nouvelle toile de fond pour son prochain film. Or, son instinct lui dit qu'il pourrait réaliser un gros coup en tournant un film porno dans le château des Lavigueur. Steinert s'emballe aussitôt pour ce projet délicieusement lubrique. Tel qu'entendu, Steinert et ses acolytes seront les vedettes de *Babe's Angels*, une production tournée au manoir durant l'hiver et mise en marché l'été suivant. Guidé par son sens infaillible du marketing, Chouinard fait mouche encore une fois: les médias montréalais raffolent de ce film où l'on voit des Hells Angels forniquer dans l'ancien manoir des Lavigueur. Cette visibilité subite et incongrue en dérange toutefois plus d'un chez les Hells. S'étant consultés à ce sujet, les dirigeants de la bande décident qu'il est temps de rappeler Steinert à l'ordre.

CHAPITRE 12

Une rencontre sélecte

En novembre 1996, Aimé Simard travaillait comme réceptionniste de nuit dans un hôtel de la station de ski Mont-Sainte-Anne. L'homme de 28 ans espère pouvoir s'installer à Montréal pour retourner aux études, se trouver un amoureux, bref, pour y refaire sa vie. C'est dans le but de se dénicher un amant, voire simplement un ami dans la métropole, qu'il placera une annonce au service de rencontres téléphoniques associé à *Rencontres sélectes*, le magazine de Dany Kane.

Ce n'est pas la première fois que Simard cherche à s'amender. La décennie précédente a été pour lui une longue succession de courtes peines de prison entrecoupées de périodes d'autant plus brèves de droiture. Bien que toujours sincère dans son désir de devenir un honnête citoyen, tôt ou tard, Simard retombe fatalement dans la petite criminalité, signant des chèques frauduleux, usant de fausses identités et commettant toutes sortes de délits mineurs. Il est de toute évidence incapable de résister à ses impulsions criminelles.

Rien dans ses antécédents familiaux ne l'a pourtant poussé sur la voie de la malhonnêteté. Elisa, sa mère, a grandi en Italie durant la guerre. La nourriture était rare et l'éducation, un luxe que sa famille ne pouvait lui accorder. Obligée de quitter l'école après avoir terminé sa troisième année, la fillette apprend très jeune à travailler dur. Au milieu des années 1960, mère d'une enfant et enceinte d'un autre homme, elle habite la Côte d'Azur et survit de peine et de misère en faisant toutes sortes de petits boulots. Fatiguée de cette piètre existence, elle décide de prendre un nouveau départ en allant rejoindre sa mère et sa sœur, expatriées à Québec depuis plusieurs années déjà. La jeune mère vivra d'abord dans le Nouveau Monde des mois, voire des années difficiles. Trop pauvre pour assurer la subsistance de ses propres enfants, elle doit les placer en foyer d'accueil peu après son arrivée au Canada. Elle occupera durant cette période divers emplois et travaillera d'arrache-pied pour améliorer son sort.

En 1967, la jeune femme rencontre un ouvrier de Québec du nom de Georges Simard... et les choses se présenteront dès lors sous un jour plus favorable. Simard est peu instruit, peu ambitieux et boit souvent à l'excès, mais au moins il n'est pas violent. Lorsqu'il demande à Elisa de l'épouser, elle accepte.

Le couple aura un premier enfant qu'il baptisera Aimé. Georges Simard est un père indulgent pour son propre fils; par contre, il n'affiche qu'indifférence envers la fille et le garçon de son épouse – maintenant âgés de cinq ans et trois ans, respectivement – qui vivent de nouveau auprès de leur mère après un long séjour en foyer d'accueil. Petit garçon vif et intelligent, Aimé apprend très vite à profiter du fait qu'il est le favori de son père; lorsqu'il brise quelque chose ou fait une bêtise, il blâme toujours son demi-frère ou sa demi-sœur. Sa sœur se souvient que, dès son plus jeune âge, Aimé était menteur et manipulateur et qu'il n'éprouvait aucun remords à faire souffrir les autres pour des fautes qu'il avait lui-même commises.

Aimé a 10 ans lorsque son père adoré meurt subitement. La famille vivra alors une période de graves difficultés financières. La mère sombrera dans une profonde dépression qui durera deux ans. Durant cette période, il incombe à l'aînée, qui est alors une jeune adolescente, de soutenir la famille financièrement et émotionnellement. Elisa sortira de sa dépression lorsqu'on lui offrira un poste de gérante dans une boutique de tailleur. Du temps où Georges était vivant, elle avait toujours voulu travailler. Or, maintenant que son mari n'est plus là pour s'opposer à son retour au travail, Elisa se découvre une vocation de femme d'affaires. Elle achètera plus tard la boutique de son patron, puis une petite maison en banlieue de Québec. La veuve de Georges Simard amassera bientôt suffisamment de capital pour ouvrir un petit restaurant. Elle espère faire de ce second commerce une entreprise familiale: lorsque ses enfants seront grands, son fils aîné pourrait être en charge des cuisines, sa fille serait gérante et Aimé, qui excellait dans ses études sans y mettre trop d'efforts, ferait la comptabilité.

Les deux aînés ont déjà quitté le nid familial à cette époque. Seul enfant au foyer, Aimé est le chouchou de sa mère et a toujours le nez fourré au restaurant. « C'est là qu'il passait le plus clair de son temps, raconte Elisa. Il se bourrait de cochonneries et buvait beaucoup de boissons gazeuses. Je crois qu'il mangeait de façon compulsive parce qu'il était triste. » À 15 ans, Aimé est obèse et a le visage couvert d'acné. « Les autres enfants le rejetaient parce qu'il était gros. Il devait payer la traite aux autres pour se faire des amis. »

Contraint d'acheter l'amitié de ses pairs, Aimé commence à commettre des crimes mineurs, et particulièrement des délits de fraude. Ce mythomane et manipulateur expérimenté découvre bientôt qu'il est très facile pour lui d'escroquer son prochain. Ces frasques, qui ne sont pas suffisamment graves pour justifier l'intervention de la police, n'empêcheront pas Simard de terminer ses études secondaires. À l'automne 1985, il amorce des études en techniques policières au cégep d'Alma, mais on lui apprend bientôt qu'il est trop petit et trop corpulent pour devenir policier – il mesure alors 1,70 m et pèse plus de 115 kg. Déçu et désabusé, il quitte Alma pour retourner dans la région de Québec où il entreprendra des études en administration et renouera avec la criminalité. En avril 1986, il signe un chèque frauduleux dans une boutique d'équipement audio ; en mai, il répète la manœuvre dans un Miracle Mart, un magasin d'articles de sport et deux fois dans une jardinerie. Il cible un autre magasin de sport en juin pour être arrêté quelque temps plus tard. En fouillant son portefeuille, la police trouve la fausse carte d'identité dont il se sert pour perpétrer ses délits.

Simard plaidera coupable et écopera d'un bref séjour en prison. Après sa libération, il se remet sérieusement aux études et s'efforce de rester dans le droit chemin. De février à mai 1987, il émet une autre série de chèques frauduleux ; ses victimes incluent cette fois les magasins Sears, Eaton et K-Mart ainsi qu'une compagnie de location d'outils et une boutique de vêtements de maternité. Arrêté de nouveau, il plaidera coupable à une série d'accusations dont la plupart sont reliées à des fraudes de moins de 1 000 $. Il purgera cette fois une peine légèrement plus longue que la précédente. Quelques mois après sa remise en liberté, il récidive mais échappe à la justice en s'enfuyant à Hamilton, en Ontario, puis à

Edmonton, en Alberta. Une raison plus noble motive cependant Simard à quitter le Québec : il désire perfectionner son anglais afin d'élargir ses perspectives de carrière. Son exode dans le Canada anglais ne changera malheureusement rien à ses mauvaises habitudes : à Hamilton comme à Edmonton, Simard restera ce qu'il a toujours été.

Au milieu des années 1990, Simard retourne vivre chez sa mère à Charlesbourg, en banlieue de Québec. Les tribunaux et autorités locales le connaissent bien et le considèrent comme un individu bizarre, quoique inoffensif. Alors que la plupart des jeunes contrevenants progressent tôt ou tard vers des crimes plus sérieux, Simard, lui, s'en tient toujours à des délits mineurs. Bien qu'il soit intelligent et astucieux, il ne semble pas plus apte à rester dans le droit chemin qu'à échapper à la justice. En 1994, il annonce avec grandiloquence qu'il porte toujours une arme à feu sur lui en guise de « protection », mais même cela ne convainc pas son entourage qu'il est devenu un criminel endurci.

Simard a décidé qu'il avait besoin d'une arme parce qu'il est devenu informateur pour la police de Québec. Durant l'un de ses nombreux séjours en prison, il a eu vent de certains détails concernant le commerce de la cocaïne dans la capitale. À sa libération, il contacte un policier de sa connaissance et propose de lui dévoiler tout ce qu'il sait. Bien que Simard prétende avoir fait cela en vue de se réhabiliter, certaines personnes affirment qu'il cherchait en fait à se venger d'un dealer qui l'avait contrarié. Quoi qu'il en soit, il est évident qu'il rêvait toujours de devenir policier puisqu'il ne voulait rien en échange de sa collaboration – tout informateur qui se respecte aurait demandé une quelconque rémunération ou une suspension des accusations portées contre lui. À deux reprises, Simard achètera une petite quantité de cocaïne pour le compte de la police. Il tentera ensuite d'en acheter une quantité plus importante, mais le dealer reconnaîtra un policier en l'homme qui l'accompagne. Les criminels locaux se passeront le mot, si bien que Simard sera bientôt étiqueté comme un mouchard. C'est à ce moment-là qu'il se procurera une arme à feu.

Élément plus légitime de sa réhabilitation, Simard suit des cours du soir en soins infirmiers dans une école secondaire de Charlesbourg. Or, un jour, un de ses compagnons de classe l'aperçoit transférant son arme d'une poche de sa veste à une autre. Lorsque l'individu lui demande ce qu'il fait avec une arme, Simard pointe le pistolet dans sa direction. Simard prétend que l'arme n'était pas chargée et qu'il ne voulait que la montrer à son camarade de classe, mais celui-ci maintient qu'il a été menacé. Pour la première fois de sa vie, Aimé Simard fait face à des accusations graves : outre la possession illégale d'une arme à feu prohibée, le simple fait de pointer une arme sur quelqu'un constitue un geste criminel sérieux. L'accusé plaidera coupable à ces deux accusations, ainsi qu'à un chef d'intimidation de témoin. Il écopera d'une peine de 18 mois, la plus sévère qu'on lui ait jamais imposée.

Avant sa condamnation, Simard avait déjà décidé qu'il s'installerait pour de bon à Montréal. Il ne pourra réaliser ce projet que bien des mois plus tard, soit après avoir purgé sa sentence ainsi que la période de probation réglementaire.

Aimé Simard avait toujours voulu changer physiquement. Il considérait son obésité comme la cause de tous ses maux : c'était son embonpoint qui l'empêchait d'obtenir un diplôme, de conserver un emploi ou de devenir un honnête citoyen. Il avait bien tenté de transformer son corps en prenant des stéroïdes, mais comme il n'était pas plus discipliné au gymnase qu'il ne l'était dans ses études, les résultats s'étaient avérés décevants. C'est en étudiant certaines solutions chirurgicales, notamment la liposuccion, qu'il apprend qu'au Québec les personnes qui pèsent au moins deux fois leur poids optimal peuvent se faire agrafer l'estomac et raccourcir l'intestin gratuitement. N'ayant pas le poids requis, Simard entreprend d'engraisser encore davantage en mangeant de façon compulsive. Après quelques mois de ce régime, il atteint les 160 kg nécessaires. Il subit l'opération et commence aussitôt à perdre du poids.

Simard aboutira de nouveau en prison après son opération, mais il jouira cette fois de certains avantages. À la suite de sa gastroplastie, il est incapable de manger des repas complets et doit éviter certains aliments. Au lieu des trois repas quotidiens traditionnels, il doit manger fréquemment et en petites quantités. Les exigences de son état lui vaudront un privilège qui fera l'envie des autres prisonniers : les autorités carcérales équiperont sa cellule d'une cuisinette afin qu'il puisse préparer lui-même ses repas.

Aimé Simard commencera et finira l'année 1995 en prison ; cela dit, il ne passera pas l'année entière sous les verrous. Admissible à la libération conditionnelle durant l'année, il fera une gaffe monumentale juste avant la période décisive : au cours d'une permission de sortie, il aura la mauvaise idée de récupérer le pistolet qui avait été la cause même de son incarcération. Ayant appris que l'ami à qui il avait confié l'arme voulait s'en débarrasser, Simard ira la chercher pour se rendre ensuite dans une boîte de nuit. Après avoir garé sa jeep à proximité de l'établissement, il sort l'arme de sa poche pour la dissimuler sous le siège du conducteur. Malheureusement pour lui, un policier qui patrouille le secteur est témoin de la manœuvre. Simard est arrêté séance tenante et sa libération conditionnelle est reportée de plusieurs mois.

À sa sortie de prison, Aimé Simard retourne vivre chez sa mère et devient réceptionniste de nuit au Château Mont-Sainte-Anne. Conformément aux conditions de sa remise en liberté, il doit être suivi par un psychiatre et doit respecter les rendez-vous avec son agent de probation. En dépit de ces contraintes, Simard se rend régulièrement à Montréal où il renoue avec ses vieilles habitudes. D'octobre à décembre 1996, il signera plusieurs chèques sans provision dans un magasin Marks & Spencer, pour un total d'au moins 1200 $. C'est au cours d'un de ces périples dans la métropole que Simard décide de placer une annonce dans *Rencontres sélectes*. Bien que vivant à Québec, il s'inscrit dans la section « Montréal » parce qu'il songe à étudier la criminologie à l'Université de Montréal et veut se faire des amis en ville. Simard a toujours dit à sa famille qu'il s'intéressait aux femmes ; sans doute est-ce la raison pour laquelle il s'inscrira dans la rubrique des bisexuels.

Peu de temps après avoir placé son annonce, Aimé Simard reçoit un coup de fil de Dany Kane. Celui-ci ne l'appelle pas en tant que propriétaire du magazine ou pour confirmer son inscription au service de rencontres : il l'appelle en réponse à l'annonce, en tant que partenaire potentiel. Outre la très nette possibilité d'une initiation homosexuelle en prison, rien n'indique que Kane ait eu des expériences sexuelles avec des hommes avant de rencontrer Aimé Simard. Ceux qui connaissent bien Kane doutent qu'il soit un bisexuel actif, considérant qu'il passe son temps à courir les jupons. Bien qu'il aime se vanter de ses exploits sexuels avec les femmes – même ses contrôleurs de la GRC ont droit à la chronique de ses prouesses charnelles –, en matière de sexe, Kane a l'âme d'un aventurier. Peut-être a-t-il répondu à l'annonce de Simard parce que la perspective d'une relation homosexuelle l'excitait, avec tout ce que cela supposait de nouveauté.

Les deux hommes se parleront plusieurs fois au téléphone avant de se rencontrer. Durant l'une de ces conversations, Simard avoue qu'il ne vit pas à Montréal, mais à Québec, un détail dont Kane ne semble pas se préoccuper. Le motard annonce au contraire qu'il sera bientôt de passage dans la capitale.

Kane et Simard se rencontreront pour la première fois vers la fin de novembre ou au début de décembre. Ils se donneront rendez-vous dans le stationnement d'un McDonald de Sainte-Foy, en banlieue de Québec. Arrivant quelques minutes après Kane, Simard le reconnaîtra à sa voiture, une Cadillac 1996 bleu foncé aux vitres teintées. Les deux hommes passeront l'après-midi à bavarder et à se balader, puis ils iront souper ensemble au restaurant. Durant le repas, Kane demandera à Simard s'il connaît un bon hôtel où il pourrait passer la nuit. Simard l'invitera à venir dormir chez sa mère. Comme celle-ci passe l'hiver en Floride, Aimé est seul à la maison.

Une fois sur place, Simard installe son visiteur dans une chambre d'ami, puis il lui fait faire le tour du propriétaire. La petite maison d'Elisa est modeste, mais elle est équipée d'une baignoire à remous au sous-sol. Kane demande aussitôt à son hôte s'il peut l'utiliser. « Pas de problème, fais comme chez toi », répond Simard.

Après avoir fait trempette, Kane se met en pyjama et rejoint Simard à l'étage. Il lui posera alors la question qui les tarabuste tous les deux depuis qu'ils se sont vus dans le parking du McDonald : Simard veut-il coucher avec lui ? L'intéressé répond par l'affirmative.

Lorsque Kane retire son haut de pyjama, Simard ne peut s'empêcher de remarquer le tatouage qu'il a au bras. Lors d'un de ses séjours en prison, Simard a appris que l'inscription « SS 81 » est la marque d'un Hells Angel. Le chiffre 81 dénote la fascination des Hells pour la numérologie, « H » étant la huitième lettre de l'alphabet et « A », la première. Les deux « S » sont stylisés à la façon nazie, ce qui, selon certains, est emblématique des Filthy Few, un sous-groupe des Hells composé de membres qui ont tué pour le compte de la bande.

Kane s'était décrit jusque-là comme un homme d'affaires qui investissait dans des bars et des agences et gérait un impressionnant portefeuille boursier. Il avait dit à Simard que s'il était de passage à Québec, c'était parce qu'il se rendait à Halifax pour visiter un bar qu'il songeait à acheter. Simard avait également menti à son propre sujet et omis de mentionner certains détails le concernant; il avait dit à Kane qu'il étudiait en criminologie et travaillait dans une station de ski, mais pas grand-chose de plus. En apercevant le tatouage de Kane, Simard comprend tout de suite que son nouvel ami n'est pas un simple homme d'affaires.

Lorsque son hôte le questionne au sujet du tatouage, Kane lui répond par une autre question. «Comment ça se fait que tu connais ce genre de tatouage-là?» lui demande-t-il. Simard avoue alors avoir fait de la prison, mais exagère ses antécédents criminels dans le but d'impressionner Kane. Omettant de mentionner les nombreuses condamnations pour délits mineurs dont il a écopé, Simard prétend qu'il a été incarcéré pour avoir fait feu sur un policier. Troquant vantardise contre vantardise, Kane affirme qu'il occupe le rang de *prospect* au sein des Hells Angels, soit un échelon au-dessous de celui du membre *full patch*.

Après avoir tissé à tour de rôle leur litanie de mensonges, les deux hommes baisent dans le lit de la mère de Simard.

Kane partira effectivement pour Halifax le lendemain, mais, contrairement à ce qu'il a dit à Simard, le but de son voyage n'est pas d'investir dans un bar.

Nous sommes dans les derniers mois de 1996 et la pagaille règne chez les Hells de Halifax. Pour une raison ou une autre – peut-être sont-ils plus décontractés et insouciants, moins ambitieux et cupides que leurs confrères des autres chapitres –, les membres du chapitre de Halifax sont retournés au modèle du motard rebelle de jadis et ressemblent donc davantage à un troupeau de brutes débauchées qu'à un consortium d'hommes d'affaires impitoyables. À Halifax, le marché de la drogue n'est pas contrôlé par la légendaire bande de motards, mais par des trafiquants et dealers indépendants qui tiennent les Hells Angels à leur merci.

Le bilan financier des Hells de Halifax est absolument désastreux. Si le chapitre lui-même est endetté de plusieurs centaines de milliers de dollars, les dettes personnelles de ses membres totalisent encore davantage. Ils doivent énormément d'argent à leur chef et parrain, Wolf Carroll, qui leur fournit la cocaïne et le hasch au prix du gros. Carroll a perdu tout respect pour ses troupes; il les traite de «gang de scouts» parce que leurs membres hésitent à user de violence pour servir les intérêts de la bande. Mais même les exhortations de Carroll ne parviennent pas à tirer les membres du chapitre de leur complaisance et de leur torpeur. La situation est suffisamment sérieuse pour qu'en décembre le chapitre soit mis en tutelle par la bande. Après que le luxueux repaire de Halifax eut été vendu pour payer les dettes du chapitre, Carroll jure qu'il reprendra le contrôle du marché local de la drogue. Kane dira à Verdon et St-Onge que Wolf avait dépêché des troupes de choc partout en ville en leur donnant pour mission de faire un maximum de grabuge. La majorité des soldats de Carroll sont de race noire, mais leur chef est un Blanc du nom de Paul Wilson.

Associé de longue date de Carroll, Wilson est propriétaire du bar Reflections à Halifax, un établissement gai qui est néanmoins l'un des lieux de rencontre favoris des Hells locaux. Kane l'a déjà rencontré à plusieurs reprises, tant à Halifax qu'à Montréal. Du temps où Kane était le subalterne de service de Carroll, il était souvent allé chercher Wilson à l'aéroport de Dorval pour l'y reconduire une fois son séjour terminé. Mais Kane n'était pas qu'un simple laquais pour Wilson puisqu'il allait parfois boire un coup et parler affaires avec lui. Kane se rendait peut-être à Halifax pour discuter avec Wilson de la possibilité d'investir dans un bar; cependant, il est plus probable qu'il faisait partie de ces fameuses troupes de choc dont Carroll et Wilson se serviraient pour éliminer certains individus considérés comme gênants.

Kane ne s'arrêtera pas à Québec sur le chemin du retour. Il appellera tout de même Simard pour lui donner son numéro de téléavertisseur – qui, comme pour la plupart des motards, est un numéro 800 – et pour l'inviter à venir le voir à Montréal le week-end suivant. Lorsque, une semaine plus tard, Simard se présente à Montréal au lieu de rencontre désigné, il ne se doute pas qu'il va enfin faire la connaissance du vrai Dany Kane.

Kane présentera Simard à Patricia, à Pat Lambert et à Claude-Grégoire McCarter, un autre aspirant motard. Il l'emmènera ensuite à Saint-Jean pour le présenter à ses parents et à Josée, puis décidera de ramener les enfants à Montréal pour le week-end. Bon gré mal gré, tout ce beau monde allait devoir s'entasser dans le petit appartement de la rue Saint-Christophe. Fidèle à sa nature grégaire, Kane fera le nécessaire pour que son nouvel ami ait du plaisir, même en des circonstances aussi particulières.

Au fil des semaines, Simard se souciera de moins en moins de son emploi au Château Mont-Sainte-Anne et commencera à passer presque autant de temps à Montréal qu'à Québec. Il est vrai que la Métropole avait ses attraits : Aimé avait rencontré plusieurs membres en règle des Hells Angels, dont Carroll et Steinert ; il avait été invité au manoir des Lavigueur ; il s'était entraîné au Pro-Gym avec les Rockers, ce qui était pour eux un rituel quotidien et une occasion de parler affaires. Il s'était même joint aux membres de la bande lorsque ceux-ci avaient parcouru les bars et les rues de la ville dans le but d'intimider leurs ennemis.

Pour rassurer ses confrères motards et ses associés, Kane avait présenté Simard comme un vieil ami qu'il connaissait depuis six ou sept ans. Cela ne revient pas à dire que Kane traitait Simard comme son égal. Dans un milieu aussi strictement hiérarchisé que celui des motards, le prestige se mesure au nombre de larbins qui sont à votre botte. D'entrée de jeu, Kane fait bien comprendre à son entourage que Simard est son inférieur. Il fera par exemple de Simard son chauffeur afin de montrer que, bien qu'étant lui-même au service de Steinert et de Carroll, il n'en dispose pas moins d'un subalterne qui se montre tout disposé à le servir.

Il y a cependant de ces tâches que l'on ne peut pas déléguer. À l'automne 1996, Kane se voit confier une mission extrêmement importante : désireux de le voir prouver enfin sa valeur, les Hells le chargent d'assassiner Donald Magnussen. Le contrat a été confié à Toots Tousignant l'été précédent ; or, bien que Tousignant soit l'un des truands les plus prolifiques des Rockers, Magnussen a réussi jusque-là à lui échapper. À la fin d'octobre, Wolf Carroll,

Walter Stadnick et Donald « Pup » Stockford confieront ce travail à Kane. Selon eux, le fait que Kane soit l'ami de Magnussen ne peut que lui faciliter la tâche : il n'aura aucun mal à le débusquer puis à le convaincre de le rencontrer seul à seul pour, au moment opportun, sortir son arme et la pointer sur lui en disant « s'cuse moé, *man* » avant d'appuyer sur la gâchette. Les Nomads promettent à Kane une récompense de 10 000 $ pour son travail.

Le contrat place Kane dans une position délicate – et pas seulement parce que, en tant qu'informateur de la GRC, il n'est pas censé commettre d'actes criminels. Le fait est que le chapitre des Hells Angels de Montréal ne nourrit pas la même rancœur que les Nomads envers Magnussen. Les Hells de Montréal estiment que si Magnussen a commis des fautes par le passé, il s'est largement racheté depuis en éliminant un nombre impressionnant de Rock Machine. Magnussen est par ailleurs le meilleur ami de Scott Steinert, sans doute le meilleur élément du chapitre. Kane, qui jusque-là n'avait été que trop heureux de servir deux maîtres à la fois, fait maintenant face à un sérieux dilemme : il ne peut obéir à Carroll et aux Nomads sans trahir son pote Steinert et ses confrères du chapitre de Montréal.

Pendant deux semaines, Kane s'efforcera de reporter l'échéance, puis le destin interviendra en la personne de Mom Boucher : le chef des Nomads décrète que l'assassin de Magnussen doit être un membre en règle des Hells, rien de moins. Du coup, Kane perd le contrat. « Selon Boucher, dira Kane à ses contrôleurs, Dick Mayrand [qui est alors président du chapitre de Montréal et président national] et Scott Steinert n'accepteraient jamais qu'un "non patché" élimine une relation proche du chapitre de Montréal. Puisque c'est Walter Stadnick qui bénéficierait le plus de la mort de Magnussen, il semble qu'il aura à effectuer le travail lui-même. »

Avec les problèmes à Halifax, le recrutement d'Aimé Simard et les tensions entre les Nomads et le chapitre de Montréal, on peut dire que décembre est un mois particulièrement mouvementé pour les Hells. À la GRC, le dossier de l'informateur C-2994 ne reflète pourtant pas ce débordement d'activité. Selon les documents de la Gendarmerie, Kane n'aurait rencontré ses contrôleurs qu'une seule fois entre le 26 novembre et le 23 décembre. Le compte rendu de cette réunion qui a eu lieu le 4 décembre est par ailleurs étrangement succinct : alors que les rapports de Verdon et St-Onge s'étendent souvent sur plus de 10 pages, celui du 4 décembre n'en compte qu'une seule. St-Onge remplira le rapport pour le signer de sa propre main trois semaines plus tard, comme s'il était à la fois l'enquêteur et le superviseur du dossier.

Ce temps des fêtes sera une occasion spéciale pour Patricia, puisqu'elle rencontrera pour la première fois la famille de Kane. Le réveillon aura lieu à Saint-Jean chez Gisèle, la sœur cadette de Dany. Kane et Patricia sont les derniers arrivés ; or, bien que la fête soit déjà fort animée, un lourd silence tombe sur l'assistance lorsque le couple fait son entrée ; de toute évidence, personne n'a été informé du fait que la nouvelle petite amie de Dany est de race noire. Après ce bref moment de gêne, les festivités reprennent de plus belle. Les invités se servent à même un buffet et mangent à la bonne franquette, en posant leur assiette sur leurs genoux. Patricia, cependant, n'a plus l'âme à la fête. La parenté de son compagnon lui apparaît bruyante, fruste et caricaturale. Leur mentalité de villageois, avec toute l'étroitesse d'esprit que cela suppose, ne lui plaît vraiment pas. Sur le chemin du retour, conscient du malaise que Patricia a ressenti, Kane s'excusera du comportement de sa famille.

Un mois plus tard, Aimé Simard conclut sa période de probation et est donc libre de s'installer pour de bon à Montréal. Toujours aussi bonasse, Kane lui propose d'emménager avec lui et Patricia dans l'appartement de la rue Saint-Christophe. N'ayant jamais apprécié Simard, Patricia est furieuse d'avoir à l'accueillir chez elle. Simard, qui est un excellent cuisinier, s'efforcera de l'apaiser en lui préparant de somptueux festins gastronomiques. « Chaque fois que j'étais sur le point d'exploser, raconte Patricia, Simard nous préparait un repas à tout casser. Je me disais alors que c'était peut-être pas un si mauvais gars. » Gâtés de la sorte, Dany et Patricia mangeront à la maison beaucoup plus souvent que de coutume. Simard leur préparera même un bon petit souper d'amoureux à la Saint-Valentin.

Dès leur première rencontre, Patricia s'est tout de suite douté que Simard était gai. Lorsqu'elle fait part de ses soupçons à Kane, celui-ci lui répond qu'il ne croit pas que c'est le cas. «Même s'il l'était, qu'est-ce que ça changerait?» demande-t-il. «Rien», répond Patricia. Une semaine ou deux après cet échange, Kane posera la question à Simard en présence de Patricia. Simard répond qu'il n'est pas gai, que ses manières un peu affectées viennent du fait que, dans sa jeunesse, il a fréquenté un collège privé. Simard ajoute que les gens prennent souvent ses bonnes manières et son raffinement pour des signes d'homosexualité. Le mensonge est un peu gros, mais il suffit à convaincre Patricia.

Kane, Simard et Patricia vivent à l'étroit dans le petit appartement, mais peu importe puisqu'ils passent le plus clair de leur temps à l'extérieur. Patricia n'est jamais là le jour vu qu'elle travaille comme secrétaire dans un bureau du nord-est de la ville. Quant à Kane et Simard, ils s'absentent presque toutes les nuits. Kane et Patricia se voient peu et communiquent en se laissant des petits mots. «Je voyais Dany le matin avant qu'il parte et quand il rentrait, raconte sa compagne. On vivait au même endroit, on avait des relations sexuelles, mais on ne *vivait* pas vraiment ensemble.»

Les responsabilités de Kane le tiennent très occupé à cette époque. En plus de ses activités de trafiquant, il doit s'acquitter des tâches que les Hells et les Rockers lui confient. Simard lui tient lieu de chauffeur et le conduit parfois, sans le savoir bien entendu, à ses rendez-vous avec ses contrôleurs de la GRC. *Rencontres sélectes* ayant fermé boutique après la publication du deuxième numéro, les deux hommes imaginent toutes sortes de combines susceptibles de leur rapporter un maximum d'argent. Leur plan le plus audacieux consiste à dévaliser le Casino de Montréal – un projet fantaisiste qui ne se matérialisera bien évidemment jamais.

Le duo commence habituellement sa journée en se rendant au Pro-Gym pour s'entraîner et participer à la réunion quotidienne des Hells et des Rockers. Ils ne feront que de courtes visites à l'appartement durant la journée, ne rentrant véritablement au bercail qu'à une heure avancée – il arrive même que Simard ne rentre pas du tout. Lorsque l'appartement de la rue St-Christophe se fait trop exigu, ou quand il a envie de coucher avec Kane, Simard loue une chambre dans l'un des hôtels miteux qui jouxtent le terminus d'autobus.

Simard doit parfois retourner à Québec. Il travaille toujours en principe au Château Mont-Sainte-Anne, quoiqu'une blessure mineure lui permette de passer des semaines entières sans se présenter à son emploi. À l'occasion d'un de ses périples dans la capitale, Aimé déclare pompeusement à son frère qu'il est devenu quelqu'un d'important, ajoutant qu'il a enfin trouvé sa voie et côtoie désormais des gens qui savent apprécier son potentiel. Simard annonce ensuite que ses nouveaux amis sont des motards. Qui plus est, ce sont des membres des Nomads. Le frère d'Aimé est au fait de l'actualité et sait donc exactement de quoi il retourne ; il est atterré d'apprendre que son frère fraternise avec une organisation criminelle aussi notoire et dangereuse. Loin de se laisser dissuader par la désapprobation de ses proches, Simard est plus que jamais déterminé à gagner la confiance et le respect des Nomads.

Le soir du 12 février, Simard se balade en voiture dans Québec avec Steve Leclerc, un ami rencontré en prison. À un moment de la soirée, les deux hommes décident de se rendre dans un bar de la Basse-Ville reconnu comme un point de vente pour les Rock Machine, sans doute avec l'intention d'y semer la pagaille ou de se bagarrer. Arrivés à destination, ils découvrent que l'endroit a fermé ses portes à la suite d'une descente de police et partent donc aussitôt vers un autre bar. Dans ce second établissement, Leclerc aperçoit un dealer qui travaille pour le compte des Rock Machine et à qui il doit de l'argent. Voulant éviter l'individu en question, Leclerc propose de quitter les lieux immédiatement. « Attends, je vais m'en occuper », dit alors Simard.

Embusqués dans leur véhicule, les deux hommes attendent que le dealer sorte du bar. Simard porte à sa ceinture le pistolet semi-automatique .44 Magnum que Kane, qui avait contracté une dette à son endroit, lui a donné en guise de remboursement. En ce soir fatidique, il aura enfin l'occasion d'utiliser cette arme.

Lorsque le dealer apparaît enfin, il est tellement soûl qu'il titube. Une femme l'accompagne. Simard note la direction qu'ils prennent, puis fait le tour du quadrilatère en voiture avec l'intention de les prendre par-derrière. Arrivé à leur hauteur, il baisse la vitre du côté passager et ordonne à Leclerc d'incliner son siège vers l'arrière. Il se penche alors sur le côté et crie par la vitre ouverte : « Heille, le cochon ! » Dès que le dealer se tourne dans sa direction, Simard fait feu sur lui à cinq reprises. La femme qui accompagne le dealer aura la mauvaise idée de se pencher pour regarder dans la voiture au lieu de prendre ses jambes à son cou ; deux balles lui seront destinées. Une des leçons que Simard a apprises de ses amis motards, c'est qu'en pareille situation le plus important est d'éliminer tous les témoins oculaires.

Tenant pour acquis que leurs victimes sont mortes, Simard et Leclerc quittent à toute vitesse la scène du crime. Simard retournera tranquillement à Montréal le lendemain pour préparer le repas de la Saint-Valentin mentionné précédemment. Il racontera plus tard l'incident de Québec à Kane, mais en exagérant considérablement les faits. Simard parlera d'une automobile blanche, possiblement une Ford Taurus, dans laquelle se trouvaient cinq individus associés aux Rock Machine. L'un des occupants de la voiture l'avait reconnu et avait tiré sur lui – Simard laissait entendre qu'on le considérait déjà comme un sympathisant des Hells Angels dans les milieux criminels de Québec. Deux des individus avaient fait mine de sortir du véhicule et c'est alors que Simard leur avait réglé leur compte.

Au terme de l'histoire, Kane était impressionné. Même s'il n'avait que blessé ses adversaires, Simard, par son héroïsme dans le feu de l'action, avait prouvé qu'il avait l'étoffe d'un Hells. Kane en conclura qu'il était prêt à remplir son premier gros contrat pour la bande. La chose aurait lieu à Halifax, possiblement la semaine suivante.

Kane téléphonera à St-Onge peu de temps après pour lui relater l'exploit de Simard. L'informateur donnera à ses contrôleurs le numéro de cellulaire d'Aimé, ainsi que l'adresse de sa mère à Québec.

En dévoilant ainsi les détails de l'affaire, Kane risquait de compromettre la mission de Halifax. S'appuyant sur ces révélations, il était possible que la police arrête Simard ou du moins l'interroge au sujet de la fusillade de Québec en prétendant, pour préserver l'anonymat de Kane, qu'un témoin l'avait identifié et qu'on l'avait retracé à partir du numéro de plaque minéralogique de sa voiture. Curieusement, Kane semblait convaincu que les autorités n'interviendraient pas. Il croyait pouvoir révéler l'identité du tireur à ses contrôleurs sans crainte d'être arrêté.

Or, sur ce point, il avait raison.

CHAPITRE 13

Meurtre sur commande

Bien que n'étant pas natif de l'endroit, Robert MacFarlane paradait dans Halifax comme si la ville lui avait appartenu. Originaire de l'Île-du-Prince-Édouard, il était issu d'une famille de durs qui aimaient les bars et la bagarre et se retrouvaient régulièrement en prison. Mesurant 1,95 m et pesant plus de 90 kg, Robert avait la carrure nécessaire pour perpétuer la tradition familiale.

MacFarlane quitte son île natale dès l'adolescence pour s'établir à Halifax. Il évoluera bientôt dans des milieux peu recommandables et travaillera un temps comme videur au Misty Moon, un des bars les plus houleux de la ville. Trop intelligent et ambitieux pour se contenter d'être un homme de main, MacFarlane met à profit ses talents d'homme d'affaires dans différentes entreprises lucratives, certaines légales, d'autres moins. Il n'aura bientôt plus à s'abaisser en acceptant des « jobs de bras » avilissantes.

L'une de ses sphères d'activité concerne le commerce de la cocaïne, une drogue qu'il consomme lui-même avec avidité. C'est par le biais de la coke qu'il entrera en contact avec les Hells Angels de Halifax ainsi qu'avec d'autres groupes criminels de cette ville. Mais Robert est également un homme d'affaires respectable. Il fondera par exemple une compagnie de téléphones mobiles, Cellular Connections, qui connaîtra un franc succès au début des années 1990. Le premier ministre de la Nouvelle-Écosse John Savage invitera à cette époque le jeune entrepreneur dynamique à l'accompagner lors d'une mission commerciale à Cuba. En 1995, MacFarlane vend Cellular Connections pour la coquette somme d'un million de dollars. Au début de la trentaine, il est déjà un homme riche ayant à son actif des biens qui en auraient fait rêver plus d'un : il possède plusieurs propriétés, dont une spacieuse résidence située au bord d'un lac non loin de Halifax; il collectionne les voitures de luxe et s'est offert un bateau pour voguer dans le port et sur les voies navigables de la côte Sud. Pour ajouter encore à son bonheur, il épousera l'une des plus belles femmes de la province.

Après avoir vendu Cellular Connections, MacFarlane se met à consommer de la drogue et de l'alcool en quantités industrielles, ce qui le rend de plus en plus belliqueux. Désireux de prouver sa force et sa virilité, il cherche constamment la bagarre – un avocat de Halifax dira de lui qu'il est une «bête enragée». Paul Wilson, le propriétaire du bar Reflections, est l'une des têtes de Turc favorites de MacFarlane. Les deux hommes ont été bons amis pendant plusieurs années et ont même cohabité pendant un temps, puis ils se sont brouillés. Wilson dira par la suite à la police que la toxicomanie de MacFarlane avait été à l'origine de leur mésentente.

La rupture avec Wilson laisse MacFarlane amer. Durant l'été et l'automne de 1996, il convie souvent ses amis à des excursions en bateau suivies de beuveries prolongées au Reflections. MacFarlane quitte la plupart du temps le bar sans payer tout en narguant Wilson à ce sujet. En d'autres occasions, il se soûle la gueule en se faisant un point d'honneur d'irriter les employés et les clients du bar. Sa présence entraîne le plus souvent celle de la police. Il se présentera un jour au bar avec un bidon d'essence et menacera de mettre le feu à l'établissement; un autre incident se conclura par des accusations d'agression sexuelle à l'endroit d'une serveuse.

Mais il n'y a pas que Wilson pour se formaliser du comportement de MacFarlane: le chapitre des Hells Angels de Halifax le considère également comme un individu gênant. En tant que dealer indépendant, MacFarlane fait parfois affaire avec les Hells, mais il transige la plupart du temps avec leurs compétiteurs. C'est aux entrepreneurs solitaires comme MacFarlane que Wolf Carroll voulait s'en prendre lorsqu'il a chargé ses troupes de reprendre le contrôle du territoire. Les indépendants qui ne se conformeraient pas aux édits des Hells n'auraient qu'à plier bagages.

En 1996, les Hells exposent à MacFarlane les conditions d'une association plus étroite. Il se vante à qui veut bien l'entendre de son alliance potentielle avec les Hells Angels et ne se prive pas d'évoquer la chose auprès de ceux qu'il cherche à intimider. Contrairement à ce que ses fanfaronnades laissent supposer,

MacFarlane rejettera l'offre du chapitre de Halifax et refusera même d'accorder à ses membres le respect qui leur est dû. Ainsi, lors d'une visite au repaire de la bande, il se dispute avec un membre qu'il battra ensuite sauvagement.

Le fait que les Hells de Halifax ne sont pas tous solidaires jouera en sa faveur : en dépit de ses frasques, MacFarlane restera en bons termes avec l'un des membres les plus influents de la bande. Cet individu est avec lui au Reflections le jour où, dans un état d'ébriété avancée, MacFarlane profère des menaces visant non plus seulement Wilson lui-même, mais également son épouse, ses enfants, sa mère, le propriétaire apparent du bar ainsi que l'un des gérants. Les clients et les employés qui ont assisté à la scène ont peur de témoigner contre lui. Craignant que son ancien ami ne mette ses menaces à exécution, Wilson ne se sépare plus de son pistolet. Il contactera à un moment donné Wolf Carroll pour négocier l'assassinat de MacFarlane. Occupant un rang élevé dans l'organisation des Hells, Carroll n'avait pas à remplir lui-même ce contrat d'une valeur de 25 000 $; il le confiera donc à son lieutenant favori, Dany Kane. À son tour, Kane déléguera cette tâche à son nouvel amant et homme de main, Aimé Simard.

Kane informera Simard du contrat peu après la fusillade de Québec. De prime abord, Kane est avare de détails ; il dira simplement que la chose devra se dérouler à l'extérieur de la ville et qu'il accompagnera Simard pour voir comment il se débrouille. Kane jugera bon de préciser qu'il s'agit d'une mission très, très délicate, mais peu lucrative – Simard ne gagnerait tout au plus qu'un peu d'argent de poche. Au cours des semaines suivantes, Kane laissera sourdre quelques détails supplémentaires, notamment que l'assassinat aura lieu à Halifax et que la victime est « un gars qu'on aime bien et qui est de notre bord ». Le fait que la cible est un ami des Hells de Halifax explique pourquoi le contrat doit être confié à des exécutants de l'extérieur. Bien qu'il s'agisse d'un règlement de comptes interne, d'expliquer Kane, les autres membres de la bande ne doivent pas savoir qu'un des leurs a commandé l'assassinat.

Le soir du 23 février 1997, Kane annonce à Simard que le départ pour Halifax est prévu pour le lendemain. Les deux hommes consacreront le reste de la soirée aux préparatifs. Dans un bar branché du boulevard Saint-Laurent qu'il fréquente régulièrement, Kane se procurera un pistolet de calibre .38 qu'il donnera à Simard en précisant que c'est l'arme qu'il devra utiliser pour perpétrer son crime. Le lendemain matin, juste avant de partir, Simard se plaint du fait que le .38 est trop lourd et peu maniable. Dany ne pourrait-il pas trouver une arme plus petite, un 9 mm semi-automatique, par exemple ? Kane répond qu'il essaiera de dénicher quelque chose d'autre.

Kane et Simard ont un autre problème : ils n'ont pas de véhicule. Au début de janvier, Simard a complètement démoli sa jeep dans un accident. Avec l'argent des assurances, il s'est acheté un Chrysler Intrepid qu'il a promptement bousillé quelques jours avant son départ pour Halifax – sur la route entre Québec et Montréal, il a perdu le contrôle du véhicule en tentant de dépasser une fourgonnette durant une tempête de neige. Or, il n'a pas encore pris possession de la Buick LeSabre que sa compagnie d'assurances lui fournit pendant que l'Intrepid est au garage. Le 24 février au matin, Kane et Simard vont chercher la voiture en question. Une fois le problème du transport réglé, les deux hommes se rendent dans une taverne du centre-ville où Kane achète un pistolet 9 mm que René Charlebois, un confrère Rocker, a repéré à son intention. Simard paie l'arme de sa poche au coût de 900 $; Kane lui promet qu'il sera remboursé.

Les deux hommes prendront la route en début d'après-midi. Simard compte s'arrêter à Québec pour récupérer, à l'insu de Kane, le .44 Magnum qu'il a confié à un ami du nom de Jimmy Miller après l'avoir utilisé dans la fusillade de la Basse-Ville. Ce faisant, Simard a désobéi à Kane qui lui avait ordonné de se débarrasser de cette arme compromettante. Mais le mal était fait et Simard devait recouvrer le pistolet de toute urgence : son copain Miller était très nerveux parce que Steve Leclerc, l'homme qui accompagnait Simard le soir du double attentat, se montrait trop bavard. Miller avait peur que la police apprenne ce qui s'était passé et remonte la filière jusqu'à lui.

Miller et Simard se sont donné rendez-vous au zoo de Charlesbourg. Sans expliquer la raison de cette escale, Simard demande à Kane de l'attendre un moment dans l'auto, puis il va chercher le pistolet. Il cachera l'arme à la vue de Kane en revenant à la voiture. Simard fera ensuite un saut à la maison de sa mère pour y chercher des vêtements et profitera de l'occasion pour cacher le .44 à l'intérieur du siège arrière de la Buick. Resté dans la maison, Kane ne se doute de rien. Après avoir quitté Charlesbourg, les deux hommes font une autre escale au Château Mont-Sainte-Anne afin que Simard puisse toucher son dernier chèque de paie.

Comme il se fait tard, les deux hommes ne parcourent que 200 km avant de s'arrêter dans un motel pour la nuit. Avant de se coucher, ils retirent les piles de leurs téléavertisseurs et téléphones cellulaires afin de ne laisser aucune trace de leur voyage à Halifax.

Le lendemain, par une belle journée ensoleillée, Simard et Kane traversent l'est du Québec puis le Nouveau-Brunswick pour atteindre enfin la Nouvelle-Écosse. Le périple se déroule sans histoire, sauf pour un incident survenu vers 15 h. Environ 15 km avant Fredericton, à la hauteur d'Oromocto, les deux hommes croisent une autopatrouille de la GRC qui roule en direction opposée. Bénéficiant de 10 années d'expérience au sein de la GRC, l'officier qui est au volant, l'agent de police Gilles Blinn, a reçu une formation exhaustive lui permettant d'interpréter avec précision le comportement d'un automobiliste. Blinn est accompagné de Dale Hutley, un entrepreneur en bâtiment faisant partie des effectifs auxiliaires de la GRC et qui, à ce titre, n'est pas armé. Sa curiosité ayant été piquée par les occupants de la Buick, Blinn fait demi-tour et suit le véhicule sur une distance d'environ quatre kilomètres. Son expérience lui dicte que les deux hommes s'efforcent de paraître calmes bien qu'ils sachent qu'ils sont suivis par une voiture de police; il y a dans leur façon de bavarder et dans leur nonchalance quelque chose de factice. Décidé à soumettre les hommes à un contrôle d'identité, Blinn leur fait signe de se garer sur l'accotement.

Blinn abordera le véhicule côté chauffeur pour parler à Simard; Hutley se chargera de Kane côté passager. Après avoir obtenu les noms et dates de naissance des deux automobilistes, Blinn et Hutley lancent une recherche sur l'ordinateur de l'autopatrouille, lequel est relié au Centre d'information de la police canadienne (CIPC). Les deux policiers obtiendront sur ce réseau de renseignements les casiers judiciaires complets de Kane et de Simard. Une note ajoutée au dossier de Kane spécifie qu'il est impliqué au Québec dans le milieu des motards criminalisés.

Voyant que Simard n'a pas commis de crimes majeurs et en déduisant qu'il serait le plus loquace des deux, Blinn demande à Hutley de le faire venir dans l'autopatrouille. Sur le siège arrière de la voiture de police, le 9 mm qu'il porte à la ceinture demeurant dissimulé sous un pan de sa veste, Simard se montre effectivement avenant et volubile. Il prétend ne connaître Kane que depuis deux mois et dit ignorer qu'il avait un casier judiciaire aussi chargé. Tout ce que Simard sait, c'est que Kane travaille pour une agence de danseuses et qu'ils se rendent tous deux à Fredericton pour passer le week-end avec quelques-unes de ces charmantes demoiselles. Non, il ne sait pas dans quel club de Fredericton travaillent les danseuses en question.

Blinn se dit alors que Kane et Simard ne sont probablement pas des coursiers transportant de la drogue, mais qu'ils n'en sont pas moins impliqués dans quelque chose de louche. Un détail cloche dans l'histoire de Simard : il dit que Kane et lui vont passer le week-end à Fredericton ; or, on n'est alors que le mardi. Blinn raccompagne Simard à la Buick et décide de s'occuper de Kane. Celui-ci n'est pas plus bavard avec Blinn qu'il ne l'a été avec Hutley. Le motard se montre en fait si peu coopératif que Blinn lui demande s'il est « antipolice ». Kane répond qu'il n'aime tout simplement pas parler à des policiers.

À la demande de Blinn, Simard ouvre le coffre de la voiture. Le policier constate que le coffre contient beaucoup plus de bagages qu'il n'en faut pour un si bref périple. Poursuivant sa fouille, Hutley met la main sur un sac en plastique contenant deux émetteurs-récepteurs portatifs, une radio de police et un téléavertisseur. Lorsque Blinn lui demande à quoi lui servent ces objets, Kane se renfrogne encore davantage. « Il restait là sans rien dire avec son air buté, racontera Blinn par la suite. Il y avait quelque chose de pas catholique dans tout ça. »

Le silence obstiné de Kane produira une plus forte impression sur Blinn que le joyeux bavardage de Simard. Plusieurs mois après l'incident, le policier se souvient encore très bien de Kane et peut le décrire avec précision, de ses boucles d'oreilles aux bijoux massifs et coûteux dont il se pare; de sa mise soignée à son bouc bien taillé; de sa petite stature à ses biceps surdéveloppés. « Il avait l'air d'un Montréalais typique, si cela existe », de dire le policier.

Le réseau du CIPC ayant confirmé que Kane et Simard ne sont pas recherchés par la police, Blinn se voit dans l'obligation de les laisser partir. Le policier est certain que les deux hommes manigancent quelque chose, mais, d'un point de vue légal, il n'a aucune raison de les arrêter. Blinn croit avoir eu affaire à des cambrioleurs, voire à des braqueurs de banques. Il ne pouvait évidemment pas deviner la véritable nature de leur funeste mission.

Lorsque Blinn a accédé au dossier de Kane sur le réseau du CIPC, une « alerte silencieuse » a automatiquement été transmise à l'ordinateur de St-Onge à Montréal. Celui-ci contactera le policier de la GRC du Nouveau-Brunswick pour lui demander pourquoi il a procédé à un contrôle d'identité sur Kane. Blinn lui dira tout ce qu'il sait, à savoir que Kane voyageait à bord d'une Buick LeSabre accompagné d'un certain Aimé Simard et que les deux individus avaient des émetteurs-récepteurs portatifs et une radio de police dans le coffre de leur véhicule. Blinn demandera ensuite à St-Onge pourquoi il s'intéresse tant à Kane; St-Onge répondra simplement qu'il est en train d'enquêter sur les bandes de motards.

Arrivant à Halifax peu après 21 h, Kane et Simard se rendront immédiatement au Halifax Shopping Centre, centre commercial où MacFarlane a récemment ouvert une boutique spécialisée en matériel de surveillance électronique ayant pour nom Spy Shop.

À cette heure tardive, bon nombre de magasins, dont le Spy Shop, sont déjà fermés. Kane connaît le plan du centre commercial et de la ville entière par cœur, et pour cause: il est venu à Halifax trois semaines auparavant pour localiser MacFarlane et le prendre en filature afin de déterminer le meilleur endroit où l'éliminer. La tâche de Kane s'est avérée d'autant plus facile que MacFarlane semblait obéir à un rituel précis: il fermait toujours lui-même la boutique, sortait toujours du centre commercial par la même porte et garait toujours sa voiture au même endroit. Kane en avait finalement déduit que le meurtre devait idéalement avoir lieu dans le couloir du centre commercial qui mène à la sortie qu'emprunte toujours MacFarlane.

Ce soir-là, les deux assassins arrivent trop tard : leur cible a déjà quitté le centre commercial. Réintégrant leur véhicule, Kane et Simard se rendent à la résidence de MacFarlane sur Hatchet Lake. Le propriétaire des lieux est de toute évidence absent, puisque sa jeep Grand Cherokee noire immatriculée « 2 BAD 4U » – « trop méchant pour toi » – n'est nulle part en vue. Fatigués de leur journée, les deux hommes prennent une chambre dans un Days Inn situé en bordure de l'autoroute.

MacFarlane est revenu le jour même d'un voyage de deux semaines à Cuba et en Colombie-Britannique. Il a été accueilli à Vancouver par Mike Miller, un ami qui a fui Halifax quelques mois plus tôt parce qu'il devait 40 000 $ à Paul Wilson pour un kilo de cocaïne que celui-ci lui avait avancé. L'affaire avait donné à MacFarlane l'occasion de railler Wilson publiquement : Wilson, de proclamer MacFarlane, n'avait pas assez de couilles pour récupérer son dû.

On ne sait pas exactement quel était le but du périple de MacFarlane dans l'Ouest canadien. Il s'agissait peut-être d'un simple voyage d'agrément, quoique certains prétendent qu'il transportait 250 000 $ en liquide pour un Hells de Halifax qui s'était expatrié en Colombie-Britannique. D'autres supposent qu'il était allé à Vancouver pour récupérer les 40 000 $ que Miller devait à Wilson, une hypothèse plausible, considérant que le recouvrement de dettes était l'un des nombreux champs d'activité de MacFarlane – il avait la réputation d'acheter pour une fraction de leur valeur des dettes impayées dues à des organisations criminelles pour maximiser ensuite son investissement en arrachant des fonds au malheureux débiteur par la manière forte. Il était peu probable que MacFarlane ait conclu ce genre d'entente avec Wilson lui-même, mais il avait peut-être acheté la dette de Miller à une tierce personne. Peut-être MacFarlane s'était-il dit qu'il était en droit de s'approprier cet argent puisque Wilson n'avait pas le courage de le faire.

Mais tout cela n'est que spéculation. En vérité, tout indique que Miller et MacFarlane n'avaient pas d'affaires urgentes à régler. De l'aéroport, les deux hommes se rendront directement dans un bar de Vancouver. Ils feront la fête toute la soirée et poursuivront leur beuverie le lendemain. Leur bar de prédilection est le No. 5 Orange, un club de danseuses de l'est du centre-ville dont l'un des propriétaires est un membre en règle des Hells Angels. Le No. 5 est reconnu pour avoir accueilli sur sa scène de futures célébrités comme Courtney Love et Pamela Anderson. Toujours aussi vantard et fort en gueule, MacFarlane annonce à grand bruit qu'il connaît plusieurs Hells Angels de la côte Est et enchaîne aussitôt en nommant les individus en question. Agacés par son arrogance et son manque de discrétion, des Hells du chapitre de l'est de Vancouver l'enjoignent à se calmer. MacFarlane promet de rester tranquille, mais s'excite de plus belle aussitôt que les motards quittent l'établissement. Lorsqu'un videur fait mine de le mettre à la porte, MacFarlane sort de ses gonds. Dans la bagarre qui s'ensuit, il cassera le nez d'un employé, puis le bras d'un autre avant d'en mordre sauvagement un troisième à l'avant-bras. Miller et MacFarlane s'éclipseront par la porte arrière juste avant l'arrivée des autorités. Selon un rapport de police, 10 Hells du chapitre de l'Est se pointent peu après et ils sont « très agités ».

MacFarlane se fera plus discret au cours des jours suivants. Il visitera la ville avec Miller, ira dans un salon de bronzage et achètera de la marchandise pour son Spy Shop. Bien que n'étant pas un habitué de la diplomatie, il retournera au No. 5 Orange pour s'excuser auprès du proprio, proposant d'envoyer 45 kg de homard aux Hells du chapitre de l'Est en guise de réparation. Le propriétaire de l'établissement accepte les excuses de MacFarlane, mais appelle la police aussitôt que celui-ci est sorti du bar – un geste inhabituel pour un Hells Angel.

Miller et MacFarlane passeront la nuit en prison. Ils seront relâchés le lendemain. Miller évitera MacFarlane pendant tout le reste de son séjour à Vancouver, allant jusqu'à ne pas se présenter à des rendez-vous qu'ils se sont fixés. Excédé, MacFarlane se rend au domicile de Miller dans le but de le surprendre, mais un voisin qui ne le connaît pas le voit rôder dans les parages et appelle la police. À l'occasion de son dernier jour sur la côte Ouest, MacFarlane lunchera avec un employé de Spy vs. Spy, la boutique où il achète sa marchandise pour le Spy Shop. Durant le repas, il se plaindra du fait que son copain Mike ne lui a pas payé les 40 000 $ qu'il lui doit pour un kilo de coke.

De Vancouver, MacFarlane se rendra à Cuba dans un centre de villégiature situé près de la ville de Camaguey. Il boira bien évidemment à l'excès, avec les conséquences que l'on imagine : durant son séjour, il plastronnera pour la galerie, démolira des meubles et agressera une employée du centre pour aboutir enfin dans une cellule infestée de moustiques.

Entre Vancouver et Cuba, MacFarlane a fait escale à Toronto. Il a téléphoné à son épouse de l'aéroport, non pas pour lui susurrer des mots doux, mais pour la charger d'expédier au moins 20 kg de homard aux Hells Angels du chapitre de l'est de Vancouver. Lorsqu'il revient de vacances le 25 février, sa femme est partie en République dominicaine avec un groupe d'amies. Seul à la maison, il invite l'employé qui est venu le chercher à l'aéroport à sortir avec lui le lendemain soir.

Le mercredi 26 février, Kane et Simard se lèvent de bon matin et retournent aussitôt au Halifax Shopping Centre. Ils déjeuneront dans l'aire de restauration située juste en face du Spy Shop en attendant l'arrivée de MacFarlane – il est important que Simard voie la cible de ses propres yeux avant de remplir son contrat, et ce, afin d'éviter de faire erreur sur la personne. Les deux hommes inspecteront ensuite les alentours, trouveront un endroit discret où garer la Buick et décideront du trajet qu'ils vont emprunter pour retourner au motel une fois leur méfait commis. Ils testeront finalement leurs émetteurs-récepteurs portatifs et récapituleront ensemble les détails de leur plan.

Ayant plusieurs heures à tuer avant d'abattre MacFarlane, Kane et Simard prennent le temps d'élaborer un plan B, au cas où le meurtre ne se déroulerait pas au centre commercial tel que prévu. Dans le courant de l'après-midi, ils se rendront au domicile de MacFarlane à la recherche d'un endroit où Simard pourra s'embusquer en attendant sa victime. Les deux hommes retourneront ensuite au centre commercial pour que Simard puisse s'acheter des gants noirs, des chaussures noires et une veste noire – son costume d'assassin. Pendant que Simard fait ses emplettes, Kane se rend dans le stationnement souterrain et remplace la plaque d'immatriculation québécoise de la Buick par une plaque de la Nouvelle-Écosse volée sur un autre véhicule. Une fois leurs tâches terminées, les deux hommes rentrent au Days Inn pour s'y reposer.

Vers 20 h, Simard et Kane se rendent encore une fois au centre commercial. Tout de noir vêtu, une cagoule lui couvrant la tête,

Simard est paré à l'action. Il a glissé deux armes dans sa ceinture : le 9 mm à l'arrière, niché dans le creux de ses reins, et le .38 à l'avant. Kane reste dans la voiture comme prévu pendant que Simard part s'embusquer à l'entrée d'une salle de toilette d'où il peut épier sa cible. MacFarlane émerge du Spy Shop quelques minutes plus tard et s'engage dans le couloir où doit avoir lieu le meurtre. Mais il y a un pépin : il n'est pas seul. Trois hommes l'accompagnent.

Après s'être consultés au moyen de leurs émetteurs-récepteurs, Kane et Simard décident de passer au plan B. Lorsqu'ils arrivent à la maison de MacFarlane, celui-ci n'est pas encore là. Coupant par la cour d'un voisin, Simard s'embusque dans un buisson, mais sa présence alerte les chiens de MacFarlane qui se mettent à aboyer. Excédé par les aboiements importuns des mastiffs, Simard retourne à la Buick. Décidant de remettre leur projet d'assassinat au lendemain, les deux hommes reprennent le chemin du motel.

Pendant ce temps, MacFarlane se prépare à une autre débauche d'alcool et de cocaïne. Il a célébré seul son trente-quatrième anniversaire durant son séjour à Cuba ; or, il compte souligner plus intensément l'événement en passant la nuit à festoyer avec Paul Macphail, l'employé qui est venu le chercher à l'aéroport. MacFarlane sait qu'il sera bien entouré puisque, ce soir, c'est lui qui paie la coke.

Dans le courant de la soirée, il mentionne plusieurs fois qu'il se sent suivi depuis son retour de Cuba, peut-être par la police, ou encore par des membres des Outlaws – il prétend détenir des documents compromettants qui concernent la bande. Il déclare qu'il ne peut pas retourner chez lui parce que quelqu'un surveille sa résidence.

Surveillé ou pas, MacFarlane retournera chez lui au petit matin accompagné de Macphail. Il s'endormira alors de son dernier sommeil.

Lorsqu'ils s'éveillent au matin du jeudi 27 février, Kane et Simard ont une folle envie de homard. Simard achètera 10 de ces crustacés dans un étal de fruits de mer situé non loin de là et offrira 10 $ au réceptionniste du motel pour qu'il les fasse cuire dans sa cuisinette. Une fois leur festin terminé, les deux hommes iront se balader dans le centre-ville de Halifax. Ils passeront devant Reflections, le bar de

Paul Wilson, s'entraîneront au gym d'un hôtel où Kane avait déjà séjourné, mangeront une pizza sur les quais et iront voir un film. À leur sortie du cinéma, réalisant que l'heure de fermeture des magasins approche, ils iront chercher leurs armes au Days Inn puis retourneront en vitesse au Halifax Shopping Centre. Là, les deux complices reprendront leurs positions respectives, Kane attendant dans la Buick qu'il a garée sur une rue transversale et Simard embusqué dans les toilettes, surveillant périodiquement MacFarlane.

Cette fois encore, les assassins de Montréal voient leurs plans contrecarrés. Il y aura d'abord cette employée d'un restaurant du centre commercial qui avisera Simard d'un œil méfiant en allant vider une poubelle. Puis, comble de malchance, MacFarlane est accompagné lorsqu'il quitte son magasin, tout comme la veille. Simard contacte aussitôt son complice au moyen de son émetteur-récepteur pour lui annoncer qu'il ne peut pas remplir sa mission. En retournant à la Buick, Simard voit MacFarlane sortir du stationnement à bord de son véhicule. Kane décide alors de le prendre en filature.

Les deux hommes qui accompagnent MacFarlane sont David Roberts, un cousin venu de l'Île-du-Prince-Édouard avec lequel il entretient des relations étroites, et Claude Blanchard, un natif de Moncton avec qui Roberts s'est lié d'amitié en prison. C'est Roberts qui avait eu l'idée de ce voyage ; il a convaincu Blanchard de prendre le volant jusqu'à Halifax pour qu'ils puissent passer quelques jours à s'éclater en compagnie de son cousin fortuné. À leur arrivée en ville, ils déposent d'abord la petite amie de Blanchard chez une copine, puis vont retrouver MacFarlane au Spy Shop une demi-heure avant la fermeture des magasins. Pendant que le commerçant compte la recette de la journée et s'occupe de ses derniers clients, Roberts fait l'éloge de la collection de voitures de son cousin. Blanchard est particulièrement impressionné du fait que leur hôte possède une Corvette 1957. « Je peux pas croire que t'en as une comme ça ! s'exclame-t-il. J'aimerais vraiment la voir. » MacFarlane est tout disposé à lui montrer ce petit bijou. Il emmènera Roberts dans sa Jeep Cherokee et Blanchard suivra dans la voiture de sa petite amie.

La jeep file bientôt à toute vitesse non pas vers le domicile de MacFarlane, ainsi que Blanchard s'y attendait, mais vers le

Lakeside Industrial Park, un parc industriel comptant deux rangées d'entrepôts. C'est dans l'un de ces bâtiments que MacFarlane entrepose sa collection d'autos qui comprend deux BMW, une Mercedes, ainsi que la fameuse Corvette 1957. Lorsque Blanchard se gare derrière la jeep, MacFarlane, qui est en train d'uriner à côté du véhicule, se plaint du fait qu'une voiture blanche les a suivis tout le long du trajet. Selon lui, ce sont des policiers. Tout en écoutant MacFarlane vitupérer, Blanchard laisse sortir son chien Jazz de la voiture pour qu'il puisse s'ébrouer un peu. Après avoir refermé sa braguette, MacFarlane joue un peu avec l'animal. C'est alors que la fameuse voiture blanche apparaît au coin de la rue.

« Encore les maudits flics », de marmonner MacFarlane lorsque la Buick, distante d'environ trois mètres, passe lentement devant lui et ses compagnons. La voiture fait demi-tour un peu plus loin, passe à nouveau devant eux, puis s'arrête. La vitre du passager est baissée. Empressé de faire connaissance avec les nouveaux visiteurs, Jazz court gaiement vers la Buick et pose ses pattes avant sur la portière. Croyant toujours qu'il est en présence de policiers, MacFarlane crie : « Qu'est-ce que vous voulez, mes tabarnacs ? » Simard répond qu'il cherche le magasin Tire Shack.

MacFarlane et Blanchard s'approchent alors de la Buick, le premier pour défier les individus qui s'acharnent à le suivre, le second pour enlever les pattes de son chien de la voiture – une mauvaise habitude de l'animal que son maître cherchait à corriger.

« Y a pas de crisse de Tire Shack ici », lance MacFarlane au moment où Blanchard attrape Jazz par le collier. C'est alors que Simard ouvre le feu. « Je suis tout de suite parti à courir, raconte Blanchard. Je pensais juste à sauver ma peau, *man* ! » De fait, Blanchard s'élance à une telle allure que le collier de son chien lui reste entre les mains ; il racontera par la suite aux enquêteurs de la GRC qu'il n'avait jamais couru aussi vite de sa vie, même quand il était poursuivi par la police. Après avoir rampé sous une succession de semi-remorques, il ira se cacher à l'arrière de l'entrepôt et, par conséquent, ne verra rien du meurtre de MacFarlane.

À Montréal, Kane et Simard ont acheté des pistolets chargés et n'ont pas songé à les tester au préalable ni à se procurer des munitions supplémentaires. Grave erreur. Lorsque Simard appuie sur la gâchette de son .38, le coup ne part pas. Ses deux tentatives suivantes se solderont également par des ratés. Quand le coup part enfin, MacFarlane a déjà tourné les talons et pris la fuite. Mais Simard est soit très chanceux, soit un tireur émérite puisqu'il atteindra tout de même sa cible.

Touché au corps, MacFarlane n'en continue pas moins de courir en hurlant comme un possédé. Simard s'éjecte de la Buick et se lance à sa poursuite. Il tire deux autres balles avec le .38 avant de le jeter par terre d'un geste rageur pour s'emparer du 9 mm qu'il porte à la ceinture. Dans la brusquerie de son geste, Simard rompt l'élastique qui maintient en place son pantalon d'exercice ; le survêtement lui glisse le long des jambes, le faisant trébucher dans sa course. Le tueur maladroit a le pantalon aux chevilles lorsqu'il fait enfin mouche : MacFarlane s'abat tout d'un pan, tête première dans la boue. Ayant immobilisé sa cible, Simard retire tranquillement son pantalon, s'approche de sa victime et l'achève de deux balles dans la nuque.

Pendant que son complice s'active, Kane sort de la voiture et ramasse le .38. Voyant Simard retourner en courant vers la Buick, Kane s'approche du corps de MacFarlane et fait feu à deux reprises. Un témoin qui aurait assisté à la scène aurait pu jurer que Kane avait achevé la besogne en tirant deux balles dans la tête de Mac-Farlane. Il s'agit en réalité d'une supercherie puisque Kane a visé intentionnellement le sol.

Kane retourne ensuite à la Buick, s'installe derrière le volant et tend le .38 à son complice en lui demandant de bien l'essuyer pour effacer toutes les empreintes digitales. Les deux malfaiteurs filent ensuite dans la direction d'où ils sont arrivés.

Blanchard ne sortira de sa cachette que lorsqu'il verra la voiture blanche des agresseurs s'éloigner. Convaincu que les tueurs ne reviendront pas sur les lieux du crime, il réintègre la voiture de sa petite amie, installe son chien effrayé sur la banquette arrière, puis démarre avec l'intention de s'éloigner le plus vite possible de cet endroit maudit.

Soudain, le corps de MacFarlane apparaît dans ses feux. L'horrible vision le stoppe net dans sa course.

La victime est secouée de tremblements. Croyant détecter une respiration, Blanchard retourne le corps et tâte son pouls pour vérifier si une vie l'anime encore. Il tente ensuite de réanimer

MacFarlane en appliquant des techniques qu'il a vues à la télé. Tout en pratiquant cette réanimation cardiorespiratoire de fortune, Blanchard appelle Roberts à grands cris, l'exhortant à se manifester et à venir l'aider. «Espèce de con, lance-t-il, viens voir ton cousin! Y est mort, sacrament!»

Roberts émerge enfin de sa cachette, puis fond en larmes en apercevant le corps de son cousin. Il déchire la chemise de Mac-Farlane, mais, à la vue de ses blessures, comprend qu'il ne peut plus rien pour lui. Il emprunte alors le cellulaire de Blanchard pour téléphoner à Paul Macphail. Tandis que Roberts explique la situation à son interlocuteur, Blanchard songe à filer en douce; il ne veut pas être là quand la police arrivera. «J'étais là à me demander quoi faire, racontera-t-il aux autorités une semaine plus tard. Le gars était mort, *man*. Y avait plus rien à faire sauf crisser notre camp de là.»

Et, effectivement, Blanchard s'éclipsera, laissant Roberts se démerder seul avec Macphail et la police. Connaissant peu les rues de Halifax, il met une heure à trouver l'adresse de la copine de sa petite amie. Fortement ébranlé, il se rend ensuite au Dôme, un bar de la ville, pour se «soûler la gueule».

Les meurtriers roulent vers le Days Inn à tombeau ouvert, ne s'arrêtant que quelques secondes sur la rampe curviligne menant à l'autoroute et au motel, le temps de balancer leurs pistolets dans la nature. En percutant le sol de l'aire boisée, le 9 mm laisse échapper une ultime décharge. Simard arrache ensuite la plaque d'immatriculation volée pour la lancer tel un Frisbee dans la même direction. De retour dans la Buick, Simard se déleste de ses atours d'assassin, laissant à Kane le soin de jeter par la vitre ouverte sa veste, son chandail, ses gants et ses souliers qui ont peut-être été contaminés par des résidus de poudre. Kane retire les bottes de caoutchouc qu'il portait sur la scène du crime et les jette sur le bas-côté.

Arrivés au motel, ils descendent de voiture, chaussettes aux pieds, se précipitent dans leur chambre, bouclent hâtivement leurs valises, puis filent à toute vapeur. Une féroce tempête de neige s'élève bientôt sur l'autoroute Transcanadienne. Simard propose de s'arrêter pour la nuit, mais Kane est pressé de rentrer à Montréal. Prenant le volant à tour de rôle, ils conduiront 16 heures d'affilée dans la neige et la glace. Ils arriveront dans la métropole le lendemain après-midi. C'était le dernier jour de février.

CHAPITRE 14

Un psychopathe sur le sofa

Kane et Simard ne passeront finalement qu'une seule nuit à Montréal. Dès le lendemain, ils reprennent la route, cette fois en direction de Québec. Les deux hommes ont besoin de se détendre ; or, Simard avait promis d'inviter Kane et sa famille à une fin de semaine de ski et de motoneige au Mont-Sainte-Anne. Le samedi 1er mars 1997, un convoi de voitures s'engage sur l'autoroute 20, transportant Kane et Patricia, leurs enfants respectifs, un sympathisant des Rockers du nom de Claude-Grégoire McCarter, la petite amie de McCarter, Dominique, le frère de Josée qui tient parfois lieu de chauffeur à Kane, ainsi que Simard.

Prétendant qu'il travaillait toujours à l'hôtel, Simard avait resquillé trois suites sans donner de dépôt ou de numéro de carte de crédit. Le groupe se divisera peu après son arrivée, chacun allant pratiquer ses activités favorites. Kane et Patricia opteront pour les pentes de ski. C'est la première fois que la jeune femme pratique ce sport ; Kane, par contre, a appris à skier à l'époque où il habitait chez son oncle et sa tante. Faisant peu de cas du manque d'expérience de sa compagne, Kane l'entraîne tout droit au sommet ; il n'a aucunement l'intention de perdre son temps à lui montrer comment faire du chasse-neige sur la pente des débutants.

C'est la première fois que Patricia fait du ski, mais c'est aussi la première fois qu'elle utilise un télésiège. Arrivée au sommet, ne sachant comment descendre de l'appareil, elle tombe, puis tente désespérément de se relever. Elle doit finalement détaler à quatre pattes pour éviter que les autres skieurs qui descendent du télésiège ne la heurtent. Ébranlée, la jeune femme refuse de poursuivre l'expérience. Après avoir tenté en vain de la convaincre de descendre la pente avec lui, excédé, Kane lui dit : « N'importe quelle conne peut apprendre à skier ! »

Le problème n'est pas que Patricia est conne, mais qu'elle n'a plus du tout envie de faire du ski. « Va chier, lance-t-elle, pis appelle quelqu'un pour me faire descendre ! » Kane devra débourser 200 $ pour qu'une patrouille de ski transporte Patricia au pied de la pente.

Contrairement à ses invités, Simard n'a pas le temps de s'amuser parce qu'il a une affaire importante à régler. Jimmy Miller lui a récemment appris que Steve Leclerc se montrait trop bavard au sujet de la fusillade de la Basse-Ville. Or, durant son voyage à Halifax, Simard a réfléchi à ce qu'il allait faire de ce compagnon peu discret. La réponse lui est venue peu après le meurtre de MacFarlane ; l'expérience lui a fait découvrir combien il est facile de tuer.

Une fois ses invités installés à l'hôtel, Simard téléphone à Leclerc à Québec et lui dit qu'il a besoin d'un partenaire qui protégerait ses arrières lors d'une transaction de drogue devant avoir lieu le soir même aux abords de l'autoroute entre Montréal et Québec. Son complice n'aurait qu'à rester tapi dans la forêt environnante et n'interviendrait, arme au poing, que si la situation dégénérait. Leclerc accepte la mission. Simard ira le chercher, puis les deux hommes prendront l'autoroute 20 en direction de Montréal.

Environ 120 km plus loin, Simard quitte l'autoroute et continue de rouler jusqu'au bout d'un chemin de campagne se terminant en cul-de-sac. Il demande alors à son complice d'aller se cacher dans un bosquet situé à quelques mètres de là. Tandis que, dans la neige jusqu'à la taille, Leclerc se fraie péniblement un chemin jusqu'au bouquet d'arbres, Simard agrippe le pistolet qu'il a à la ceinture, charge une balle dans la chambre, puis crie le nom de son ami.

Ayant très vite appris les codes qui régissent les milieux criminels, Simard sait qu'il n'est pas de mise d'abattre une cible qui vous tourne le dos. Le tueur doit idéalement regarder sa victime droit dans les yeux en appuyant sur la gâchette afin que, en une fraction de seconde, celle-ci comprenne qu'elle va mourir. Simard veut s'assurer que Leclerc ne parlera plus, mais il doit l'éliminer selon les règles de l'art, sinon il ne pourra jamais s'attirer le respect des Hells Angels. Il attend donc que Leclerc se tourne vers lui, puis il lui tire quatre ou cinq balles dans la tête. L'assassin contreviendra cependant à une règle du code d'honneur des criminels qui dit que l'on ne doit pas retirer les vêtements d'une personne que l'on a tuée : se disant qu'il n'en aurait plus besoin de toute façon, Simard récupère le manteau qu'il avait prêté à Leclerc quelques mois auparavant.

Son crime commis, Simard reprend le volant de sa Chrysler Intrepid.

Dans les jours qui suivront son voyage à Halifax, Kane entrera en contact plusieurs fois avec ses contrôleurs de la GRC, les mettant au fait des dernières nouvelles et rumeurs issues du sordide univers des motards.

Donald Magnussen a rossé le fils du parrain de la mafia montréalaise à l'entrée d'un club du boulevard Saint-Laurent. Même si Leonardo Rizzutto méritait cette correction, et même si Magnussen ignorait qui il était lorsqu'il l'avait battu, il était certain que le geste ne resterait pas sans conséquences. Le bruit courait que Vito Rizzutto avait chargé deux de ses sbires de venger son fils. Par conséquent, Magnussen ne quittait plus le manoir des Lavigueur sans son entourage.

Kane rapporte que Wolf Carroll s'est associé à un homme d'affaires local pour acheter plusieurs terrains au pied du mont Saint-Sauveur. Les deux *businessmen* ont l'intention de faire construire des condos sur le site et une salle de cinéma dans le village même. Verdon note dans son rapport que « le tout serait légal, mais [que] le nom de Carroll n'apparaîtra nulle part », ajoutant qu'il s'agissait pour le Hells d'une « belle occasion de blanchir un peu d'argent ».

L'informateur parlera ensuite de la création d'une escouade de choc composée d'une quarantaine d'individus, pour la plupart des Rockers, ayant pour mission de prendre d'assaut les derniers bastions des Rock Machine dans le sud-ouest de la ville, c'est-à-dire à Pointe-Saint-Charles, Saint-Henri, Verdun, LaSalle, Lachine, Ville-Émard et Côte-Saint-Paul. Les Rock Machine ont maintenu leur emprise sur ces secteurs en y vendant leurs drogues moins cher que les Hells. « L'escouade est formée de sous-groupes genre commandos, écrit Verdon. Ils ont pour tâche d'exécuter les "jobs de bras" lorsque les premières intimidations n'ont pas fonctionné. »

Verdon précise ensuite que l'escouade allait percevoir 30 % des recettes générées par la vente de drogue sur tout territoire nouvellement conquis. L'un des commandos comprend les membres suivants : Pierre Provencher ; Stephen Falls ; Normand Robitaille, étoile montante de l'organisation et grand favori de Mom Boucher – qui épousera plus tard une avocate de la bande ; Gregory Wooley, ex-leader d'un gang de rue haïtien, l'un des rares individus de race noire à être accepté par la bande et à monter dans sa hiérarchie ; et Stéphane « Godasse » Gagné, un petit dealer du quartier Hochelaga-Maisonneuve qui, par la force des choses, s'est rallié aux Hells Angels. Ces hommes font tous partie des Rockers.

Le 24 février, juste avant son départ pour Halifax, Kane a reçu un appel du caporal Verdon. Le voyage de Kane n'est mentionné nulle part dans le rapport concomitant ; cependant, tout indique que la GRC savait que son informateur serait injoignable pour un temps. Dans le champ marqué « but de la rencontre », Verdon inscrit « pour demander certaines informations ». Or, la seule information qu'il notera concerne l'une des premières « jobs de bras » de l'escouade de choc des Hells : un dealer répondant au nom de « Gros Mo » avait été battu dans un bar de Saint-Henri parce qu'il s'approvisionnait auprès d'autres fournisseurs en dépit de sa présumée allégeance aux Hells Angels. L'escouade des Hells avait tendu un piège à Gros Mo en lui envoyant un « client » qui lui avait acheté de la drogue à un prix inférieur à celui que les motards lui faisaient payer. Soit Gros Mo était un très mauvais homme d'affaires, soit il jouait un double jeu. D'une manière ou d'une autre, il fallait lui donner une leçon qu'il n'oublierait pas de sitôt.

Dans son rapport, Verdon ne mentionne pas le fait qu'Aimé Simard est l'un des agresseurs ni qu'il était le seul membre armé de l'équipe. Simard, qui devait s'assurer que personne ne quittait le bar pendant que Gros Mo se faisait dérouiller, avait poursuivi un client qui avait fait mine de prendre la fuite et s'apprêtait à lui tirer dessus quand un autre membre du commando l'avait arrêté dans son geste, déclarant que l'individu en question était « correct ».

Lorsque Simard réintègre l'escouade de choc après son voyage à Halifax, il a l'impression d'avoir largement démontré sa bonne foi : non seulement il a commis un meurtre pour la bande, mais il a aussi eu le courage d'éliminer un ami qui parlait trop. Dans le milieu, on n'aborde jamais ouvertement ces choses ; néanmoins, on en discute à mots couverts. La réputation de Simard s'en trouve grandie et il est de plus en plus accepté dans le cercle des personnages de second ordre qui gravitent autour des Rockers et des Nomads.

Au début de mars, à l'occasion d'une réunion sur la Rive-Sud, deux membres des Rockers invitent officiellement Simard à se joindre à « l'équipe de football », l'unité la plus meurtrière de l'escouade. Alors qu'une autre unité, « l'équipe de base-ball », se charge d'administrer les corrections, c'est à l'équipe de football que l'on s'adresse quand il s'agit de tuer. Avant de se joindre à l'équipe, Simard doit donner aux Rockers son numéro d'assurance sociale et de permis de conduire, et ce, afin qu'ils puissent le retrouver s'il trahit un jour l'escouade.

Contrairement au reste de la bande, Kane a de moins en moins confiance en Simard. Depuis Halifax, et particulièrement depuis le meurtre de Leclerc, Kane considère Simard comme un franc-tireur potentiellement dangereux pour la bande, mais aussi pour lui-même. Bien que le meurtre de Leclerc ne figure pas dans les rapports de Verdon et St-Onge, le 11 mars Kane dira à ses contrôleurs que Simard « est très imprévisible et dangereux » et qu'il « serait capable de tout ». Ce jour-là, Kane fournira aux deux policiers une description physique de Simard – ce qui était bien inutile considérant que la GRC avait déjà accès à son casier judiciaire fort volumineux. Kane ne se trompe pas en disant que Simard mesure 1,70 m et a des sourcils noirs et touffus ; par contre, il se goure carrément lorsqu'il évalue son poids à 150 lb. Soit Kane cherchait à protéger son amant, soit Verdon a confondu livres et kilogrammes.

Il n'est pas étonnant que Kane éprouve des sentiments mitigés à l'égard de Simard. D'un côté, celui-ci lui a rendu plusieurs petits services et lui a fait faire un bon paquet d'argent. Contrairement à ce qu'il avait promis, Kane ne donnera pas un sou à Simard pour le meurtre de MacFarlane et empochera la totalité des 25 000 $

payés par Wilson. Kane ne remboursera même pas les 900 $ que Simard a payés pour le pistolet 9 mm semi-automatique dont il s'est servi pour buter MacFarlane, pas plus que les frais encourus par Simard durant le voyage à Halifax.

D'un autre côté, Simard est une grande gueule, un individu braillard qui se fait de plus en plus agaçant depuis qu'il joue les criminels endurcis. À leur retour du Mont-Sainte-Anne, fatiguée des fanfaronnades de Simard, Patricia demande à Kane de l'évincer de l'appartement de la rue Saint-Christophe, ce qu'il fera sans rechigner, sans doute parce que Simard et lui se disputent fréquemment. Kane dira alors à Patricia qu'il considère Simard comme « un vrai psychopathe ». « Ne me dis pas que le gars qui dort sur notre sofa est un psychopathe ! » de s'exclamer la jeune femme. Plus que jamais, elle veut que Simard quitte définitivement leur logement.

Le moment est heureusement bien choisi pour toutes les personnes concernées. Kane et Patricia ont déjà discuté de la possibilité de déménager à l'extérieur du centre-ville, dans un endroit plus spacieux où les enfants n'auraient pas à dormir sur le canapé ou le plancher, quand ce n'était pas avec eux. Simard passe de plus en plus de temps avec d'autres associés des Hells et des Rockers, des types comme Pierre Provencher, Stephen Falls et Daniel Saint-Pierre. À cette époque, Simard est le chauffeur et le subalterne attitré de Saint-Pierre, un dealer qui vend dans Verdun et Montréal-Nord ; après avoir été chassé de chez Kane, Simard ira vivre dans le sous-sol de la maison qu'occupe Saint-Pierre et qui sert de base d'opération à l'escouade de choc. C'est là que vont périodiquement les membres de l'escouade qui ont besoin d'un endroit pour dormir.

Lorsque plusieurs personnes vivent ensemble dans un espace aussi exigu que celui de la rue Saint-Christophe, cela engendre inévitablement des tensions et des dissensions. Or, si Kane et Simard ont éprouvé certains problèmes de cohabitation, ils n'en mettront pas fin pour autant à leur relation. Désireux de se délester des frustrations accumulées durant l'automne et l'hiver précédents, Kane veut prendre des vacances au soleil avec ses enfants – du moins avec les deux qui ne sont plus aux couches. Pressentant qu'elle aurait à jouer les baby-sitters pendant toute la durée du voyage, Patricia déclare qu'elle préfère rester à la maison. À défaut de pouvoir emmener Patricia, Kane décide d'inviter Simard.

Du 15 au 22 mars, Kane, Simard et les enfants passeront des vacances sans histoire en Jamaïque au Trelawny Beach Resort, non loin de Montego Bay. Le seul incident notable surviendra la veille de leur départ : Kane, Patricia et Dominique se font arrêter par la police alors qu'ils se rendent dans une pharmacie du centre-ville pour acheter une crème solaire spéciale pour un des enfants. En tant que conducteur, Dominique est tenu de présenter son permis de conduire et les papiers d'enregistrement du véhicule au policier. Kane et Patricia, en revanche, savent qu'un passager a le droit de refuser de fournir ses papiers d'identité à la police, droit qu'ils exercent à cette occasion. Il s'ensuivra une sérieuse confrontation avec les autorités – la police ira jusqu'à bloquer la rue Sainte-Catherine sur quatre intersections. À bout de patience, l'un des policiers fracasse la vitre arrière de la Cadillac et vaporise du poivre de Cayenne sur ses occupants. Kane, Dominique et Patricia seront détenus toute la nuit, puis relâchés le lendemain matin. Kane aura tout juste le temps de se rendre à l'aéroport pour attraper son vol vers la Jamaïque. Aucune accusation ne sera déposée, mais Patricia écopera d'une contravention parce qu'elle ne portait pas sa ceinture de sécurité.

Durant leur semaine en Jamaïque, Kane, Simard et les enfants occuperont une petite villa sur le site du centre de villégiature. Vacanciers calmes et peu bruyants, les deux hommes ne cachent pas aux compatriotes qu'ils rencontrent le fait qu'ils sont des motards affiliés aux Hells Angels et donc impliqués dans la guerre qui fait toujours rage en sol québécois. À l'opposé de Kane, Simard fraie volontiers avec les autres touristes, leur racontant comment ses problèmes de poids l'ont empêché de réaliser son rêve de jeunesse qui était de devenir policier. À son retour au Canada, dit-il, il va quitter le milieu des motards et changer sa vie du tout au tout. Ses interlocuteurs comprennent à son discours qu'il compte désormais travailler pour la police. Peut-être Simard savait-il déjà ce qu'il était sur le point de faire ; peut-être s'agissait-il d'une sorte de prémonition ou encore d'une simple coïncidence. Quoi qu'il en soit, moins d'un mois plus tard, Simard travaillera effectivement pour le compte de la police.

Kane, Simard et les enfants ont pris l'avion à l'aéroport de Mirabel pour se rendre en Jamaïque. Ce faisant, ils ont laissé la Chrysler Intrepid de Simard au parking de l'aérogare. Or, Simard a oublié ou simplement ignoré le fait que le contrat de location du véhicule expirait quelques jours avant son départ. Voyant que l'Intrepid n'a pas été retournée, la compagnie de location la déclare volée.

Le 20 mars, un policier de Mirabel qui vérifiait les plaques minéralogiques des voitures garées à l'aéroport identifie l'Intrepid comme un véhicule volé. L'agent procède à une fouille et trouve des balles de .44 Magnum à l'intérieur du véhicule – le même calibre de projectile que celui utilisé dans la fusillade de la Basse-Ville. Le policier alerte aussitôt Douanes Canada. À leur retour de vacances, Kane, Simard et les enfants sont interpellés et conduits dans une pièce isolée. Ils seront relâchés peu après, sans doute parce que les autorités de l'aéroport avaient été prévenues du fait que Kane était un informateur de la GRC et que Simard était son compagnon et complice.

Même s'il vient de passer d'excellentes vacances avec lui, Kane n'a rien de bon à dire au sujet de Simard lors de la rencontre du 26 mars avec ses contrôleurs. Il rapporte que Simard est de moins en moins apprécié dans l'organisation des Hells et que les membres confirmés des Nomads et des Rockers sont très inquiets de son comportement. « Ils trouvent qu'il est trop imprévisible et qu'il a une grande gueule, dit Kane. Il se vante toujours de ses exploits et il est dangereux pour l'organisation. »

Aux dires de l'informateur, Simard ne porte pas la police dans son cœur. « Simard déteste les policiers en général au plus haut point et il rêve d'en tuer un, écrit Verdon. Il a dit qu'il ne retournerait jamais en prison et prendrait tous les moyens pour ne jamais y retourner. La source le considère comme "très dangereux". »

Il se peut que Simard prétende détester les policiers dans le seul but d'impressionner ses pairs. À cette époque, les autorités montréalaises sévissent de plus en plus durement contre les gangs en général et les Hells Angels en particulier. Durant l'hiver 1997, dans le cadre de l'opération Respect, la police de Montréal a accru sa surveillance, multiplié les descentes dans les bars contrôlés par les motards et arrêté un nombre appréciable de petits dealers. Courroucés du harcèlement policier dont ils sont l'objet, les Rockers songent à riposter. Un de leurs plans consiste à contraindre les policiers à commettre des actes illégaux en les incitant par exemple à la violence lors d'une arrestation ou d'un simple contrôle routier. Les motards filmeraient ces gestes de brutalité excessive et se serviraient des enregistrements vidéo s'il y avait poursuite au criminel ou au civil. Certains Rockers proposent même d'intimider les policiers chez eux, dans leur foyer – un projet aisément réalisable vu que la bande détient, grâce à un contact dans le syndicat des policiers, les adresses de plusieurs membres éminents du corps policier et de l'escouade tactique du SPCUM. Selon Kane, « les autorités », c'est-à-dire les Nomads, rejettent cette éventualité.

Les Nomads s'intéressent surtout à cette époque à l'offensive menée contre les Rock Machine dans le sud-ouest de la métropole. L'équipe de football compte kidnapper un à un les dealers de rue qui travaillent pour les Rock Machine pour leur faire révéler, sous l'effet de la torture si nécessaire, les noms et adresses de leurs fournisseurs ainsi que les endroits où ces gens cachent leur drogue, leurs armes et leur argent. Ils tueraient ou assimileraient les dealers kidnappés pour s'attaquer ensuite au maillon suivant de la chaîne. En procédant de cette façon, les Hells élimineraient leurs principaux compétiteurs, soit en les assassinant, soit en les évacuant des secteurs convoités. Le 5 mars, Kane remet à ses contrôleurs une liste préliminaire dressée par l'équipe de football qui cible au moins quatre dealers des Rock Machine, dont Jean-Marc Caissy. Au cours des trois semaines suivantes, Kane, Simard ainsi que d'autres membres du commando suivront secrètement ces individus en vue de les kidnapper. Comme cela a été si souvent le cas dans la guerre des motards, les choses ne se passeront pas comme prévu.

Le 28 mars, l'équipe de football apprend que des Rock Machine ont battu un dealer des Hells. Lors de la réunion quotidienne au Pro-Gym, l'équipe décide de contre-attaquer immédiatement. Pierre Provencher, le leader de l'équipe, demande à Simard : « Est-ce qu'il y a quelqu'un sur la liste que tu pourrais tuer tout de suite ? » Caissy doit jouer au hockey-cosom ce soir-là dans un aréna de Côte-Saint-Paul, ce qui en fait une cible facile. Simard, Kane, Claude-Grégoire McCarter et un autre sympathisant des Rockers ont surveillé l'endroit dans les semaines précédentes et jugent la chose réalisable.

«Vas-y, c'est ton territoire, dit Provencher à Simard. Il faut leur envoyer un message.

— Il faut pas juste le tuer, de renchérir Stephen Falls, il faut que ça soit horrible, dégueulasse. Il faut qu'on lui massacre la face.»

Vers 22 h 30, Simard ainsi que son chauffeur et complice Gregory Wooly arrivent à l'aréna juste au moment où la partie de Caissy est sur le point de se terminer. Dans l'aire de jeu, la situation est complètement absurde : une équipe est composée de jeunes dealers à la solde des Rock Machine et l'autre, d'associés et de sympathisants des Hells Angels. Glissant dans la poche de son manteau le pistolet de calibre .357 qu'on lui a confié pour l'occasion, Simard attend sa victime à l'entrée de l'aréna. Lorsque Caissy arrive enfin, Simard tient la porte ouverte à son intention. Caissy sort en le remerciant d'un geste de la tête. Simard le laisse s'éloigner de quelques pas, puis il empoigne son arme et crie : «Heille, Caissy!»

Aussitôt que l'interpellé se retourne, Simard lui tire cinq balles au visage. Son sale boulot terminé, l'assassin ira directement au Pro-Gym. Il dissimulera son arme dans une case du vestiaire, puis se rendra à la fête qui marquait le cinquième anniversaire des Rockers.

Cet événement qui a lieu au repaire de la bande dans le quartier Rosemont attirera tout le gratin des Hells Angels du Québec, mais aussi les meilleurs policiers spécialistes des motards de la province, dont Verdon. Toute la soirée durant, des agents en civil feront le pied de grue à l'extérieur du repaire sans prendre quelque précaution que ce soit pour dissimuler leur présence. Kane n'est pas de la fête, mais Simard, qui s'attend à être félicité de ce nouveau meurtre perpétré au nom du club, ne manquerait pas ces réjouissances pour tout l'or du monde. Curieusement, lorsqu'il se présente au repaire, personne ne semble très heureux de le voir ; ses confrères motards le font même patienter plusieurs minutes sur le pas de la porte, sous l'œil inquisiteur des policiers, avant de le laisser entrer.

Sans Kane, l'assassinat de Caissy n'aurait été rien de plus qu'un autre meurtre irrésolu dans les annales de la guerre des motards. Simard a relativement bien fait son travail, mais, en tuant Caissy, il a donné à Kane ce qu'il cherchait, à savoir un moyen sûr et efficace de se débarrasser de lui. Kane aurait certes pu le tuer – Simard n'aurait pas été le premier tueur à gages que les Hells auraient éliminé parce qu'ils n'avaient plus besoin de ses services ; cependant il envisageait une tout autre solution, qui s'avérerait également profitable pour ses contrôleurs de la GRC.

À cette époque, les supérieurs de Verdon et St-Onge réclamaient à cor et à cri des résultats concrets, c'est-à-dire des arrestations et des saisies, qui découleraient directement de l'information fournie par C-2994. La pression se faisait de plus en plus forte depuis que le sergent d'état-major Pierre Lemire, le supérieur immédiat de St-Onge, avait pris sa retraite. Peu intéressé à se casser la tête avant son départ définitif, Lemire avait été un maître plutôt coulant. En dépit des sommes substantielles que la GRC payait pour s'assurer les services de Kane, Lemire avait laissé Verdon et St-Onge s'occuper de l'informateur à leur guise. Son successeur, le sergent d'état-major J. H. P. Bolduc, était un homme sympathique, quoique exigeant et rigoureux. Bénéficiant d'une longue expérience des enquêtes relatives au crime organisé, Bolduc estimait, contrairement à son prédécesseur, que le salaire de Kane devait être proportionnel au nombre d'arrestations et de saisies effectuées grâce aux renseignements divulgués par lui. Considérant les choses sous cet angle, on pouvait dire que Kane n'avait pas été à la hauteur. Or, Bolduc comptait changer cet état de choses.

Après avoir consulté ses contrôleurs, Kane décide de dénoncer Simard pour le meurtre de Caissy. Bien que certains éléments laissent supposer que l'information avait été divulguée précédemment, les documents de la GRC indiquent que Kane a contacté St-Onge un peu plus de 24 heures après la mort de Caissy pour lui exposer les détails du meurtre. Le lendemain 30 mars à 11 h du matin, St-Onge contacte Benoît Roberge, détective de la police de Montréal et membre de Carcajou, pour l'informer du fait que Simard est le tueur. « Ces derniers [Carcajou] ainsi que le SPCUM n'avaient aucun suspect », écrira St-Onge dans son rapport de continuation.

St-Onge note par ailleurs que, selon sa source, Simard va commettre un autre meurtre le soir même. Cette information est aussitôt transmise à Carcajou. L'escouade policière fera suivre le meurtrier dès 18 h, mais il est déjà trop tard : l'individu ciblé a été battu à coups de bâton de base-ball par Simard et sept autres sympathisants des Hells Angels ; il repose à l'hôpital dans un état neurovégétatif. « Malheureusement, de noter St-Onge, le coup a été devancé dans l'après-midi au lieu d'avoir lieu en soirée. »

Kane révélera que l'arme dont Simard s'est servi pour tuer Caissy se trouve dans une case du Pro-Gym ; il donnera aussi la description de la fourgonnette dans laquelle Simard a pris la fuite une fois son crime perpétré. Kane sait à qui appartient la fourgonnette et rapporte qu'elle sera brûlée prochainement, méthode que les motards favorisent quand ils veulent se débarrasser d'un véhicule compromettant.

La précision de ces renseignements amène les enquêteurs de Carcajou à soupçonner que la fameuse source de St-Onge est directement impliquée dans le meurtre de Caissy, mais que la GRC cherche à la protéger. Plus tard dans la soirée, un caporal de la SQ contacte St-Onge chez lui et accuse la GRC de cacher certains renseignements à ses collègues de Carcajou. Dans son rapport, St-Onge s'indignera de ces insinuations : « N'eût été de C-2994, un meurtre, une tentative de meurtre et un incendie criminel seraient demeurés inexpliqués, sans compter toute l'information qui a été recueillie. »

En dépit des protestations de St-Onge, personne ne croit – pas même ses propres supérieurs – que Verdon et lui relaient aux enquêteurs de Carcajou tous les renseignements pertinents obtenus de leur source. Dans un entretien datant du 1er avril avec un dirigeant de la GRC à Montréal, St-Onge doit de nouveau nier les accusations voulant que Kane ait été complice dans le meurtre de Caissy. « Plusieurs conviennent que C-2994 est impliqué dans ces crimes et cette fausse croyance s'est même rendue au directeur Dion », d'écrire St-Onge. Dans ce même rapport, il se porte à la défense de Kane et prétend que Simard s'est fait prendre par sa propre faute : « C-2994 est intelligent, rapide et bien dirigé, mais c'est surtout grâce à Simard lui-même, il a une grande gueule et se vante à qui veut l'entendre ou presque de ses crimes. S'il s'était fermé la trappe, nous n'aurions que des indices circonstanciels. Il y a de fortes rumeurs qu'il est maintenant trop dangereux et pourrait nuire au club. »

Les prochains jours seront particulièrement tendus pour toutes les personnes concernées. Simard sait qu'il est suivi et s'attend à être arrêté d'un moment à l'autre. Conscients de sa situation critique, ses confrères motards le fuient comme la peste. St-Onge et Verdon sont sur la sellette à cause de la façon dont ils ont géré le cas de C-2994 et parce que, bien que sachant depuis plusieurs semaines qu'un commando des Rockers avait ciblé Caissy, ils ont omis de l'avertir du danger qui le menaçait. Voulant apaiser la méfiance que les enquêteurs de Carcajou manifestent à leur égard, Verdon et St-Onge rencontrent Kane le 31 mars pour qu'il réponde à une liste de questions élaborée par leurs collègues enquêteurs concernant le meurtre de Caissy.

Verdon contactera Kane le lendemain avec d'autres questions ; l'informateur le rappellera le surlendemain pour le mettre au fait des derniers événements. Kane rapporte alors ceci : « Simard s'est fait ordonner de prendre des vacances, car il était trop *hot* [...] Le groupe commando et les autres Rockers ne veulent plus rien savoir de lui. » Simard a tenté à plusieurs reprises de contacter des membres du groupe, mais personne ne répond à ses appels et à ses messages. Le 3 avril, St-Onge conseille à Kane d'éviter Simard lui aussi – les autres détails de la conversation demeurent inconnus puisque le rapport correspondant manque au dossier.

Kane et ses contrôleurs se donneront rendez-vous de nouveau le 8 avril. Le but de la rencontre est de présenter à l'informateur la dernière série de questions concoctée par les enquêteurs de Carcajou et d'identifier des photos de suspects. Comme c'est le temps des sucres au Québec, de raconter Kane, Provencher a organisé une réunion dans son érablière pour discuter du cas d'Aimé Simard. Rien de concret n'est décidé, mais tous s'entendent sur le fait qu'une action s'impose. « Le groupe est quelque peu désorganisé et voit des policiers partout, écrira Verdon. Cependant, même s'ils vont être plus prudents, les membres du groupe commando et leurs associés entendent demeurer actifs. »

Il est possible qu'à ce moment-là les confrères de Simard aient déjà décidé de l'éliminer. Inexplicablement, les autorités mettront un temps fou à l'appréhender ; néanmoins, son arrestation est un fait acquis. Or, tout le monde s'attend à ce qu'Aimé Simard crache le morceau et parle à la police ; tout en lui le prédispose au rôle de « délateur », terme désignant un criminel qui accepte de témoigner pour la Couronne en échange d'une peine allégée. Simard doit donc être éliminé ; cependant, la surveillance policière étroite dont il est l'objet empêche le commando des Hells, et plus précisément l'équipe de football, d'intervenir.

Un précédent suggérait que même si Simard était devenu délateur la bande serait tout de même parvenue à se tirer d'affaire. Auparavant, les avocats des Hells avaient aisément démoli la crédibilité de Serge Quesnel, le dernier tueur à gages de la bande à avoir retourné sa veste. Le verdict du procès n'avait pas encore été rendu; néanmoins, tous s'attendaient à ce que les Hells qui se trouvaient au banc des accusés soient acquittés. Le lendemain, 9 avril, ce sera chose faite.

Kane a plus à craindre que quiconque de ce que Simard pourrait dire à la police. À son implication dans le meurtre de MacFarlane s'ajoutait toute une série de crimes, incluant le fait qu'il était au courant à l'avance du meurtre de Caissy et avait peut-être même participé à sa planification. Kane devait néanmoins se sentir moins menacé que ses autres confrères motards : n'était-il pas après tout le célèbre informateur C-2994, l'homme à qui la GRC avait donné plus de 200 000 $ pour financer son ascension au sein des Hells Angels? Kane est convaincu que la GRC ne laisserait pas tomber pareil investissement et qu'elle ferait tout ce qu'elle pourrait pour le protéger.

Si l'informateur croit cela, c'est qu'il ignore tout des relations complexes et des antagonismes qui divisent la GRC, la Sûreté du Québec et la police de Montréal. Kane ne pouvait pas non plus s'attendre à ce que la GRC de la Nouvelle-Écosse et la GRC de Montréal aient des priorités différentes.

CHAPITRE 15

L'informateur dénoncé

Le 11 avril 1997 à 20 h 35, la police de Montréal se décide enfin à arrêter Aimé Simard. La version officielle des faits est la suivante : le règlement du Pro-Gym ne permettant pas qu'une case demeure verrouillée en dehors des heures d'affaires, le concierge a ouvert durant la nuit la case où Simard avait caché le pistolet dont il s'était servi pour tuer Caissy. Ayant découvert l'arme à feu, l'homme a contacté les autorités. La police prétendra par la suite que la vidéo de surveillance du gym lui avait permis d'identifier Simard.

Considérant que le Pro-Gym est un peu comme le second repaire de Mom Boucher, des Nomads et des Rockers, il est peu probable qu'un simple concierge se soit permis d'ouvrir par la force une case verrouillée. Même s'il l'avait fait, il est complètement absurde de croire qu'il aurait appelé la police en y découvrant une arme. En fait, la vérité est beaucoup plus simple que cela : grâce à la GRC et à C-2994, la police de Montréal connaissait déjà l'identité du meurtrier et savait où était cachée l'arme du crime. Forts de ces renseignements, les policiers ont saisi l'arme en question et ont ensuite réclamé des mandats pour perquisitionner les vidéos de surveillance du gym et de l'aréna. Ce n'est qu'ensuite qu'ils ont appréhendé Simard.

L'interrogatoire de Simard débutera à 23 h 20. L'assassin jouera d'abord les durs en s'enfermant dans un silence obstiné, mais son mutisme sera de courte durée. Bien que les rapports de l'interrogatoire divergent à ce sujet, il semblerait que Simard ait accepté de collaborer presque instantanément. Le lendemain matin à 6 h 20, il confesse le meurtre de Caissy et accepte de témoigner contre ses collègues Rockers en échange d'une peine moins sévère. Comme c'est le cas dans toute entente avec un délateur, Simard doit avouer les crimes qu'il a commis et pour lesquels il n'a jamais été pris. En retour, les autorités provinciales s'engagent à ne pas intenter de poursuites contre lui pour ces crimes, et ce, même s'ils ont été perpétrés à l'extérieur de leur territoire. Le contrat garantit à Simard les avantages suivants : l'admissibilité à la libération conditionnelle après 12 ans ; 2 000 $ en chirurgie esthétique, applicable durant son incarcération ; une nouvelle identité ; le paiement de ses frais de déménagement après sa remise en liberté ; et un salaire de 400 $ par semaine pendant les deux années suivant sa libération.

La police prétend que Simard a craqué parce que ses inquisiteurs ont réussi à le convaincre qu'ils disposaient de preuves suffisantes pour le faire condamner et que ses présumés amis Rockers cherchaient à le tuer. Cependant, certaines personnes croient que, à la suite de son arrestation à Mirabel, Simard aurait négocié une entente avec la police après avoir appris que les enquêteurs détenaient suffisamment de preuves pour l'accuser du meurtre de Leclerc et de la double tentative de meurtre sur le couple de la Basse-Ville. Ayant entendu ce que Simard avait à mettre dans la balance, la police aurait constaté que le seul membre de la bande qui risquait d'être compromis par ses révélations était Dany Kane. Enfermées dans un dilemme, les autorités auraient choisi de relâcher Simard afin qu'il réintègre son milieu et qu'il recueille davantage de renseignements sur les Rockers et leurs sympathisants.

Quoi qu'il en soit, au cours d'un long interrogatoire mené la fin de semaine des 12 et 13 avril, Aimé Simard confessera l'assassinat de Leclerc, le double attentat de la Basse-Ville, l'agression à coups de bâton de base-ball mentionnée précédemment ainsi que plusieurs autres crimes.

Il avouera également avoir tué avec son ami et amant Dany Kane un individu du nom de Robert MacFarlane, six semaines auparavant à Halifax. Ne connaissant rien à l'affaire, les enquêteurs montréalais sont perplexes.

Le lundi 14 avril, le sergent-détective Roger Agnessi du SPCUM contacte Gordon Barnett, son homologue à la GRC de Halifax, pour lui demander des détails sur l'affaire MacFarlane. Ses collègues et lui veulent corroborer les dires d'un individu qu'ils ont arrêté, d'expliquer Agnessi sans nommer l'individu en question. Barnett se montre communicatif ; sa seule exigence est de pouvoir envoyer un enquêteur à Montréal s'il s'avère que le détenu a été impliqué dans le meurtre de MacFarlane – une requête raisonnable, considérant que l'incident a eu lieu sur son territoire. À titre de principale force policière de la Nouvelle-Écosse et d'organe de lutte contre le crime organisé au Canada, la GRC a la responsabilité de traduire l'assassin de MacFarlane devant la justice.

La GRC de Halifax s'était concentrée jusque-là sur l'hypothèse que MacFarlane avait été tué en raison de ses mauvais coups à Vancouver : il avait offensé des personnes qui, deux semaines plus tard, s'étaient vengées. Une seconde théorie voulait qu'il se soit disputé avec son cousin David Roberts et avec Claude Blanchard relativement à une transaction de cocaïne et que ceux-ci l'avaient tué. Il était également possible que l'épouse de la victime, Denise, ait été impliquée. Le motif, dans son cas, n'était pas difficile à établir : advenant la mort de son mari, elle héritait de tous ses biens ; son contrat de mariage ne lui accordait en revanche que très peu de ressources en cas de divorce. Avant la mort de MacFarlane, le couple vivait de toute évidence une période houleuse. En plus du fait qu'ils étaient partis en vacances dans le Sud séparément, plusieurs témoins rapportaient avoir aperçu dans diverses boîtes de nuit de Halifax l'un ou l'autre des époux MacFarlane en grande séance de pelotage extraconjugal. Autre fait intéressant : quelques semaines avant sa mort, MacFarlane avait souscrit une assurance-vie de 500 000 $ dont son épouse était l'unique bénéficiaire. Au moins deux de ces théories laissaient présager que des tueurs à gages venus de l'extérieur avaient pu être impliqués.

Agnessi rappellera son collègue de Halifax le lendemain pour lui annoncer que la confession de Simard était véridique et qu'il avait même nommé un complice. Il ajoutera que Simard avait avoué une longue litanie de crimes et sera bientôt confié aux enquêteurs de Carcajou qui procéderont à leur propre interrogatoire. La GRC de Halifax, de préciser Agnessi, va devoir s'adresser à Carcajou si elle veut avoir accès au suspect. Il s'ensuivra toute une série d'échanges téléphoniques entre organismes policiers « rivaux », chacun manœuvrant de plus belle pour assurer sa participation dans l'affaire.

La communauté des motards ne tardera pas à apprendre que Simard est devenu délateur, et pour cause : Simard a lui-même annoncé la nouvelle à Pierre Panaccio, l'avocat que les Rockers ont engagé pour le défendre. Refusant ses services, son client l'a évincé. St-Onge, qui est lui aussi au courant de la nouvelle, veut faire en sorte que les policiers de la GRC de Halifax rencontrent leurs homologues montréalais avant d'aller voir les enquêteurs de Carcajou. Les gars de Halifax doivent être mis au courant de certains détails concernant l'affaire, de dire St-Onge à Barnett.

Lorsque Barnett et Tom Townsend, enquêteur en chef dans l'affaire MacFarlane, arrivent à Montréal le lendemain, ils sont accueillis par deux factions policières rivales : d'un côté, les représentants de Carcajou, qui ont joué d'audace en contactant les policiers de Halifax par téléavertisseur avant même que leur avion touche le sol ; de l'autre, leurs confrères de la GRC montréalaise. C'est finalement avec ceux-ci que Townsend et Barnett feront le trajet jusqu'au centre-ville.

Au quartier général de la GRC à Westmount, Barnett et Townsend apprennent que l'homme que Simard a identifié comme étant son complice dans le meurtre de MacFarlane est informateur pour la GRC. Rien dans les documents de la GRC n'indique que les agents montréalais ont tenté de persuader leurs collègues de Halifax de fermer les yeux sur l'implication de Kane ; néanmoins, on imagine aisément que la chose a été proposée. Il est certain que St-Onge et Verdon ont tenté de faire valoir que la GRC perdrait son informateur le plus précieux si Kane était arrêté et condamné.

Il est peu probable que Barnett et Townsend se soient montrés réceptifs à l'idée de passer l'éponge sur les crimes de Kane. D'abord, le meurtre de MacFarlane faisait beaucoup de bruit en Nouvelle-Écosse, province où les crimes mortels sont plutôt rares. Barnett était par ailleurs mécontent que la police de Montréal ait déjà promis l'immunité à Simard pour le meurtre de MacFarlane en échange de sa confession pour celui de Caissy – la SQ exprimait les mêmes réserves concernant l'assassinat de Leclerc. Barnett et ses collègues de Halifax veulent bénéficier avec raison d'au moins un coupable dans l'affaire MacFarlane.

Avec ou sans l'intervention de la GRC de Halifax, la carrière d'informateur de Kane se trouvait compromise. Les confessions de Simard figuraient parmi les premiers documents que les avocats de la défense examineraient. Si ces avocats apprenaient que Kane était impliqué dans le meurtre de MacFarlane alors qu'aucune accusation n'était déposée contre lui, la relation de Kane avec la GRC serait exposée au grand jour.

Peu après leur arrivée à Montréal, Barnett et Townsend entendront de la bouche du sergent James Lauzon, leur officier de liaison dans Carcajou, que la rumeur voudrait que certaines personnes dans l'organisation des Hells Angels se soient lancées à la recherche de Kane. Lauzon ajoutera que plusieurs de ses collègues de la SQ et du SPCUM dans Carcajou, lui inclus, soupçonnent que Kane est l'informateur dont la GRC tait depuis si longtemps l'existence. Un détail a mis la puce à l'oreille d'un enquêteur de l'escouade : pourquoi Kane avait-il fait semblant de tirer deux balles dans la tête de MacFarlane au moment du meurtre ? L'enquêteur ne voit qu'une explication à la chose : Kane joue un double jeu avec la police d'un côté et les motards de l'autre. En tirant dans le sol, il espérait minimiser son rôle dans l'assassinat et s'assurer une possibilité de démenti.

Lorsque Lauzon questionne Townsend à ce sujet, celui-ci nie que Kane puisse être espion pour la GRC. Townsend soutient que la GRC n'emploierait jamais un assassin comme informateur. Le policier de Halifax réussit finalement à convaincre Lauzon, qui en vient à croire que si Kane est informateur, Townsend n'a pas été mis au courant. Townsend est de toute évidence un excellent comédien. Certains agents de la SQ travaillant pour Carcajou iront jusqu'à fraterniser avec lui parce qu'il prétend désapprouver les méthodes de ses confrères montréalais.

Le vendredi 18 avril, Lauzon réunit une équipe de six enquêteurs, parmi lesquels se trouve Pierre Verdon. Lauzon ordonne à ses hommes d'arrêter Kane aussitôt que possible. Kane retournera peut-être sa veste lui aussi en apprenant que Simard l'a dénoncé, qui sait ? Lauzon est convaincu qu'en usant du réseau d'informateurs de Carcajou, ses hommes parviendront à appréhender Kane en quelques heures seulement… du moment que celui-ci ne travaille pas pour la GRC. Dans le cas contraire, il est certain que la GRC le protégera et empêchera les enquêteurs de Carcajou de l'interroger. Aux yeux de Lauzon, les choses se présentent plutôt mal. Ce matin-là, avant de partir pour l'aéroport, Barnett et Townsend lui ont dit qu'ils avaient l'intention d'arrêter Kane aussitôt qu'ils l'auront débusqué. Lauzon a répondu qu'il doutait que les têtes dirigeantes de la GRC permettent que Kane soit appréhendé.

À 22 h 30, les enquêteurs de Carcajou n'ont toujours pas mis la main au collet du suspect. Lauzon a perdu tout espoir de le retrouver. Certaines sources prétendent qu'il a contacté Verdon pour lui demander pourquoi son informateur n'était toujours pas parvenu à les mener jusqu'à Kane – en formulant ainsi sa question, Lauzon ne contrevenait pas au protocole ; puisqu'il ne demandait pas à Verdon de dévoiler le nom de son informateur et qu'il n'identifiait pas Kane comme étant l'informateur en question. Verdon aurait répliqué que ses supérieurs lui avaient interdit d'entrer en contact avec sa source plusieurs jours auparavant. La réponse de Verdon suffit à convaincre Lauzon que Kane est bel et bien cette « super source » que la GRC cherche à protéger.

Si Verdon et St-Onge ont effectivement reçu l'ordre de couper tout contact avec Kane, ils se montreront pour le moins désobéissants puisque, dans les jours suivants, ils continueront de prendre les appels et les messages de leur informateur. Pendant ce temps, les huiles de la GRC font face à un sérieux dilemme : d'un côté, les autorités de Halifax tiennent à ce que Kane soit inculpé dans l'affaire MacFarlane ; de l'autre, la GRC de Montréal veut préserver l'énorme investissement en temps, argent et ressources que représente Kane. Dans le camp de la GRC, tout le monde s'entend sur le fait que, quoi qu'il advienne, il faut empêcher l'escouade Carcajou de mettre la main sur Dany Kane.

Au cours des 10 jours suivants, la GRC se rendra peu à peu à l'évidence : il est inévitable que Kane soit arrêté pour le meurtre de MacFarlane. Les dirigeants de la Gendarmerie décideront alors d'utiliser ses contrôleurs et son amour de l'argent pour l'appâter.

Le matin du 14 avril, Kane apprend que Simard a refusé les services de Pierre Panaccio. Il contacte aussitôt Patricia à son travail et lui dit qu'il veut la voir immédiatement. Lorsque sa compagne répond qu'elle ne peut pas quitter le bureau comme ça, en plein milieu de la journée, Kane réplique : « Dis-leur que ton gars est malade. »

Le couple ira luncher non loin du bureau de Patricia, dans le nord de la ville. Tout le long du repas, Kane répète qu'il a quelque chose d'important à lui dire, mais ce n'est qu'à sa sortie du restaurant qu'il se décidera à cracher le morceau : Simard a été arrêté et aurait apparemment accepté de coopérer avec la police. Kane ajoute que Simard racontera probablement des mensonges à son sujet dans le but de s'attirer la clémence des autorités.

La compagne de Kane encaisse la nouvelle sans exiger de détails supplémentaires. Depuis qu'elle a vu la photo de Dany affichant ses couleurs en compagnie de ses confrères motards, elle aime mieux en savoir le moins possible sur ses activités. Kane préfère de toute manière laisser son amoureuse dans l'ignorance, c'est pourquoi il ne lui a rien dit de son voyage à Halifax. Patricia n'est pas étonnée outre mesure que Simard ait retourné sa veste ; elle s'est toujours méfiée de lui et le sait prêt à tout pour impressionner son entourage. La jeune femme tentera de calmer Kane en lui disant que, même avec la police de son côté, Simard ne pourra jamais prouver quoi que ce soit si ce qu'il dit est faux.

À cette époque, Kane et Patricia s'entendent à merveille et sont sur le point de franchir une nouvelle étape dans leur vie de couple : ils vont bientôt emménager à Deux-Montagnes dans une maison que Kane vient d'acheter. L'emplacement est stratégique, pas trop loin du château de Scott Steinert en longeant la rivière des Mille-Îles, mais à bonne distance de Saint-Jean et de la famille de Kane. L'agent immobilier qui s'est chargé de la vente a l'habitude de transiger avec des éléments criminels et a laissé entendre que le propriétaire actuel de la maison, que Kane ne rencontrera jamais, trempe lui aussi dans le crime organisé. Kane veut emménager le plus tôt possible, aussi la date de prise de possession a-t-elle été fixée au 1er avril. Lorsque le jour fatidique arrive enfin, Kane découvre que l'ancien propriétaire occupe toujours les lieux parce qu'il ne s'est pas trouvé un autre logis. Au lieu de se fâcher, l'affable Dany propose à l'ancien proprio, à sa femme et à leurs deux adolescents d'habiter avec lui et Patricia jusqu'à ce que leur situation soit rétablie. «On peut pas les foutre à la porte, de dire Kane à Patricia. C'est du bon monde et ils ont nulle part où aller.»

Patricia n'est pas convaincue que c'est la bonne solution, néanmoins elle consent. De toute façon, Kane emménagera seul dans la propriété de Deux-Montagnes, Patricia ayant décidé de s'installer chez sa mère jusqu'au jour où elle pourra vivre tranquille avec son amoureux dans leur nouvelle demeure.

Si Kane est anxieux dans les jours qui suivent l'arrestation de Simard, les rapports de ses contrôleurs de la GRC n'en laissent rien paraître. Le 14 avril, Kane confie à Verdon et St-Onge que « les individus qui pourraient être compromis, en admettant que Simard parle, considèrent que la délation de Simard n'irait pas plus loin que celle de Serge Quesnel dans l'affaire Roy et Vallée ». Kane fait ici référence au procès qui s'est soldé la semaine précédente par l'acquittement de deux Hells de Trois-Rivières.

Kane met ensuite les policiers au parfum des dernières nouvelles. Les dirigeants des Hells Angels ont récemment interdit aux membres de la bande d'afficher leurs couleurs en sol québécois. « La raison est autant pour ne plus être remarqués des policiers que de ne plus être identifiés face à leurs ennemis, écrit Verdon. De plus, le nombre de *parties* sera réduit pour éviter d'attirer l'attention. »

Côté affaires, Mom Boucher et Guillaume « Mimo » Serra ont mis la main sur une forme d'ecstasy liquide extrêmement puissante, une nouvelle drogue « qui va révolutionner le marché ». Selon Kane, Mom et Mimo auraient le « contrôle total » des ventes au Canada.

L'informateur annonce finalement à ses contrôleurs une nouvelle qu'ils attendaient depuis longtemps : Gilles « Trooper » Mathieu, éminence grise des Nomads et l'un des plus anciens Hells Angels du Québec, a suggéré à Wolf Carroll de promouvoir officiellement Kane au rang de *hangaround* et de poser sa candidature comme membre au sein des Nomads.

Kane contactera à nouveau ses contrôleurs le 25 avril. St-Onge a reçu la veille un message de ses supérieurs lui ordonnant de couper tout contact avec Kane ; admettant que le policier a lu la directive, il choisit néanmoins d'y désobéir. D'excellente humeur après un voyage de quelques jours à l'extérieur de Montréal – le rapport ne précise pas où il est allé –, Kane est porteur d'une autre très bonne nouvelle. Sans spécifier d'où il tient l'information, Kane annonce qu'Aimé Simard a changé son fusil d'épaule et a décidé de l'épargner, mais que les autres méritent d'être dénoncés.

Dans les jours suivant son arrestation, Simard s'est rongé les sangs à l'idée de témoigner contre un homme qui est à la fois son amant et celui qui l'a fait pénétrer dans le cercle des Hells Angels. Ses sentiments envers Kane sont mitigés : d'un côté, Simard lui en veut de l'avoir intégré à une bande qui l'a exploité sans vergogne ; de l'autre, il ressent toujours pour lui une grande affection. Les policiers qui ont côtoyé Simard durant cette période disent tous qu'il était absolument bouleversé à l'idée de trahir Kane. Le 20 avril, rongé par le doute et les remords, Simard tente de se suicider dans sa cellule en avalant un cocktail hétéroclite de médicaments.

Les regrets de Simard sont sans doute sincères ; néanmoins, il ne peut plus rien faire pour sauver Kane. Aussitôt que Simard a accepté de retourner sa veste, la police a eu la précaution d'enregistrer sa déposition assermentée sur vidéo. Or, une ordonnance de la Cour suprême stipulait que l'enregistrement pouvait être produit comme témoignage lors d'un procès si Simard se désistait ou s'il mourait avant d'avoir pu témoigner.

Les autres motards qui, selon Simard, ne méritaient pas d'être épargnés, semblaient peu inquiets des conséquences de sa délation. Immédiatement après l'arrestation, plusieurs membres du commando, dont Kane, avaient momentanément fui Montréal, tenant leurs cellulaires et leurs téléavertisseurs fermés pour éviter d'être retracés. Après quelques jours à peine en exil, leur crainte d'être arrêtés – ou du moins condamnés dans un éventuel procès – s'était promptement dissipée. « Dans le milieu, raconte Kane, on ne prend plus tellement au sérieux les actions de Simard à cause qu'il est un menteur et pourrait facilement être discrédité. »

Le rapport de St-Onge contient un étrange paragraphe dans lequel s'opposent deux métaphores contradictoires : Kane annonce d'une part que tout semble « baigner dans l'huile » pour ajouter aussitôt qu'il « sent la soupe chaude ». St-Onge écrit que sa source « ferait le temps nécessaire pour se disculper » advenant qu'elle se fasse arrêter à la suite des déclarations de Simard. De toute évidence, Kane prétendait toujours qu'il n'était pas impliqué dans le meurtre de MacFarlane.

Au terme de cette conversation téléphonique qui dure 15 minutes, Kane et St-Onge se fixent un rendez-vous pour le lendemain, un samedi. «La source dit ne pas vouloir attendre à lundi ou mardi, car elle est sans le sou et elle a beaucoup d'informations à nous transmettre», écrit St-Onge en guise de conclusion. Rien dans les documents de la GRC ne dit si la rencontre a effectivement eu lieu.

Le matin du 29 avril, à la réunion générale quotidienne des effectifs de Carcajou, les officiers de la SQ qui dirigent l'escouade ordonnent à leurs quelque 60 policiers de faire de l'arrestation de Kane leur priorité. Le geste est pour le moins audacieux. Plusieurs enquêteurs de l'escouade sont au courant des rumeurs voulant que Kane soit informateur pour la GRC, mais la SQ n'en a cure: elle accuse la GRC de servir ses propres intérêts au détriment de tout le reste. Si Kane est effectivement une source, ou bien il est très mal dirigé par ses contrôleurs de la GRC, ou bien les renseignements qu'il fournit ne sont pas relayés à Carcajou. Consciente que l'opinion publique compte sur elle pour mettre fin à la guerre des motards, l'escouade n'a pas l'intention de voir ses efforts entravés par la GRC et ses manœuvres nébuleuses. C'est dans cette optique que les dirigeants de Carcajou décident de coincer Kane.

Étant membres de Carcajou, Verdon et St-Onge ont très probablement assisté à cette réunion. Bien que leur réaction ne soit pas documentée, ils n'ont sûrement pas vu d'un bon œil cet ordre d'arrestation contre Kane; en perdant le contrôle de leur informateur, ils perdraient également le contrôle de la situation. Pour l'instant, Kane est toujours libre, mais tôt ou tard la SQ l'appréhendera et l'interrogera sur ses relations avec la Gendarmerie royale du Canada. La GRC n'a qu'un moyen d'éviter cela: elle doit trouver Kane avant que la SQ lui mette le grappin dessus.

Le 30 avril, Kane reçoit un appel d'un de ses contrôleurs qui lui demande de se rendre immédiatement au Ramada Inn de Longueuil. L'informateur enfile un jean, un blouson bleu et des espadrilles, puis prend le volant, incognito derrière les vitres teintées de sa Cadillac bleue. Il mettra 45 minutes à négocier les ponts et autoroutes qui séparent Deux-Montagnes de Longueuil.

Le motard arrivera au Ramada Inn juste avant 16 h. St-Onge, Verdon et trois policiers de la GRC de Halifax sont en place depuis plus d'une demi-heure. Les contrôleurs ont envoyé au préalable par téléavertisseur un message codé disant à leur informateur de se rendre à la chambre 524. Dans le lobby de l'hôtel, un contingent de Halifax surveille discrètement Kane dans ses moindres mouvements. À moins de 10 km de là, à Saint-Hubert, un avion-taxi attend patiemment ses futurs occupants sur une piste de la base aérienne des Forces armées canadiennes.

La GRC projette d'arrêter Kane pour le transporter ensuite à l'extérieur de la province, c'est-à-dire hors de la compétence de Carcajou. Les enquêteurs de l'escouade spéciale ont appris dans le courant de l'après-midi que des hommes de la GRC de Halifax s'apprêtaient à appréhender Kane avec la complicité de ses contrôleurs. Tandis que Verdon et St-Onge attendent leur source au Ramada Inn, leurs téléavertisseurs et téléphones cellulaires stridulent rageusement, crachant des messages qui leur intiment d'avorter cette opération peu réglementaire. Jusqu'au supérieur de St-Onge qui leur demandera d'attendre parce qu'il a besoin de temps pour aplanir les tensions avec la SQ. Malgré ces ordres et avertissements répétés, St-Onge et ses hommes mettront leur plan à exécution.

Lorsque Kane arrive, ses contrôleurs s'assurent d'abord qu'il n'est pas armé. Quelques minutes plus tard, l'agent de police Townsend et deux autres gendarmes de Halifax montent à la chambre, cognent, attendent qu'on leur ouvre la porte, puis se ruent à l'intérieur. Entraînant Kane dans le couloir, ils le fouillent, lui passent les menottes et l'informent de ses droits. Il est alors 16 h 15. Kane s'envolera pour Halifax moins d'une heure plus tard.

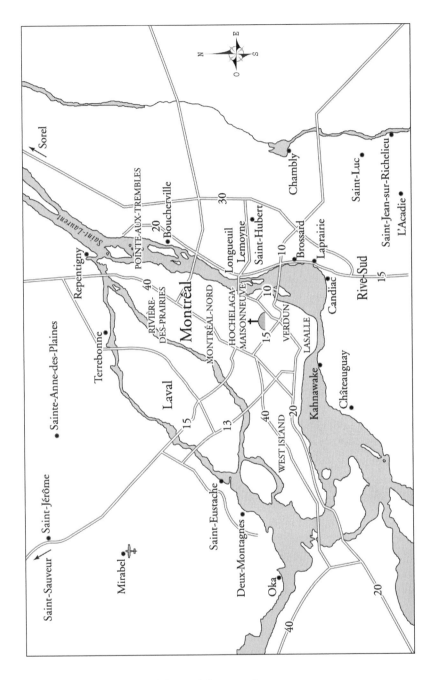

Montréal et environs

Au milieu des années 1970, Kane vivait avec son oncle et sa tante, qui l'avaient inscrit chez les scouts.
(Photo : gracieuseté de la famille Kane)

Un problème congénital a forcé Kane à porter des lunettes dès son plus jeune âge.
(Photo : gracieuseté de la famille Kane)

Kane (première rangée, deuxième à gauche) et les Demon
Keepers lors de l'inauguration officielle du club le 30 janvier
1994. Bien qu'il s'agisse d'un club ontarien, la cérémonie a lieu
au repaire de Sorel, au Québec. L'individu à la droite de Kane
est son bon ami Patrick Lambert. Kane dira par la suite de ses
confrères qu'ils étaient de parfaits imbéciles.

Cette photo de l'équipe de Scott Steinert a été prise alors que
Kane était en instance de procès à Halifax. Steinert est
quatrième en partant de la droite ; Donald « Bam-Bam »
Magnussen se trouve à l'extrême droite. Ces deux amis de
Kane seront tués à coups de marteaux par leurs confrères
Nomads avant que Kane sorte de prison.

Privé de stéroïdes et astreint au régime carcéral, Kane perdra entre 15 et 20 kg durant son emprisonnement à Halifax. Cette photo a été prise peu après sa libération en novembre ou en décembre 1998.
(*Photo : gracieuseté de la famille Kane*)

Les Nomads célébrant leur quatrième anniversaire en juin 1999. De gauche à droite : Mom Boucher, André Chouinard, Normand Robitaille, David Carroll, Gilles Mathieu, Michel Rose, Donald Stockford, Walter Stadnick, Normand « Biff » Hamel, Louis « Melou » Roy et Denis Houle. Neuf mois plus tard, Hamel devient le Hells le plus haut placé tué par les Rock Machine. Un an plus tard, Roy est éliminé lors d'une purge interne.
(*Photo : gracieuseté du ministère de la Justice du Québec*)

Maurice « Mom » Boucher et son fils Francis lors d'une randonnée avec la bande. On aperçoit à leur gauche Gregory Wooley, l'ex-leader d'un gang Haïtien qui deviendra le Noir le plus haut placé de l'histoire des Hells Angels, une organisation notoirement raciste. Avant d'être actif dans la bande de son père, Francis Boucher faisait partie d'un groupe de skinheads qui prônait la suprématie de la race blanche.

(Photo : gracieuseté du ministère de la Justice du Québec)

Kane (à l'avant) assis sur un chopper. Cette photo non datée a été prise à l'occasion d'un contrôle de police effectué lors d'une randonnée. La police profitait de ces randonnées pour harceler les motards, inspectant leurs engins modifiés et relevant la moindre infraction aux normes de sécurité.

(Photo : gracieuseté du ministère de la Justice du Québec)

Kane subtilisera à Normand Robitaille (à droite) des documents secrets qui mèneront la police à la « banque » des Nomads, un appartement où la bande livrait, comptait, puis entreposait des centaines de millions de narcodollars.
(Photo : gracieuseté du ministère de la Justice du Québec)

Normand Robitaille (à droite) était un favori de
Mom Boucher (à gauche). Robitaille était l'un des
rares individus capables de calmer Boucher et de
lui faire entendre raison quand il était fâché.
*(Photo : gracieuseté du ministère de la Justice du
Québec)*

Gregory Wooley, René Charlebois, Pierre Provencher
et Normand « Pluche » Bélanger, du temps où ils
étaient membres des Rockers. Wooley avait reçu ses couleurs
de Rocker trois jours après avoir été acquitté d'un meurtre
commis pour la bande. Bélanger sera exempté de comparaître
au mégaprocès de 2002 pour des raisons de santé ;
il mourra des conséquences du Sida en 2004.
(Photo : gracieuseté du ministère de la Justice du Québec)

Kane (première rangée au centre) en compagnie de
confrères Rockers. Si la date sur la photo est exacte, Kane
est sur le point de sombrer dans une profonde dépression
qui le minera en décembre 1999.
(Photo: gracieuseté du ministère de la Justice du Québec)

Kane (à droite) joue les gardes du corps pour Mom Boucher,
Michel Sylvestre et Normand Robitaille sur cette photo de
surveillance de la police datant de mai 2000. Les Hells
discutaient souvent affaires dans la rue parce qu'ils se
méfiaient des micros cachés. Quelques semaines après que
cette photo eut été prise, Robitaille demandait à Kane de
soigner son habillement.
(Photo: gracieuseté du ministère de la Justice du Québec)

Kane quelques mois avant sa mort, dans la maison de Saint-Luc où son corps sera découvert. Kane collectionnait les meubles et les objets africains, comme le bouclier kenyan que l'on voit derrière lui.
(*Photo: gracieuseté de la famille Kane*)

Denis « Pas Fiable » Houle et son épouse Sandra Gloutney aux noces de René Charlebois. Moins d'un an auparavant, Sandra avait été victime d'une embuscade à l'extérieur de son domicile dans les Laurentides ; ce sera la seule fois où une conjointe ou un parent seront ciblés dans la guerre des motards.
(*Photo: gracieuseté du ministère de la Justice du Québec*)

Les Nomads et leurs épouses au mariage de René « Baloune »
Charlebois le 5 août 2000. C'est le dernier week-end que vivra
Dany Kane. De gauche à droite : Denis Houle, Normand
Robitaille, Walter Stadnick, Michel Rose, René Charlebois,
Gilles Mathieu, Mom Boucher, Luc Bordeleau, David Carroll
(deuxième rangée) et Richard Magrant.
(Photo : gracieuseté du ministère de la Justice du Québec)

Roland Lebrasseur, l'ancien militaire qui deviendra chauffeur pour une agence de danseuses des Hells Angels avant d'être assassiné par Kane.
(Photo : gracieuseté de Gisèle Duguay)

La famille de Kane voulait que son cercueil demeure ouvert lors de ses obsèques, mais le directeur de la maison funéraire leur a dit que sa dépouille n'était pas en état d'être exposée.
(Photo : gracieuseté de la famille Kane)

215

David « Wolf » Carroll et sa Harley-Davidson à l'extérieur du salon funéraire où repose Dany Kane. Quelques semaines auparavant, impatient de quitter les Nomads, Carroll avait tenté de convaincre Kane de s'établir en Nouvelle-Écosse pour travailler dans son réseau de trafic de drogue.
(Photo : gracieuseté de la famille Kane)

Maurice « Mom » Boucher des Hells Angels étreignant Paul
« Sasquatch » Porter, leader des Rock Machine, lors du souper
d'octobre 2000 célébrant la fin des hostilités entre les deux
bandes. La paix sera de courte durée et Porter se joindra
bientôt aux Hells Angels.
(Photo : gracieuseté du ministère de la Justice du Québec)

Wolf Carroll est le seul membre des Nomads à avoir échappé aux autorités lors des rafles de l'opération Printemps 2001. Le fugitif se verra épargner les mégaprocès qui s'ensuivront.
(Photo: gracieuseté du ministère de la Justice du Québec)

Aimé Simard en 2002, à l'époque de son incarcération à la prison Kent de Agassiz, en Colombie-Britannique. Le nouveau tatouage qu'il arbore au bras porte l'inscription « Martin », prénom d'un détenu qu'il avait rencontré au pénitencier de Port-Cartier et qu'il espérait épouser.
(Photo: gracieuseté de la famille Simard)

CHAPITRE 16

Débandade à la GRC

L e petit appareil de 10 places de la compagnie aérienne King Air atteindra Halifax en un peu moins de 2 heures. À 20 h 30, heure locale, la GRC de la Nouvelle-Écosse place Kane en détention dans une cellule du détachement de Bible Hill, dans les environs de Truro. Inculpé de meurtre au premier degré, Kane se prépare à une longue nuit d'interrogatoire.

Tom Townsend sera le premier à questionner Kane. Capitalisant sur ses allures balourdes et son naturel sympathique, le policier tente de l'amadouer par sa sollicitude et sa gentillesse. Il s'inquiète d'abord de son bien-être, lui demandant s'il est confortable, s'il a faim, s'il a contacté son avocat, etc. Ne sachant pas que Kane est maintenant avec Patricia, il lui demande s'il a parlé à Josée. Il s'intéresse ensuite au crucifix que Kane porte au cou.

Tout en discutant tranquillement de sujets tels que la famille, l'enfance et la loyauté, Townsend tente très subtilement d'amener Kane à se compromettre. Le policier sait que le moment des grandes confessions n'est pas encore venu, aussi ne s'attend-il pas à ce que Kane avoue avoir orchestré l'exécution de MacFarlane ; pour l'instant, Townsend joue de finesse pour amener son prisonnier à admettre qu'il se trouvait en Nouvelle-Écosse au moment du meurtre. Mais Kane n'est pas homme à se laisser si aisément manipuler. Pendant plusieurs heures, il se contentera de tousser, de soupirer, de fixer le sol et de répéter dans un anglais au fort accent québécois : « *I don't know fuck-all* (je ne sais rien du tout). »

Le « bon policier » joué par Townsend sera suivi du « méchant policier », rôle que le sergent d'état-major Phil Scarff se fera une joie d'interpréter. « Tes problèmes vont pas s'envoler parce que tu dors ! » hurle le nouvel interrogateur lorsque Kane fait mine de fermer les yeux pour échapper à son déluge de questions. Scarff essaie ensuite de lui faire croire que les Hells Angels ont déjà mis sa tête à prix, ce qui explique pourquoi une unité d'élite a entouré son avion dès son arrivée à Bible Hill. Si les Hells ne peuvent pas atteindre Kane lui-même, de suggérer Scarff, ils s'en prendront peut-être à sa famille. Encore une fois, Kane ne mord pas à l'hameçon ; il fait remarquer au policier que si la GRC avait vraiment des preuves solides contre lui, elle le traînerait séance tenante devant les tribunaux au lieu de perdre son temps à l'interroger.

À cours de ressources, Townsend et Scarff décident de dire à Kane qu'ils savent qu'il est informateur pour la GRC. Avant de mettre cartes sur table, les deux policiers ferment la caméra qui enregistre l'interrogatoire, les avocats qui auraient accès au document vidéo ne devaient pas être mis au courant du statut d'informateur de Kane. Cette précaution s'avérera inutile, puisque Scarff et Townsend omettront de désengager le système d'enregistrement secondaire, si bien que cette section de l'interrogatoire sera enregistrée de toute manière.

Les deux policiers annoncent alors à Kane que les différentes forces policières sont au courant du travail qu'il a fait pour la GRC. Or, si la police est au courant, tôt ou tard les motards le seront eux aussi. Kane devait à tout le moins accepter de se mettre sous la protection de la police durant sa détention, d'insister Townsend et Scarff, car sa vie serait en danger s'il était placé avec les autres prisonniers. Imperturbable, Kane maintient sa position et, continuant de jouer la carte de l'innocence, prétend qu'il ne comprend rien à ce que ses interrogateurs veulent insinuer. En fait, le motard redoute que, s'il ne collabore pas avec eux, Townsend et Scarff fassent courir dans toute la communauté criminelle une rumeur voulant qu'il soit devenu délateur.

Ayant fait tout ce qu'ils pouvaient, Scarff et Townsend laissent Kane entre les mains d'autres interrogateurs, dont un francophone. Kane comprend parfaitement l'anglais ; néanmoins, les policiers espèrent qu'il sera plus enclin à se confier à quelqu'un qui parle sa langue natale. Le motard se montrera effectivement plus volubile, mais uniquement pour exprimer son mépris à l'endroit des policiers et des efforts qu'ils déploient pour l'inciter à parler. Le lendemain après-midi, après une nuit et une matinée entière d'interrogatoire, la GRC s'avoue vaincue.

La stratégie de Kane est évidente : il continuera de soutenir qu'il n'a rien à cacher et que toutes ces rumeurs qui disent qu'il travaille pour la GRC ne sont que des racontars, des histoires que la police a inventées pour le pousser à retourner sa veste. Les policiers impliqués savent combien folle, combien dangereuse est la tactique de Kane ; pourtant, l'avenir prouvera que c'était la meilleure stratégie qu'il pouvait adopter.

Maintenant que Kane a été appréhendé, il incombe à Townsend et à ses collègues de la GRC de la Nouvelle-Écosse de l'incriminer en montant un dossier contre lui. Puisque le motard refuse catégoriquement de coopérer, les policiers se verront dans l'obligation de lancer une enquête en bonne et due forme. La justice bénéficiait bien sûr du témoignage de Simard ; cependant, l'expérience avec Serge Quesnel avait démontré que les délateurs font bien souvent de piètres témoins ; ils peuvent certes révéler des détails précis et irréfutables sur un crime, mais parce qu'ils ont un passé criminel et que le système judiciaire leur accorde un traitement de faveur en échange de leur témoignage, les avocats de la défense n'ont généralement aucun mal à les discréditer. Simard avait commis tant de fraudes par le passé – il avait même volé les cartes de crédit de sa mère – qu'il serait aisé de le faire passer pour un menteur invétéré. La défense ne manquerait pas de souligner que le marché qu'il avait conclu avec la Couronne ne pouvait que l'inciter à avoir recours encore une fois au mensonge.

Townsend se devait de constituer un dossier qui ne s'appuierait pas uniquement sur le témoignage de Simard. Ayant localisé la Buick LeSabre au Québec dans un centre de ventes aux enchères publiques, la police passe l'intérieur de la voiture au peigne fin dans l'espoir de trouver des résidus de poudre, des cheveux, des fibres ou tout autre indice susceptible de lier Kane et Simard au véhicule. Les enquêteurs retraceront les appels faits par Kane à partir d'un téléphone public de Halifax et chercheront sans succès à mettre la main sur des documents bancaires prouvant que Kane a utilisé un guichet automatique dans cette ville, ainsi que le prétend Simard. À l'affût de la moindre image témoignant du passage de Kane et de Simard à Halifax, les hommes de Townsend étudieront, sans plus de succès, les enregistrements vidéo réalisés par les caméras de sécurité du Halifax Shopping Centre, du parc industriel où MacFarlane a été assassiné et d'autres endroits que les deux individus ont fréquentés.

Le 6 mai, Townsend et un jeune agent de la GRC du nom de Mark MacPherson entreprennent une tournée éclair des provinces maritimes pour questionner divers témoins oculaires et leur demander d'identifier Kane et Simard parmi les photos d'autres suspects. Quittant Halifax pour l'Île-du-Prince-Édouard à 6 h 30 du matin, Townsend et MacPherson rencontreront David Roberts, le cousin de MacFarlane, à Charlottetown. Les deux policiers iront ensuite au Nouveau-Brunswick, d'abord à Shediac, près de Moncton, pour y interroger Claude Blanchard, puis à Oromocto, où ils s'entretiendront avec leur collègue, le gendarme Gilles Blinn. À 21 h 30, après avoir passé 15 heures sur la route à enquêter, Townsend et MacPherson rendent visite à Dale Hutley, le policier auxiliaire de la GRC qui, avec Blinn, a contrôlé Kane et Simard sur la Transcanadienne. MacPherson, qui en est à sa première année dans la GRC, a pour tâche de présenter les photos de suspects et de remplir la paperasse. Toutes les entrevues sont enregistrées sur ruban audio, afin de complémenter les notes prises respectivement par Townsend et MacPherson.

Ayant pris ses jambes à son cou dès le début de la fusillade, David Roberts est incapable d'identifier Kane ou Simard. Blanchard se montrera peu coopératif : ne voulant pas s'attirer d'ennuis – et surtout pas avec les Hells Angels –, il ne jettera qu'un bref coup d'œil aux photos de suspects. Fort heureusement, Blinn et Hutley seront en mesure d'identifier Kane ; ils expliqueront par ailleurs à leurs collègues en quoi l'apparence de Kane a changé depuis l'époque du meurtre. « Quand on l'a arrêté, raconte Blinn, il avait des lunettes de soleil rondes ; ses cheveux étaient plus longs mais bien taillés et il n'avait pas de barbe. Il portait des boucles d'oreilles […] et beaucoup de bijoux qui avaient l'air coûteux […]. » Le témoignage de Blinn et Hutley était très important puisqu'il confirmait que Kane se trouvait dans les Maritimes au moment du meurtre, et qui plus est à bord d'une voiture blanche similaire à celle que l'on apercevait sur la vidéo de sécurité du parc industriel. C'est de ce genre de preuve que la police avait besoin pour faire condamner Kane.

Tandis que la GRC de la Nouvelle-Écosse s'employait à amasser des preuves contre Kane, la GRC montréalaise, elle, se préparait à encaisser les attaques qui suivraient inévitablement l'inculpation de son informateur. En tant qu'organisation, la GRC du Québec allait devoir rendre compte de l'arrestation peu réglementaire de Kane et de la façon expéditive dont elle l'avait transféré à Halifax pour éviter qu'il tombe aux mains des autorités locales. En tant qu'individus, Verdon et St-Onge auraient à justifier leurs actions auprès de leurs supérieurs et de leurs collègues de Carcajou. Les enquêteurs de la SQ déclaraient en fulminant qu'il s'agissait d'un kidnapping. Le lendemain de l'arrestation, à la réunion générale des effectifs de Carcajou, le commandant de l'escouade, le capitaine Mario Laprise de la SQ, demandera à Verdon s'il avait participé d'une manière ou d'une autre à l'enlèvement de Kane. Verdon regardera furtivement ses quelque 60 collègues de l'escouade avant de baisser les yeux et de nier lâchement son implication dans l'affaire. Son mensonge est si évident que Laprise l'expulse aussitôt de la réunion… et de l'escouade.

St-Onge ne s'est pas présenté à la réunion ce matin-là, probablement parce qu'il a davantage d'ancienneté que Verdon et qu'il lui revenait donc de justifier son comportement et celui de son partenaire auprès de leurs supérieurs de la GRC. Dans une note de service datée du 6 mai, St-Onge soutient que l'arrestation de Kane n'avait rien de l'opération secrète que l'on prétendait. Aux dires du policier, deux agents de la police de Montréal devaient prendre part à l'arrestation, mais, au dernier moment, « les enquêteurs et moi réalisions que les patrons du SPCUM n'étaient pas au courant des derniers développements. Il était trop tard et le gendarme Townsend procédait à l'arrestation ».

St-Onge affirme ensuite que Carcajou et la SQ n'avaient de toute manière aucune raison d'être impliqués dans l'arrestation. « À la toute dernière minute, la SQ a invoqué un interrogatoire concernant l'affaire du meurtre à Plessisville, ce qui n'était qu'un prétexte pour rencontrer Kane et tenter de le faire devenir délateur et ensuite le remettre à Halifax. Townsend était au courant de ces intentions et ne voulait pas s'y prêter pour la simple raison qu'une déclaration prise après l'interrogatoire de la SQ ne serait jamais admise en cour. » Il est difficile de déterminer après coup si ce sont véritablement ces motifs judiciaires qui ont poussé les policiers de la GRC à activer le transit de Kane vers Halifax. St-Onge laisse entendre qu'une autre raison avait motivé ce geste expéditif: «À mon avis, il est clair que les gars de la SQ, ayant tenté pendant deux ans d'identifier ce qu'ils appelaient notre "super-source", avaient une occasion en or qu'ils ont ratée et sont donc frustrés au plus haut point. »

Plus qu'une source de controverse entre la SQ et la GRC, l'arrestation de Kane soulève des questions épineuses quant à la façon dont St-Onge a procédé avec sa source. Forcé de se justifier face à ses supérieurs, le policier se lancera dans un raisonnement tortueux afin de démontrer que Kane n'est pas un meurtrier, même s'il a participé à l'assassinat de MacFarlane, et d'expliquer pourquoi Verdon et lui sont restés dans l'ignorance quant à ses activités. Selon St-Onge, C-2994 «a omis volontairement» de les informer de son périple à Halifax. S'il l'avait fait, ses contrôleurs lui auraient certainement interdit de faire le voyage. Mais d'un autre côté, disait St-Onge, Kane se devait d'aller à Halifax pour respecter ses obligations d'informateur et aider la GRC à lutter contre les bandes de motards criminalisés.

St-Onge soulignera le fait qu'en orchestrant l'exécution de Mac-Farlane, C-2994 se mettait en bonne position pour être nommé *hangaround*, ce qui était l'objectif que la GRC s'était fixé à l'origine. «Dans ce milieu, pour gravir les échelons supérieurs vous vous devez d'aider le club de façon significative, c'est-à-dire en commettant un ou des crimes graves ou en enrichissant le club et vous-même [souvent les deux vont de pair]. Ceux qui portent fièrement l'insigne "Filthy Few" indiquent hors de tout doute qu'ils ont tué pour le club. Pour eux, tuer veut dire appuyer sur la gâchette et non conduire celui qui tirera ou organiser un guet-apens [...] dans sa tête de motard ayant 10 ans d'ancienneté, C-2994 n'a pas agi comme meurtrier dans le cas MacFarlane. Simard, lui, était le meurtrier et aurait été nommé *hangaround* comme il [Kane] l'avait prévu. »

Pour ce qui est de l'arrestation de Kane, St-Onge bénéficie de l'appui de son supérieur immédiat, le sergent d'état-major Pierre Bolduc. Dans une autre note de service, celui-ci mentionne non sans raillerie l'intérêt soudain de Carcajou dans l'affaire: «En date du 97-04-30, il semble que la grosse machine de Carcajou se réveille tout à coup, quelques minutes avant l'arrestation de C-2994. Les autorités en place tentent de nous faire remettre

l'arrestation à plus tard, ce qui aurait pu générer de graves conséquences pour la cause de Halifax […] Si nous avions remis le prisonnier à Carcajou, nous aurions annulé complètement nos
chances d'obtenir une déclaration de C-2994 qui soit admissible
en cour après qu'il eut été interrogé pendant 10, 12, voire 14 heures par Carcajou. »

Mais Bolduc ne défendra pas St-Onge très longtemps. À la
demande de ses supérieurs, il passera presque tout l'été à décor-
tiquer les rapports de Verdon et St-Onge, lesquels s'étendent sur
des centaines et des centaines de pages, pour tenter d'évaluer les
bénéfices tangibles découlant des renseignements fournis par Kane.
Bolduc rédigera plus tard une virulente note de service de 13 pages
dans laquelle il critiquera la manière dont les 2 agents agissaient
avec leur source. « Après seulement deux rencontres et n'ayant pas
confirmé les faits rapportés par C-2994, les contrôleurs semblent
éblouis par la possibilité d'avoir sous leur contrôle la source du
siècle. » Aveuglés par cette perspective alléchante, Verdon et St-
Onge ont manqué de prudence en omettant de poser à leur source
des questions aussi élémentaires qu'essentielles : comment Kane,
qui n'est au fond qu'un « simple citoyen », était-il parvenu à gagner
si rapidement la confiance de Wolf Carroll et de Walter Stadnick,
deux gros bonnets de l'organisation ? Pourquoi l'avait-on nommé
président des Demon Keepers ? Lorsqu'il donnait des renseignements à ses contrôleurs, pourquoi négligeait-il toujours de mentionner un détail capital qui aurait permis à la police de procéder
à des arrestations ou à des saisies ?

Bolduc se montre grinçant, voire sarcastique dans son analyse.
« La source a toujours des informations qui seraient très intéressantes si elles étaient fournies en temps opportun », ironise-t-il.
Une autre question le turlupine : comment se fait-il que Kane sache
tout des activités des Rock Machine, qu'il connaisse les adresses
de ses membres et les numéros de plaque de leurs véhicules, mais
qu'il semble incapable de fournir pareils détails à propos de sa propre bande ? Est-ce là un hasard ? « J'en doute ! » commente aussitôt
Bolduc. À l'instar des enquêteurs de Carcajou, le sergent d'état-major
de la GRC déplore le fait que Verdon et St-Onge aient communiqué
si peu de renseignements à d'autres services de police qui, en certaines circonstances, auraient pu intervenir.

À la fin de son mémo, Bolduc en arrive à de cinglantes conclusions. Il prétend que Kane est presque certainement un infiltrateur envoyé par les Hells Angels, que sa stratégie a été de fournir des informations incomplètes ou erronées à ses contrôleurs en vue d'apprendre ce que Carcajou savait au sujet de la bande et pour soutirer en douce à Verdon et St-Onge des détails concernant d'éventuelles interventions policières. Tout semble indiquer en effet que Kane a berné ses contrôleurs. Comment expliquer autrement qu'après deux ans et demi en tant qu'informateur au sein de la GRC, il n'a fourni aucun renseignement qui aurait permis à la police de réaliser une saisie de drogue, et ce, en dépit du fait qu'il est lui-même un coursier reconnu qui a effectué «en maintes occasions» des livraisons de stupéfiants pour le compte des Hells? Bolduc trouve par ailleurs étrange que Kane ait mentionné le fait que Mom Boucher était prêt à payer à un policier le double de son salaire annuel pour le corrompre et lui soutirer des renseignements. «Était-ce une tentative par cette source de corrompre un de ses contrôleurs?» se demande le supérieur de St-Onge. Considérant que Kane n'avait pas encore ses couleurs et qu'il n'était pas un sympathisant de longue date des Hells Angels, comment se faisait-il que Mom Boucher lui ait confié pareil secret? «Qu'est-ce qui motive la confiance de Boucher envers la source?» s'interroge Bolduc. Le sergent d'état-major se demande également pourquoi Kane a refusé d'être placé sous protection policière au pénitencier de Halifax alors que, un mois après son arrivée, le bruit courait qu'une prime de 14 000 $ avait été mise sur sa tête. Même les gardiens étaient au courant de la chose. «Qu'est-ce qui fait que C-2994 a une confiance si grande envers les H. A., eux qui n'ont besoin que d'un très léger soupçon pour que soit éliminé tout individu représentant un risque pour leur sécurité?»

Bolduc est particulièrement estomaqué du fait que, durant son incarcération à Halifax, Kane a lu une lettre à Carroll au téléphone, lettre qu'il avait reçue de Townsend et qui disait que son statut changerait après l'enquête préliminaire, mais qu'il ne devait pas hésiter à contacter la GRC de Halifax s'il voulait discuter de quoi que ce soit. Pour Bolduc, le message est clair: le statut d'informateur de Kane serait dévoilé durant l'enquête préliminaire. Carroll, qui paie les frais juridiques de Kane à ce moment-là, ne semble pas s'inquiéter outre mesure du fait que son ami motard travaille pour la police ; l'indifférence de Carroll tend à prouver que Kane a infiltré la GRC pour le compte des Hells Angels. « Si on se fie aux contrôleurs, note Bolduc, cette source est intelligente et possède de bonnes capacités analytiques. » Or, si la source n'est pas un agent double à la solde des Hells et qu'elle révèle à un membre confirmé du club qu'elle est de mèche avec la police, c'est que « ces qualités sont disparues » ou qu'elle est subitement devenue « complètement idiote ». Bien qu'ils aient mal procédé avec leur source, Bolduc n'accuse pas Verdon et St-Onge de corruption, mais estime « qu'ils se sont plutôt fait embarquer par un manque d'expérience avec une source qui leur a été envoyée dans un but bien précis ».

Bolduc propose tout de même que la GRC examine de plus près la relation entre Kane et ses contrôleurs, ne serait-ce que pour s'assurer qu'il n'y a pas anguille sous roche. « Les divers commentaires recueillis auprès de plusieurs membres de la section sont à l'effet que cette source semblait être considérée beaucoup plus comme une amie par nos membres que comme une source à l'emploi de la GRC », écrit-il.

Ce n'est que 10 mois plus tard que Verdon et St-Onge prendront connaissance du rapport pour le moins caustique de Bolduc, lequel est daté du 25 septembre 1997. Il faudra attendre 10 autres mois avant que les supérieurs de Bolduc daignent y répondre de façon officielle. La GRC cherchait de toute évidence à oublier ce fiasco et ses erreurs passées pour se concentrer sur un problème plus ponctuel : alors que Kane était en instance de procès pour meurtre, la Gendarmerie devait trouver un moyen de cacher son passé d'informateur.

À la mi-juin, la GRC de Montréal demandera que le procureur de la Couronne affecté au procès de Kane ne soit pas informé de son rôle secret d'informateur, une requête que la GRC de la Nouvelle-Écosse rejettera d'emblée. « Dans notre province, d'écrire Gordon Barnett, nos rapports avec la Couronne sont basés sur une confiance mutuelle. Par conséquent, nous avons déjà informé la Couronne que Dany Kane était une source humaine confidentielle pour la GRC au moment de son implication dans le meurtre de Robert MacFarlane. »

S'il était acceptable que la Couronne soit mise au fait du passé d'informateur de Kane, il n'en était pas de même de l'avocat qui allait assurer sa défense. Un jour ou deux après l'arrestation de Kane, les Rockers avaient dépêché à Halifax leur avocat favori, Pierre Panaccio, pour plaider la cause de leur confrère. La GRC était convaincue que les rapports de confidentialité entre client et avocat n'auraient pas cours en ce cas-là. Barnett note ceci : « Nous croyons que si Panaccio apprend que Kane a travaillé pour la police, la vie de Kane se trouvera immédiatement en danger. »

Barnett croit par ailleurs que même si un juge autorise la Couronne à cacher le fait que Kane est informateur, certains détails ne manqueront pas d'alerter Panaccio. Il y avait d'abord cette conversation téléphonique entre Blinn et St-Onge après le contrôle routier de Fredericton. « L'avocat de la défense jugera suspect que le sergent St-Onge n'ait contacté personne après le meurtre de Robert MacFarlane, écrit Barnett, et ce, même après que les enquêteurs eurent lancé un avis de recherche contre deux suspects masculins de race blanche à bord d'une voiture blanche à quatre portes. » Les circonstances de l'arrestation de Kane risquaient également d'éveiller les soupçons de Panaccio. « Il ne fait aucun doute que l'avocat de la défense voudra savoir pourquoi son client se trouvait dans une chambre d'hôtel avec des policiers au moment où le gendarme Townsend l'a appréhendé. »

Barnett réprimandera ses collègues montréalais qui s'inquiétaient de « la couverture médiatique négative » que causerait la nouvelle qu'un informateur de la GRC travaillait au noir comme tueur à gages. « Si la défense décide d'invoquer la chose durant le procès, écrit Barnett, le battage médiatique sera certainement le moindre de nos soucis. »

La GRC entrevoit deux façons de se tirer d'affaire. Dans un cas comme dans l'autre, Kane devra plaider coupable au meurtre de MacFarlane. Le premier scénario envisagé par la GRC nécessite que Kane devienne délateur et accepte de témoigner contre d'autres membres de la bande en échange d'une peine allégée et d'une nouvelle identité ; la seconde option est qu'il plaide coupable immédiatement afin d'éviter que des détails compromettants n'émergent durant l'enquête préliminaire.

Ces deux éventualités n'ont rien pour plaire à l'accusé. Dans l'esprit de Kane, ni l'aveu de culpabilité ni la délation ne sont des options acceptables. Il compte en fait s'en tenir à la stratégie adoptée durant l'interrogatoire avec Townsend : il nierait tout en espérant être acquitté.

Un bref moment de panique surviendra à la mi-août. Le 18 du mois, Kane appelle Verdon et lui demande de venir le voir immédiatement en prison pour discuter de quelque chose dont il ne peut pas parler au téléphone, même sur une ligne protégée. Verdon s'envole pour Halifax le soir même avec un collègue de la GRC et rencontre Kane le lendemain après-midi. Ce n'est pas la première fois que le policier se rend à Halifax en rapport avec Kane : le 10 juin précédent, lui et un caporal de la GRC spécialisé dans la gestion des informateurs ont fait le voyage pour tenter de le persuader de devenir délateur. Kane, qui à cette occasion avait refusé la visite des policiers, se montrera beaucoup moins rébarbatif lors de la rencontre du 18 août, et pour cause : Claude-Grégoire McCarter, l'ami de Saint-Jean-sur-Richelieu qu'il avait fait entrer dans la bande et plus tard dans l'équipe de base-ball, a été assassiné selon une méthode typique des Hells quelques semaines auparavant. La petite amie de McCarter l'avait déclaré disparu le 11 août ; son corps carbonisé sera retrouvé dans une jeep incendiée quelques jours plus tard, en bordure d'une route déserte au nord-ouest de Montréal. En apprenant la mort de McCarter, Kane est terrorisé. Il croit que les Hells ont appris qu'il est informateur et qu'ils ont décidé de commencer par éliminer ses amis. Viendrait ensuite la famille de Kane, ainsi que Townsend l'avait prédit.

Outre l'exécution de McCarter, il y avait d'autres signes inquiétants. Wolf Carroll avait changé d'attitude à l'égard de Kane ces derniers temps. Le chef des Hells de Halifax se montrait soudain moins empressé de payer les frais d'avocat et la pension alimentaire des enfants de son confrère incarcéré. Panaccio affichait lui aussi un comportement étrange ; Kane soupçonnait qu'il lui cachait certaines choses et « ne lui disait pas vraiment ce qui se passait ». De sa prison montréalaise, Aimé Simard avait contacté Dominique, l'ancien chauffeur de Kane, pour lui annoncer qu'il avait découvert que Dany était une source pour la police. Peu après son arrestation, des policiers lui avaient dit qu'ils avaient trouvé un .44 Magnum qui lui appartenait dans une case de terminus d'autobus – il s'agissait de l'arme que Simard avait récupérée chez Jimmy Miller à Québec. Puisque Kane était la seule personne qui savait où il avait caché le pistolet en question, Simard en avait conclu que c'était lui qui l'avait dénoncé à la police. Dominique avait du mal à croire que Kane était informateur, d'autant plus qu'il l'apprenait de la bouche d'un mythomane notoire. N'empêche que, tout menteur qu'il était, Simard risquait de convaincre certaines personnes que Kane travaillait pour la police à force d'en répandre le bruit.

« C-2994 est confus et ne sait plus ce qu'il doit faire, affirme Verdon dans son rapport. Il nous demande quelles seraient les possibilités de coopérer avec nous tout en spécifiant qu'il ne veut pas coopérer avec la Sûreté du Québec. » Refusant encore une fois de se placer sous l'égide de la police, Kane signe un avis de refus de protection qui décharge la GRC ainsi que « ses membres et ses agents » de toute responsabilité concernant sa sécurité. Au terme de la rencontre, Kane affirme qu'il soupèsera ses options et contactera Verdon la semaine suivante. Verdon contacterait Townsend à ce moment et lui demanderait de préparer un contrat de délateur à l'intention de Kane.

Kane n'appellera jamais Verdon comme il l'avait promis. Peu de temps après la rencontre avec Verdon, Scott Steinert apaisera les craintes du motard en s'engageant à le soutenir financièrement. Kane continuera de prétendre que la GRC faisait courir le bruit qu'il était informateur pour l'obliger à se mettre à table. S'il était vraiment cet informateur étoile dont on parlait tant, alors pourquoi le laissait-on croupir en prison ?

Voilà ce qu'en cette période tumultueuse Dany Kane aurait pu demander à ceux qui doutaient de lui.

CHAPITRE 17

Le procès de Halifax

L'arrestation de Kane n'a pas causé de grands remous chez les Hells Angels du Québec. Bien que très apprécié dans l'organisation, il n'est au fond qu'un subalterne de bas étage que les Hells pourraient vite remplacer par quelqu'un d'autre. Tant qu'il continuera à tenir sa langue, son arrestation ne sera tout au plus qu'un inconvénient mineur pour la bande.

Les Hells se sentiront menacés bien davantage lorsque les révélations d'Aimé Simard mèneront à l'arrestation de cinq membres du commando des Rockers en relation avec le meurtre de Jean-Marc Caissy. Marchant dans les traces d'Apache Trudeau et de Serge Quesnel, Simard s'ajoutait aux autres délateurs qui avaient dénoncé leurs confrères en échange de faveurs judiciaires.

Les chefs des Hells s'entendent tous sur le fait que ces défections doivent cesser. Mom Boucher estime qu'il est temps que la bande amorce un autre volet de la guerre en s'attaquant au système judiciaire lui-même. Son plan : lancer une campagne d'assassinats arbitraires visant la police, les procureurs, peut-être un juge ou deux et, bien sûr, des gardiens de prison. Le raisonnement de Boucher est d'une élégance machiavélique : autant que les meurtres eux-mêmes, le choix aléatoire des victimes aurait l'avantage de semer la terreur dans le cœur de la justice ; or, un système judiciaire qui vit dans la peur est fait de policiers qui ne veulent plus prendre de risques, de procureurs hésitant à déposer des accusations, de juges de plus en plus exigeants envers la Couronne et de gardiens de prison qui se soumettent plus volontiers au contrôle que les Hells exercent déjà entre les murs des prisons et pénitenciers québécois.

L'offensive projetée par Boucher a pour objectif premier de rappeler ses troupes à l'ordre. Le chef des Nomads se dit que la police et les procureurs ne consentiraient jamais à conclure un marché avec un motard qui a tué un des leurs. Si un nombre suffisant de soldats dans l'organisation des Hells exécutait des représentants de la justice, le nombre de délateurs potentiels s'en trouverait diminué d'autant. En juin 1997, Boucher laisse son arrogance prendre le pas sur son bon jugement et charge deux de ses plus fidèles lieutenants de mettre son plan à exécution. Commencez par éliminer des gardiens de prison, ordonne-t-il. Sur sa liste de victimes, ce sont eux qui occupent le rang le plus bas au sein du système judiciaire.

Diane Lavigne s'occupe de classifier les prisonniers à la prison de Bordeaux. Le jeudi 26 juin, elle quitte le travail vers 22 h et monte dans sa fourgonnette blanche pour rentrer chez elle, à Saint-Eustache. Lavigne est l'une des premières femmes engagées à Bordeaux, où elle travaille depuis 11 ans. Son choix de carrière peut paraître inusité, mais elle n'a fait que suivre les traces de son père qui a été gardien de prison pendant près de 30 ans.

Ce soir-là, lorsque Diane Lavigne s'engage sur l'autoroute des Laurentides en direction de Saint-Eustache, deux motocyclistes chevauchant une moto japonaise volée la suivent. Le conducteur de l'engin est André «Toots» Tousignant, un *striker* des Nomads. Le passager qui est perché derrière lui, Stéphane «Godasse» Gagné, est *hangaround* chez les Rockers et membre du commando des Hells. Peu après s'être engagé sur l'autoroute, Tousignant accélère jusqu'à ce qu'il se retrouve à la hauteur de la fourgonnette de Lavigne. Jetant un coup d'œil du côté du véhicule, Gagné voit l'uniforme de sa future victime, mais il ne se rend pas compte que celle-ci est une femme. De fait, en apercevant la silhouette trapue et la chevelure courte de Diane dans le parking de la prison, les deux motards ont cru avoir affaire à un homme; le fait qu'elle porte un uniforme de gardien de prison a suffi à faire d'elle une cible. Se concentrant sur cette cible, Gagné empoigne le pistolet qu'il porte à la ceinture et appuie sur la gâchette à plusieurs reprises. Deux de ses balles atteignent Lavigne. Tousignant met les gaz et la moto disparaît aussitôt dans le trafic.

La fourgonnette ralentit progressivement, puis s'arrête en bordure de l'autoroute. Ses feux avant et arrière clignotent. Voyant le véhicule se diriger vers l'accotement, une autre gardienne de prison qui a quitté le travail en même temps que Lavigne et l'a suivie sur l'autoroute croit que sa collègue de travail a eu une crevaison ou des ennuis mécaniques. Elle songe un instant à lui prêter main-forte, mais la circulation trop dense l'empêche de s'arrêter. Tandis que sa collègue poursuit sa route, Diane Lavigne se vide peu à peu de son sang sur le bord de l'autoroute des Laurentides, à l'insu des automobilistes qui dépassent en trombe son funeste véhicule.

La mort de Lavigne provoque un choc qui ne s'est pas encore estompé lorsque, le 8 septembre, deux autres gardiens de prison tombent dans une embuscade orchestrée par les Hells. Pierre Rondeau et Robert Corriveau se rendent tous les matins au stationnement souterrain du Palais de justice de Montréal et conduisent un autobus bleu au centre de détention de Rivière-des-Prairies pour ramener ensuite en ville les prisonniers qui sont appelés à comparaître durant la journée. Bien qu'ils empruntent parfois un itinéraire différent, les deux gardes choisissent ce jour-là un parcours familier qui croise les voies ferrées du secteur industriel de l'est de Montréal. Arrivés à un passage à niveau, Rondeau et Corriveau marquent un arrêt. Un homme courtaud et tout de noir vêtu surgit alors d'un abri d'autobus pour se camper devant leur véhicule.

Striker pour les Nomads, Paul « Fonfon » Fontaine se hisse sur le capot de l'autobus et fait feu sur Rondeau à travers le pare-brise. Son complice, Godasse Gagné, se poste sur le côté du bus et tire sur Corriveau à travers la porte. Son travail terminé, Fontaine décampe vers la fourgonnette qu'ils ont garée non loin de là.

Corriveau sortira miraculeusement indemne de la fusillade. Atteint par trois projectiles, Rondeau mourra instantanément.

Personne ne revendiquera officiellement la responsabilité de ces attentats; néanmoins, ayant eu vent des bruits qui couraient entre les murs de la prison, les autres gardiens soupçonnent que les meurtres de Lavigne et de Rondeau sont l'œuvre des motards. Le lendemain du second attentat, plus de 2 000 employés carcéraux débraieront pendant 24 heures pour protester contre les assassinats et exiger des mesures de sécurité plus adéquates.

Cet été-là, les Hells n'auront pas le temps de se préoccuper de Dany Kane. Outre l'offensive lancée contre le système carcéral, les membres de l'organisation, et notamment Scott Steinert, ont d'autres chats à fouetter. Les problèmes d'immigration de Steinert n'ont été jusque-là pour lui qu'un désagrément mineur, une contrariété ridicule dans la vie trépidante et dangereuse qu'il mène. La machine bureaucratique n'en a pas moins continué sa lente reptation, si bien qu'à l'été 1997, l'expulsion de Steinert aux États-Unis semble inévitable. Les services d'immigration canadiens ont déjà émis une ordonnance d'expulsion contre lui en novembre 1996, mais Steinert a porté sa cause en appel. Bien que ses chances de réussite soient plutôt minces, il s'attelle à trouver d'autres solutions. Ayant appris que le Canada ne pourrait pas l'expulser si les États-Unis refusent de le reprendre, Steinert songe à renoncer à sa citoyenneté américaine. Il décidera toutefois d'explorer d'autres avenues avant d'en arriver là. Usant de ses contacts dans la communauté mohawk – il a souvent fait affaire avec les trafiquants d'armes et de drogue de la tribu –, il essaiera d'obtenir une carte de statut autochtone, ce qui lui permettrait de vivre et de travailler au Canada comme aux États-Unis.

Steinert décide alors que s'il ne peut éviter l'expulsion, il reviendra d'une manière ou d'une autre au Canada. C'est ici qu'il veut vivre, et pas ailleurs. Mom Boucher proposera de l'envoyer au Mexique pour en faire son partenaire dans une grosse affaire qui le rendrait millionnaire en quelques mois à peine, mais même cette offre alléchante ne réussit pas à l'intéresser. Il faut dire que Steinert est devenu un personnage influent dans la communauté criminelle québécoise : il commande un effectif appréciable, dispose d'un repaire grandiose – le château des Lavigueur – et détient une bonne part du marché de la drogue à Montréal.

Mais si Steinert veut demeurer coûte que coûte au Québec, ce n'est pas uniquement à cause des avantages découlant de son statut de criminel : il veut rester ici parce qu'il est amoureux. Pendant plus d'une décennie, il a vécu avec une femme de Sorel qu'il connaissait depuis l'adolescence. Ils ont eu un enfant ensemble, mais ne se sont jamais mariés. En 1996 ou 1997, Steinert rencontrera une Montréalaise dont les parents sont propriétaires d'un restaurant fréquenté par les motards et il tombera éperdument amoureux d'elle. Un mariage somptueux est prévu pour octobre et, bien que la police et les agents d'immigration croient de prime abord que Steinert projette d'épouser une Canadienne pour éviter l'expulsion, ils doivent se rendre à l'évidence : leur homme est bel et bien animé d'un amour sincère. De fait, Steinert est tellement épris de sa fiancée qu'il en néglige ses responsabilités auprès de la bande. Son laisser-aller réveillera bientôt d'anciennes animosités.

Ni Steinert ni aucun de ses autres amis motards ne vont voir Kane dans sa prison de Halifax. Durant ses 20 mois d'incarcération, seuls ses parents, ses enfants, Dominique et Patricia lui rendront visite, celle-ci venant à quatre ou cinq reprises, en voiture ou en avion, soit avec Dominique ou avec les parents de Dany. Quand elle montait en auto avec Dominique, celui-ci faisait jouer des cassettes de François Pérusse récitant des blagues éculées durant tout le trajet. Patricia détestait ça, mais subissait sans broncher puisque c'était le prix à payer pour aller voir l'homme de sa vie. « *Ça, c'est de l'amour !* » se plaisait-elle à dire à Dany.

À chaque visite, Patricia n'a droit qu'à une petite heure en compagnie de son amoureux, mais c'est suffisant pour qu'elle puisse juger de sa transformation physique. Dégoûté par son premier repas en prison – des côtelettes de porc contenant plus de gras que de viande –, Kane avait prétendu être végétarien dans l'espoir qu'on lui propose un menu plus appétissant. Son mensonge lui avait valu des plats entiers de laitue iceberg, mais pas grand-chose d'autre. Astreint à ce régime draconien et privé de stéroïdes, Kane fond littéralement, perdant l'essentiel de la masse musculaire qu'il avait acquise au fil des années grâce à l'entraînement et aux substances anabolisantes. Kane, qui pesait à peine 60 kg à la fin des années 1980, en comptait 20 de plus au moment de son arrestation, ce qui lui conférait une carrure particulièrement imposante pour un petit homme de 1,70 m. Durant son séjour au centre correctionnel de Halifax, il redeviendra le gringalet chétif qu'il avait toujours été.

En prison, Kane échange souvent des cigarettes contre des privilèges téléphoniques. Il passe parfois des soirées entières à parler à Wolf Carroll, à Pat Lambert, à Scott Steinert ou à d'autres amis motards, mais le plus souvent c'est Josée ou Patricia qui font les frais de la conversation. Au fil de ces longs échanges téléphoniques avec son amoureux, Patricia remarque que la personnalité de Kane est elle aussi en train de changer. Les conversations avec Josée se déroulent sensiblement de la même manière que lorsque Kane était incarcéré à Belleville, plaisantes au début pour se terminer en virulentes récriminations. «Tout ce qui l'intéressait, c'était de m'engueuler et de me faire pleurer», dit-elle. Les lettres que Kane écrit à ses enfants témoignent du ressentiment qu'il éprouvait à l'égard de leur mère. Ayant pris l'habitude de lire ces missives fielleuses au préalable, Josée raconte que Kane y exprimait parfois une telle hostilité envers elle qu'elle ne pouvait se résoudre à les montrer aux enfants. Une bonne part de cette rancœur que ressent Kane est due au fait que Josée s'est éprise d'un autre homme.

Lorsqu'il téléphone à Patricia, par contre, Kane se contente de geindre sur son propre sort, parfois pendant des heures entières. Il se plaint de la nourriture, des autres prisonniers et du fait qu'on ne lui permet pas d'écouter les chaînes françaises à la télé. Il prétend que la police le talonne sans arrêt et essaie de lui faire peur pour qu'il retourne sa veste, mais il tait les rumeurs voulant que sa tête soit mise à prix. Si Patricia ne comprend pas pourquoi son amoureux se sent de plus en plus persécuté, c'est qu'elle ignore qu'il a été, du moins selon lui, trahi par ses contrôleurs de la GRC. À ce sentiment de trahison s'ajoute la solitude qu'il éprouve en étant le seul francophone dans une prison anglophone. Abandonné de ses amis et tourmenté par ses ennemis, Kane ne pouvait faire autrement que de s'apitoyer sur son propre sort. «S'il téléphonait quand je n'étais pas là, se souvient Patricia, après il me disait que je me foutais de lui. Il avait l'impression que tout le monde avait du plaisir pendant qu'il s'emmerdait dans sa cellule.»

Kane sait que Patricia ne tolère pas le genre de violence verbale qu'il fait subir à Josée, mais il lui arrive de s'oublier et de l'inonder d'accusations. «Je sais que tu vois un autre homme», lui disait-il parfois. «Comme tu sais qui c'est, rétorquait-elle de but en blanc, donne-moi son nom et son numéro de téléphone que je l'appelle.»

Le fait que Kane ait attendu si longtemps avant que sa cause passe devant les tribunaux a très certainement aggravé son état émotionnel. Ce délai en apparence interminable était dû à une avalanche de requêtes et de procédures instiguées tant par la Couronne que par la défense. La Couronne, de même que la GRC, s'inquiétait principalement du fait que le passé d'informateur de Kane serait dévoilé durant l'enquête préliminaire. Cette étape de la procédure devait débuter le 29 juillet, mais, une semaine avant la date fatidique, le procureur général de la Nouvelle-Écosse annonce que Kane sera cité directement à son procès en vertu d'un acte d'accusation privilégié. Cela signifiait que les preuves déposées contre Kane ne seraient pas examinées et évaluées en audience publique lors d'une enquête préliminaire ; la Couronne transmettrait simplement à la défense les preuves qu'elle comptait produire et la date du procès serait fixée aussitôt. L'acte d'accusation privilégié est invoqué uniquement dans des causes complexes où l'administration de la justice peut poser problème, ce qui est le cas lorsque les audiences préliminaires sont susceptibles de s'étendre sur une trop longue période ou quand une comparution à l'enquête préliminaire risque de compromettre la sécurité des témoins. L'acte d'accusation privilégié est rarement utilisé dans des procès pour meurtre exempts de complications comme celui de Kane ; néanmoins, la Couronne peut y avoir recours à sa discrétion sans avoir à fournir quelque motif que ce soit pour justifier sa requête. En revanche, la défense a le droit de contester cette procédure.

Dans le cas de Kane, l'argument de la Couronne serait sans doute que l'acte d'accusation privilégié était justifié du fait que sa tête avait été mise à prix. Les procureurs n'auront pas à se donner la peine de se justifier puisque Panaccio choisira de ne pas contester la chose. L'absence d'enquête préliminaire pouvait jouer en faveur de son client en ce sens que, s'il était condamné, cela constituerait pour Kane et ses avocats un éventuel motif pour interjeter appel.

Il est également possible que Panaccio ait accepté l'acte d'accusation privilégié parce qu'il savait que son rôle en tant qu'avocat de Kane serait contesté. Quand Aimé Simard avait été arrêté pour le meurtre de Jean-Marc Caissy, Panaccio l'avait représenté brièvement, le temps que le motard refuse ses services et devienne délateur. Or, comme Simard serait le principal témoin de la poursuite lors du procès, la Couronne estimait que ce bref interlude à l'emploi de Simard suffisait à mettre Panaccio en conflit d'intérêt. L'avocat de Kane n'avait d'autre choix que de se retirer du dossier.

Kane sera représenté au cours des deux mois suivants par Duncan Beveridge, un avocat de Halifax qui avait défendu plusieurs motards de la Nouvelle-Écosse par le passé. Mais Kane voulait que son procès soit tenu en français et préférait donc qu'un avocat québécois plaide sa cause. Juste avant Noël, Beveridge cédera sa place à Danièle Roy, une avocate aussi coriace que séduisante qui était en train de se tailler une solide réputation dans l'univers riche en litiges des motards.

C'était Jacques Bouchard, un avocat spécialiste du droit pénal qui avait défendu plusieurs des motards impliqués dans le massacre de Lennoxville de 1985, qui avait fait entrer Danièle Roy dans le milieu des motards criminalisés. Bouchard et Roy avaient formé un couple pendant une certaine période. Après leur séparation, la jeune avocate n'avait pu se résoudre à quitter ses clients motards, entre autres choses parce que leur défense lui rapportait énormément d'argent. À l'époque où Roy accepte de représenter Kane, la majorité de ses clients sont des motards – notamment Stephen Falls, l'un des Rockers que Simard avait dénoncés pour le meurtre de Caissy.

Roy exigera tout d'abord la tenue du procès en français, une entreprise difficilement réalisable dans une province anglophone comme la Nouvelle-Écosse. D'un point de vue constitutionnel, Kane était en droit de se faire juger dans sa langue maternelle, aussi la requête fut-elle accordée. Ce privilège aura toutefois un prix puisqu'il contribuera à retarder le procès encore davantage, le temps de dénicher un procureur, un juge et un jury d'expression française. Le début du procès de Kane était prévu pour la première semaine de mai 1998, soit un an jour pour jour après son inculpation, mais il y avait conflit d'horaire vu que le procès des cinq Rockers accusés dans l'affaire Caissy devait également débuter en mai. Roy et Simard n'étant pas disponibles pour comparaître en Nouvelle-Écosse à ce moment-là, le procès de Kane fut reporté au 8 septembre.

La GRC espérait persuader Kane de devenir délateur entre-temps, et ce, en dépit de ses refus répétés. En février ou mars, le sergent d'état-major Jean-Pierre Lévesque, l'officier de la GRC qui, selon la version officielle des faits, aurait entretenu les premiers contacts avec Kane, courtise celui-ci d'une manière peu orthodoxe en lui envoyant ce message rédigé sur une simple feuille de papier lignée :

Salut,

Malgré les temps durs, j'espère que tu gardes un bon moral. J'ai parlé à Striker (Ti-Rouge) et il m'informe que tu es incertain concernant ce que tu vas faire. Je pense qu'il est absolument essentiel que je te rencontre afin de t'expliquer certaines choses pour que tu puisses faire un choix judicieux.

Bonne chance,
Ton premier ami,
Jean-Pierre (Ottawa)

Striker et Ti-Rouge sont les noms de code de Gaétan St-Onge. Lévesque essaiera de faire parvenir son message à Kane par les voies officielles, mais la GRC de Halifax refusera de le lui remettre – ou du moins est-ce ce qu'elle prétendra dans une plainte adressée au quartier général de la GRC à Ottawa. Coup du destin, la lettre aboutira entre les mains de Danièle Roy ; or, c'est exactement cela que Lévesque avait voulu éviter en passant par la GRC. L'avocate de Kane est furieuse et accuse la GRC d'essayer de forcer son client à coopérer en nourrissant encore une fois les rumeurs disant qu'il est informateur.

S'il faut en croire les documents de la GRC, la manœuvre de Lévesque lui aurait valu de sévères réprimandes de la part de ses supérieurs. Le sergent justifiera son geste en disant que Kane était bien placé pour aider la GRC à coincer un gros bonnet dans l'organisation des Hells Angels. Le gros bonnet en question se nommait Mom Boucher.

Les meurtres de Diane Lavigne et de Pierre Rondeau demeureront irrésolus dans les jours et les semaines qui suivront leur mort. Ne détenant aucune piste, la police, l'escouade Carcajou en particulier, se sent obligée de calmer l'opinion publique en sévissant d'une manière ou d'une autre contre les motards.

Lancé à l'automne 1997, le projet HARM, acronyme de Hells Angels et Rock Machine, se propose de mettre de la pression sur les bandes de motards en commençant par les premiers échelons de l'organisation. Au bas de l'échelle se trouvent les petits dealers qui fourguent leurs grammes de hasch et leurs quarts de coke dans les bars, les clubs de danseuses et à même les rues de Montréal. La police s'en prendra à tout ce beau monde en multipliant les descentes dans ces établissements et dans tout autre commerce où les motards écoulent leur marchandise. Par un soir de décembre, les autorités effectueront une série de raids coordonnés qui mèneront à l'arrestation de plusieurs douzaines de dealers, dont Steve Boies. Celui-ci avait été condamné pour trafic de drogue peu de temps auparavant et attendait le prononcé de sa sentence. Or, voilà qu'il remettait ça en se faisant prendre avec plusieurs kilos de cocaïne cachés dans sa cuisine.

Tandis que les policiers remplissent les documents relatifs à son arrestation, Boies décide de parler pour sauver la mise. L'un de ses plus proches associés est Godasse Gagné, assassin de Diane Lavigne et complice de Paul Fontaine dans le meurtre de Pierre Rondeau, qui avait été promu au rang de *striker* par les Rockers en reconnaissance de ses loyaux services. Immédiatement après l'assassinat de Rondeau, Gagné avait contacté Boies et lui avait demandé de l'aider à se débarrasser de certains articles, qui étaient en fait des objets compromettants pouvant le lier à Fontaine et au meurtre qu'il venait de commettre. Bien que Gagné n'ait pas expliqué à Boies pourquoi il devait envoyer une voiture en parfait état à la casse, nettoyer minutieusement un garage et jeter à la poubelle une pleine boîte de cartouches, Boies avait compris par la suite que ces tâches étranges étaient liées au meurtre du gardien de prison.

Par un soir de décembre, en plein cœur des razzias du projet HARM, Boies décide de donner Gagné pour s'attirer la clémence des autorités.

Il semblerait qu'une délation en entraîne une autre puisque, un jour ou deux plus tard, au terme d'une nuit intense d'interrogatoire, Gagné lui-même accepte de retourner sa veste et de témoigner contre Mom Boucher, caïd des Nomads et cerveau derrière l'assassinat des gardiens de prison. Gagné obtiendra en retour une maigre compensation financière ainsi que le retrait d'un chef d'accusation de meurtre, ce qui le rendra plus rapidement admissible à la libération conditionnelle.

Les Hells Angels fêtent ce week-end-là le vingtième anniversaire de leur implantation au Canada. En d'autres circonstances, l'occasion aurait donné lieu à de féroces et fastueuses célébrations, mais l'arrestation de Godasse Gagné, et surtout le fait qu'il refuse de parler aux avocats de la bande, tempère l'humeur festive des motards. Les Hells ignorent la raison du silence de Gagné, mais ils se doutent bien qu'il n'y a pas là matière à réjouissances.

On ne peut pas dire que Kane aurait pu être un témoin potentiel dans l'éventuel procès de Mom Boucher puisqu'il était en prison à Halifax lorsque Lavigne et Rondeau ont été tués. Si Lévesque prétend le contraire, c'est probablement parce qu'il cherche à justifier sa téméraire et peu réglementaire missive. De toute manière, Kane ne se montrera pas plus réceptif aux avances de Lévesque qu'il ne l'a été à celles de Verdon et de Townsend. À défaut de faire de lui un délateur, les autorités attendront le début de son procès en septembre.

En juin, la GRC informe Félix Cacchione, le juge chargé d'instruire la cause, qu'Aimé Simard fera peut-être l'objet d'une tentative d'assassinat durant le procès. La Gendarmerie affirme que le Palais de justice de Halifax n'est pas suffisamment sécuritaire et propose que le procès soit tenu ailleurs, dans un bâtiment qui pourra plus aisément être entouré et protégé par la police. Le lendemain de la fête du Travail, un ancien édifice de la commission scolaire de Lower Sackville, à une demi-heure de route au nord de Halifax, sera retenu à cet effet.

La GRC adoptera pour l'occasion des mesures de sécurité pour le moins extrêmes qui retarderont encore davantage le début du procès. Elle consultera le juge Cacchione quant au nombre de policiers nécessaires et à l'emploi de détecteurs de métal et autres dispositifs de sécurité ; par contre, elle omettra d'informer le magistrat que des barrières de ciment de près d'un mètre de hauteur seraient érigées pour ceinturer ce palais de justice de fortune. Lorsqu'il visite le site le 7 septembre, Cacchione est estomaqué devant l'ampleur des moyens, selon lui excessifs, déployés pour assurer la sécurité du périmètre. Danièle Roy et Pierre Lapointe, le procureur que l'on avait fait venir de Québec expressément pour plaider contre Kane, sont de l'avis du magistrat. De fait, tout le monde estime que ces moyens démesurés risquent de compromettre l'impartialité des membres du jury, qui seront exposés chaque jour à ce grand déploiement de policiers et de barricades. Cacchione ordonne finalement que l'on retire les barrières de ciment. Profitant de la confusion générale, l'avocate de Kane demande un arrêt des procédures sous prétexte que son client n'a plus aucune chance d'obtenir un procès équitable à cause de la forte médiatisation des mesures de sécurité. Bien que rejetée par le juge, la requête de Roy laisse présager un procès tumultueux.

Montréalais d'origine, Félix Cacchione a étudié le droit à l'Université de Dalhousie, au Nouveau-Brunswick. Une fois ses études terminées, il s'est établi dans la région et s'est vite imposé comme un fervent défenseur des droits civils. Son client le plus célèbre a été sans contredit Donald Marshall, un Indien micmac dont le procès avait été une véritable parodie et qui, par conséquent, avait passé 11 ans en prison pour un meurtre qu'il n'avait pas commis. Dès ses débuts dans la magistrature, Cacchione devient l'un des juges favoris du milieu. Voici ce que l'un de ses collègues dit de lui : « Je l'aime parce que, contrairement à bien des magistrats, il est capable de remettre en cause la parole de la police. Pour lui, un policier est aussi capable de mentir sous serment qu'un simple citoyen. »

Alors que, dans l'ensemble, les avocats de la défense considèrent le juge Cacchione comme un homme juste, sobre, prudent et courtois, les procureurs et la police, eux, le dépeignent généralement sous un jour beaucoup moins favorable et s'attendent à ce qu'il penche en faveur de Kane. Au début de la procédure, à la grande surprise de tous, le magistrat se montre au contraire d'une impartialité irréprochable. Puis il devra se prononcer sur deux requêtes qui allaient grandement influencer la tournure du procès, deux requêtes qui décideraient en grande partie du destin de Dany Kane.

La première concerne le contrôle routier dont Kane et Simard avaient fait l'objet sur une route du Nouveau-Brunswick, deux jours avant le meurtre de MacFarlane. Les gendarmes Blinn et Hutley n'avaient pas stoppé la Buick LeSabre pour excès de vitesse, pour conduite dangereuse, à cause d'un feu défectueux ou pour quelque autre raison de ce genre. En vérité, les deux policiers n'avaient eu aucune raison valable d'arrêter ces deux jeunes hommes parfaitement calmes qui conduisaient avec prudence une voiture neuve en parfait état. L'avocate de Kane souligne que la Constitution protège tout citoyen contre la détention arbitraire et que les deux policiers avaient enfreint ce droit en arrêtant son client; elle demande que toutes les preuves et témoignages reliés au contrôle routier soient jugés inadmissibles. Cacchione accordera une partie de la requête en statuant que la détention avait effectivement été arbitraire et que, par conséquent, l'identification de Kane par lui-même et à travers le réseau du CIPC ne pouvait pas être déposée comme preuve. Par contre, l'identification visuelle réalisée par Blinn et Hutley au moment du contrôle routier et par la suite dans l'examen des photos de suspects sera déclarée admissible, de même que le témoignage des deux policiers concernant ce qu'ils ont vu dans le coffre de la Buick – Simard leur avait donné la permission de fouiller le coffre.

La seconde requête, présentée cette-fois-là par Lapointe, réclame que certains documents que la Couronne serait normalement tenue de fournir à la défense soient considérés comme privilégiés et donc exemptés de divulgation parce qu'ils permettent d'identifier un informateur, révèlent des techniques d'enquête employées par la police et risquent de compromettre une enquête en cours. Les documents en question sont bien entendu ceux qui désignent Kane en tant qu'informateur de la GRC. Cacchione accède à la requête, instaurant du même coup au cœur du procès une étrange contradiction : alors que le juge et le procureur sont au courant du statut d'informateur de l'accusé, son propre avocat ne l'est pas.

Fort heureusement, la sélection du jury se déroulera sans anicroche. Les 12 jurés bilingues seront sélectionnés dès la première semaine d'octobre, si bien que le procès proprement dit pourra commencer le 13 du mois. Les 12 premiers témoins seront entendus en 4 jours à peine et parleront principalement de la scène du crime et des détails techniques relatifs au meurtre. Neuf d'entre eux sont des employés de la GRC; parmi les trois témoins restants, on retrouve un pathologiste, le superviseur d'une compagnie de sécurité et un individu ayant copié une vidéocassette pour les enquêteurs.

Le témoin vedette de la poursuite sera appelé à la barre le 20 octobre à 9 h 35. Pendant toute la journée et une partie de la matinée du lendemain, le procureur Pierre Lapointe invitera Aimé

Simard à raconter à la cour les détails de son passé, comment il a rencontré Kane, comment celui-ci l'a initié à la guerre des motards et comment il en est venu à tuer Robert MacFarlane. Danièle Roy soulèvera deux objections qui seront longuement débattues, mais, dans l'ensemble, le témoignage de Simard s'avérera concis et efficace. Lapointe estime que son témoin s'est débrouillé aussi bien qu'on pouvait l'espérer.

C'est maintenant au tour de Roy d'interroger Simard. L'avocate pressent qu'elle n'aura aucun mal à entamer la crédibilité du témoin, et pour cause : quelques mois plus tôt, elle a défendu Stephen Falls dans l'affaire Caissy ; or, le procès entier, et plus particulièrement le témoignage de Simard, s'est révélé désastreux pour la poursuite. Amorcée au début d'avril, la procédure devait durer deux mois tout au plus ; or, elle s'était éternisée jusqu'à la mi-juillet. Un mois après le début de l'instruction, la procureur Lucie Dufresne, que d'aucuns considèrent comme une personne terre à terre et expérimentée, s'était retirée de l'affaire à la suite d'une dépression nerveuse causée par le surmenage et le stress. Seule et disposant de ressources insuffisantes, Dufresne avait été incapable de tenir tête aux cinq avocats chevronnés que les Rockers s'étaient payés.

Simard s'était contredit à plusieurs reprises au cours du procès Caissy. Il avait par exemple affirmé avoir épié Caissy à l'aréna deux semaines avant le meurtre, ajoutant qu'il neigeait ce jour-là. Lorsqu'un des avocats de la défense mentionne que Simard se trouvait en Jamaïque à ce moment-là et que la dernière chute de neige remontait à six semaines avant le meurtre, Simard change soudain son histoire. Il y aura souvent des divergences majeures entre son témoignage et ce qu'il avait dit précédemment dans ses dépositions à la police. À une occasion, un avocat lui demandera pourquoi ce qui était vrai auparavant ne l'était plus, maintenant qu'il se trouvait à la barre des témoins. À cela, Simard répondra simplement : « C'était vrai à ce moment-là. »

Même son langage corporel avait contribué à miner sa crédibilité. Chaque fois qu'on lui posait une question, Simard empoignait silencieusement la carafe d'eau qu'on lui avait donnée et remplissait son verre ; il avalait ensuite une longue gorgée en prenant bien son temps puis, le plus souvent, demandait à l'avocat de répéter sa question. Le témoin demandait si souvent à aller aux toilettes que, excédé par son manège, le juge lui avait suggéré de boire moins d'eau. À son retour des cabinets, Simard avait repris sa place à la barre, regardé le juge droit dans les yeux et bu une grande goulée d'eau.

Le 18 juillet, le jury acquittait les cinq Rockers accusés dans l'affaire, dont Daniel Saint-Pierre, l'ancien patron de Simard ; Gregory Wooley ; Stephen Falls, qui était représenté par Danièle Roy ; et le leader des Rockers lui-même, Pierre Provencher. Peu après la lecture du verdict, Simard contacte un chroniqueur judiciaire du *Journal de Montréal* pour lui annoncer que les jurés avaient été soudoyés ou intimidés et pour exiger que les autorités fassent enquête. En vérité, les sept hommes et les cinq femmes du jury n'avaient tout simplement pas cru son témoignage.

Lorsque, le 21 octobre, Danièle Roy commence le contre-interrogatoire de Simard dans l'affaire MacFarlane, elle est certaine de pouvoir semer pareil doute dans l'esprit du jury. Elle cuisinera son témoin pendant quatre jours, le questionnant sur divers épisodes de sa vie en l'amenant à parler des crimes mineurs qu'il a commis et de sa propension à mentir pour obtenir ce qu'il désire. « Simard ment comme il respire », dira l'avocate. En revanche, elle le questionnera peu au sujet du meurtre de MacFarlane.

Le contre-interrogatoire sera suspendu pendant deux jours à la suite d'un article paru dans le *Daily News* de Halifax, lequel contrevenait à l'interdit de publication concernant les mesures de sécurité entourant le procès. Cacchione admonestera le journal et menacera d'accuser ses reporters d'outrage au tribunal, mais aux yeux de Roy cette réprimande ne suffit pas : l'avocate remplira une seconde demande d'arrêt des procédures en insistant sur le fait que son client est en train de se faire dépouiller peu à peu de ses droits constitutionnels. Lapointe répliquera que, de toute manière, les jurés savaient déjà tout de ces mesures de sécurité. Cacchione abondera dans le sens du procureur et rejettera la demande d'arrêt.

À la grande surprise de Danièle Roy, Simard s'avérera être un témoin plus constant et crédible qu'il ne l'a été dans l'affaire Caissy. Sans doute a-t-il beaucoup appris de cette expérience et s'est-il mieux préparé en révisant son témoignage au préalable avec Lapointe. À la fin de son contre-interrogatoire, Roy semble à court de ressources alors qu'elle questionne Simard sur sa consommation de médicaments – il s'est brièvement fait prescrire du Prozac et prend des somnifères – et au sujet d'un livre sur l'art de témoigner qu'on a trouvé dans sa cellule. Roy terminera son contre-interrogatoire le 29 octobre. Au grand soulagement du procureur Pierre Lapointe, Simard peut enfin quitter la barre des témoins.

Les témoins suivants que Lapointe appellera seront les dernières personnes à avoir vu MacFarlane vivant, à savoir : David Roberts, le cousin du défunt ; Claude Blanchard, l'ami de Roberts ; et deux employés du Spy Shop, dont Paul Macphail. Blanchard se montrera peu coopératif. Les bureaux du procureur l'ont pourchassé pendant des mois pour l'amener à témoigner. Acculé au pied du mur, Blanchard s'est résigné à comparaître, mais il a refusé de réviser les dépositions qu'il avait faites précédemment à la police. Blanchard craint les Hells Angels et ne veut rien dire qui puisse les compromettre ou les contrarier. Satisfait des témoignages de Roberts et des deux employés du Spy Shop, Lapointe décide soudain de rayer Blanchard de sa liste de témoins. Roy s'objectera à ce changement de dernière minute, si bien que Blanchard se verra forcé de prendre la barre.

Même si Blanchard n'a pas été d'une grande utilité pour la poursuite, l'avocate de Kane s'emploie à saper sa crédibilité en énumérant la liste des crimes qu'il a commis : vol à main armée, séquestration, voies de fait, usage d'une arme à feu lors de la perpétration d'un acte criminel et trafic de drogue sont autant d'offenses qui figurent à son casier judiciaire. Lorsque l'avocate insinue que Roberts et lui sont allés à Halifax pour acheter de la cocaïne à Mac-Farlane, Blanchard nie la chose mais admet qu'à l'époque du meurtre il travaillait comme danseur nu depuis deux ans déjà.

Il y a cependant une information que Blanchard soumettra volontairement au tribunal, une information qu'il réitérait sans relâche depuis sa première déposition à la police : il affirme sans l'ombre d'un doute que la voiture utilisée par les meurtriers de MacFarlane était une Chevrolet Lumina blanche à quatre portes, un modèle sport muni d'un aileron arrière, et non une Buick LeSabre. Blanchard ajoutera que le tireur principal avait le teint suffisamment foncé pour être qualifié de « Libanais ». Ce sont ces aspects du témoignage de Blanchard qui, en définitive, joueront le plus en faveur de Kane.

La Couronne appellera ensuite à la barre l'officier de police Tom Townsend, principal enquêteur dans l'affaire. Le témoignage de Townsend sera entendu en voir-dire, une procédure qui permet au juge d'entendre un témoignage en l'absence du jury pour déterminer quels éléments de preuve sont admissibles. Il est à noter que les voir-dire se déroulent à huis clos et font l'objet d'un interdit de publication.

Le voir-dire de Townsend découle de la requête de Roy voulant que l'identification photo de Kane par les policiers qui l'avaient arrêté au Nouveau-Brunswick soit exclue en tant que preuve. Cacchione a déjà déclaré inadmissible l'identification faite à partir du réseau du CIPC, mais Roy veut obtenir encore davantage. L'avocate soutient que Blinn et Hutley se souviennent de Kane et de Simard uniquement parce que le CIPC a mentionné que Kane était impliqué dans des bandes de motards criminalisés. Si la vérification effectuée sur le réseau du CIPC viole la Charte des droits et libertés, de raisonner Roy, alors il en va de même du souvenir rattaché à cette vérification.

Peu convaincu par l'argument de l'avocate, le juge Cacchione décrète que les deux policiers ont vu Kane et Simard avant d'appliquer cette détention arbitraire qui contrevenait à la Charte. L'identification photo était par conséquent une preuve admissible. Le point crucial du témoignage de Townsend viendra lorsque le policier affirmera que seul le gendarme auxiliaire Hutley avait identifié Kane sur les photos de suspects ; le gendarme Blinn, de dire Townsend, n'avait pu l'identifier.

Le voir-dire, les soumissions subséquentes et la décision du juge s'étendront sur deux jours. À la reprise du procès proprement dit, deux témoins mineurs seront appelés : la gérante de la succursale où Simard a loué la Buick ; et la dame à qui Kane a subtilisé la plaque minéralogique dans le stationnement du centre commercial de Halifax. Viendront ensuite les témoins les plus controversés du procès : Gilles Blinn et Dale Hutley, les deux policiers de la GRC du Nouveau-Brunswick qui ont contrôlé Kane et Simard sur la route menant en Nouvelle-Écosse.

Blinn est le premier appelé à la barre. Avant qu'il entreprenne son témoignage, le juge Cacchione lui annonce sans ambages qu'il ne doit pas mentionner l'identification du CIPC ni celle offerte par Kane lui-même. Après avoir décrit brièvement les circonstances du contrôle routier, le policier confirme que le passager du véhicule était « l'individu qui est assis derrière l'avocat de la défense ». Il s'agit bien sûr de Dany Kane. « Ses cheveux sont plus longs, il ne porte plus de boucles d'oreilles et on dirait qu'il a perdu du poids, mais je suis cent pour cent sûr que c'est la même personne. Il n'y a pas de doute là-dessus. »

Interrogé par la poursuite, Blinn parlera de l'identification photo à laquelle Hutley et lui se sont prêtés un an et demi auparavant à la demande de Townsend et de Mark MacPherson. Alors que Blinn est sur le point de dévoiler s'il a oui ou non identifié Kane et/ou Simard parmi les photos de suspects, Lapointe l'interrompt brusquement et demande une suspension d'audience. Ce matin-là, le procureur avait tenté d'entrer en contact avec Mac-Pherson pour discuter avec lui de son témoignage. Il y avait en fait plusieurs semaines que Lapointe essayait de le rencontrer, mais depuis l'écrasement du vol 111 de Swissair dans les eaux de Peggy's Cove survenu le 2 septembre, MacPherson et tous les autres officiers de la GRC de la Nouvelle-Écosse étaient occupés à recouvrer les débris d'avion et les corps des victimes dans l'océan Atlantique. Lapointe avait appelé Blinn à la barre parce que MacPherson ne s'était pas présenté au rendez-vous qu'il lui avait fixé dans la matinée. Or, si le procureur interrompt si brusquement le témoignage de Blinn et demande une suspension avec tant d'empressement, c'est qu'il vient d'apprendre que MacPherson est enfin arrivé au Palais de justice.

D'entrée de jeu, Lapointe questionne le jeune gendarme au sujet de l'identification photo. MacPherson affirme alors que Blinn n'a pas identifié Kane ; il soutient même ne pas lui avoir montré la série de photos dont Kane faisait partie parce que Blinn lui avait dit : « C'est pas la peine de me montrer la photo du passager. Moi, je me suis seulement occupé du conducteur. »

Pour la Couronne, il s'agit là d'une nouvelle catastrophique. Plusieurs mois auparavant, MacPherson a pourtant bel et bien dit à ses supérieurs que Blinn avait reconnu Kane lors de l'identification photo. Dans ses dépositions et dans au moins un interrogatoire préliminaire, Blinn lui-même avait affirmé avoir identifié Kane. Pire encore, les propos de MacPherson contredisent ce que Blinn, qui est toujours à la barre des témoins, est sur le point de répéter devant jury.

Lapointe décide alors qu'il n'a d'autre choix que de communiquer ce revirement soudain au juge et à la défense. Le procureur espère qu'en jouant la carte de la transparence, on lui accordera un peu de temps pour concilier les témoignages divergents de Blinn et de Mac-Pherson. Après avoir exposé à Roy et Cacchione la nouvelle version des faits telle qu'elle est présentée par MacPherson, Lapointe demande que la procédure soit interrompue pour le week-end, le temps qu'il mette un peu d'ordre dans tout ça. Roy s'oppose d'emblée à la suspension, prétextant qu'elle veut éviter que quelqu'un force MacPherson à changer son témoignage entre-temps. L'avocate insiste pour que le policier témoigne immédiatement dans un voir-dire.

Tant de retournements et de contradictions ont tout pour inquiéter le juge Cacchione. La présente situation lui rappelle les sinistres manœuvres policières de l'affaire Donald Marshall. «Du temps où j'étais avocat de la défense, dit-il à Roy et à Lapointe, j'étais un peu parano. Je pensais avoir été guéri de ça, mais ce qui arrive en ce moment est si troublant que ça réveille mes anciennes paranoïas.»

Cacchione ajoute que ce récent développement ébranle sévèrement le caractère plausible des témoignages recueillis depuis le début du procès, ce qui augure très mal pour la Couronne. Lapointe encaissera un nouveau coup dur lorsque le juge accédera à la demande de Roy et décrétera la tenue immédiate d'un voir-dire dans lequel MacPherson témoignera.

À la barre des témoins, MacPherson est un modèle de crédibilité: il est d'apparence soignée, répond de façon claire et logique aux questions qu'on lui pose et donne l'impression d'être absolument certain de ce qu'il dit. Le policier affirme qu'après avoir présenté à Blinn une première série de photos incluant celle de Simard, il lui a montré une photo de Kane «juste pour son information personnelle». Il ne s'agissait pas d'une identification photo proprement dite, puisque MacPherson n'a pas présenté d'autres photos de suspects en même temps que la photo de Kane – Blinn lui-même lui avait dit que ce n'était pas nécessaire, vu qu'il était certain de ne pas pouvoir identifier le passager de la Buick. Qui plus est, MacPherson déclare que les rapports qu'il a remplis durant l'identification photo indiquent que Blinn n'a pas identifié Simard.

MacPherson conclut son témoignage en disant que les renseignements fournis par Blinn « ne nous étaient d'aucune utilité dans le cadre de l'enquête ».

Lorsque MacPherson se lève pour quitter la barre des témoins, Cacchione le remercie de sa franchise, indiquant ainsi qu'il le considérait comme un policier honnête qui avait su dire la vérité tandis que d'autres se complaisaient dans le mensonge. Avant de suspendre l'audience pour la fin de semaine, le juge exprime son appréhension à la cour : « Nous nous engageons maintenant en territoire inconnu. Tout ce que je sais, c'est qu'on fait face à une situation terrible et qu'on ne sait pas ce que cela cache. Peut-être que je suis paranoïaque en disant ça. J'espère que c'est le cas. »

Bien que Cacchione n'ait pas mentionné la chose, Roy et Lapointe sont suffisamment expérimentés pour savoir que l'annulation du procès est désormais une très nette éventualité.

Durant le week-end, Lapointe écoutera la cassette audio de l'identification photo réalisée un an et demi auparavant à Oromocto. Le procureur découvre alors que Blinn a bel et bien identifié Kane parmi d'autres photos de suspects :

« Vous l'avez identifié sur cette photo-ci, c'est bien ça ? demande Townsend.

— Oui, confirme Blinn.

— Il est sur la photo numéro… ?

— Numéro 5 », de répondre Blinn avant de décrire avec précision les différences physiques qu'il y avait entre le Kane qu'il avait vu lors du contrôle routier et celui qui apparaissait sur la photo, laquelle était plus récente.

Du coup, Lapointe comprend que ce sont MacPherson et, dans une certaine mesure, Townsend qui sont dans l'erreur. MacPherson étant une chasse gardée – la cour lui avait interdit de parler à quiconque de son témoignage durant le week-end, incluant Lapointe –, restait Townsend. Or, en consultant ses notes pendant le week-end, Townsend constatera que Blinn avait effectivement désigné Kane dans le cadre d'une identification photo en bonne et due forme. Armé de cette nouvelle information, Lapointe se prépare à plaider en défaveur d'une annulation de procès à la reprise de la procédure le lundi matin suivant. Selon lui, l'enregistrement de la séance d'identification photo devrait suffire à clarifier les choses.

Le juge Cacchione a probablement passé sa fin de semaine à se demander ce que la GRC pouvait bien manigancer. Il est au courant du fait que Kane est un informateur très précieux pour la Gendarmerie, mais il sait aussi que Kane accompagnait Simard lors du voyage à Halifax qui s'était conclu par le meurtre de MacFarlane. Se pouvait-il que certains officiers de la GRC soient en train d'essayer de saboter le procès en rendant des témoignages contradictoires? Alors que, dans le cas de Donald Marshall, la GRC avait tout mis en œuvre pour faire condamner un innocent, elle semblait ici décidée à déployer les mêmes efforts dans le but d'innocenter un coupable.

L'audience du lundi 9 novembre sera annulée parce que la compagnie aérienne que Danièle Roy avait utilisée pour se rendre à Halifax avait égaré tous ses bagages et documents juridiques. Le lendemain, à la reprise de la procédure, le juge Cacchione ne veut rien entendre des arguments de Lapointe. Le procureur souhaite que le procès se poursuive et que l'on autorise Townsend et MacPherson à témoigner de nouveau; or, le magistrat abondera plutôt dans le sens de l'avocate de Kane, qui prétend que le procureur confond procès et tournage de film. «Scène I, prise 2, d'ironiser Roy. Si ça ne marche pas du premier coup, on recommence!»

La décision de Cacchione est sans appel: «À la lumière des récents développements, j'en suis arrivé à la conclusion que les policiers sont prêts à changer au besoin et à leur convenance des témoignages faits sous serment. À mon avis, ce serait inviter l'erreur judiciaire que de permettre la continuation de ce procès alors qu'il y a de sérieux doutes quant à la véracité du témoignage d'un témoin-clé de la poursuite.» Sur ce, Cacchione déclare le procès nul.

Que ce soit par quelque fabuleux coup du destin ou par un astucieux travestissement de la justice, Kane l'informateur redevient un homme libre, sa crédibilité de motard intacte.

CHAPITRE 18

Un nouvel homme

L'annulation du procès du 10 novembre n'exonère pas Dany Kane des accusations de meurtre qui pèsent contre lui. La Couronne fixera plus tard la date d'un nouveau procès qui obligera Kane à passer une seconde fois par les rouages de la justice. L'annulation du procès permettait cependant à Danièle Roy de demander un arrêt des procédures, chose que le juge Cacchione lui a très fortement conseillée. Si sa requête est acceptée, il en reviendra à la police de présenter de nouvelles preuves pour convaincre la cour du bien-fondé d'un second procès. Suivant la recommandation de Cacchione, Roy dépose une demande d'arrêt des procédures quelques jours après la fin du premier procès.

Pendant ce temps, Kane se fait exposer les exigences de sa libération conditionnelle. S'étant rendus à Halifax dès qu'ils ont entrevu la possibilité d'une annulation de procès, les parents de Kane acceptent d'emblée les conditions imposées par le juge, lesquelles incluent une caution de 20 000 $ et l'assurance que Dany ira vivre avec eux à Saint-Jean-sur-Richelieu. À cela s'ajoute un dépôt de 10 000 $ en argent comptant ainsi qu'une longue liste d'exigences additionnelles : Kane devra se présenter tous les lundis sans faute aux bureaux montréalais de la GRC ; il devra couper tout contact avec Wolf Carroll, Paul Wilson et avec tout autre membre ou sympathisant des Hells Angels ; il n'a pas le droit d'utiliser un téléavertisseur ni même d'en avoir un en sa possession ; il n'a pas le droit d'aller dans les bars ; il lui est interdit de posséder une arme ; et il ne doit aller en Nouvelle-Écosse sous aucun prétexte, sauf si la justice réclame sa présence.

De Halifax, Kane se rendra directement à Saint-Jean avec ses parents. Une fois sur place, il ira aussitôt chez Josée pour lui

« confisquer » les enfants. Kane est peiné du fait que ses enfants le reconnaissent à peine après ces 20 mois d'incarcération. Il ne nie pas être troublé par la présence du nouveau compagnon de Josée, qui vit désormais avec elle et les enfants. Kane est terrifié à l'idée que ses propres rejetons en viendront peut-être un jour à considérer cet homme comme leur père.

Kane affirme qu'il en a fini avec la criminalité en général et avec la bande en particulier. Josée se montre sceptique, mais elle se dit qu'à tout le moins Dany est sincère en disant cela. Durant l'incarcération de Kane, elle a consulté une voyante qui lui a dit, en parlant de Dany, que « ses amis ne sont peut-être pas des vrais amis ». Convaincue que la diseuse de bonne aventure faisait référence à la bande en parlant de ces faux amis, Josée rapporte l'incident à Kane dans l'espoir qu'il tiendra compte de l'avertissement.

Pourtant, en certaines occasions, les potes motards de Kane agissaient bel et bien comme de véritables amis. À sa sortie de prison, ils ont passé le chapeau et recueilli plusieurs milliers de dollars pour qu'il puisse se payer des vacances. Kane acceptera l'argent, mais l'utilisera plutôt pour gâter ses enfants dans l'espoir de recouvrer leur affection.

La réception que la bande réservera à Kane à sa libération se résumera toutefois à cette offrande en argent. Dans le milieu des motards, 20 mois d'absence équivalent à une éternité. Le moins que l'on puisse dire, c'est que ses confrères n'ont pas attendu son retour avec impatience – loin des yeux, loin du cœur, dit le proverbe. À toutes fins pratiques, Kane a été oublié, d'autant plus que depuis la mi-novembre 1998 toute l'attention de la bande – et celle du Canada entier – est concentrée sur une salle d'audience de l'austère et imposant Palais de justice de Montréal. C'est là que se déroule le procès de Mom Boucher, que l'on accuse des meurtres au premier degré de deux gardiens de prison. Le principal témoin dans l'affaire – le seul véritable témoin, en vérité – est nul autre que Stéphane « Godasse » Gagné.

Kane a d'autres raisons de se sentir délaissé. Quelques jours à peine après avoir été acquitté du meurtre de Caissy, Gregory Wooley avait reçu la *patch* qui faisait de lui un membre en règle des Rockers. Kane ne se verra pas accorder pareil honneur après avoir remporté le premier round judiciaire dans l'affaire MacFarlane. Au contraire, à son retour de Halifax plus personne ne parle de le sacrer officiellement *hangaround* des Nomads. Kane se retrouve de nouveau dans ces limbes incertains qui entourent le noyau central des Hells Angels : ni membre ni sympathisant, il ne bénéficie d'aucun statut au sein de la bande. Dégoûté de cette rétrogradation, Dany exprime ses frustrations à Patricia, à qui il n'a fait aucune mention de son prétendu désir de quitter la vie criminelle. « Il avait souvent l'impression que la bande abusait de lui, raconte la jeune femme. Il disait qu'il devait toujours recommencer au bas de l'échelle… il devait faire ses preuves encore et encore. »

Kane tait les raisons de sa rétrogradation lorsqu'il s'épanche auprès de Patricia ; néanmoins, celle-ci a sa petite idée là-dessus. En témoignant contre Kane, Aimé Simard a mentionné qu'il avait été son amant. Bien que peu de gens aient accordé du crédit aux racontars d'un délateur tel que Simard, la nouvelle a soulevé une vague de doutes et de rumeurs concernant Kane et a fait de lui la cible des boutades de la bande. Dany répond aux railleries de ses collègues motards à sa manière habituelle, c'est-à-dire en blaguant en retour, comme si la chose l'amusait beaucoup lui aussi. Il devait en réalité être absolument mortifié quand un caïd de la bande le taquinait en disant qu'il n'obtiendrait jamais ses pleines couleurs parce qu'une « tapette » ne pouvait pas devenir un Hells Angel. En entendant cela, Kane devait se dire que les « nègres » non plus n'étaient pas censés devenir des Hells Angels, ce qui n'avait pas empêché Wooley d'être nommé membre en règle des Rockers, un titre qui faisait pratiquement de lui un Hells en bonne et due forme. Après sept années de loyaux services, Kane n'avait pas eu droit à pareille distinction.

Mais son désenchantement envers la bande va au-delà des insultes dirigées à son endroit. À la fin de 1997, Scott Steinert et Donald Magnussen, ses amis et complices de toujours, ont connu une fin aussi horrible qu'inévitable. Moins d'un mois après son mariage, Steinert avait contacté Magnussen pour lui annoncer qu'ils étaient tous deux convoqués d'urgence à une réunion organisée par des membres des Nomads et des Hells de Montréal. Les deux hommes savaient de toute évidence ce que cela signifiait puisque, avant de partir, chacun avait fait des adieux larmoyants à sa conjointe.

Steinert et Magnussen ne reviendront jamais de cette réunion. Ils disparaîtront sans laisser de traces.

Les procédures judiciaires intentées contre Steinert suivront leur cours en son absence. La majorité de ses biens, incluant l'ancienne propriété des Lavigueur, sera saisie en vertu de la loi concernant les produits de la criminalité. Son absence à l'audience des services d'immigration donnera lieu à une autre ordonnance d'expulsion vers les États-Unis. Son avocat essaiera désespérément de reporter l'échéance: « Peut-être qu'il n'a pas pu venir à cause du mauvais temps, dira-t-il. Peut-être qu'il s'est trompé de date. » Seule une poignée de Hells connaît la véritable raison de l'absence de Steinert.

En mai 1998, on retrouvera le corps de Magnussen flottant dans le fleuve Saint-Laurent; il avait été tué à coups de marteau. Scott Steinert, dont le corps fera surface près d'un an plus tard, avait été exécuté de façon similaire.

Présidé encore une fois par le juge Cacchione, le tribunal de Halifax se réunira de nouveau le 18 novembre pour débattre la demande d'arrêt des procédures déposée par Danièle Roy. Plaidant en défaveur de la requête, le procureur Pierre Lapointe appellera cinq témoins: Townsend, MacPherson, Blinn ainsi que deux autres officiers de la GRC qui avaient joué un rôle administratif dans l'affaire.

Premier témoin-clé convoqué à la barre, Townsend admet d'emblée que ses notes sur la séance d'identification photo sont brouillonnes et incomplètes, puisqu'elles ne spécifient pas quelle série de photos a été présentée à Blinn. Les notes de Townsend suggèrent en revanche que Blinn a « reconnu » Kane. Townsend justifie son témoignage précédent, durant lequel il a affirmé que Blinn n'avait pas « identifié Kane ou Simard de façon sûre », en disant qu'il fait la distinction entre une identification claire et une simple reconnaissance. « Blinn n'a pas dit catégoriquement "c'est lui", d'expliquer Townsend. Or, pour moi il y a une différence entre quelqu'un qui dit "je suis absolument certain que c'est lui" et un autre qui dit "je reconnais cette personne". »

L'explication est plausible, considérant que, sur les photos présentées à Blinn et à Hutley, Kane n'a pas la même coupe de cheveux que lors du contrôle routier. L'enregistrement audio de l'identification photo où Blinn désigne clairement Kane et parle des changements dans son apparence contribue à expliquer les témoignages contradictoires de Townsend.

MacPherson se montrera plus confus dans son témoignage. À l'instar de Townsend, il admet que ses notes sont peu concluantes. Qui plus est, il a fait de grossières erreurs en remplissant les formulaires relatifs à l'identification photo : alors que la série de photos incluant Simard avait été étiquetée « A-1 » et celle incluant Kane, « A-2 », MacPherson note que Blinn a examiné la série de photos « A », laquelle n'existe pas.

De mémoire, MacPherson s'en tient à son témoignage précédent, à savoir que Blinn avait vaguement reconnu Simard mais n'avait pu l'identifier de façon sûre et qu'il n'avait pas examiné officiellement la série de photos incluant Kane. Ses notes le contredisent toutefois, puisqu'elles précisent que Blinn « a reconnu Simard et Kane ». Les notes de MacPherson suggèrent par ailleurs qu'il ne savait pas lequel des deux suspects était Kane et lequel était Simard. Le policier avait écrit que Blinn avait sélectionné la photo de Simard parmi une série étiquetée « K », dans laquelle figurait Kane et non Simard.

MacPherson écoute ensuite l'enregistrement vidéo dans lequel Blinn identifie clairement Kane. Prenant connaissance du document pour la première fois depuis qu'il avait été enregistré un soir de mai 1997, MacPherson doit reconnaître que tous ses témoignages précédents sont erronés et sans valeur. « Cet enregistrement prouve que je suis dans l'erreur », admet-il.

En dépit de cette admission on ne peut plus formelle, le juge Cacchione persiste à croire que ce sont les témoignages de Blinn et de Townsend qui sont erronés. Lorsqu'il rend sa décision le 18 décembre, le juge applaudit encore une fois la droiture et la franchise de MacPherson. « Certains officiers ont délibérément tenté d'influencer l'issue de ce procès en trompant la cour quant à la fiabilité des preuves d'identification, écrira Cacchione en parlant de Blinn et de Townsend. Ces officiers ont affiché une propension à changer leur témoignage selon les besoins de la cause. Si ce n'avait été de la franchise du gendarme MacPherson, le tribunal n'aurait probablement jamais découvert que le gendarme Blinn n'avait identifié aucun des suspects de façon sûre. »

Cacchione décrétera donc un arrêt des procédures, annulant par le fait même les consignes de libération conditionnelle imposées à Kane précédemment. Cet arrêt des procédures signifie que, à moins que la Couronne ne conteste la décision du juge en appel et n'obtienne gain de cause, Kane ne pourra plus jamais être jugé pour le meurtre de Robert MacFarlane. Libéré de toute contrainte judiciaire, Dany Kane est à nouveau libre de frayer avec les Hells Angels.

De tous les témoignages entendus durant les audiences d'arrêt des procédures, le plus intrigant ne concerne pas la fameuse identification photo et n'est pas cité dans la décision du juge Cacchione.

Le témoignage en question a été déposé par le caporal Vernon Fraser, qui est le premier officier de la GRC de Halifax à avoir contacté Blinn après que Simard eut avoué avoir tué MacFarlane. Fraser avait appelé Blinn le 17 avril à la demande de Tom Townsend, lequel s'était envolé vers Montréal la veille en compagnie de Gordon Barnett pour vérifier les dires de Simard. Blinn était en vacances à St. Louis au Missouri à ce moment-là, mais Fraser était tout de même parvenu à le retracer. Incroyablement, Fraser affirme que Blinn lui a dit qu'il s'attendait à recevoir un appel au sujet de Kane et de Simard. « Il avait suivi les détails du meurtre de MacFarlane dans les journaux, raconte Fraser, et avait fait le lien avec Kane et Simard. »

Si Blinn savait ou soupçonnait que les deux hommes qu'il avait contrôlés au Nouveau-Brunswick étaient les meurtriers de MacFarlane, pourquoi n'avait-il pas signalé la chose aux autorités concernées ? Blinn avait justifié cette grave omission en disant à Fraser que « l'automobile de Simard ne correspondait pas au type de véhicule qu'on cherchait ». Claude Blanchard avait effectivement toujours insisté sur le fait que la voiture des assassins était une Lumina munie d'un aileron arrière. Pourquoi en ce cas Blinn prétendait-il savoir qu'on le contacterait au sujet de Kane et Simard ? Son explication ne tenait vraiment pas la route.

St-Onge avait contacté Blinn peu après le contrôle routier d'Oromocto. Or, certaines personnes croient que c'est cette conversation téléphonique qui a poussé Blinn à taire ses soupçons à ses collègues. On ne sait rien des propos échangés entre Blinn et St-Onge à cette occasion – ayant subi un traumatisme crânien grave dans l'exercice de ses fonctions en 1999, Blinn ne se rappelle même pas que cette conversation a eu lieu –, toutefois il est probable que le discours de St-Onge était le suivant : « Kane est impliqué pour nous dans des activités secrètes que votre intervention risque de compromettre. Faites comme si le contrôle routier n'avait jamais eu lieu. » Un tel avertissement aurait très certainement suffi à inciter Blinn au silence.

À son retour de vacances en janvier 1999, Gaétan St-Onge recevra un appel de Kane. Le policier consignera sur papier tous les détails de cet échange téléphonique.

Kane dit avoir appelé simplement pour « avoir des nouvelles », ce qui est plausible considérant que les deux hommes ne se sont pas parlé depuis plus d'un an. St-Onge s'était pourtant beaucoup préoccupé de son ex-informateur ces derniers temps. Le 11 décembre, soit moins d'un mois auparavant, St-Onge avait soumis avec Pierre Verdon et Jean-Pierre Lévesque un rapport qui faisait suite à la cinglante évaluation que le sergent d'état-major Pierre Bolduc avait faite de leur travail avec Kane. Dans sa réponse, St-Onge précise que c'est par pur hasard qu'il avait découvert le rapport de cette étude ; il avait en effet été informé de l'existence de l'évaluation de Bolduc par un procureur qui disait l'avoir reçue par erreur.

Voulant à tout prix défendre leur réputation, St-Onge, Verdon et Lévesque mettront cinq mois à rédiger leur réplique. Il en résultera un rapport de 23 pages dans lequel ils nient ou justifient point par point chaque interprétation, spéculation et allégation avancée par Bolduc. L'amertume des trois policiers est évidente lorsqu'ils écrivent en conclusion : « Toute cette affaire a grandement diminué notre intérêt à développer à nouveau des sources de ce calibre. »

Une section particulièrement intéressante tente d'expliquer pourquoi Kane avait refusé de devenir délateur ou de se placer sous protection policière après son arrestation. « La source n'est pas idiote, écrit St-Onge. Très analytique et intelligente, elle risque le tout pour le tout. Si elle avoue ou vire de bord, elle ira en prison. Si elle est trouvée coupable, elle ira en prison. Si elle est acquittée, elle sera libre et deviendra un héros motard. »

Si Kane n'a rien d'un « héros motard » en ce début de janvier 1999, il a du moins d'excellentes références en tant qu'associé de la bande. Dans le rapport de sa conversation avec Kane, St-Onge écrira qu'il lui a clairement fait comprendre qu'ils en étaient arrivés à la fin de leur relation :

> J'ai profité de l'occasion pour l'informer que nous ne ferions plus affaire ensemble pour les raisons suivantes :
>
> Qu'il serait identifié facilement puisque quand il s'est fait arrêter nous avons cessé de transmettre de l'information et qu'en recommençant une fois qu'il serait libéré, cela confirmerait presque son identité. Aussi certains policiers, au courant du milieu, pensent déjà qu'il est source à la suite de cette explication.
>
> Que nous n'avons plus d'argent, et même au retour du nouveau budget, jamais la GRC n'autoriserait des montants aussi élevés.
>
> Que mes patrons n'ont plus confiance en lui à la suite de ce qui est arrivé. Il a très bien compris ces explications, mais il était quand même déçu et ne regrette pas son expérience avec nous.

Les raisons que St-Onge invoque découlent d'une note de service particulièrement sévère que le capitaine Jacques Houle, le coordonnateur des sources à la GRC de Montréal, avait fait circuler le 21 décembre, trois jours après que le juge Cacchione eut accordé l'arrêt des procédures visant Kane : « Nous ne pouvons pas à la GRC faire confiance à cette source. C-2994 nous a menti, a caché des choses, et il ne serait pas prudent de continuer à faire affaire avec cette personne, peu importe ce qui arrivera dans l'avenir ; cet individu devra être classé comme indésirable pour notre organisation. »

Houle omet de mentionner que les circonstances qui ont mené à la libération de Kane dans le procès MacFarlane sont une autre raison pour laquelle la GRC ne veut plus faire affaire avec lui. D'une certaine manière, la GRC ne pouvait espérer de résultat plus satisfaisant qu'un procès nul et un arrêt des procédures ; en évitant que Kane soit incarcéré tout en préservant son anonymat d'informateur, elle avait accompli l'impossible. Mais d'un autre côté, il n'y avait pas lieu de crier victoire puisque les hauts dirigeants de la GRC considéraient désormais Kane comme un scandale ambulant : non seulement il avait été impliqué dans un meurtre alors qu'il était informateur pour la GRC, mais il avait obtenu un procès nul grâce aux témoignages confus et contradictoires de plusieurs officiers de la Gendarmerie. Pareil scandale ferait les délices des médias s'il était exposé au grand jour.

Dans les derniers paragraphes de son rapport, St-Onge laisse entendre que la GRC risque de commettre une grave erreur en reléguant Kane aux oubliettes : « Il [Kane] m'a répété qu'il avait fait du temps dur et que maintenant cela joue en sa faveur vis-à-vis de ses proches. » Kane savait sans doute déjà à ce moment-là que la police aurait bientôt besoin de son aide dans sa campagne contre les motards.

Le 27 novembre 1998, Mom Boucher avait été acquitté des meurtres des gardiens de prison, un verdict tout à fait prévisible pour tous ceux qui avaient suivi le procès de près. Durant son contre-interrogatoire, Jacques Larochelle, l'incisif et impitoyable avocat de Mom, avait démoli Gagné en faisant la chronique de son passé axé sur le crime et le mensonge. Ses virulentes attaques avaient forcé Gagné à admettre, en bafouillant nerveusement, que le jury ne pouvait pas se fier à sa parole pour condamner l'accusé.

Kane mentionnera le procès de Boucher lors de sa conversation avec St-Onge. Selon lui, la justice avait gaspillé l'argent du contribuable en s'en prenant au chef des Nomads. « Il [Kane] dit que nous ne pouvons pas imaginer à quel point Boucher est sorti gagnant de ce procès et la puissance qu'il a acquise, rapporte St-Onge. Il est considéré comme un dieu. La source a dit que l'affaire des gardiens de prison, ce n'était rien comparé à ce qui s'en vient. »

Au terme de la conversation, St-Onge invitera Kane à la prudence en lui disant que d'autres forces policières allaient probablement l'approcher bientôt pour lui proposer de devenir informateur pour leur compte. « Il a répondu que jamais il ne "dealera" avec d'autres que nous » d'écrire St-Onge.

Le policier termine son rapport en précisant que Kane et lui se sont laissés « en bons termes », ce qui est étonnant considérant qu'après son arrestation en avril 1997, l'informateur était convaincu qu'il s'était fait royalement avoir par la GRC. Son attitude aurait donc changé du tout au tout depuis ce temps ? S'il croyait vraiment que le corps policier pour lequel il avait tant risqué l'avait trahi en le jetant en prison, alors pourquoi contactait-il son ancien contrôleurs moins de deux semaines après sa libération comme s'il voulait reprendre le collier ? Kane croyait-il que, loin de l'abandonner, ses amis de la Gendarmerie avaient orchestré l'annulation de son procès afin qu'il puisse reprendre ses activités d'espion ?

À cette époque, Kane vit à peu de frais et demeure toujours chez ses parents bien que plus rien ne l'y oblige. Wolf Carroll et Pat Lambert lui prêtent de l'argent au besoin, mais Kane n'est pas satisfait de cette situation : ce qu'il désire par-dessus tout, c'est renouer avec les Hells Angels pour gagner au plus vite un maximum d'argent – depuis l'acquittement de Mom Boucher, les Hells ont plus que jamais le vent dans les voiles. La perspective de recommencer au bas de l'échelle ne l'enchante guère ; néanmoins, Kane est prêt à faire ce sacrifice pour reprendre le cours de sa palpitante vie criminelle, avec tous les avantages financiers que cela suppose.

Empressé de rétablir sa situation financière, Kane commence à explorer cette avenue lucrative qu'est la récupération de dettes. Dans l'économie en grande partie clandestine des milieux criminels, le placement et le blanchiment de fonds sont des problèmes constants. Mais qui dit problème dit occasion : ne pouvant faire fructifier qu'une infime partie de leur argent par le biais d'investissements et d'entreprises légitimes, les organisations criminelles se sont tournées vers le prêt usuraire. Ce type d'activité s'avère particulièrement intéressant pour les Hells Angels les plus fortunés. Or, comme ces banquiers motards ne sont pas habilités à saisir la propriété ou le salaire d'un débiteur, ils ont recours à des hommes de main pour obtenir leurs arrérages. Et comme ces usuriers imposent des taux d'intérêts astronomiques, les emprunteurs se retrouvent très vite avec un compte en souffrance.

Dans les premiers mois de 1999, donc, Kane se lance dans la récupération de dettes. Les débiteurs qu'il aborde se montrent généralement disposés à payer ce qu'ils doivent, mais ils n'en ont pas toujours les moyens. Le travail de Kane consiste à faire comprendre à ces individus qu'il est dans leur intérêt de vendre voitures, chalets ou maisons le plus rapidement possible pour régler leur dû. Contrairement à ce que l'on pourrait croire, Kane ne doit recourir que très rarement aux menaces ou à la violence physique ; le plus souvent, ses clients s'effraient eux-mêmes en imaginant quelque sordide et funeste pénalité. Cela dit, il doit parfois jouer les durs et rudoyer un brin le client, ne serait-ce que pour faire bonne figure. À cet effet, Kane a entrepris de regagner la masse musculaire perdue durant son incarcération. Sa maigreur avait joué en sa faveur devant les tribunaux, le plaçant aux antipodes du molosse musclé et patibulaire que Blinn avait décrit ; cependant, il ne peut faire la loi dans les rues et les bars où il exerce son nouveau métier qu'en redevenant le colosse menaçant d'avant. Kane s'est remis au régime de stéroïdes peu après sa libération et a même commencé à vendre des substances anabolisantes à ses amis motards.

Patricia ne se formalise pas du fait que Kane renoue avec la bande à son retour de Halifax. Elle ne se fait aucune illusion à son sujet, s'étant bien douté qu'il ne se transformerait pas miraculeusement en honnête citoyen dès sa sortie de prison. Comme précédemment, elle préfère en savoir le moins possible sur ses activités. La jeune femme sera cependant agréablement surprise de découvrir que cette incarcération, au cours de laquelle Dany a passé le cap des 30 ans, a transformé son amoureux, sans doute parce qu'il a célébré son trentième anniversaire en prison et a eu amplement le temps de réfléchir.

Toujours aussi constant quant à son choix de carrière, Kane veut par contre devenir un nouvel homme sur le plan relationnel. Son séjour en prison l'a transformé physiquement, mais émotionnellement aussi. « Il voulait être comme tout le monde, faire des choses en famille, se souvient Patricia. C'était bizarre au début parce qu'il empiétait sur mon territoire avec les enfants. Il est devenu tout à coup très axé sur la vie de famille. »

La nouvelle attitude de Kane était d'autant plus inattendue que Patricia et lui avaient convenu de se séparer. La jeune femme avait connu des moments difficiles pendant que Dany était en prison. Elle avait appris par ailleurs que, outre la possibilité d'une autre incarcération, partager sa vie avec un criminel comporte certains désavantages – un souper de la Saint-Valentin perd beaucoup de charme lorsque vous devez le partager avec les deux copains criminels que votre petit ami a aimablement délégués pour le remplacer parce qu'il est en prison. De son côté, Kane trouvait Patricia trop exigeante et intransigeante. La plupart de ses copains motards avaient choisi une partenaire docile ; Kane se demandait parfois s'il n'aurait pas été plus heureux avec une compagne plus soumise.

Tous ces problèmes de couple étaient bien réels ; n'empêche que Patricia ne s'attendait pas à ce que Dany se montre si tendre et affectueux à sa sortie de prison. « Après Halifax, raconte-t-elle, notre relation est devenue une sorte de thérapie de couple. Dany tenait absolument à *communiquer*. » La jeune femme se fatiguera vite de l'engouement de Kane pour la croissance personnelle et de sa manie de toujours rabâcher des problèmes déjà résolus, des incidents depuis longtemps oubliés. « Il pensait qu'il avait découvert une recette magique pour que notre relation fonctionne. Je lui ai dit que ces affaires-là, ça marchait peut-être pour les Blancs, mais qu'avec moi ça marcherait pas. »

Bien des hommes estiment qu'une séparation d'avec leur conjointe leur donne le droit de coucher avec qui bon leur semble. Cela est d'autant plus vrai lorsque l'homme en question sort de prison et fait partie d'un milieu aussi macho que celui des motards. Il est donc étonnant de constater qu'à son retour de Halifax Kane semble davantage intéressé à se réinventer émotionnellement qu'à se vautrer dans les plaisirs de la chair. Son premier moment de faiblesse surviendra plusieurs mois après sa libération et Kane ressentira immédiatement le besoin de s'en confesser.

« J'ai couché avec la gardienne, annoncera-t-il tout de go à Patricia.

— Et puis ?

— Je te dis que j'ai *couché* avec la *gardienne*.

— Est-ce que c'était bon ? répliquera Patricia sans se démonter. »

La jeune femme sait que la meilleure façon de garder un homme est de feindre l'indifférence face à ses incartades. Au début de sa relation avec Dany, elle avait érigé de solides défenses pour se protéger contre ses inévitables écarts de conduite. Néanmoins, à cette occasion, Patricia est profondément touchée de la contrition inattendue de son amoureux.

Les efforts de croissance personnelle de Kane s'étendent également à son comportement en société et à sa tenue vestimentaire. Patricia lui enseignera à sa demande les règles de l'étiquette et du savoir-vivre : elle lui apprendra que l'on doit saluer chaque personne individuellement lorsqu'on entre dans une pièce, que l'on doit apporter un petit cadeau à l'hôtesse d'un souper ; elle l'aidera à choisir en tous temps des vêtements de circonstance et l'amènera faire du shopping dans le Village gai, secteur de la ville où se trouvent les boutiques de vêtements pour hommes qu'elle préfère. Ces incursions auront pour effet de dissiper les doutes de la jeune femme quant à l'orientation sexuelle de son compagnon. Sans être homophobe, Kane se montre craintif à l'égard des homosexuels. Il ne veut pas que les vendeurs le touchent lorsqu'il essaie un vêtement et serre très fort la main de Patricia chaque fois qu'ils croisent un couple gai rue Sainte-Catherine.

Ce curieux état de choses amène Patricia à se questionner sur l'implication de Dany dans l'affaire MacFarlane. Après tout, se dit-elle, si Aimé Simard a menti au sujet de sa relation amoureuse avec Dany, il a probablement menti également quant à sa participation dans le meurtre de MacFarlane. Dans sa transparence émotionnelle et son désir de communiquer, Kane n'ira pas jusqu'à confesser ses crimes les plus graves à sa compagne. Il dira à Patricia que Simard et la GRC avaient tenté de lui tendre un piège, mais que les choses avaient mal tourné pour eux. «Un jour où on était seuls tous les deux, je lui ai demandé s'il avait tué MacFarlane, se souvient Patricia. Il m'a dit: "Fais-moi confiance, je ne suis pas un tueur." Et moi, je l'ai cru.»

Patricia accepte que Dany ait réintégré le milieu des motards, mais n'approuve pas qu'il ait recommencé à prendre des stéroïdes. Ces substances le rendent plus agressif, plus enclin à réagir de manière irrationnelle. Pour ce couple qui a toujours été très porté sur la chose, les anabolisants ont un autre effet indésirable: bien que donnant à l'homme l'apparence de la virilité, les stéroïdes, ironiquement, réduisent sa libido et ses capacités érectiles.

Mais il y a une autre raison, plus fondamentale celle-là, pour laquelle Patricia s'oppose à l'appétit renouvelé de Kane pour les stéroïdes. Dans les premiers mois de 1999, période où leur couple s'emploie à régler ses différends et à soupeser ses perspectives d'avenir, Kane envisage de célébrer le nouveau millénaire avec la naissance d'un nouvel enfant – un rêve qu'il nourrit depuis son séjour en prison. Au printemps 1999, Patricia accepte enfin de lui accorder ce vœu.

Il ne fait aucun doute que Kane a usé de ses nouveaux talents de communicateur pour convaincre Patricia d'avoir un enfant avec lui. En ce qui concerne les enfants qu'il avait eus avec Josée, Dany admettait volontiers qu'il n'avait pas été un père idéal, mais il s'empressait toujours de dire à Patricia qu'il aurait un comportement très différent avec l'enfant qu'elle lui donnerait. Kane soutient que, cette fois, il veut être le père qu'il n'a jamais été pour Benjamin, Guillaume et Nathalie ; pour ce petit dont il rêve, il serait le parent que lui-même, tiraillé entre sa mère, son père, sa tante et son oncle, n'a jamais eu. Il assumerait cette fois une présence assidue et s'impliquerait activement dans la vie de son enfant. Tous ces beaux discours réussiront à convaincre Patricia.

Le couple commencera bientôt à discuter de la possibilité d'emménager de nouveau ensemble. Kane lui fera visiter la maison de Saint-Luc à la fin du printemps après l'avoir achetée pour la somme de 250 000 $. Le prix est excessif compte tenu de l'état du marché, mais Kane n'en a cure. De toute manière, grâce aux contacts d'un agent immobilier peu scrupuleux, le motard n'aura qu'à verser une mise de fonds de 3 692,50 $ sur la propriété. Connaissant les lois qui concernent les produits de la criminalité, Kane ne mettra bien évidemment pas la maison à son nom, l'enregistrant plutôt aux noms de Dominique, le frère de Josée, et de Serge Tremblay, une connaissance qui lui a déjà servi de prête-nom par le passé.

Empressé de quitter le domicile familial, Kane emménage dans sa nouvelle demeure en juillet. Tout au long de l'été, Patricia y passera ses week-ends et viendra à l'occasion y passer la nuit en semaine, mais elle ne s'y installera véritablement qu'en septembre. C'est à l'occasion d'une de ses visites estivales qu'elle fera un test de grossesse à domicile. Lorsque le diagnostic s'avère positif, Kane a peine à contenir sa joie et appelle aussitôt sa famille et ses amis pour leur annoncer la nouvelle. Il ne pouvait pas se douter du sort qui l'attendait avant la fin du premier trimestre.

Kane apprend à cette même époque une autre excellente nouvelle : les Rockers vont enfin lui accorder le statut de membre en règle. L'honneur perdra toutefois un peu de son lustre lorsque Kane apprendra que sa promotion s'inscrit dans une vaste campagne de recrutement : la bande compte grossir rapidement ses effectifs pour se subdiviser ensuite en plusieurs chapitres qui couvriront tout le territoire montréalais.

Bien qu'il ne se passe presque plus une réunion sans qu'un nouveau membre se fasse « patcher », Kane se sent honoré – et très soulagé – d'obtenir enfin ses couleurs. C'est pour lui comme un grand pas en avant, la preuve qu'il possède les aptitudes nécessaires pour réussir dans l'univers sauvage des Hells Angels. Le spectre d'Aimé Simard, ce traître qu'il a amené dans la bande et qui l'a ridiculisé, ne porte désormais plus ombrage à sa carrière de motard. Patricia se rappelle qu'elle avait feint d'être aussi heureuse que son compagnon à l'annonce de la nouvelle. Ce n'était pas qu'elle ne voulait pas que Dany devienne membre en règle des Rockers ; elle ne saisissait tout simplement pas la portée d'une telle promotion.

« Est-ce que ça paie bien d'être un Rocker ? avait-elle demandé.

— Non, répondit Kane, ça coûte de l'argent. Il faut payer 10 % de ce qu'on gagne par mois à la bande, pour un minimum de 500 $.

— Qu'est-ce que ça donne alors de devenir membre ?

— Ça t'ouvre des portes et ça fait que les autres te respectent. »

Avec un bébé en route, une nouvelle maison et un titre officiel dans une organisation lucrative et en pleine expansion, Kane semble destiné à une vie coquette et peinarde de banlieusard. Tout ce qui lui manque, c'est un revenu stable, chose que sa *patch* seule ne peut lui garantir. Dany sait fort bien qu'au Québec les motards sans le sou sont beaucoup plus nombreux que les motards multimillionnaires. Bon nombre de ses collègues n'ont même pas de quoi payer leur loyer ou leur redevance mensuelle à la bande.

Malmener des connards endettés pour un pourcentage des fonds recueillis et vendre des petites quantités de coke et de stéroïdes sont des activités passablement lucratives, mais Kane vise beaucoup plus. Or, le problème est que, même armé de ses nouvelles couleurs, il ne peut espérer d'expansion significative vu que des Hells qui ont plus d'ancienneté que lui contrôlent déjà l'essentiel de ces opérations dans la métropole et à travers toute la province. Dans d'autres sphères d'activité, la compétition n'est pas moins féroce, sans compter qu'il lui faudrait acquérir de nouvelles aptitudes pour avoir une chance d'y réussir. La piraterie routière, les combines de télémarketing et la culture hydroponique de la marijuana sont des domaines très populaires auprès des autres membres et sympathisants de la bande, mais ce sont également là des activités auxquelles Kane ne connaît rien.

La fin de l'été approche. Dans les champs qui entourent Saint-Luc, le maïs s'élève à hauteur d'homme. Tout cela rappelle à Kane que les périodes d'austérité succèdent invariablement aux saisons d'abondance. Cette constatation incite le motard à se tourner de nouveau vers une entreprise lucrative et familière qui ne nécessitera aucun investissement initial de sa part, une entreprise beaucoup plus excitante que la récupération de dettes et le trafic de la drogue. À la fin de l'été 1999, Dany Kane décide de redevenir informateur.

CHAPITRE 19

Une nouvelle alliance

Les circonstances qui entourent le retour de Kane au métier d'informateur sont plutôt nébuleuses. Ici encore, la version officielle des faits est douteuse et très contestée.

La légende va comme suit. Par un jour d'août 1999, le sergent-détective Benoît Roberge de la police de Montréal est assis dans son bureau à se morfondre. Le policier est dans l'embarras parce qu'aucune de ses sources actuelles ne lui fournit de renseignements utiles et fiables. Ce dont il a besoin, c'est d'un informateur aussi efficace que Dany Kane l'avait été pour Pierre Verdon et Gaétan St-Onge, ses copains de la GRC. Après avoir longuement réfléchi au problème, Roberge en arrive à une conclusion d'une simplicité époustouflante : la seule personne qui pourrait devenir le nouveau Dany Kane est l'ancien Dany Kane !

Kane était en prison à Halifax lorsque le SPCUM, incluant Roberge, avait tiré sa révérence à l'escouade Carcajou. La police de Montréal avait justifié son retrait en disant que les hostilités entre les bandes de motards avaient cessé depuis six mois déjà, ce qui signifiait selon elle que la paix avait définitivement été rétablie dans les rues de la métropole. Une histoire difficile à avaler, considérant qu'il était de notoriété publique que le SPCUM s'était retiré de Carcajou en raison des frictions l'opposant aux policiers de la SQ et de la GRC.

Après avoir été acquitté du meurtre des gardiens de prison, Mom Boucher était devenu presque intouchable. Mus par un puissant sentiment d'invincibilité, les Hells Angels lancent alors une nouvelle offensive contre les membres restants de l'Alliance et des Rock Machine, mais aussi contre le système judiciaire. En avril, on découvre des bombes à l'extérieur de cinq postes de police montréalais. Fidèles à eux-mêmes, les motards ont employé des détonateurs défectueux, si bien que les charges n'ont pas explosé. La police n'en a pas moins reçu le message des Hells cinq sur cinq. Kane avait donc eu raison lorsque, en janvier, il avait averti St-Onge que le pire restait à venir.

Fort heureusement, la police bénéficie désormais de l'appui d'une nouvelle loi antigang : proposé après l'attentat à la jeep piégée qui avait causé la mort du jeune Daniel Desrochers, le projet de loi C-95 avait été adopté en 1997. Considérant qu'il serait trop onéreux de prouver hors de tout doute l'implication d'un prévenu dans une organisation criminelle, les procureurs jugent la loi impraticable mais n'en sont pas moins empressés de la mettre à l'épreuve.

Au milieu de 1999, après la découverte des bombes des postes de police, les différentes forces policières du Québec amorceront une nouvelle tentative de collaboration en fondant une série d'escouades régionales mixtes (ERM). En tant qu'enquêteur spécialiste des motards au SPCUM, Benoît Roberge, qui ne fait désormais plus partie de Carcajou, sera invité à se joindre à l'ERM de Montréal. Aussitôt intégré à la nouvelle équipe, Roberge aurait passé un coup de fil anonyme aux parents de Kane et leur aurait laissé un message disant qu'il était à la recherche de leur fils. Gemma Kane, la mère de Dany, aurait immédiatement rappelé Roberge et lui aurait donné sans hésiter le numéro de téléphone de Kane.

Dans les milieux criminels, policiers et judiciaires, on accorde peu de crédit à cette histoire. Gemma Kane ne se souvient pas du message de Roberge et soutient que, même si elle l'avait reçu, elle n'aurait certainement pas téléphoné à un étranger pour lui donner le numéro de Dany ; au contraire, elle aurait donné le numéro de Roberge à Dany pour lui laisser le choix de le rappeler ou non.

Par-delà ce détail, d'autres éléments viennent infirmer cette version des faits. Bien des gens estiment que Kane n'a jamais vraiment coupé les ponts avec ses anciens contrôleurs de la GRC. Il est probable que, dans les mois qui ont suivi sa libération, la rancœur que Kane entretenait à l'égard de policiers qui l'avaient trahi se soit estompée. Ce laps de temps aura par ailleurs permis à la GRC de surmonter ses scrupules et de renouer avec ce meurtrier présumé qu'était Kane. Même s'il n'y a eu aucun contact officiel entre Kane, Verdon et St-Onge durant cette période, il est presque certain que l'ex-informateur et ses contrôleurs ont conversé à l'occasion.

D'aucuns croient que Roberge n'est pas devenu le nouveau contrôleur de Kane par hasard. De tous les enquêteurs de Carcajou, c'était lui qui avait entretenu les liens les plus étroits avec Verdon et St-Onge. Il est même fort probable que Roberge savait depuis longtemps que Dany Kane et la source C-2994 ne faisaient qu'un. Dans leurs rapports concernant Kane, Verdon et St-Onge avaient souvent noté « Carcajou avisé », ce qui, selon certains policiers, signifiait tout simplement que Verdon avait discrètement révélé le contenu du rapport à Roberge – qui, on s'en souviendra, partageait le même bureau que Verdon dans les locaux de Carcajou. Un enquêteur de la SQ qui travaillait pour l'escouade croit que Verdon était une source codée pour Roberge au même titre que Kane en était une pour Verdon. Aux yeux de certains sceptiques, la création du tandem Roberge/Kane en août 1999 n'était que la manifestation officielle d'une relation ébauchée officieusement longtemps avant cette date. Mais tout cela n'est que spéculation puisque, à ses débuts, la relation entre Roberge et Kane demeurera secrète ; seuls les supérieurs du sergent-détective seront mis au courant de cette nouvelle alliance.

Que les choses se soient ou non déroulées ainsi, il reste que Kane a activement cherché à devenir informateur pour l'ERM de Montréal. Le mercredi 18 août, à l'occasion d'un premier échange téléphonique documenté avec Roberge, Kane se montrera réceptif et acceptera de le rencontrer le lundi suivant. Le samedi matin à 8 h 30, soit deux jours avant la date de ce premier rendez-vous, Kane téléphonera à Roberge pour lui annoncer que les Rockers ont tenté d'éliminer un des leurs, en l'occurrence Stephen Falls, le Rocker que Danièle Roy a défendu dans l'affaire Caissy.

Kane ne parlera pas des événements qui ont précédé cette tentative de meurtre. Il ne dira pas à Roberge qu'il était allé en Nouvelle-Écosse quelques jours auparavant en compagnie de Falls et de Wolf Carroll pour espionner Randy Mersereau, un ancien motard qui avait quitté les Hells Angels pour devenir dealer indépendant et que Carroll avait décidé d'éliminer. Kane ne précisera pas non plus pourquoi Falls n'était plus dans les bonnes grâces de la bande. Même s'il tait certains détails de l'affaire, Kane n'en démontre pas moins, du simple fait de son appel, qu'il est prêt à reprendre le collier et que, renonçant à ses habitudes passées, il n'a pas nécessairement l'intention de soutirer de l'argent à la police à la moindre occasion. Ce geste spontané et en apparence désintéressé de Kane contribuera à le réhabiliter aux yeux des dirigeants de l'escouade.

Le 23 août, Kane passera quatre heures dans une chambre d'hôtel du West Island – secteur de la ville qui demeure *terra incognita* pour la plupart des motards montréalais – en compagnie de Roberge et du sergent Robert Pigeon, un enquêteur de la SQ bénéficiant d'une longue expérience du crime organisé. Durant la rencontre, Kane nommera les membres des Nomads et des Rockers et décrira leurs activités; il dira avec qui ces hommes font affaire et précisera depuis combien de temps chacun d'eux est impliqué dans le milieu. Kane décrira également en détail le système de redevances des Rockers ainsi que le déroulement de leurs réunions mensuelles. Au cours de ces messes présidées par un membre des Nomads, chaque Rocker doit verser 10 % de ses revenus du mois à la bande. Les motards ne sont informés du lieu et de l'heure de chaque réunion qu'à la veille de sa tenue – ce sont les *strikers* de la bande qui relaient cette information aux membres. Mis à part les coûts opérationnels du club, qui sont minimes, les frais d'avocat et les dépenses reliées aux occasionnelles fiestas, Kane ignore où va l'argent de la dîme.

Kane apprend ensuite à ses contrôleurs que Stephen Falls, Sandman de son surnom, a été ciblé parce qu'il doit trop d'argent à la bande. Kane sait aussi pourquoi Claude-Grégoire McCarter, son copain de Saint-Jean, a été éliminé durant l'été 1997. À cette époque, la police avait effectué une série de razzias visant l'équipe de base-ball des Rockers. McCarter, qui faisait partie de cette équipe, avait éveillé les soupçons de ses collègues parce qu'il ne se faisait jamais pincer lors de ces descentes, échappant chaque fois mystérieusement aux autorités. La bande en avait conclu qu'il était informateur. «Il était également connu comme un voleur», d'ajouter Kane.

Convaincu d'avoir rempli ses engagements de belle façon, Kane sent que le moment est venu de parler affaires. Ayant gravi quelques échelons dans la hiérarchie des motards, il estime que la police lui doit elle aussi une promotion : de simple informateur, il veut devenir agent source. Si la police accédait à sa demande, son rôle ne se résumerait plus à communiquer des renseignements aux autorités ; en devenant agent source, Kane s'engage non seulement à porter sur lui un micro-émetteur, lequel permettra à la police de recueillir des preuves matérielles, mais aussi à témoigner en cour contre ses confrères motards.

Kane entend vendre ses faveurs à prix fort. Il veut que la police paie toutes les dépenses rattachées à ses activités de membre *full patch* des Rockers, plus un salaire hebdomadaire. Estimant que les revenus découlant de ses activités criminelles s'élèvent à 4 000 $ par semaine, il s'attend à ce que la police lui donne autant, voire plus, pour ses services en tant qu'agent source. Sans mentionner de montant précis, Kane laisse entendre qu'il compte recevoir une prime de plusieurs millions au terme de l'enquête dans laquelle il sera impliqué. Par-delà les gratifications pécuniaires, il exige qu'on lui fournisse ensuite une nouvelle identité, une nouvelle adresse dans l'Ouest canadien ou aux États-Unis ainsi qu'une formation dans un métier de son choix – les autorités devront bien sûr l'aider ensuite à se dénicher un emploi stable. Lorsque tout sera dit, Kane veut qu'on lui délivre un permis de port d'arme pour qu'il puisse veiller à sa protection personnelle.

Impressionnés du « très bel aperçu des activités et associations des Hells Angels du Québec » que Kane a dressé à leur intention, Roberge et Pigeon font parvenir à leurs supérieurs les 15 pages de notes rédigées lors de la rencontre, tantôt dans la calligraphie serrée et lilliputienne du premier et tantôt dans le graphisme arrondi du second. Les deux policiers espèrent que cela suffira à convaincre les hautes instances de l'ERM de l'importance d'une collaboration avec Kane. Roberge et Pigeon garderont toutefois pour eux seuls les cinq pages qui concernent les extravagantes exigences pécuniaires de leur agent source potentiel.

Kane téléphonera à Roberge dès le lendemain pour lui livrer d'autres bribes d'informations concernant ses collègues motards. Le jour suivant, il rencontrera Pigeon et Roberge pour la seconde fois et discutera pendant deux heures avec eux des conditions d'une éventuelle entente. Si Kane a donné des chiffres précis quant aux compensations financières qu'il escomptait, la chose n'est pas documentée. Une chose est certaine, c'est que les deux policiers lui ont bien fait comprendre qu'il n'en revenait pas à eux de décider du montant de sa rémunération : Kane aura à négocier son contrat avec les gestionnaires de l'ERM de Montréal.

Conscient qu'il ne pourrait marchander des conditions plus avantageuses qu'une fois devenu indispensable, Kane accepte de commencer à travailler comme agent source pour la maigre somme de 750 $ par semaine. Seul autre avantage : certaines de ses dépenses lui seront remboursées.

Les notes de Roberge indiquent que Kane ne recevra sa première paie que deux semaines plus tard. Le motard continuera malgré tout à se montrer merveilleusement communicatif avec ses nouveaux contrôleurs, leur révélant tout des projets d'expansion des Rockers. Selon lui, la bande compte étendre son territoire en s'associant avec la famille Pelletier dans l'est de la ville, avec le clan Dubois dans le sud-ouest et avec « les Italiens ». L'une des tâches de Kane consiste à trouver un repaire pour la bande sur la Rive-Sud ; ses confrères l'ont par ailleurs chargé de commander des chandails et des bijoux à l'effigie des Rockers.

Kane sera aidé dans sa quête d'un repaire par Francis Boucher, fils et héritier présomptif de Mom Boucher. De son présent statut de Rocker, le jeune motard de 24 ans veut accéder à celui de membre en règle des Hells Angels. Pour prouver sa valeur, Francis voit à l'expansion et à la diversification des activités commerciales de la bande. Les drogues chimiques telles que le PCP, le LSD et les amphétamines constituent son domaine de prédilection. Bien que sérieusement diminués, les Rock Machine continuent à contrôler cette facette du marché de la drogue que les Hells ont trop longtemps négligée. Le fils de Mom propose à Kane de s'associer à lui et à son père dans cette entreprise, ce qui peut signifier deux choses : soit les Boucher font confiance au nouveau Rocker, soit ils cherchent à l'exploiter.

Wolf Carroll et Walter Stadnick ont eux aussi une proposition à faire à leur ancien protégé. Aidés de Donald « Pup » Stockford, Carroll et Stadnick se préparent à se lancer à l'assaut de ce bastion jusque-là imprenable qu'est l'Ontario. Les trois motards veulent que Kane leur prête main-forte dans leur avancée sur la 401, avancée qui, espèrent-ils, les mènera à s'emparer d'abord de Kingston, puis de Belleville et finalement de Toronto.

Kane répétera à ses nouveaux contrôleurs une chose qu'il avait dite à ses contacts de la GRC, à savoir que Stadnick est responsable de la mort de Steinert et de Magnussen. Les Hells avaient cumulé les griefs à l'endroit de ces deux confrères téméraires, irrévérencieux et par trop ambitieux : Steinert et Magnussen en voulaient toujours plus ; ils n'hésitaient pas à piétiner les membres confirmés de la bande pour arriver à leurs fins ; ils ignoraient la signification du mot « respect ».

Les renseignements que Kane divulgue à ses nouveaux amis policiers sont de la même eau que ceux qu'il fournissait à la GRC, en ce sens qu'ils entrent dans la catégorie *nice to know* – bons à savoir, mais sans plus. Ayant tiré de précieuses leçons des erreurs commises par Verdon et St-Onge, Roberge et Pigeon ne comptent pas laisser Kane les entraîner dans ce même bourbier où s'étaient enfoncés leurs deux collègues de la GRC, c'est pourquoi ils exigent une transparence absolue de la part de leur agent source. Il semblerait que Kane ait consenti à ce niveau de coopération, puisque dans la dernière semaine de septembre il annoncera à ses contrôleurs que la bande l'a chargé d'éliminer un dealer de la Nouvelle-Écosse qui nuit aux Hells Angels et à leurs sympathisants.

Après que les Hells Angels eurent tenté de l'éliminer, Stephen Falls s'était rallié à leurs ennemis. Il s'était associé à Montréal aux membres restants des Rock Machine et à certains éléments de la West End Gang ; en Nouvelle-Écosse, il avait trouvé refuge auprès de Randy Mersereau et de ses associés. Les Rockers et les Nomads prennent la désertion de Falls très au sérieux, et pour cause : celui-ci connaît tout d'eux, leurs adresses, leurs lieux de fréquentation, leurs activités, etc. Craignant une attaque, les Hells chargent des subalternes armés jusqu'aux dents de monter la garde auprès des membres des Nomads 24 heures sur 24, même durant leur sommeil.

Malgré cette protection supplémentaire, l'épouse de Denis Houle, un membre des Nomads surnommé « Pas Fiable » en dépit du fait qu'il est le bras droit de Mom Boucher, fera l'objet d'une tentative de meurtre à cette même époque. Le lundi 20 septembre 1999, Sandra Gloutney, 33 ans, quittait sa luxueuse résidence des

Basses-Laurentides quand un assaillant tapi dans les fourrés et armé d'une carabine semi-automatique a fait feu sur sa voiture à plusieurs reprises. Gloutney est atteinte à l'épaule ; une autre balle passera à quelques centimètres à peine de sa tête. Par bonheur, la conjointe de Houle aura le réflexe d'appuyer à fond sur l'accélérateur, ce qui lui permettra d'échapper au tir de son agresseur. Ce faisant, elle perdra la maîtrise de la Corvette bleu métallique flambant neuve de son mari ; la puissante voiture piquera du nez dans un fossé avant de culbuter cul par-dessus tête. Houle n'est pas à la maison au moment de l'incident. Il est prétendument parti en voyage de chasse ; cependant, Wolf Carroll – qui vit juste à côté et vient secourir Gloutney quelques minutes plus tard, coiffé d'une casquette de base-ball portant l'inscription « Hells Angels-Nomads » – confiera par la suite à Kane que Houle était en fait parti en Europe avec une de ses maîtresses.

Dans l'esprit des Hells, ce sont bien sûr Stephen Falls et ses nouveaux acolytes qui sont responsables de l'agression. « H. A. veut réagir », dira Kane à ses contrôleurs, signifiant par là que la bande criait vengeance. L'agent source rapporte que, deux jours après l'attentat, Wolf lui a demandé de se rendre à Halifax pour éliminer Randy Mersereau. Carroll perd beaucoup d'argent à Halifax à cause de Mersereau et de son réseau de stupéfiants. Les Hells sont par ailleurs convaincus que le dealer est de mèche avec les Rock Machine. « Les H. A. pensent que Randy finance les R. M., raconte Kane. Les H. A. savent que Falls est en vacances et que ses vacances sont payées par Randy. »

Comme si ces raisons ne suffisaient pas à justifier l'élimination de Mersereau, le bruit courait que celui-ci avait engagé un tueur pour assassiner Wolf Carroll, Mom Boucher ainsi que le président du chapitre de Halifax, Mike McCrea. La situation était d'autant plus navrante que Mersereau, tout comme Stephen Falls d'ailleurs, était un ancien Hells Angel qui avait fait de la prison pour la bande après le massacre de Lennoxville. Carroll, qui avait été l'ami de Mersereau du temps où celui-ci était membre de 13th Tribe, décide qu'il est temps de lui régler son compte et convie Kane à l'aider. Dany devait s'attendre à rester à Halifax plusieurs jours, voire plusieurs semaines, de dire Carroll ; il ne retournerait à Montréal que lorsque Mersereau serait six pieds sous terre.

« La source ne sait pas ce qu'elle va faire exactement, écrira Roberge, mais Randy et ses principaux associés doivent être éliminés. Par la suite, les Rockers et les Scorpions – une bande de dealers mineurs basés à Montréal dans le Village gai – devront aller saccager les bars et lieux de fréquentations de la gang à Randy. »

Kane sait fort bien qu'il ne peut pas simplement dire à Carroll qu'il ne veut pas participer au meurtre de Mersereau. Fidèle à sa promesse de transparence, il informera ses contrôleurs du complot, chose qu'il ne semble pas avoir faite pour ses contrôleurs de la GRC quand la bande l'avait chargé d'éliminer MacFarlane. Alors que Verdon et St-Onge avaient omis, volontairement ou non, de consigner certains détails dans leurs rapports, Roberge note scrupuleusement tout. Une fois informé du complot visant Mersereau, le policier mettra tout en œuvre pour le contrecarrer. Kane risquait d'être démasqué si la cible était alertée, aussi n'était-ce pas là une option viable. Pour préserver l'anonymat de l'agent source, il fallait que l'intervention de la police paraisse fortuite.

Le vendredi 24 septembre à 5 h du matin, Kane passe prendre Carroll à son pied-à-terre du centre-ville. Les deux motards rouleront bientôt vers l'est à bord de la Chevrolet Alero verte louée par Kane la veille. L'agent source a pris soin de communiquer à Roberge la marque, la couleur et le numéro de plaque du véhicule.

Comme à son habitude, Carroll bavarde tout le long du trajet. Il confiera à Kane que Stadnick, Stockford et lui n'ont pas Guillaume « Mimo » Serra à la bonne. Étoile montante du club, Serra ne s'intéresse qu'au pouvoir et à l'argent, ce qui selon Carroll est le cas de bien des nouveaux membres. À l'instar des autres vétérans et traditionalistes de la bande, Wolf déplore le fait que bon nombre de ces jeunes parvenus ne sont même pas amateurs de motos. Personne n'ose trop critiquer Mimo, cependant, vu qu'il est très proche de Mom Boucher.

Le sujet étant abordé, Carroll enchaîne en disant que Mom n'a pas la bosse des affaires. C'est un bon leader, ça oui, mais il est chanceux d'avoir Normand « Biff » Hamel à ses côtés. L'amitié entre Boucher et Hamel remonte à l'époque du club des SS. Les deux hommes ont obtenu ensemble leurs couleurs de Hells Angels, un jour de mai 1987 ; selon la police, c'est un meurtre commis quelques jours auparavant qui leur a valu cet honneur. Contrairement à Boucher, Hamel n'a que faire de la célébrité et préfère se concentrer sur les affaires. Carroll raconte ensuite que la dîme de 10 % que les Nomads imposent aux Rockers commence à représenter un joli magot : grâce à cette redevance, le club a pu entasser environ deux millions de dollars dans ses coffres.

Ayant pris la route de bon matin, les deux motards enfilent les kilomètres à vive allure, d'autant plus que les policiers de la SQ, qui sont en pleine négociation contractuelle, ont décidé, en guise de moyen de pression, de ne plus arrêter personne pour excès de vitesse sur les routes de la province – c'est du moins ce que l'on dit à la radio. Les politiciens et bureaucrates de Québec ne sont pas encore à leur poste que déjà la capitale n'est plus qu'un souvenir lointain dans le rétroviseur de Kane. Deux heures plus tard, les deux hommes atteignent l'embranchement où ils doivent quitter les berges du Saint-Laurent et bifurquer vers le sud en direction d'Edmundston, Nouveau-Brunswick.

Quelle n'est pas la surprise de Kane lorsque, en bordure de Rivière-du-Loup, les feux clignotants d'une auto-patrouille de la SQ lui signifient de se garer sur l'accotement. Le policier pose quelques questions aux deux hommes, puis demande à fouiller le coffre de leur véhicule. Dans ledit coffre, l'officier de la SQ découvre le pistolet-mitrailleur à silencieux dont Carroll ne se sépare plus depuis l'attentat contre l'épouse de Denis Houle, plus un .38 chargé.

Kane avait averti Roberge que les armes se trouvaient là. Tout se passait comme prévu.

Carroll et Kane passeront le week-end en prison à Rivière-du-Loup. C'est là qu'ils apprendront que, la veille de leur départ pour Halifax, quelqu'un les avait devancés et avait tenté de tuer Mersereau en faisant sauter le commerce d'autos usagées que celui-ci avait inauguré six semaines auparavant à Bible Hill. Incluant Mersereau, l'attentat avait fait sept blessés, dont deux grièvement. Le souffle de l'explosion avait projeté l'un des hommes à l'extérieur du bâtiment avec tant de force qu'il en avait perdu ses chaussures. Jusqu'à maintenant, personne n'avait consenti à coopérer avec les enquêteurs de la police.

Même incarcéré, Carroll poursuit son bavardage incessant, instruisant Kane – et par le fait même l'ERM – sur les rouages de l'organisation des Nomads. Il parlera de Michel Rose, un trafiquant de drogue établi qui a donné 10 kg de hasch à chaque membre des Nomads lorsque le club lui a accordé ses couleurs au mois de juin précédent. « Mike est bien vu, de dire Carroll. Il fait faire beaucoup d'argent aux Hells Angels. »

Carroll révèle à Kane l'existence d'un consortium de six motards – Boucher, Houle, Hamel, Rose, Gilles « Trooper » Mathieu et André Chouinard – à l'intérieur des Nomads même. Les membres de ce sous-groupe, qui n'a pas encore de nom à ce moment-là mais qui sera plus tard baptisé « la Table », se sont résolument positionnés au sommet de la chaîne alimentaire des Hells Angels en se donnant pour mandat de contrôler l'importation de stupéfiants pour la bande entière. Leur but ultime est de bâtir un empire en appliquant le modèle d'intégration verticale au trafic de la drogue, rien de moins. Pour ce faire, ils comptent former une alliance commerciale avec les organisations criminelles colombiennes, ce qui leur permettra d'importer des tonnes et des tonnes de cocaïne au Québec. Cette stratégie s'avérerait particulièrement lucrative lorsque les Nomads réaliseraient leur projet d'un monopole pancanadien, puisque cela obligerait tous les chapitres du pays à passer par eux pour s'approvisionner en stupéfiants.

Se découvrant soudain l'âme d'un motivateur, Carroll donne ensuite à son protégé quelques conseils concernant la gestion de sa carrière de motard. Si Kane aspire à devenir membre en règle des Hells Angels, voire de son chapitre d'élite, de dire Carroll, alors il doit approcher individuellement chaque membre des Nomads pour leur parler de ses ambitions. Il doit leur dire clairement qu'il veut devenir *hangaround*. « Tous les Nomads t'aiment beaucoup », d'assurer Wolf.

Dany apprécie la candeur de Carroll, mais il sait fort bien que ce qu'il dit est faux. Denis Houle, par exemple, s'est toujours méfié de Kane pour des raisons que celui-ci ignore. Décrit par l'une de ses connaissances comme « le plus animal des Hells Angels du Québec », Houle se taisait dès que Kane était à portée d'oreille et il avait parlé à plusieurs personnes de son entourage de cette méfiance viscérale qu'il éprouvait à son égard. Houle ne se gênait pas non plus pour se montrer désagréable à l'endroit de Kane. Il lui disait régulièrement de se débarrasser de ses tatouages de Hells Angels parce qu'il n'était pas *striker* du club et encore moins membre à part entière. Selon les règles de la bande, se plaisait-il à répéter, Kane n'avait pas le droit de porter ces tatouages.

Le lundi matin suivant, Kane et Carroll seront relâchés de leur geôle de Rivière-du-Loup moyennant une caution de 1 000 $, un montant ridiculement bas aux yeux des deux collègues Rockers qui se sont présentés avec 10 000 $ en liquide pour acheter leur liberté. L'épouse et la belle-mère de Wolf viendront le chercher pour le conduire à la maison. Kane repartira au volant de l'Alero.

Kane contactera ses contrôleurs dès son retour à Montréal pour leur relayer une foule de nouveaux renseignements. L'agent source racontera que l'affaire Falls et les pressions exercées par la police ont « débalancé » les Rockers. Normand Robitaille, le Nomad nouvellement initié qui a pour mission de diriger les Rockers, a ordonné aux membres de la bande de ne plus porter leurs couleurs ni leurs armes à feu ; il fallait désormais laisser l'artillerie entre les mains des *hangarounds* et des *strikers*. Le président du chapitre de Halifax, Mike McCrea, a revendiqué la responsabilité de l'attentat à la bombe de Bible Hill pour annoncer ensuite que, puisque l'opération avait échoué, il avait lancé une équipe de truands aux trousses de Mersereau.

Lorsqu'il discute avec ses contrôleurs de l'ERM, Kane passe le plus clair de son temps à ergoter sur les conditions de son contrat d'agent source. Le processus de négociation s'avère beaucoup plus rigoureux avec l'Escouade régionale mixte qu'il ne l'avait été avec la GRC. Au début de septembre, Kane devra fournir à Pigeon huit pages de renseignements personnels, incluant les noms et adresses des membres de sa famille. Les officiers supérieurs de l'escouade étudieront ces données pendant plusieurs semaines avant de décider s'il fallait oui ou non présenter à Kane une offre formelle. Ils soumettront l'agent potentiel à une série d'entrevues qui se dérouleront fort bien, puisque Pigeon et Roberge ont préparé leur poulain à ces confrontations au préalable.

Le 30 septembre, date de la première entrevue, Kane rencontre le capitaine Bruno Beaulieu et le sergent Robert Dubé du Service de protection des témoins (SPT) de la SQ. Tout au long de cette rencontre informelle, Beaulieu et Dubé s'emploieront à mieux connaître Kane et lui expliqueront le rôle et le fonctionnement du SPT. Les deux policiers lui exposeront les critères d'évaluation et de rémunération d'un agent source potentiel, s'assurant dans la foulée qu'il n'entretiendrait pas d'espoirs irréalistes. Le motard parlera ensuite aux policiers de ce à quoi il s'attendait en échange de ses services. Kane sait que l'heure des grandes négociations n'est pas encore venue ; néanmoins, il entend préparer le terrain. Tout ce qu'il veut, dit-il à Dubé et Beaulieu, c'est suffisamment d'argent pour pouvoir s'acheter une maison sur un terrain boisé dans un endroit où sa famille pourra vivre en toute tranquillité – en Jamaïque, par exemple. Et lorsque Kane dit « famille », il inclut non seulement Patricia et les enfants, mais aussi ses parents, ses sœurs et leur famille, de même que Josée.

On demande ensuite à Kane de faire le bilan de sa situation financière. Le motard présente les choses à son avantage : il dit que ses revenus s'élèvent à 5 000 $ par semaine et fixe ses dépenses à 3 500 $ par mois. Kane affirme avoir acheté des actions dans le secteur technologique et prétend que son portefeuille vaut plus de deux millions et demi de dollars. À la fin de la rencontre, Dany veut soulever un dernier point *off the record*, c'est-à-dire sans que cela apparaisse dans le rapport de l'entrevue : serait-il possible de négocier une entente parallèle qui lui garantirait un million de dollars de plus sans que la chose soit mentionnée en cour ? « Penses-y même pas », de rétorquer Beaulieu.

L'entrevue suivante avec Kane sera menée par le capitaine Pierre Lebeau, le patron de Roberge et de Pigeon à l'ERM de Montréal. Les notes de la réunion indiquent que Lebeau a bien fait comprendre au motard que la SQ craint toujours que le fiasco qui s'était déroulé sous la tutelle de St-Onge et Verdon ne se répète avec l'ERM. Le capitaine explique ensuite à Kane qu'en tant qu'agent source il ne pourra commettre que des crimes autorisés au préalable par ses contrôleurs. Se lançant dans une ronflante déclamation du *credo* des motards, Kane explique pourquoi il lui serait extrêmement difficile de se plier à pareille règle : « Les Rockers doivent se faire respecter et démontrer constamment qu'ils ont le pouvoir. Un membre ne peut pas dans la vie de tous les jours se faire baver ou se faire insulter. Si c'est le cas, il doit réagir tout de suite et se battre, se venger, jamais perdre l'honneur. Si quelqu'un insulte l'image d'un Rocker, d'un Hells ou de ce qu'ils représentent, il doit être puni par la violence pour que constamment le monde ait peur des motards. La base est l'intimidation. »

À la seconde réunion avec Beaulieu, Kane fait la connaissance du sergent Yvon Drouin du SPT. Toutes les personnes concernées s'attendent à ce que l'entrevue se conclue par une entente. Durant la première heure, il sera question de la nouvelle identité de Kane et des autres moyens qui seront mis en œuvre pour le protéger. La question de l'argent sera abordée immédiatement après. La SQ offre à Kane 500 $ par semaine plus une prime d'un million de dollars au terme de l'enquête ; le motard réplique qu'il ne consentira à rien en bas de deux millions. Beaulieu et Drouin lui expliquent alors qu'ils sont habilités à lui offrir une somme forfaitaire qui lui permettra « de reprendre une vie normale et non une vie de luxe correspondant à sa vie criminelle ». Peu impressionné par le discours des deux policiers, Kane tourne la SQ en dérision en évoquant un scandale de falsification de preuves qui avait beaucoup diminué sa crédibilité quelques années auparavant.

Une autre séance de négociation est prévue pour le lendemain, 14 octobre, en soirée. À cette occasion, Kane tentera de convaincre la SQ qu'il est impératif qu'elle souscrive à ses conditions. « Les Hells Angels sont *boss* partout, dit-il. Le Canada, le monde entier leur appartiennent. Ils ne demandent de permission à personne, c'est les autres qui demandent des permissions. C'est comme l'opium. Les Hells s'intéressent pas à l'opium ; les Chinois, oui. Mais si les Hells viennent à s'y intéresser, va falloir que les Chinois s'enlèvent. »

La stratégie du motard ne produira pas le résultat escompté. L'entrevue durera à peine une heure parce que Kane devait se rendre en vitesse à un souper de la bande durant lequel il présenterait leurs couleurs à deux nouveaux membres. Après le départ de Kane, les patrons de la SQ décident qu'ils peuvent se passer de lui comme agent source, en partie parce que c'est la fin de l'année et qu'ils ne disposent plus du budget nécessaire, et en partie parce qu'ils ne lui font pas entièrement confiance. Pour l'instant, la réponse de la SQ est donc : non merci, sans façon.

Même si l'entente n'a pas été conclue, Kane poursuivra ses activités d'informateur. Pour 750 $ par semaine, il continuera de fournir des renseignements très intéressants à Roberge et à Gaétan Legault, le jeune enquêteur de la SQ qui remplacera Pigeon dans le dossier Kane.

Peu après que Stéphane Gagné eut retourné sa veste et accepté de témoigner contre Mom Boucher, André «Toots» Tousignant et Paul «Fonfon» Fontaine, ses deux complices dans les meurtres des gardiens de prison, étaient disparus. Ancien porte-parole des Hells et homme d'affaires qui prétendait avec sérieux gagner plusieurs milliers de dollars par semaine grâce à son réseau de machines distributrices d'arachides, Tousignant avait été retrouvé dans une forêt à 100 km de Montréal; son corps avait été brûlé et le bout de ses doigts, sectionné. Les autorités pensent que Mom avait ordonné son exécution pour l'empêcher de corroborer le témoignage de Gagné et qu'il avait fait subir à Fontaine un sort semblable. Or, voici que Kane informe ses contrôleurs du contraire: Fonfon est sain et sauf et a même été sacré membre des Nomads en reconnaissance de ses services. Kane ajoute que les Hells espèrent négocier avec la police une entente selon laquelle Fontaine plaiderait coupable du meurtre du gardien de prison, mais serait admissible à la libération conditionnelle après 10 ans.

Kane a également des nouvelles des Maritimes. Inspiré sans doute par le succès des Rockers à Montréal, Mike McCrea veut créer un club-école associé aux Hells de Halifax. La nouvelle bande sera basée au Cap Breton, «dans une ville au nom bizarre, possiblement Ingonish», note Roberge. «Le nouveau groupe comprendra environ 20, 22 membres, dont certains d'origine écossaise.» Puisant dans le folklore écossais traditionnel, McCrea donnera au nouveau club le nom de Highlanders.

Le 3 novembre, Kane rapporte que Randy Mersereau s'est enfin fait buter. Choisissant le soir de l'Halloween pour perpétrer leur méfait, les tueurs avaient fait un boulot impeccable. La victime avait été exécutée à l'aide d'un pistolet-mitrailleur 9 mm équipé d'un silencieux, une arme identique à celle que favorise Wolf Carroll. L'arme du crime avait été enterrée avec Mersereau. «Ils n'ont pas laissé de traces ni d'indices, précise Kane. Randy a juste disparu.» En récompense d'un travail bien fait, les meurtriers seront aussitôt nommés *prospects* des Hells Angels de Halifax. La famille de Mersereau ne signalera officiellement sa disparition qu'un mois plus tard.

Sur la scène montréalaise, les Rockers ont été sévèrement réprimandés lors d'une messe pour la façon dont ils géraient leurs finances. Les dirigeants de la bande ont demandé à tous leurs membres de «se mettre *legit*» et de remplir leurs déclarations d'impôts afin d'éviter les ennuis avec la police. On leur a même ordonné de «remonter à plusieurs années en arrière pour justifier leur train de vie, d'être en règle, de montrer qu'ils ont des jobs ou des compagnies». Le fisc enquête sur Carroll à ce moment-là, aussi a-t-on conseillé aux Rockers de se préparer à être contrôlés eux aussi et de «faire affaire avec des comptables, des fiscalistes ou n'importe quel professionnel pour se mettre en règle». Durant la réunion, les Rockers ont été avertis de l'importance de protéger leur réputation au sein de la communauté criminelle. Pour ceux qui n'honoreraient pas leurs engagements, les conséquences seraient graves. «Si un membre ne règle pas une dette aux Italiens, à la gang de l'Ouest ou à n'importe qui d'autre, raconte Kane, il sera expulsé du club des Rockers.»

Aux dires de Kane, tout nouveau membre des Rockers doit désormais fournir au club la liste des membres de sa famille immédiate – enfants, parents, conjointe, frères, sœurs, etc. – ainsi que la date de naissance et les numéros de permis de conduire et d'assurance sociale de chacun d'eux. Si les Rockers exigent ces renseignements, ce n'est évidemment pas pour inscrire ces personnes à leur régime d'avantages sociaux. «Le tout pour décourager les membres de devenir des rats, c'est-à-dire des délateurs.»

Dans un autre ordre d'idée, Pat Lambert, le vieux copain de Dany, s'est lancé dans la culture hydroponique de la marijuana. Lambert, qui avait coupé presque tout contact avec la bande durant l'incarcération de Kane, semble prêt à renouer avec ses anciens camarades. Autre grande nouvelle : la bande a retrouvé Stephen Falls au Costa Rica. «On a mis une équipe sur son cas», se contente de dire Kane.

Au fil des semaines, Kane fournira de moins en moins de renseignements à ses contrôleurs ; il les appellera moins souvent et leurs rencontres s'espaceront de plus en plus. Plutôt que de dépasser les attentes de la police ainsi qu'il l'avait fait auparavant, Kane se contente de faire le minimum pour ses 750 $ hebdomadaires. Après un peu plus de trois mois au service de l'ERM, la source semble tarie.

En vérité, Dany Kane était en train de sombrer dans une profonde dépression.

CHAPITRE 20

Gros sous et grosse déprime

De l'automne à la fin de décembre 1999, Kane devient de plus en plus morose, de plus en plus renfermé. Après la rencontre du 14 décembre avec Benoît Roberge et Gaétan Legault, rencontre au cours de laquelle ils ne parviendront toujours pas à s'entendre sur les conditions de son contrat d'agent source, Kane ne donnera plus de nouvelles à ses contrôleurs pendant plus de trois semaines. Il se montrera tout aussi maussade avec la bande et avec sa famille. Il reste enfermé chez lui la plupart du temps, refusant de voir qui que ce soit, de parler à qui que ce soit. Il dort, regarde distraitement la télé ou passe tout simplement ses journées à ne rien faire. Même à Patricia il ne répond que par grognements et monosyllabes. Quand le téléphone sonne, c'est elle qui répond, relayant le message que Dany va bien, mais qu'il n'a envie de parler à personne.

Les Rockers commencent à trouver le mutisme de Kane inquiétant, de même que ses absences au gym et dans leurs autres lieux de fréquentation habituels. Il n'assiste plus aux réunions du club et ne paie plus l'obligatoire dîme de 10 %. Lorsque la bande envoie l'un de ses nouveaux membres chez lui à Saint-Luc, Patricia répond à la porte et répète ce qu'elle a dit à tous les autres visiteurs : Dany va bien, mais il ne veut voir personne. « Désolé, rétorque l'émissaire, mais j'ai pas le droit de partir avant de l'avoir vu de mes propres yeux. »

Patricia parlementera avec Kane pendant une minute ou deux. Le motard consentira enfin à montrer son visage, mais sans plus. Satisfaite d'apprendre que Kane est toujours vivant, la bande le laissera se démener seul avec sa dépression.

Aux dires de Patricia, la dépression est une condition endémique chez les Kane. « Vous ne pouviez pas être un Kane et ne pas être déprimé à un moment ou à un autre », assure-t-elle. Sachant cela, la jeune femme s'inquiète malgré tout du présent état d'âme de son amoureux et s'interroge sur les motifs qui ont pu déclencher la crise.

La famille de Kane constituait peut-être en soi l'un des éléments déstabilisants. Au début, Dany avait été attiré par la maison de Saint-Luc parce qu'elle se trouvait à proximité de ses parents et de ses sœurs. Peu après que Patricia et lui se furent installés dans leur nouvelle demeure, Kane remet en cause le bien-fondé de sa décision. Ses parents surviennent souvent à l'improviste – « pour fourrer leur nez dans nos affaires », disait Patricia – et dépendent de plus en plus du soutien financier de leur fils. Dany les aide en ce sens depuis plusieurs années déjà, mais maintenant qu'il vit à Saint-Luc on exige de lui qu'il délie les cordons de sa bourse de plus en plus fréquemment. Il a loué pour sa mère une Volkswagen Coccinelle de l'année et lui donne 100 $ par semaine pour qu'elle accompagne et aille chercher Benjamin à l'école. Gemma fait payer son fils quand elle garde ses enfants, chose qu'elle ne fait pas quand elle garde ses autres petits-enfants. De plus, Dany a engagé son père pour qu'il l'aide à effectuer quelques travaux de rénovation sur sa propriété. Kane comprend que ses parents préfèrent être payés pour des services rendus plutôt que de recevoir l'aumône – c'est une question de dignité. Néanmoins, la situation le perturbe au plus haut point.

L'exil auquel on l'avait contraint dans sa jeunesse en l'envoyant vivre avec son oncle et sa tante a compliqué quelque peu la relation que Kane entretient avec ses parents, particulièrement avec sa mère. Après tant d'années, Dany souffre encore du sentiment de rejet qu'il avait éprouvé et se demande toujours ce qu'il avait bien pu faire pour mériter pareil sort. Patricia se souvient d'épisodes où il répétait sans arrêt : « Pourquoi moi ?… Pourquoi moi ? » Il ne trouvait bien sûr jamais réponse à cette question qui le torturait, si bien qu'il continuait à nourrir à l'égard de Gemma un cuisant ressentiment sans cesse alimenté par la pernicieuse certitude qu'elle s'intéressait moins à lui qu'à son argent. Quant à Jean-Paul, il ne ressentait que pitié à son endroit. Kane éprouvait pour son père une réelle affection, mais celui-ci était trop mou, trop bonasse pour lui servir de modèle masculin.

D'autres facteurs ont sans doute contribué à la détresse de Dany Kane. Ayant ressenti un vif élan de gratitude envers ses confrères Rockers lorsqu'il avait reçu ses couleurs, il en était probablement venu à se demander si sa *patch* n'était pas une trop maigre compensation en regard de ses années de service. Certains nouveaux arrivants, Guillaume Serra par exemple, jouissaient déjà d'un statut supérieur au sien ; et puis la bande semblait prête à recruter n'importe qui pour gonfler ses rangs et accroître les revenus de la dîme. En octobre, Kane manifeste son désenchantement pour la première fois lorsqu'il annonce à ses contrôleurs qu'il compte demander le statut de *hangaround* chez les Nomads, mais aussi au chapitre de Halifax. À la mi-décembre, date de son dernier contact avec Roberge et Legault avant le nouvel an, la demande de Kane demeure toujours sans réponse – en admettant bien sûr qu'il avait postulé ainsi qu'il le prétendait.

Les rencontres entre Kane et ses contrôleurs reprendront au début de janvier, mais toujours selon un rythme décousu. Dans ses notes de la rencontre du 14 janvier, la troisième de l'année, Roberge observe que « la source vit une phase de démotivation et de remise en question sur le plan personnel ». En vérité, Kane est en train de reprendre du poil de la bête à ce moment-là. Libéré de l'écrasante gaieté forcée qui, dans son cas du moins, avait marqué le temps des fêtes, Kane se sent chaque jour un peu plus léger, d'autant plus qu'un incident survenu en décembre et qui lui avait fait présager que sa vie serait menacée s'avérera sans suite.

Au début du mois de décembre, des membres et sympathisants des Hells Angels venus de partout au pays s'étaient réunis dans un hôtel de Sherbrooke pour célébrer le vingt-deuxième anniversaire du club au Canada. À cette occasion, deux policiers spécialistes des motards, l'un de la SQ et l'autre de la Police provinciale de l'Ontario (OPP), avaient retenu des chambres au même hôtel pour narguer les Hells et leur faire savoir qu'ils étaient sous surveillance constante. Au bout du compte, les deux hommes paieront cher leur geste de défi.

Un matin où les policiers en question déjeunaient au restaurant de l'hôtel, deux membres des Scorpions sont entrés par effraction dans la chambre de l'un d'eux et ont fait main basse sur son ordinateur portable. Bien que les autorités aient toujours soutenu que l'ordinateur volé appartenait à l'enquêteur de l'OPP, les motards sont certains d'avoir subtilisé l'appareil du sergent Guy Ouellette de la SQ, l'un des plus grands spécialistes des motards criminalisés au Canada. Ayant rapporté le vol à ses contrôleurs le 7 décembre, Kane craint que l'ordinateur ne contienne de l'information le concernant ; il sait par expérience que la police salope parfois son travail en négligeant de prendre toutes les précautions nécessaires. Bien que son nom ne fût jamais mentionné dans les rapports de la police – on faisait référence à lui comme « la source » ou « IN-3683 », son numéro d'informateur à l'ERM –, il était possible que certains de ses confrères l'identifient par déduction, en se basant sur les renseignements contenus dans ces rapports.

À la mi-janvier, Kane commence enfin à relaxer. Il est évident qu'il n'a pas été démasqué puisque ses collègues motards n'ont pas attenté à sa vie et ne semblent entretenir aucun soupçon à son égard. Si ses congénères découvrent un jour son double jeu, ce ne sera pas à cause de l'ordinateur volé. Dans sa maison de Saint-Luc, Kane émerge peu à peu de sa dépression.

Même si Kane va mieux, ses relations avec la bande continuent de se détériorer. Tout à sa réclusion, Dany a omis de payer la dîme pendant deux mois consécutifs et a manqué à ses autres obligations. Malheureusement pour lui, il a choisi le pire moment pour se mettre le leadership des Rockers à dos. Conséquence directe de l'expansion hâtive du club, les membres de la bande se montrent de plus en plus indisciplinés. Décidés à rétablir l'ordre dans leurs rangs, les dirigeants du club sévissent : début janvier, un membre est expulsé parce qu'il doit trop d'argent à la bande ; quelques jours plus tard, deux autres Rockers, dont le larbin personnel de Mom Boucher, sont suspendus pour avoir négligé d'aller chercher deux Hells de la Colombie-Britannique à l'aéroport ainsi qu'on le leur avait ordonné ; un quatrième membre perd sa *patch* parce qu'il consomme trop de cocaïne. Conscient de la précarité de sa situation, Kane s'attend à être sacqué d'un jour à l'autre.

Roberge et Legault étaient peut-être au courant de cet état de choses ; par contre, il est certain que le Service de protection des témoins de la SQ ignorait tout de la situation incertaine dans laquelle se trouvait Kane. Il n'était pas dans l'intérêt du motard – ni dans celui de ses contrôleurs, qui souhaitent aussi ardemment que lui le voir promu au rang d'agent source – d'informer le SPT de ses démêlés avec les Rockers. S'il était dépouillé de ses couleurs, Kane ne pourrait plus assister aux messes qui constituaient pour lui et pour ses contrôleurs une véritable mine d'or de renseignements. On ne lui confierait plus que des tâches de sécurité, l'obligeant à faire le pied de grue dans les couloirs des hôtels ou à l'extérieur des restaurants fréquentés par les membres confirmés de la bande. Et pendant qu'il monterait la garde, ceux-ci lui abandonneraient leurs armes pour que ce soit lui qui se fasse pincer si la police décidait de faire une descente.

Ignorant que Kane est sur le point d'être rétrogradé, l'ERM reprend les négociations de son contrat d'agent source. Avec la nouvelle année vient un nouveau budget; or, Kane avait fourni à l'escouade mixte des renseignements concernant les Hells et leurs activités qu'elle ne pouvait obtenir nulle part ailleurs. Les pourparlers reprendront donc dès le début de janvier. Kane et ses contrôleurs discuteront de son statut potentiel d'agent source presque à chacune de leurs rencontres.

Le 20 du mois, Kane est prêt à rencontrer de nouveau le capitaine Beaulieu et le sergent Drouin du Service de protection des témoins. En plus de sa prime de deux millions de dollars, dont il ne démord pas, l'informateur veut une voiture, une maison et 5 000 $ par semaine pour la durée du procès dans lequel il sera éventuellement appelé à témoigner. La SQ riposte en lui proposant une prime maximum de 1,4 million de dollars, plus 2 000 $ par semaine – une offre que Kane rejette d'emblée. Voulant jouer les fins négociateurs, le motard prétend qu'il songe à quitter le milieu pour de bon et à remettre sa *patch* à Pierre Provencher dans les prochains jours. Soucieux d'exercer une pression supplémentaire sur ses supérieurs, Roberge joue le jeu et conseille au motard de mettre son projet à exécution.

Sa manœuvre n'ayant pas porté fruit, Kane rencontrera Legault une semaine plus tard pour discuter de la stratégie à adopter. Le policier lui remettra 1 000 $ pour qu'il puisse couvrir ses redevances impayées. « Ses revenus criminels sont présentement insuffisants, note Legault. La source a manqué les deux dernières messes à cause de difficultés financières. »

Deux semaines plus tard, Kane a droit à une autre entrevue avec Drouin et Beaulieu. Le motard a soudain des exigences pécuniaires exorbitantes : il demande maintenant une prime exempte d'impôts de 10 millions de dollars, un salaire hebdomadaire de 10 000 $ ainsi que des primes non imposables pour ses sœurs et ses parents, dont il ne spécifie pas les montants. Il veut également un permis de port d'arme, l'absolution pour ses crimes passés et une protection aussi discrète qu'adéquate pour la durée de sa collaboration avec la police, notamment lors des razzias et des procès. Kane ne veut pas de « gros show » ; il ne veut pas que des policiers en uniforme enlèvent brusquement les membres de sa famille pour les placer sous protection ; il ne veut aucune intervention policière qui puisse traumatiser ses enfants. « Au même moment, dit Kane, je veux qu'il y ait des mesures qui soient prises pour ne pas nuire à leurs études. Tout dans un climat de tranquillité et non pas dans un climat de guerre. »

C'est maintenant au tour de la SQ de rejeter la proposition de Kane. Drouin et Beaulieu réitèrent leur offre précédente – 1,4 million de dollars, plus 2 000 $ par semaine – en spécifiant toutefois qu'ils demeurent ouverts à toute contre-proposition réaliste et raisonnable.

Le lendemain, à la messe des Rockers, Kane apprend qu'il est suspendu de la bande. « Pas assez de tours de garde et de disponibilité. Manque de services et pas assez de 10 %. » Telle est l'explication qu'on lui donne avant de le sommer de rendre immédiatement sa *patch* et ses bijoux à l'image du club. Patricia se souvient que Dany était déçu de la suspension, mais sans plus. Il ne sombrera pas de nouveau dans cette terrible dépression qui l'avait tenaillé quelques semaines auparavant.

L'offre de la SQ était toujours sur la table ; or, elle lui semblait soudain fort alléchante, considérant qu'il n'était plus en très bonne position pour négocier. Pressé d'en arriver à une entente, Kane rencontrera ses contrôleurs à cinq reprises dans les deux semaines suivantes. Il fera le bilan de ses dettes, la plus importante et la plus pressante étant la somme qu'il doit à Wolf Carroll : 70 000 $ pour deux kilos de cocaïne. (Le détail de cette gentille petite transaction va comme suit : Wolf s'était procuré la coke à 35 000 $ le kilo et l'avait revendue à Kane 37 500 $ le kilo ; Wolf avait ensuite référé Kane à un dealer de l'Ontario qui la lui avait rachetée à 40 000 $ le kilo. Tout le monde y avait trouvé son compte, sauf que Kane n'avait encore rien payé à Carroll par-delà son dépôt initial.) Kane doit également de l'argent à la bande elle-même. Les Rockers lui avaient donné 3 500 $ pour qu'il fasse faire des chandails au nom du club, montant que Kane avait dépensé pour ses besoins personnels. Legault lui donnera 4 000 $ pour couvrir cette dette ainsi que la prochaine dîme.

Connaissant les antécédents pour le moins inégaux de Kane en qualité d'informateur, Roberge et Legault décident de se montrer vigilants et vont consulter l'imposant dossier de C-2994 aux quartiers généraux montréalais de la GRC. Le coordonnateur des sources, le capitaine Jacques Houle, leur permettra de prendre des notes, mais pas de faire des photocopies. Houle se fera un devoir d'informer Roberge et Legault de la position officielle de la GRC concernant Kane : « Nous nous questionnons sur l'intégrité de cette source. Elle nous a transmis beaucoup d'informations intéressantes, mais toujours, ou plutôt majoritairement après le fait. Nous croyons que C-2994 tentait d'obtenir de l'information à l'occasion au lieu de nous en transmettre. »

Houle a du mal à croire que Kane ait pu réintégrer aussi aisément le milieu des motards après que ses collègues l'aient soupçonné d'être un informateur de police. « On sait que les groupes de motards n'ont pas besoin de certitude pour éliminer un individu soupçonné d'être une source », dit Houle avant d'ajouter qu'aucun membre de la GRC, incluant ceux qui travaillaient pour l'ERM, n'était autorisé à entretenir quelque contact que ce soit avec Kane. Dans son rapport de la rencontre, Houle écrira que Legault et Roberge ont pris note de ses avertissements, mais qu'ils semblaient en désaccord avec lui.

Les contrôleurs de Kane ne permettront effectivement pas que la prudence et le zèle excessif de la GRC entravent sa carrière d'agent source. Les deux policiers savent de toute manière que certains officiers de la GRC ont une tout autre opinion de Kane. De juillet 1999 au début de 2000, la GRC avait sérieusement songé à le réengager comme agent source. Un membre du corps policier avait même rempli un formulaire d'évaluation de huit pages qui avait pour but de jauger son potentiel ; un autre document, de huit pages également, avait été annexé à l'évaluation et fournissait des informations supplémentaires à son sujet. Bien qu'elle ait assidûment courtisé Kane durant cette période, la GRC ne donnera pas suite à son évaluation. Dès la fin de février, Kane ne négociera plus qu'avec les policiers de la SQ appartenant à l'Escouade régionale mixte.

Le 3 mars 2000, après une séance de négociation de 12 heures, Kane et la SQ en arrivent enfin à une entente de principe. Il y a quatre ans jour pour jour que Kane a assassiné Roland Lebrasseur.

Durant les pourparlers, Kane avait demandé qu'un avocat révise les conditions de l'entente. Il ne pouvait évidemment pas faire appel aux professionnels qu'il connaissait le mieux, soit Pierre Panaccio ou Danièle Roy (même s'il la croyait au courant de ses activités d'informateur) ; travaillant exclusivement pour des clients motards, ces deux avocats auraient eu tôt fait d'ébruiter la nouvelle que Kane s'était rangé du côté des autorités. Ayant été très impressionné de la performance de Pierre Lapointe lors du procès de Halifax, Kane veut que ce soit lui, un procureur du ministère de la Justice du Québec, qui étudie le contrat que lui proposait la SQ, une force policière régie par le gouvernement du Québec. On expliquera à Kane les notions de responsabilité juridique et de conflit d'intérêt, puis l'idée sera promptement rejetée. À défaut de conseiller, le motard allait devoir se fier à son seul jugement.

Le discernement de Kane devait être excellent puisque, 11 jours plus tard, soit le 14 mars, il signera ce qui était probablement l'entente d'agent source la plus généreuse de toute l'histoire du Canada. S'étalant sur 30 pages dont chacune sera paraphée par Kane et Beaulieu, le document de la SQ ne ressemble en rien aux décharges standardisées que la GRC lui avait fait signer de façon sporadique. Chacun des 97 paragraphes semble avoir été écrit spécifiquement pour Kane. Le contrat spécifie quels individus Kane devra viser ainsi que la manière dont il devra procéder ; le détail de ses rémunérations y est également exposé. Il s'agit finalement d'un document rationnel prônant une gestion par objectifs de la source, un document rédigé par des avocats pour une escouade qui, de toute évidence, voulait briser les reins des Hells Angels du Québec. Après six mois de libre collaboration à titre d'informateur, l'ERM de Montréal en était arrivée à la conclusion que Dany Kane était son homme.

Le contrat nomme les trois groupes sur lesquels Kane doit recueillir des renseignements – les Nomads, les Rockers et les

Scorpions – ainsi que 60 individus : 18 Nomads, 33 Rockers et 9 Scorpions – que la police veut cibler plus spécifiquement ; la liste de leurs crimes présumés est incluse dans l'entente. Le contrat stipule que Kane n'est pas autorisé à inciter d'autres individus à commettre des crimes. Il devra par ailleurs remettre à la SQ tous les revenus et biens acquis au moyen d'activités criminelles « à des fins de conservation de la preuve ». Kane n'aura pas le droit de filtrer l'information qu'il relaiera à la police : s'il apprend quoi que ce soit au sujet des groupes ou individus nommés dans l'entente, il sera tenu de transmettre cette information à ses contrôleurs. Lesdits renseignements seront communiqués verbalement ; toutefois, Kane devra également « rédiger à la main des notes personnelles fidèles et complètes sur toute activité des personnes faisant l'objet de l'enquête ». Kane doit tenir ce « journal d'agent source » avec assiduité, idéalement tous les jours. À tous moments, il pourra être appelé à passer au détecteur de mensonges.

La seconde moitié du contrat, la partie favorite de Kane, explique ce que la SQ fera pour lui. Mis à part les athlètes professionnels, peu de gens signeront un jour contrat si lucratif. Dès la signature de l'entente, Kane recevrait 2 000 $ par semaine pour ses frais courants, 1690 $ par mois pour payer son hypothèque et près de 600 $ par mois pour couvrir les paiements de sa Harley-Davidson.

Le gros sous viendraient après que les individus ciblés auraient été arrêtés et traduits en justice. La police prévoyait effectuer une grande razzia contre les Nomads, les Rockers et les Scorpions ; or, dès les premières arrestations et les premières saisies, Kane recevrait la coquette somme de 590 000 $. Après avoir témoigné aux audiences préliminaires, ou dès que la Couronne déciderait de procéder par acte d'accusation privilégié, l'agent source encaisserait un second paiement de 580 000 $. Kane toucherait un versement final de 580 000 $ immédiatement après son ultime apparition à la barre des témoins. Une fois les procès conclus, il continuerait d'empocher ses 2 000 $ hebdomadaires pendant au moins huit semaines. S'il était appelé à témoigner en appel, il recevrait une somme supplémentaire de 200 000 $, plus 2 000 $ par semaine pour la durée de sa participation.

L'issue des procès, qu'elle soit négative ou positive, n'aurait aucune incidence sur l'entente conclue avec Kane. De plus, le contrat ne contenait aucune clause stipulant qu'un nombre minimum de motards devait être appréhendé. Si son travail d'agent source menait ne serait-ce qu'à une seule arrestation, Kane empocherait plus de deux millions de dollars.

La somme peut sembler excessive, mais ce n'est pourtant qu'une fraction du budget que la SQ a alloué à ce que l'on pourrait appeler le « projet Kane ». Dans un document budgétaire presque entièrement caviardé, le coût total de l'implication de Kane, incluant les dépenses de relogement, avec de nouvelles identités pour lui et sa famille ainsi que les salaires, heures supplémentaires et frais opérationnels de ses contrôleurs, est estimé à plus de 8,6 millions de dollars.

Kane avait commencé à rédiger ses « notes fidèles et complètes » sur les activités de la bande une semaine avant la signature de l'entente. Son empressement est compréhensible, considérant qu'il recevrait à son entrée en service une « prime d'embauche » de 63 000 $, montant qu'il entendait utiliser pour payer sa dette au créancier de plus en plus impatient qu'était devenu Wolf Carroll.

Bien qu'étant un membre confirmé des Nomads, Carroll n'avait pas été invité à se joindre à la Table, l'immensément lucratif cercle d'importation de drogue du chapitre. Wolf fait beaucoup d'argent avec son réseau de revente qui s'étend maintenant au Québec, à certaines régions de l'Ontario et à une bonne part des provinces maritimes, mais il a toujours eu tendance à dépenser plus qu'il ne gagne. Beaucoup plus endetté que Kane ne l'a jamais été, Carroll est par conséquent très pressé de recevoir ce qu'on lui doit pour pouvoir rembourser en retour ses créanciers.

Le 7 mars, jour de l'inauguration officielle de son journal d'agent source, Kane sera convoqué de bon matin auprès de Carroll. Il appellera aussitôt Dominique pour que celui-ci le conduise au domicile de Wolf dans les Laurentides. Arrivé à Saint-Sauveur, Kane accompagnera Carroll à sa visite hebdomadaire au poste de police, une obligation qui fait partie des exigences de sa libération conditionnelle à la suite de son arrestation à Rivière-du-Loup. Les deux hommes iront ensuite dîner.

Durant le repas, Carroll exige de Kane qu'il paie au moins 55 000 $ sur sa dette, et ce, dès le lendemain. Kane panique mais n'en laisse rien paraître. Il retournera chez Carroll et jouera au hockey-balle avec Wolf et son fils, mais en son for intérieur il ne pense qu'à une chose : jamais il ne pourra respecter l'échéance que Carroll lui a fixée.

Mais la chance sourira cette fois à Dany Kane. De retour à Montréal, il reçoit un appel d'un contact de la mafia qui lui demande de venir le rejoindre dans un café du nord de la ville. Il s'avère que l'individu en question a en sa possession 1 500 kg de haschisch dont il consentirait à se départir pour la modique somme de 6 300 $ le kilo – une transaction de 10 millions de dollars. Kane n'a jamais été impliqué dans une si grosse affaire. Il n'a évidemment pas les moyens d'acheter lui-même la marchandise, mais en agissant à titre d'intermédiaire il pourrait réaliser un bénéfice d'environ 200 $ sur chaque kilo, ce qui résoudrait ses problèmes d'argent. Bon, il y avait bien dans son contrat d'agent source une clause concernant les produits de la criminalité, mais n'était-il pas vrai que l'entente ne serait signée officiellement que la semaine suivante ?

Carroll ne patienterait certainement pas jusque-là.

Kane passera les deux jours suivants à essayer de trouver un acheteur. Normand « Pluche » Bélanger, qui veille aux finances des Rockers, lui dira que l'affaire est trop grosse pour lui et lui conseillera de s'adresser directement à Mom Boucher. Malheureusement, celui-ci est à l'extérieur de la ville et ne pourra rencontrer Kane qu'à la fin de la semaine. D'ici là, Kane n'a d'autre choix que d'ignorer les messages urgents de Carroll et de Pat Lambert, qui est toujours l'un de ses plus proches associés.

Lorsque Mom est enfin disponible pour une série d'audiences au Pro-Gym, Kane se rend tôt sur les lieux pour livrer des stéroïdes à un client, puis attend patiemment son tour. « Je lui ai demandé s'il avait deux minutes pour moi », notera Kane dans son journal d'agent source avant d'ajouter fièrement : « Il m'a répondu qu'il en avait quatre. » Mom s'avère intéressé, mais à condition qu'il ne s'agisse pas d'un produit « repressé » à partir de restes de qualité inférieure ; il y avait déjà une surabondance de ce hasch bas de gamme dans les rues de Montréal. De fait, Mom venait tout juste d'acheter une importante quantité de hasch repressé – beaucoup plus que 1 500 kg – pour seulement 5 000 $ le kilo. Kane dit à Boucher qu'il le contacterait de nouveau après avoir vérifié la qualité de la marchandise.

Plus tard dans la journée, la SQ remettra à Kane sa prime d'embauche, ce qui lui permettra de régler sa dette envers Wolf Carroll. Immédiatement après avoir touché la somme, Kane se rend en vitesse au pied-à-terre de Carroll sur le boulevard René-Lévesque. Wolf est sur le point de partir pour Halifax avec Paul Wilson et est très inquiet parce que sa mère est souffrante. Tout en sermonnant Kane parce qu'il n'avait pas répondu à ses appels, Carroll prend l'argent, empoche 2 000 $ et range le reste dans un tiroir. Il demande ensuite à Dany de les conduire, Wilson et lui, à l'aéroport.

Le lendemain, Kane recevra de ses contrôleurs une autre somme dont il se servira pour rembourser des créanciers beaucoup moins menaçants que Carroll : 6 600 $ pour régler ses quatre paiements d'hypothèque en retard ; environ 1 900 $ pour ses comptes d'électricité impayés ; plus de 900 $ pour ses trois comptes de téléphone différents ; et 1 800 $ en versements sur sa Harley-Davidson. Un montant total de 11 192,06 $ sera transféré au compte de Pierre Tremblay, le pseudonyme que Kane a choisi pour éviter d'être démasqué par des espions potentiels au département de la comptabilité de la police. L'agent source dispose en outre d'une carte de débit lui donnant accès au salaire que l'ERM dépose automatiquement dans son compte chaque semaine.

Kane avait rencontré son contact de la mafia la veille et, à cette occasion, avait porté pour la première fois un magnétophone portatif avec lequel il avait enregistré sa conversation avec le mafioso. C'est sans doute avec hésitation qu'il s'est prêté à cette expérience, sachant que, deux semaines auparavant, un autre agent source de la SQ qui évoluait dans le milieu des motards avait été assassiné dans les Laurentides. L'individu avait lui aussi un magnétophone portatif sur lui.

Claude De Serres était un dealer de mari affilié aux Hells Angels, mais il était aussi agent source. Or, ses associés motards avaient découvert son double jeu grâce à l'ordinateur portable qu'ils avaient subtilisé à Sherbrooke. Ayant déjà fait affaire avec De Serres, Normand Robitaille l'avait invité à son chalet dans le Nord, prétendument pour discuter d'une nouvelle opération reliée à la culture de la marijuana. Lorsque les autorités ont découvert le corps sans vie de De Serres, le magnétophone que la police lui avait fait porter était toujours en place ; on pouvait entendre sur la cassette la terrifiante trame sonore de son assassinat. Il est fort probable que le meurtre de De Serres ait achevé de convaincre la SQ qu'elle avait besoin de Kane.

Au bout du compte, le sort que les Hells avaient réservé à De Serres ne réussira pas à dissuader Dany Kane de devenir lui-même agent source et, de ce fait, de porter en secret un magnétophone ou un micro-émetteur. Le premier essai avec le mafioso se déroulera sans anicroche, quoique l'essentiel de la conversation s'avérera inintelligible. Les propos qui ont été enregistrés clairement ne contiennent rien de compromettant, ce qui n'est pas étonnant considérant que les habitués du milieu ne parlent toujours qu'à mots couverts de leurs manigances ou des transactions reliées à la drogue. Les portions les plus intelligibles de la conversation surviennent lorsque Kane chante les louanges de sa Harley, puis lorsqu'il se plaint de la fréquence et de la durée des messes.

Kane avait acheté la Harley en question en juin 1999 et l'avait équipée de toutes les options imaginables – régulateur de vitesse automatique, interphone, chaîne stéréo sophistiquée, sacoches cavalières, pare-brise, etc. –, à tel point qu'il projette d'en acheter une autre « plus sport », plus dépouillée. N'empêche que Dany adore cette magnifique machine. Il a déjà inscrit 14 000 km au compteur en se baladant au Nouveau-Brunswick, en Ontario et dans la région du Saguenay – Lac-Saint-Jean ; il lui tarde de la chevaucher en parcourant les Rocheuses, un rêve qu'il réalisera peut-être cet été-là s'il parvient à se libérer de ses obligations pour quelques semaines. Le problème, c'est que les réunions de la bande occupent l'essentiel de ses journées. « J'suis rentré à 13 h dans un meeting pis j'suis sorti à 17 h, dit-il à son ami mafioso. J'en ai eu un autre à matin et pis ça finit pus, ostie. Ma vie, c'est quasiment juste m'asseoir dans un meeting. »

Dans les milieux criminels, la routine est une chose à éviter autant que possible ; un horaire prévisible peut aisément mener à une fin prévisible. Cependant, en sa qualité d'agent source, Kane doit déroger à cette règle implicite en s'astreignant à un emploi du temps bien défini. Il se lève tôt, habituellement entre 5 h et 6 h, et commence presque toujours sa journée en appelant Roberge ou Legault pour discuter des activités à l'ordre du jour. Si une rencontre intéressante est prévue ce jour-là, Kane et ses contrôleurs se donneront rendez-vous dans un endroit sécuritaire – un hôtel de banlieue, par exemple – où un technicien de la police installera un magnétophone sur l'agent source. La plupart du temps, le premier appel de Kane à ses contrôleurs est suivi d'au moins une demi-douzaine d'autres, voire de 10 ou 12 autres au cours de la journée. Après la rencontre, Kane se dirige vers Montréal, dans le quartier Hochelaga-Maisonneuve. Il bifurque parfois par LaPrairie pour aller chercher Normand Robitaille avant de se rendre au Pro-Gym.

Les jours où il ne porte pas de magnétophone, Kane s'adonne à la musculation tout en discutant avec ses confrères motards et, si l'opportunité se présente, avec Mom Boucher. Un jour, au début d'avril, Mom se montrera particulièrement volubile et se vantera d'avoir financé une vaste commission d'enquête publique qui avait été constituée en 1996 : pendant près de deux ans, la commission Poitras avait enquêté sur la Sûreté du Québec et sur ses méthodes. Boucher prétend qu'à l'occasion de cette commission d'enquête, il avait engagé des avocats en leur donnant pour mission de salir la réputation de la SQ par tous les moyens possibles. L'expérience avait été une telle réussite que le chef des Nomads compte maintenant financer une autre commission qui enquêterait sur la violation des droits des prisonniers dans les pénitenciers de la province. « Il [Boucher] a dit que jusqu'à maintenant il avait réussi à changer beaucoup de choses », notera Kane dans son journal.

De son propre aveu, Mom a d'autres projets « d'intérêt public ». Il dit par exemple avoir acheté au centre-ville de Montréal un terrain sur lequel il fera ériger un monument à la mémoire de tous les citoyens qui ont été tués par la police. Boucher se permet rarement ce genre d'extravagances ; il n'a pas à son nom de maison fastueuse, de yacht somptueux ou de voiture de luxe, afin de ne pas alerter Revenu Québec et Revenu Canada. Il racontera ensuite comment son fils Francis s'était pointé chez lui un jour au volant d'une Cadillac flambant neuve ; Mom lui avait aussitôt dit d'aller se faire voir ailleurs. Ce genre de voiture attire l'attention de la police, chose que Boucher cherche à tout prix à éviter. Il y a certaines choses que Francis devra apprendre s'il veut un jour voler de ses propres ailes, de déclarer Mom.

Lorsque Kane mentionne le fait qu'on lui a retiré sa *patch* de Rocker, Boucher se montre compatissant et se dit heureux que l'incident ne l'ait pas incité à quitter la bande pour de bon. Sa persévérance prouve qu'il n'est pas un «lâcheux». Mom prophétise que Dany récupérera bientôt ses couleurs. Pierre Provencher avait fait la même prédiction au motard déchu 15 jours plus tôt et, à la fin de mars, Normand Robitaille lui avait dit en aparté : «Il y a des gars qui l'ont pour monter et il y en a qui l'ont pas. Toi, tu l'as.» Mais, pour Kane, ces bonnes paroles ne prenaient tout leur sens que lorsqu'elles provenaient de la bouche du grand boss lui-même.

Après avoir passé la matinée au Pro-Gym, les motards vont habituellement dîner au restaurant. La bande affiche un fort penchant pour le sushi, mais fréquente néanmoins différents établissements. Lorsqu'un groupe de Nomads est présent, ce qui est généralement le cas, les subalternes, Kane compris, montent la garde à une table voisine, mais pas près au point d'entendre les conversations de leurs supérieurs.

Dans l'après-midi, Kane est libre de vaquer à ses entreprises criminelles. Sa grosse transaction de haschisch n'aboutira à rien puisqu'il s'agissait effectivement de hasch repressé ainsi que Mom l'avait craint. Kane s'occupera ensuite, pendant un jour ou deux, d'un projet qui pouvait potentiellement lui gagner les faveurs des Nomads : l'ami d'un ami avait rencontré Apache Trudeau par hasard dans un bar ; il l'avait reconnu à ses nombreuses cicatrices – Trudeau avait eu recours à la chirurgie pour se faire enlever ses tatouages – et pour l'avoir vu en photo à plusieurs reprises. Si Kane parvenait à décrocher le scalp du plus gros rat de toute l'histoire de la bande, son entrée dans les Nomads serait assurée. Dans sa chasse à l'Apache, Kane se butera très vite à une impasse et tournera aussitôt son attention vers une autre transaction de drogue. Il s'agit cette fois d'une cargaison d'ecstasy qu'un contact travaillant à l'aéroport Pearson de Toronto s'était chargé de faire entrer au pays. Après que Francis Boucher lui a expliqué que le marché québécois de l'ecstasy appartient à la Table, Kane se désintéresse promptement de l'affaire. Kane pouvait certes fourguer une quantité importante de cette drogue s'il le voulait, mais uniquement à l'extérieur de la Belle Province.

En soirée, Kane participe régulièrement à des événements organisés par la bande, ce qui lui donne l'occasion d'étendre son réseau de contacts et de nouer de nouvelles relations d'affaires. Il se rendra par exemple à Sorel pour assister à la cérémonie d'intégration des Death Riders de Laval dans le camp des Hells Angels ; les Riders deviendraient dès lors le chapitre de Montréal-Nord des Rockers. L'événement attirera un nombre impressionnant de Nomads et de Hells Angels, ainsi que les membres de plusieurs clubs affiliés de la région de Montréal. Kane et Pierre Provencher en profiteront pour parler à nouveau des richesses qui les attendaient peut-être le long de la 401. Kane écrira ceci dans son journal : « Pierre m'a dit que ça serait bon que j'aie une *business*, parce que ça [signe du doigt signifiant une arme], c'est bien bon mais que ça ne restera pas. » La richesse de Provencher est source de spéculation et d'envie pour les autres Rockers, aussi Kane essaiera-t-il de le convaincre de tenter une nouvelle fois sa chance à Belleville et à Kingston. Avec un peu d'effort, assure Kane, ils pourront écouler dans ces villes ontariennes deux ou trois kilos de coke par semaine.

Il y avait aussi de ces sorties d'agrément durant lesquelles on ne parlait pas affaires. Quand les motards allaient en famille à l'érablière de Provencher, les bambins pouvaient courir tout leur soûl ; les hommes s'y rendaient aussi parfois seuls pour vaquer aux travaux qui, chaque printemps, annoncent le temps des sucres. Certaines sorties étaient obligatoires. Ce fut le cas en avril lorsque Normand Robitaille, un fervent adepte de la musculation, « invita » tous les Rockers à assister à une compétition de body-building à laquelle il participait. Il était somme toute normal que les Rockers soutiennent ce Nomad qui était leur principal superviseur – sans compter qu'ils influenceraient probablement les juges du simple fait de leur présence. En dépit de cette convocation officielle, la plupart des Rockers trouveront mieux à faire le soir de la compétition. Deux jours plus tard, la bande apprendra de la bouche de Provencher que Robitaille avait été très insulté de l'absence de ses troupes. Il est probable que Kane aurait regagné plus tôt ses couleurs s'il avait assisté à l'événement : après la compétition, Robitaille se montrera moins encourageant à son égard et lui annoncera même qu'il ne récupérerait pas sa *patch* aussi vite qu'escompté.

Robitaille prétend que le délai est dû à une dette impayée pour laquelle Kane s'était porté garant.

Robitaille accapare Kane énormément à cette époque, ce qui est loin de plaire à Carroll. Devenu à la fois chauffeur personnel et garde du corps de Robitaille, Kane doit être à sa disposition cinq jours par semaine. Plus sensible à l'ordre hiérarchique de la bande que Steinert ne l'avait été lorsqu'il avait arraché Kane à Carroll, Robitaille reconnaît toutefois que Wolf a préséance sur lui en ce qui a trait à Kane.

À la fin de mars, Carroll avait rencontré Kirk Mersereau, le frère de Randy, pour tenter d'aplanir les différends entre les Hells Angels et la famille Mersereau. Carroll avait appelé Kane de Halifax pour lui dire que les choses s'étaient bien passées et que Kirk et lui étaient désormais amis, mais il brossera un tableau bien différent de la réunion à son retour à Saint-Sauveur. Carroll dira alors à Kane que Kirk n'avait pas compris le message et qu'il se jurait de venger la mort de Randy. Carroll avait pourtant essayé de lui faire comprendre que les Hells avaient dû tuer son frère parce qu'il « avait fait de mauvaises choses ». Il avait ensuite demandé à Kirk s'il était l'un de ceux qui avaient mis à prix la tête de Boucher, de McCrea ainsi que la sienne. Mersereau avait juré qu'il n'avait rien à voir là-dedans. Convaincu que Kirk Mersereau mentait, Carroll avait décidé qu'il fallait l'éliminer lui aussi.

Kane sait que Carroll ne lui raconte pas tout ça simplement pour bavarder : Wolf va de toute évidence lui demander bientôt de participer à un autre complot de meurtre à Halifax. Bien que la date du contrat ne soit pas encore été fixée, Kane sait que l'ordre peut venir d'un moment à l'autre.

Mais avant de dépêcher son tueur à gages favori à Halifax, Wolf a une autre mission à lui confier.

CHAPITRE 21

La vie, la mort et les dettes

Dany se montrera très prévenant envers Patricia dans les derniers mois de sa grossesse. La jeune femme est en congé de maternité depuis février et Kane est aux petits oignons avec elle ; il l'incite sans cesse à se reposer et à bien manger, lui téléphone plusieurs fois par jour et rentre à la maison de temps en temps le midi pour s'assurer qu'elle va bien.

Les liens qui unissent leur couple s'étaient resserrés durant les mois d'hiver. Kane apprécie et respecte les nouvelles règles que Patricia a instaurées : drogues et armes à feu sont désormais interdites dans la maison ; les membres de la bande ne peuvent plus venir sans s'annoncer et s'ils sont invités, ils n'ont pas le droit de parler affaires ; et, finalement, lorsque Dany revient de travailler, il doit laisser stress et contrariétés sur le pas de la porte. Patricia ne tolérera plus qu'il défoule ses frustrations sur elle et les enfants.

Kane lui est si dévoué et semble si déterminé à devenir un père modèle que, malgré l'épisode de la baby-sitter, Patricia ne remet plus en cause sa fidélité. Ayant pour la plupart au moins une maîtresse, les confrères motards de Kane ont pris l'habitude de se moquer gentiment de sa monogamie. Quand la bande sort le soir avec son entourage habituel de danseuses et d'escortes, les motards s'amusent parfois à appeler Patricia pour lui demander en blaguant si elle autorise Dany à coucher avec une autre femme. « C'est un grand garçon, répond-elle invariablement. Il est capable de décider ça tout seul. »

Dany était en prison à la naissance de son deuxième et de son troisième enfant, aussi est-il bien déterminé à assister cette fois à la naissance de ce bébé tant désiré. Kane craindra de voir ce projet contrecarré lorsque, le 17 avril, il recevra un appel de Carroll lui demandant de se rendre à Toronto pour rencontrer des membres des Para-Dice Riders. Les Hells Angels auraient enfin l'occasion de s'implanter en Ontario en venant en aide aux Riders, qui ont des problèmes avec les Loners, leurs rivaux à Toronto et dans le Sud de la province.

Kane relaiera cette information à ses contrôleurs plus tard dans la journée. Les Loners, de dire l'agent source, doivent tous être éliminés, à commencer par Jimmy, leur président. La conversation entre Kane et Roberge sera interrompue par un autre appel : un collègue de Kane lui annoncera que Normand « Biff » Hamel, confident de longue date de Mom Boucher et directeur financier des Nomads, vient d'être abattu à Laval dans le stationnement d'un centre d'achats ; l'attentat s'est déroulé en présence de l'épouse et du fils de la victime. C'est la première fois que les Rock Machine réussissent à assassiner un Nomad aussi haut placé.

La nouvelle du meurtre d'Hamel causera de sérieux remous chez les Hells Angels. Retardant son départ pour Toronto d'une journée, Kane glanera autant de renseignements que possible sur la chose et informera Roberge du fait que la bande était déjà à planifier sa contre-attaque. Le 19 avril à 6 h du matin, après avoir reçu 4 900 $ de ses contrôleurs pour couvrir les frais du voyage, Kane quitte pour Toronto, suivi de près par Roberge et Legault. Le motard se rendra directement dans un restaurant de Woodbridge, une bourgade majoritairement italienne située au nord-est de la Ville Reine, où un Para-Dice Rider du nom de Gino lui a donné rendez-vous. Celui-ci dira à Kane tout ce qu'il sait sur les membres des Loners, notamment sur Jimmy, le président du club, et Peter, son principal assassin. Gino donnera à Kane l'adresse du nouveau repaire des Loners, mais il lui faudra une journée de plus pour recueillir d'autres renseignements pertinents et pour obtenir des photos des leaders de la bande. Gino insistera sur le fait que personne ne doit savoir qu'il est la source de Kane. La perspective d'une fusion avec les Hells Angels ne fait pas l'unanimité au sein des Para-Dice Riders. Or, certains membres du club soupçonnaient Gino d'être un espion à la solde des Hells.

Leur rencontre terminée, les deux motards se fixent un rendez-vous pour le lendemain. Toujours suivi de Roberge et de Legault, Kane se rend au centre-ville de Toronto et prend une chambre au

Colony Hotel. À 21 h 10, Kane reçoit sur son téléavertisseur un message urgent de Gisèle lui disant que Patricia est en train d'accoucher. Elle s'était rendue à l'hôpital dans l'après-midi pour un examen de routine et le médecin avait constaté que la dilatation du col était déjà commencée. Après avoir consulté ses contrôleurs, Kane prend un taxi pour l'aéroport, non sans avoir téléphoné à Gino au préalable pour lui demander s'il peut le rencontrer là pour lui remettre les photos des Loners. Le Rider préférerait que l'échange se fasse à Montréal ; il doit s'y rendre de toute manière le lendemain pour assister aux funérailles de Normand Hamel.

Dany arrive dans la métropole à une heure du matin. Neuf heures plus tard, Patricia donnait naissance à un garçon. Après l'accouchement, qui ne s'est pas déroulé sans difficulté, la pression artérielle de Patricia chute brusquement et la jeune mère perd connaissance. À son réveil, Dany est au téléphone en train d'annoncer à tous vents l'heureuse nouvelle. «On aurait dit que c'était son premier enfant, se rappelle Patricia. Il était fou de joie. Il a même pris des journées de congé ! »

Kane devra toutefois attendre quelques jours avant de s'accorder ce congé. Pour un motard, la bande passe avant tout, or, il n'était d'événement plus important que les funérailles d'un confrère assassiné. Kane attendra que l'état de sa compagne se soit stabilisé, puis s'éclipsera quelques heures à peine après la naissance de son fils. Il devait d'abord aller chercher Gino et son contingent de Para-Dice Riders à l'aéroport de Dorval pour les conduire ensuite dans un hôtel de Longueuil. Après avoir soupé au restaurant avec ses homologues ontariens, Kane va chercher sa Harley en prévision de la randonnée et de la fête qui auront lieu le soir même au repaire du chapitre du Sud, en mémoire de leur regretté compagnon.

Le lendemain matin, jour du service funèbre de Biff Hamel, Kane est au poste dès 9 heures. Il va chercher les Riders à l'hôtel, les emmène déjeuner, puis les conduit de nouveau au repaire du chapitre du Sud. Le groupe se rend ensuite au salon funéraire Magnus Poirier situé rue Sherbrooke Est à Montréal. C'est là que repose Hamel, sa petite silhouette arborant fièrement en cet ultime adieu les couleurs terrifiantes des Hells Angels. Par respect des traditions et pour honorer son frère défunt, Wolf Carroll se rendra au salon funéraire en moto, sous la pluie battante. À son arrivée, il est détrempé et demande à Kane de le conduire à son appartement pour qu'il puisse se changer.

Toujours aussi volubile, Carroll parlera de ses plans concernant les Loners. Selon lui, il serait préférable de buter Peter, l'assassin de la bande, en premier. Carroll songe à éliminer toute la bande d'un seul coup, possiblement en faisant sauter leur repaire à la dynamite. Ce serait un beau coup d'éclat, toutefois les risques de dommages collatéraux sont élevés. Les Hells n'ont pas besoin d'un autre Daniel Desrochers, de déclarer Carroll. D'une manière ou d'une autre, Wolf compte dépêcher quelques éclaireurs anglophones en Ontario pour effectuer une surveillance préliminaire. Le Nomad ne veut pas envoyer Kane immédiatement en Ontario sous prétexte qu'un francophone se démarquerait trop et qu'il fallait être discret, mais, assure-t-il, il reviendrait à Dany de «finir la job».

Une fois rendus les derniers hommages à Normand Hamel, Kane reconduit les Para-Dice Riders à l'aéroport, puis rentre à la maison pour faire enfin connaissance avec son nouveau fils. Kane passera les trois jours suivants avec Patricia et le bébé. Ses contrôleurs auraient aimé qu'il rencontre Carroll le lundi 24 avril pour obtenir d'autres renseignements au sujet du complot visant les Loners, mais Wolf n'était pas disponible ce jour-là parce qu'il avait décidé lui aussi de passer la journée avec son fils.

Kane reprendra le collier dès mardi. Muni d'un magnétophone caché, il rencontrera Pierre Provencher et un autre Rocker. Si la police comptait recueillir des propos compromettants concernant le trafic de la drogue ou un complot de meurtre, elle sera déçue. La conversation s'avérera des plus banales: les motards discuteront de la quantité d'eau que l'on doit boire dans le courant d'une journée et se demanderont s'il est possible de boire trop d'eau; ils se demanderont ensuite s'il faut absolument suivre un régime pour avoir un corps idéal («Moé, j'veux avoir une *shape* maigre, mais musculaire, avait dit Kane. Quand tu te crisses à poil, les filles sont toutes mouillées, ostie.»); ils parleront aussi des sports qu'ils comptent pratiquer durant l'été (Kane favorisait le patin à roues alignées). Les trois hommes déplorent que les Rock Machine, qui ont été jadis des adversaires dignes des Hells, ne soient plus désormais qu'une «gang de *bums*», et s'entendent sur le fait qu'il est presque impossible de joindre les deux bouts avec moins de 5 000 $ par semaine. Lorsque les motards discuteront de la capacité à se fondre dans une foule, Kane dira qu'il attribue sa survie au fait qu'il n'a pas un visage dont on se souvient.

Kane se montrera très volubile et parlera avec emportement de la naissance de son fils Jesse. Décrivant avec force détails le douloureux accouchement de Patricia, il incite ses copains Rockers à utiliser des condoms, ne serait-ce que pour épargner à leurs compagnes cette pénible épreuve. Dany dit en blaguant que Jesse ne lui ressemble pas du tout. « J'ai ri en crisse quand le p'tit est venu au monde. Y'avait une ostie d'grosse poche pis une p'tite graine. J'pogne le bébé, le cordon est pas coupé encore, j'la regarde pis j'dis s'pas moé l'père! Tu vois ben, crisse, moé j'ai des p'tites boules pis une grosse graine! »

Kane retournera à Toronto cette semaine-là et rencontrera Gino à plusieurs reprises. Les deux motards passeront en voiture devant le repaire des Loners ainsi que devant les domiciles et lieux de fréquentation de Jimmy et Peter, les deux cibles des Hells. Lors d'un lunch organisé par Gino, Kane rencontrera deux Hells du chapitre de Sherbrooke qu'il connaissait déjà et qui étaient eux aussi à Toronto pour éliminer un ennemi : les Rock Machine avaient constitué un chapitre dans la Ville Reine et les deux hommes étaient là pour descendre l'un de ses dirigeants. Confidence pour confidence, Gino leur racontera comment il s'était brouillé avec Peter, qui avait été pendant plusieurs années son ami et associé. À une époque où Peter purgeait une peine de prison, Gino avait soutenu financièrement sa femme et ses enfants. Après la libération de Peter, Gino avait connu lui aussi des difficultés financières, mais son vieil ami l'avait abandonné à son sort et était parti pour l'Italie sans plus se soucier de lui. Sur ce, Gino remet à Kane des photos de Peter et de Jimmy pour qu'il puisse aisément les identifier, puis il lui recommande de se débarrasser de Peter en premier.

Apprenant que Gino avait raconté à deux Hells de Sherbrooke les détails du complot de meurtre visant les deux Loners, Wolf Carroll sort de ses gonds, et pour cause : c'était là un manque flagrant de discrétion. Traitant Gino de tous les noms, Carroll jure que la prochaine fois qu'il le verra, il lui foutra un pistolet entre les mains et l'obligera à remplir lui-même le contrat.

Reconnu pour son tempérament affable et sa sociabilité, Wolf n'a pas l'habitude de s'emporter de la sorte. Il a cependant de bonnes raisons d'être grincheux : ses problèmes financiers ont atteint un seuil critique et viennent s'ajouter aux sérieux problèmes de santé qui le minent à cette époque. Il doit 500 000 $ à la Table, or, ses collègues Nomads menacent de lui couper les vivres et de ne plus l'approvisionner en drogue s'il ne rembourse pas bientôt cette dette. Carroll doit éviter ce genre d'embargo à tout prix. Si on lui coupait l'accès à la marchandise de la Table, son réseau de vente de stupéfiants s'écroulerait et ce serait la débâcle financière. En mal de liquidités, Carroll exige de Kane qu'il lui rembourse immédiatement les 2 000 $ qu'il lui doit encore.

Wolf est de meilleure humeur quelques jours plus tard, lorsqu'il s'envole pour Rivière-du-Loup en compagnie de Kane, de leur avocate Danièle Roy et des Rockers Pierre Provencher et Stéphane Jarry, qui leur tiennent lieu de gardes du corps. Carroll et Kane sont appelés à comparaître au tribunal local où ils feront face à des accusations de possession d'arme à feu.

Wolf avait d'abord voulu descendre à Rivière-du-Loup en voiture, mais Roy avait insisté pour qu'il nolise un avion au coût de 2 800 $, une somme que Carroll, qui était toujours sans le sou, s'était vu dans l'obligation d'emprunter. Mais Wolf ne regrettera pas longtemps cette folle dépense puisque son avocate négociera avec la Couronne une entente qui était tout à son avantage : même si la police avait trouvé les deux pistolets dans un sac appartenant à Carroll, Kane s'attribuerait la possession des deux armes, plaiderait coupable et écoperait d'une peine de quatre ou cinq mois ; les charges contre Carroll, elles, seraient retirées. Kane n'aurait pas à donner réponse à l'accusation avant la fin d'octobre et ne commencerait donc à purger sa sentence qu'à ce moment-là. Dans son journal d'agent source, Kane écrira que Provencher et Jarry « étaient bien contents que j'aie pris le blâme pour Wolf, car il est bien malade ». Kane n'est pas chaud à l'idée de retourner en prison, néanmoins il consent à ce sacrifice pour rendre service à Wolf, mais aussi pour s'attirer les grâces des Nomads.

Douze jours après son retour de Rivière-du-Loup, Carroll passe sous le bistouri pour se faire enlever une tumeur – un « caillou », dira Kane – à la glande thyroïde. Le Nomad sera ensuite en convalescence pendant plusieurs semaines. Avant son opération, Wolf avait libéré Kane de son contrat visant les Loners, disant qu'il confierait plutôt la mission à deux *hangarounds* de Halifax. À cause de cette grande gueule de Gino, certaines personnes continueraient de croire que Kane allait remplir le contrat. Wolf avait de toute manière un autre boulot pour Dany : il voulait éliminer un dealer indépendant qui importait des stupéfiants en Nouvelle-Écosse et, de ce fait, portait atteinte à son monopole. La proposition est loin d'intéresser Kane. « Je lui ai dit non parce que je voulais monter une *business*, rapporte-t-il à ses contrôleurs. J'ai souvent été en prison et j'ai jamais eu le temps de faire de l'argent. Là, c'est à mon tour de faire de l'argent. » Conscients des problèmes financiers de Kane, certains membres de la bande, parmi eux Pierre Provencher et Normand Robitaille, sympathisent avec lui. Ils font un bon paquet d'argent en vendant de la coke et ils ne comprennent pas pourquoi Kane n'est pas capable de faire autant de fric qu'eux. Cela dit, ils reconnaissent que les obligations de Kane envers Robitaille lui laissent peu de temps pour ses entreprises personnelles. Kane doit souvent aller le chercher tôt le matin et passe le plus clair de ses journées à jouer les chauffeurs, le conduisant tantôt au club sportif où il joue au racquetball, tantôt aux divers restaurants où il tient ses réunions d'affaires, pour enfin aller chercher sa fille à la garderie. Robitaille reconnaît que tout cela est très accaparant et décidera d'utiliser Kane seulement trois jours par semaine, ce qui lui laissera amplement de temps pour mettre au point ses propres sources de revenus.

À la mi-mai, Kane dit à Provencher qu'il veut mettre sur pied un petit réseau de revendeurs semblable à celui qu'il a constitué en 1994 : « La clique serait des gars qui travaillent en majorité dans le pot et un peu dans la coke. Environ 10 gars qui me donneraient environ 500 $ chacun par semaine. » Mais il faudrait du temps avant que le réseau soit opérationnel. Or, dans l'intervalle, Kane avait besoin de davantage d'argent que ce que lui rapportait son salaire d'agent source.

Quelques semaines auparavant, soit à la fin d'avril, le Service de protection des témoins de la SQ avait demandé à Roberge et à Legault si Kane leur avait remis, ainsi que son contrat le stipulait, les revenus découlant de ses activités criminelles. Les contrôleurs avaient répondu que Kane ne leur avait rien donné parce qu'il n'avait eu aucun revenu : « Depuis la signature de son entente, 3683 n'a jamais reçu d'argent du milieu, car auparavant il faisait la collecte [de dettes] et devait utiliser la violence à l'occasion. La SQ l'ayant avisé de ne pas commettre de violence, 3683 n'a pu faire de collecte et donc n'a reçu aucune somme d'argent. » Les contrôleurs ne mentionnent pas que leur agent vend de la drogue et des stéroïdes, néanmoins leur rapport semble satisfaire le SPT.

Un mois plus tard, Kane tente encore une fois de soutirer des fonds supplémentaires à ses contrôleurs en employant une tactique qu'il a déjà utilisée avec la GRC : il commencera par se plaindre pendant quelques jours du fait qu'il est sous-payé, puis, si ses contrôleurs ne cèdent pas à ses demandes, il réduira pendant un temps la fréquence de ses contacts avec eux. En mai, il décidera de ne pas répondre aux messages de Legault et Roberge pendant une journée entière, enfreignant par la même occasion l'une des clauses de son contrat. Roberge fera finalement en sorte que Kane puisse exprimer ses griefs à ses supérieurs de la SQ. « Sa double vie est très exigeante, surtout avec les contraintes de sa famille » note le policier.

Kane profitera de la réunion pour rappeler à ses employeurs combien il est difficile pour quelqu'un de l'extérieur de comprendre les exigences financières propres au milieu des motards. Les gars de la bande ont toujours entre 5 000 $ et 10 000 $ en poche. Or, Kane prétendait qu'il ne pourrait gagner l'estime de ses pairs que s'il disposait lui aussi de pareilles sommes. « Il [Kane] explique que l'image est très importante et qu'il doit avoir un minimum d'argent pour ne pas soulever les doutes. » La SQ ne répondra pas immédiatement à la requête de motard, mais elle finira par délier les cordons de sa bourse : au cours des semaines suivantes, l'agent source se fera rembourser les « dépenses » engagées dans l'exercice de ses fonctions et empochera au total plusieurs milliers de dollars.

Bien que Kane soutienne le contraire, ses contrôleurs savent fort bien que ses activités criminelles, notamment la vente de drogue, lui rapportent une certaine somme d'argent. Mais d'un autre côté, ils savent aussi que leur agent source perd beaucoup de revenus potentiels en refusant de tuer contre rémunération. Les notes de Kane révèlent que, durant cette période, les Hells Angels le considéraient d'abord et avant tout comme un tueur à gages. Le 22 mai, Kane apprend de la bouche de Provencher qu'on va lui confier un autre contrat : lui et un autre sympathisant des Rockers vont être engagés pour éliminer deux leaders des Ruff Riders, un gang de rue qui a eu la mauvaise idée de refuser une alliance avec les Hells. Le même jour, on avertit Kane que s'il rencontre par hasard un individu du nom de Fritz, il doit l'abattre séance tenante – la bande soupçonne Fritz de travailler comme agent source pour la police. Deux jours plus tard, Provencher dit à Kane qu'il est en train de planifier un attentat à la bombe et lui demande de fabriquer un détonateur pouvant être déclenché à distance. La semaine suivante, Kane se voit offrir 20 000 $ pour tuer une femme qui vend de la drogue pour le compte des Rock Machine. Le contrat avait été confié à un autre Rocker deux ou trois semaines auparavant, mais l'assassin n'avait pu mener à bien sa mission. Or, Kane le tueur à gages est reconnu pour sa fiabilité.

Quelque temps auparavant, Wolf avait demandé à Kane d'éliminer un autre individu gênant. Cet homme que Carroll appelait Dédé était membre de la West End Gang. Sa spécialité : dévaliser les véhicules blindés des compagnies de sécurité. On disait qu'il était l'un des meilleurs dans son domaine, et donc très riche. Mais Dédé avait commis une erreur fatale : bon ami de Kirk Mersereau, il avait été l'un des artisans du contrat visant à éliminer Wolf Carroll et Mom Boucher pour venger la mort de Randy Mersereau. La requête de Carroll était venue le lendemain de la défection de Stephen Falls, événement qui avait incité les Nomads à prendre des mesures de sécurité draconiennes pour se protéger d'une éventuelle attaque des Rock Machine. « Wolf m'a dit vouloir les pogner sur le fait et les tuer comme les chiens qu'ils sont, écrira Kane dans son journal. Il voulait aussi leur couper la tête pour faire un exemple. »

Kane refusera de tuer la femme dealer sous prétexte qu'il ne veut pas se retrouver en prison avant d'avoir fait un bon paquet d'argent. Dire non à Wolf n'était pas chose facile vu que celui-ci était son supérieur, mais aussi, de plus en plus, son ami et confident. Les conversations enregistrées par la police à cette époque révèlent que la relation entre Kane et Carroll se faisait plus intime. Dany lui parlait des plaisirs de la paternité et de la solidité de sa relation avec Patricia. Depuis la naissance du bébé, il avait découvert en elle des qualités insoupçonnées dont il avait ignoré l'existence.

Wolf discute de plus en plus ouvertement de ses problèmes d'argent et de santé avec Dany et lui demande son avis au sujet des plans qu'il concocte dans l'espoir de payer ses dettes au plus vite. Carroll veut se lancer dans la culture hydroponique de la marijuana, une entreprise aussi rentable que les actions du secteur technologique, mais beaucoup plus prometteuse à long terme. Il envisage également de se rendre à Sarnia en Ontario pour tuer un membre des Rock Machine, un meurtre pour lequel la Table le paierait grassement. Wolf parle même de retourner vendre de la drogue dans la rue.

Les confidences coulent mais n'en épongent pas les dettes pour autant, aussi Carroll continue-t-il d'exiger de Kane les 2 000 $ qui lui sont dus. À la mi-juin, n'ayant pas les fonds tant réclamés, Kane recommence à éviter Carroll autant que possible. « Wolf est malade et se chicane avec tout le monde » dira l'agent source à ses contrôleurs.

Kane a un autre sérieux problème d'argent à régler. Durant l'automne de 1999, un ami du nom de François Houle (aucun lien de parenté avec Denis Houle des Nomads) avait reçu des menaces de mort de plusieurs membres de la mafia italienne à qui il devait une somme de l'ordre de 120 000 $. Voulant aider cet ami en détresse, Kane avait négocié avec les mafiosi pour finalement obtenir un prêt au nom de Houle, mais garanti par lui, d'un Hells de Sherbrooke du nom de Guy « Malin » Rodrigue. Houle avait utilisé ce prêt pour régler sa dette envers la mafia et avait donc eu la vie sauve, mais sa gratitude envers Kane fut de courte durée puisqu'il cessa bientôt d'effectuer ses paiements à Malin Rodrigue.

À bout de patience, Malin contacte Kane le 12 juin pour lui annoncer qu'il ne veut plus faire affaire avec Houle et qu'il tient Kane pour responsable de la dette. Il exige que Kane lui donne un minimum de 1 000 $ par semaine, somme qui représente les intérêts sur la dette. Estimant qu'il n'a pas d'ordres à recevoir de son confrère de Sherbrooke, Kane appelle Houle pour lui dire de régler lui-même ses affaires avec son créancier.

Kane n'est pas trop inquiet puisqu'il s'attend à ce que son travail avec la police porte fruit incessamment, ce qui lui vaudra un premier paiement de 590 000 $. Depuis novembre, l'agent source informait ses contrôleurs du lieu et de l'heure des messes des Rockers, ce qui permettait aux enquêteurs de l'ERM de cacher des micros et des caméras dans les chambres d'hôtel et salles de banquet où ces réunions avaient lieu. Ces tactiques d'espionnage n'étaient pas toujours aussi fructueuses que la police l'aurait espéré, puisque les Hells ne discutaient toujours qu'à mots couverts de leurs activités illicites. Lorsque les enquêteurs sont parvenus à déchiffrer le langage codé des motards et de leurs sympathisants, les messes sont devenues dès lors une véritable mine d'or de preuves matérielles. Dès le début de l'été 2000, grâce aux renseignements fournis par Kane et aux preuves obtenues en surveillant les motards, en plaçant leurs lignes téléphoniques sous écoute et en enquêtant sur les scènes de crimes, les enquêteurs de l'ERM avaient assemblé un dossier solide contre les Hells Angels de la région de Montréal.

À la mi-mai, la police sent qu'elle touche au but et demande à Kane d'enregistrer une déposition vidéo – ce que l'on appelle un «KGB» dans les milieux policiers. Kane mettra deux jours à lire, sous serment et devant l'œil de la caméra, le contenu de son journal d'agent source en commentant au besoin ses notes écrites. En 1993, la Cour suprême du Canada avait décrété dans le jugement du procès R. contre K.G.B. qu'une déposition effectuée volontairement avant un procès pouvait être enregistrée comme preuve du moment que certaines normes étaient respectées pour garantir sa véracité. Ce jugement visait particulièrement les causes de violence familiale et les procès où un enfant était appelé à témoigner ; dans ce genre d'affaire, il arrive souvent qu'un témoin relate devant le tribunal une version des faits différente de celle qu'il a présentée à la police dans les heures suivant le crime.

Certains procureurs ont bientôt compris qu'on pouvait avoir recours au KGB lorsqu'un témoin disparaissait ou mourait avant la fin d'un procès. Cela dit, cette pratique n'était pas encore très répandue en 2000, aussi les enquêteurs affectés au crime organisé prenaient-ils rarement la précaution d'enregistrer les témoignages de leurs informateurs sur vidéocassette. Bien qu'il soit probable que le meurtre récent de Claude De Serres ait motivé l'ERM à filmer la déposition de Kane, certains détails suggèrent que l'escouade ne voulait rien laisser au hasard et qu'elle s'employait à ce moment-là à cristalliser les différents éléments de son enquête.

Le jour où Malin Rodrigue a téléphoné à Kane pour lui demander de payer la dette de François Houle, l'agent source et ses contrôleurs se sont donné rendez-vous et ont longuement discuté de l'enquête en cours. Roberge décrira la rencontre en ces termes succincts, sans donner d'autres précisions : « Discussion sur le dossier, sur le fonctionnement, l'avenir et l'échéance du dossier, et sur les éléments de preuve que nous cherchons. » Cela signifiait de toute évidence que les enquêteurs négociaient déjà la dernière ligne droite. De fait, l'ERM en était à planifier pour septembre ou octobre une opération massive et concertée qui se solderait par une série de raids, d'arrestations et de saisies.

Kane ne s'inquiétait pas outre mesure des exigences de Rodrigue parce qu'il pensait pouvoir atermoyer jusqu'au jour de la grande razzia, jour où ses créanciers se retrouveraient derrière les barreaux et seraient donc dans l'impossibilité de recouvrer sa dette. Après la razzia, Kane serait par ailleurs exonéré de la peine que le tribunal de Rivière-du-Loup lui avait imposée. Sentant que l'enquête touchait à sa fin, Kane a persuadé ses contrôleurs de lui avancer 86 000 $ pour couvrir des dettes qui n'étaient pas reliées à sa vie criminelle. Il devait 9 000 $ pour la moquette et les tuiles qu'il avait fait installer dans la maison de Saint-Luc ; 6 000 $ pour une nouvelle porte de garage ; 5 000 $ pour l'aménagement paysager ; et un autre 6 000 $ en meubles et appareils ménagers. Il devait 15 000 $ à ses parents et à Dominique pour les travaux qu'ils avaient effectués au sous-sol de la maison et 25 000 $ à la mère de Josée, qui avait assuré la subsistance de sa fille à l'époque où Kane était incarcéré à Halifax. À Josée elle-même, Kane devait 3 500 $ en pension alimentaire ainsi que 3 000 $ pour des vêtements achetés aux enfants. Il y avait toutefois une dette qui découlait sans doute de ses activités criminelles : pour une raison ou une autre, Kane devait 2 500 $ au propriétaire d'une lunetterie du centre-ville où il se faisait parfois livrer ses kilos de cocaïne. À la mi-juin, Roberge et Legault remettent à leur agent source les sommes exigées, plus une prime de 2 500 $ que Kane avait réclamée pour faire réparer sa Harley. Le motard prétendait que cette dépense était reliée à ses activités d'agent source et devait donc être couverte par la SQ.

C'est durant cette période que Kane a commencé à parler de refaire sa vie et à dire aux membres de sa famille qu'il serait bientôt riche.

Patricia était la principale destinataire de ces allusions pour le moins occultes. Elle se souvient tout particulièrement d'une conversation survenue lorsque Jesse était malade. Le nourrisson avait toujours mangé abondamment, mais il avait l'habitude de régurgiter presque tout ce qu'il avalait. Il paraissait en bonne santé, néanmoins Patricia commençait à s'inquiéter. Dany lui répétait qu'elle s'en faisait pour rien, mais la jeune mère avait insisté pour que l'on emmène le petit Jesse à l'hôpital. Alors que Kane continuait d'affirmer à qui voulait bien l'entendre qu'il n'y avait pas lieu de s'inquiéter, les médecins décidèrent de faire subir à l'enfant une série de tests. Le lendemain, les docteurs finissent par annoncer à Patricia qu'une valve dans l'estomac de Jesse ne se referme pas comme elle le devrait et qu'il faut l'opérer pour corriger le problème. Lorsque la jeune mère téléphone à Kane pour lui annoncer la nouvelle, celui-ci fond en larmes et s'excuse de s'être opposé aussi obstinément à l'examen médical. Fort heureusement, l'opération se déroule bien et Jesse peut réintégrer le nid familial le samedi suivant. Le surlendemain, Kane et Patricia retournent à l'hôpital avec le bébé pour un examen postopératoire, après quoi ils vont déjeuner.

Durant le repas, Kane évoque la possibilité de partir au loin avec Patricia et les enfants, de recommencer à zéro en coupant tout lien avec leur existence passée :

«Tu vas voler un camion de la Brinks? demande Patricia.

Je vas faire bien mieux que ça, répond Kane.»

Dany demande ensuite à sa compagne si elle serait contrariée qu'il quitte définitivement le milieu des motards. Patricia trouve la question idiote, puisque rien à part Kane ne la rattache à ce milieu qu'elle juge par ailleurs très peu attrayant. En revanche, la jeune femme n'a aucunement l'intention de couper les liens avec sa famille ainsi que Dany semble le suggérer. Au terme de la conversation, Patricia est frustrée que Dany refuse de lui dire ce qu'il manigance, et Dany est désarçonné que Patricia se soit déclarée incapable de couper tout contact avec ses sœurs et sa mère.

CHAPITRE 22

Les derniers jours

Il y a belle lurette que le 24 juin, jour de la Saint-Jean-Baptiste, a perdu toute résonance religieuse au profit du statut païen de «fête nationale». Par-delà les aléas de sa signification, la Saint-Jean a toujours conservé sa vocation première, qui est de célébrer le début de l'été. L'année scolaire est terminée, les bureaux et commerces sont fermés, et tous attendent avec impatience ce fameux défilé qui viendra animer le centre-ville de Montréal.

L'anniversaire du chapitre des Nomads tombe lui aussi le 24 juin, ce qui donne aux Hells Angels une raison supplémentaire de festoyer. En 2000, c'est Michel Rose, importateur de drogue notoire et membre de la Table, qui se fera l'hôte des célébrations. Rose, qui avait fait fortune bien avant de se joindre aux Nomads, habitait une maison confortable mais sans prétention à Repentigny, une municipalité située à la pointe est de l'île de Montréal. Si la propriété n'avait rien d'impressionnant, les joujoux de Rose, eux, avaient de quoi susciter l'envie. Leur propriétaire se faisait une joie de les exhiber dans son entrée de garage et sur le quai que l'on apercevait tout au bout de la cour arrière qui donnait sur le fleuve Saint-Laurent.

En lisant son journal d'agent source et en écoutant les enregistrements de ses conversations avec ses confrères et associés, on s'aperçoit que Kane était fasciné par tout ce qui était voiture, moto, bateau et autres engins motorisés. Ses contrôleurs auraient souhaité qu'il apporte à son métier d'agent source le même souci du détail que celui qu'il mettait à décrire ces objets de luxe qu'il convoitait tant. Kane notera consciencieusement que, le jour des célébrations chez Michel Rose, deux Mercedes, soit une 1996 décapotable et une berline haut de gamme de fabrication récente, étaient garées devant la maison. Deux magnifiques Harley reposaient au garage tandis que dans la cour arrière le clou de la collection scintillait de tous ses feux: croulant sous une surenchère de chrome, la Harley Softail de Rose était dotée d'un réservoir à essence sur lequel son propriétaire avait fait graver le logo des Nomads. Kane estimait sa valeur à plus de 80 000 $.

Mais c'est sur l'eau que l'extravagance de Rose prenait tout son sens : au quai de la propriété étaient amarrés deux motomarines et trois bateaux de course. Kane était fasciné par le bateau cigarette de 12 mètres semblable à ceux qu'il avait vus dans la série *Miami Vice* et par la bombe de 14 mètres à double cockpit que son propriétaire avait baptisée *El Rapido*. L'époustouflante embarcation de 500 000 $ méritait son nom puisqu'elle arborait une vitesse de pointe de plus de 220 km/h. Lorsque Rose avait proposé à ses invités de faire un tour à son bord, Kane avait sauté sur l'occasion, abandonnant Patricia et Jesse sur la terre ferme.

Patricia, qui avait toujours été mal à l'aise dans pareils rassemblements de motards, découvrira avec plaisir que son bébé de trois mois exerçait une attirance irrésistible sur toutes les femmes présentes, ce qui lui permettra de faire connaissance pour la première fois avec plusieurs d'entre elles. La compagne de Kane appréciera particulièrement la douceur et la simplicité de l'épouse de Mom Boucher – celle-ci bercera Jesse tendrement jusqu'à ce qu'il s'endorme.

Pour Kane, ces célébrations du 24 juin sont plus qu'une simple occasion de s'éclater : dans le courant de la journée, la bande l'accueillera de nouveau en son sein en lui restituant sa *patch* de Rocker, lui signifiant ainsi qu'elle ne lui tenait pas rigueur de ses erreurs passées et de ses problèmes financiers actuels.

Wolf Carroll ne sera pas de la fête ce jour-là. Le dimanche précédent, soit le 18 juin, Carroll avait convoqué Kane à sa résidence de Saint-Sauveur, non pas pour l'exhorter ainsi qu'il le faisait si souvent à payer le solde de sa dette, mais pour lui exprimer son mécontentement envers les Hells Angels du Québec, les Nomads et les membres de la Table. Carroll ne devait plus à la Table que 400 000 $, somme qu'il comptait rembourser incessamment ; néanmoins, il était désenchanté de la nouvelle direction qu'empruntait l'organisation. Les motos et l'esprit de camaraderie n'étaient plus les pivots de l'idéologie des Hells. Mais ce qui décevait surtout Wolf, c'était que les membres de la bande pensaient désormais *business* et seulement *business*. Les Hells Angels n'avaient plus qu'un seul critère pour évaluer la valeur de leurs membres : l'argent. « T'as pas d'argent, t'es pas bon », disait Carroll.

Pour les Hells du Québec et les Nomads, Carroll n'était plus qu'une dette sur deux pattes. La bande avait soudain oublié tout ce qu'il avait fait pour elle. Carroll était désormais tenu à l'écart et se sentait même menacé. On ne l'avait pas consulté avant de nommer René Charlebois membre *full patch* des Nomads, ce qui enfreignait le règlement qui stipulait que chaque membre en règle d'un chapitre a droit de veto sur la nomination d'un nouveau membre. Carroll avait été informé de la décision deux heures à peine avant la cérémonie d'intronisation.

Carroll croyait par ailleurs que la bande cherchait à lui arracher son territoire. Wolf s'opposait à l'approche préconisée par les Nomads : ceux-ci fixaient le prix de la drogue pour le pays entier et divisaient leur fief en territoires clairement délimités dans lesquels chacun devait s'en tenir à une activité bien précise. Ce système de cartel, de dire Wolf à Kane, allait à l'encontre de la philosophie libertaire et de l'esprit de libre entreprise qui avaient été jusque-là le *credo* des vrais motards.

Les choses se présentaient différemment à Halifax, d'ajouter Carroll. Là, il n'y avait pas de territoires et personne ne contrôlait le cours du marché de la drogue. Chacun était libre de faire comme bon lui semblait, comme à la bonne vieille époque du Far West. Wolf songeait sérieusement à retourner s'établir pour de bon dans la capitale néo-écossaise. « Je suis comme à un recommencement, disait-il en se baladant dans les bois avec Kane. Je peux pas vivre icitte, han, j'peux pas. C'est une belle place pis toutte, mais j'peux pas rapporter, han. »

Ayant lui-même des choses à reprocher aux Hells, Kane sympathise avec son ancien mentor. Le jeune motard est particulièrement frustré de la lenteur de son ascension dans les rangs de l'organisation. « Fuck, ça fait longtemps. Les choses changent, pis ça compte pus ce temps-là. Toutte ce que tu fais, ça compte pas, Wolf. »

Carroll demande alors à Kane comment il aime travailler pour Normand Robitaille. « Y est tout le temps en crisse, de répondre Kane. Quand c'est pas une affaire, c'est d'autre chose. Y est tout le temps en train de me gosser. L'autre jour, y m'a dit que je m'habillais mal pis de m'acheter quelques habits de classe pour mes journées avec lui. »

Informé de l'insatisfaction de Kane, Carroll se décide enfin à lui faire part de ses intentions : « Si je t'appelle, j'aimerais que tu descendes [à Halifax]. Tu connais le trip *biker*, Dany. T'as plus ça dans ton cœur que le reste. Il y en a même qui disent qu'ils aiment pas ça. »

Si Carroll n'a pas pu assister au party chez Michel Rose, c'est justement parce qu'il devait se rendre en Nouvelle-Écosse. Il appellera Kane le 22 juin pour l'inviter à venir passer ses vacances d'été avec lui dans les Maritimes. Carroll réitérera son invitation à plusieurs reprises au cours des trois jours suivants, se faisant chaque fois un peu plus insistant. Il dit finalement à Dany qu'il doit venir absolument parce qu'il a des documents importants à lui montrer. Kane pense qu'il s'agit d'un message codé dont il ne saisit pas le sens ; néanmoins, il se doit d'accéder à la requête de son supérieur. Le 26 juin, l'agent source prend la route au volant d'une fourgonnette louée, Roberge et Legault à sa suite. Les trois hommes passeront la nuit à Fredericton.

Le lendemain, Kane et Carroll se donnent rendez-vous dans un MacDonald de Truro. Wolf est accompagné de son fils, ce qui ne l'empêchera pas de parler affaires. Les choses avaient mal tourné ces derniers temps pour Paul Wilson, de raconter Wolf. Un subalterne de Wilson avait parlé à la police de l'implication de Kane et de Carroll dans le meurtre de MacFarlane. Carroll soupçonne que Wilson est sur le point de retourner sa veste.

« Wolf m'a dit que Paul devait mourir », dira Kane à ses contrôleurs. Ayant eu vent des desseins meurtriers de Carroll, Wilson avait pris la fuite. Certains prétendent qu'il s'est réfugié en Colombie-Britannique.

Le glas avait sonné également pour Kirk Mersereau, d'annoncer Carroll. Non content d'avoir engagé un assassin pour l'éliminer, Mersereau avait fait surveiller la maison et la famille de Wolf à Saint-Sauveur. « Il devait mourir pour ça », rapporte Kane.

Carroll tentera ensuite de convaincre Kane de s'installer en Nouvelle-Écosse. Il invitera Dany à venir faire la fête au repaire des Hells Angels de Halifax dans le but évident de l'amadouer. Kane prendra effectivement du bon temps au cours des jours suivants : il se prélassera sur la plage, fera du shopping, mangera dans des bons restaurants et se baladera en ville sur la Harley de Mike McCrea.

Kane semble se plaire à Halifax. Il dira à ses contrôleurs qu'il était « très respecté » des Hells locaux – ceux-ci avaient même chargé un *hangaround* de veiller à son bien-être tout au long de sa visite.

En plus de payer son essence et sa chambre d'hôtel à Fredericton, Legault et Roberge avaient donné 600 $ à Kane pour couvrir ses dépenses à Halifax. Deux jours à peine après son arrivée dans la capitale néo-écossaise, Kane appelle discrètement ses contrôleurs à partir du repaire des Hells dans l'espoir de leur soutirer une somme supplémentaire. Peu de temps après, l'agent source prendra livraison d'une enveloppe contenant 400 $ que les deux policiers avaient scotchée sous un évier dans les toilettes d'un Tim Hortons.

Durant le séjour de Kane, les Hells de Halifax étaient occupés à planifier le meurtre de Kirk Mersereau. Mike McCrea informera à un moment donné Kane et Carroll que la cible fait route vers Montréal, probablement pour y finaliser le complot de meurtre visant Carroll. Il fut décidé que Kane partirait pour Montréal en compagnie de Jeff Lynds, le *hangaround* qui aurait pour mission d'éliminer l'indésirable. Comme Lynds ne connaissait pas Montréal, Kane lui servirait de guide et l'aiderait à débusquer Mersereau.

Kane et Lynds sont sur le point de partir pour la métropole lorsque Carroll apprend que Mersereau a eu un accident de la route au Nouveau-Brunswick. Du coup, son assassinat est remis à plus tard.

Le jour de la fête du Canada, Kane repart seul pour Montréal.

Juillet est un mois plutôt tranquille pour les motards. Les Hells ont désormais assuré leur suprématie sur les Rock Machine, si bien que la guerre entre les deux clubs semble sur le point de s'achever. Quelques semaines auparavant, Normand Robitaille avait dit à Kane que même la mafia italienne, qui n'a jamais aimé les Hells Angels, avait accepté l'inévitable et s'était résignée à faire affaire avec la bande en général et avec la Table en particulier.

Juste avant les célébrations du 24 juin chez Michel Rose, Vito Rizzuto, le parrain de la mafia montréalaise, et trois de ses lieutenants avaient rencontré des membres de la Table pour discuter du prix de la cocaïne et de la division des territoires sur l'île de Montréal. Mom Boucher était censé participer à cette réunion au sommet, mais il s'est désisté parce qu'il snobait Rizzuto à l'époque. Motards et mafiosi entameront néanmoins les pourparlers en l'absence du chef des Nomads. Au bout du compte, les Italiens parviendront tout au plus à conserver les territoires de Montréal-Nord et de la Petite Italie. Les deux parties fixeront le prix de la cocaïne à 50 000 $ le kilo.

Normand Robitaille informera par la suite les membres des Rockers qu'ils bénéficieraient d'un rabais de 10 % sur la coke qu'ils achèteraient aux Nomads, mais qu'ils n'auraient pas le droit de la revendre moins de 50 000 $ le kilo, et ce, même s'ils l'avaient coupée au préalable. L'impact de cette augmentation subite ne tardera pas à se faire sentir : moins de deux semaines après la fixation du nouveau prix, les ventes commençaient à décliner. Kane n'écoulait pas plus d'un kilo par mois, aussi ne fut-il pas trop affecté par cette majoration que la Table avait décrétée ; en revanche, certains de ses confrères Rockers eurent à composer avec un véritable déluge de plaintes provenant des petits dealers qu'ils approvisionnaient.

Kane avait de toute manière d'autres chats à fouetter à cette époque. Sa préoccupation de l'heure était d'assembler les futurs membres des Road Warriors, une bande qu'il avait fondée et qui aurait pour mission de vendre du pot et de la coke dans les cités ontariennes de Belleville et de Kingston. Les Nomads avaient donné le feu vert au projet à la mi-juin, puis avaient approuvé le nom, le logo et la devise de la bande : *Only a Matter of Time* (une simple question de temps). Kane envisageait de nommer Ghislain « Coyote » Guay, son principal livreur de cocaïne, président de la bande. À titre de parrain des Road Warriors, Kane agirait comme agent de liaison entre eux et les Nomads et serait de ce fait leur unique fournisseur. Avec les Warriors, Kane faisait enfin son entrée dans la bourgeoisie des motards, même si ce n'était qu'en attendant que la police lance sa grande razzia et expose au grand jour le secret de sa double allégeance. Tout comme Wolf avec les Hells de Halifax et Mom avec les Rockers, Kane régnerait en maître absolu sur les Road Warriors. Wolf avait certes déclaré à la suite d'une récente chicane que Coyote, le futur président des Warriors, « allait devoir mourir », mais Kane ne l'avait pas pris au sérieux. Carroll proférait constamment des menaces de ce genre ces derniers temps.

À la grande surprise de Kane, Normand Robitaille lui propose une part dans un réseau de télémarketing frauduleux. Le projet viserait les États-Unis et consisterait à contacter des individus pris au hasard – de préférence des personnes âgées, lesquelles adorent les sweepstakes et tirages de ce genre – pour leur dire qu'ils avaient gagné une voiture, mais qu'ils devaient payer les taxes et les frais de dédouanement avant de pouvoir réclamer leur prix. Plus vite ils enverraient l'argent, leur dirait-on, et plus vite ils pourraient profiter de leur nouveau véhicule. L'automobile et le concours ne seraient bien entendu qu'illusions.

Montréal a toujours été un terreau fertile pour les arnaques de ce genre. Dans les années 1990, la chute des tarifs interurbains avait entraîné une recrudescence des fraudes de télémarketing dans la métropole. Les Hells Angels et la mafia n'avaient pas tardé à s'immiscer dans ce marché. L'opération à laquelle Kane avait été convié était justement le fruit d'une collaboration entre motards et mafiosi, collaboration qui avait été négociée lors du sommet avec Rizzuto. Kane avait été affecté à la surveillance durant la réunion et n'avait donc pas pris part aux négociations ; néanmoins, Robitaille avait réussi à lui octroyer un peu plus de 4 % des bénéfices, ce qui était énorme considérant que le travail de Kane ne serait pas particulièrement exigeant et que le réseau allait générer environ un million de dollars par semaine.

Enchanté par cette promesse d'argent facilement gagné, Kane s'accorde une semaine de vacances au début de juillet. Patricia et lui ont d'abord songé à partir en voyage, mais ils ont finalement décidé de rester à Saint-Luc pour se reposer, faire de menus travaux dans la maison et passer un peu de temps en famille avec le bébé.

Kane n'appellera ses contrôleurs qu'une seule fois durant cette semaine de relâche. Il leur apprendra à cette occasion que Louis «Melou» Roy, un Nomad fortuné du chapitre de Trois-Rivières, a été victime d'une purge interne. Roy ne s'était jamais impliqué de très près dans la guerre des motards. Comme bien des Hells, il trouvait que c'était là une stratégie dangereuse qui ne servirait qu'à ameuter la police et qui, de surcroît, n'était pas bonne pour les affaires. Motard respecté qui avait fait ses débuts avec les Missiles du Saguenay–Lac-Saint-Jean, Melou avait quelque peu adouci sa position à la demande de Mom Boucher et avait accepté à un certain moment de se joindre aux Nomads. Mais lorsque Mom lui avait demandé au début de juin de se joindre à la Table, Melou avait refusé. Roy était à l'instar de Wolf Carroll un motard traditionaliste qui préférait mener ses affaires comme il l'entendait. La Table avait une optique trop corporative à son goût. Elle payait un salaire hebdomadaire de 5 000 $ à ses membres; or, en touchant cette paie régulière, Melou aurait eu l'impression de n'être qu'un simple employé. Même la perspective des profits faramineux qu'il réaliserait par-delà ce salaire ne parvint pas à le faire changer d'avis. Melou était farouchement opposé à la politique de fixation des prix qu'avait adoptée la Table. Il bénéficiait de ses propres contacts en Colombie et il n'entendait les partager avec personne.

C'est lors de leur conversation du 18 juin que Carroll a dit à Kane que Melou avait refusé d'adhérer à la Table. Les deux motards avaient espéré que la décision ne serait pas néfaste pour leur confrère; or, trois semaines plus tard, elle s'avéra fatale. On apprendra par la suite que le véritable crime de Melou avait été de vendre sa coke plus cher à ses collègues Hells qu'il ne la vendait à la mafia. C'était sans doute la raison pour laquelle la Table avait tenté de le recruter et pourquoi elle l'avait éliminé lorsqu'il avait refusé de se joindre à elle.

Lorsque Kane reprend le collier après sa semaine de vacances, c'est au tour de Roberge et de Legault de partir en congé. La bande continuait de toute manière à observer ce qui, pour les Hells Angels, équivalait à un horaire d'été. Kane pouvait aller chercher Robitaille plus tard que de coutume et était souvent libéré de ses obligations en début d'après-midi. Il passait le reste de la journée à chevaucher sa Harley avec ses confrères motards.

Robitaille tenait Kane au parfum des récents développements. Le Nomad et membre de la Table André Chouinard avait subitement été évincé de la bande – Robitaille prétendait qu'il n'avait pas l'étoffe d'un vrai Hells Angel. Autre grande nouvelle: la Table avait effacé la dette de Wolf Carroll. On disait que Carroll s'était valu cette généreuse exemption parce qu'il avait lui-même assassiné Melou. D'un point de vue logistique, la chose est peu probable puisque Wolf se trouvait en Nouvelle-Écosse dans les jours qui ont précédé et suivi la disparition de Roy. (Louis «Melou» Roy avait été vu pour la dernière fois à une réunion des Nomads qui avait eu lieu dans une bâtisse située juste en face de la maison du père de Mom Boucher dans Hochelaga-Maisonneuve. D'ailleurs, le bruit courait que c'était Mom Boucher qui l'avait tué en l'étranglant de ses propres mains.)

Kane apprendra par ailleurs à ses contrôleurs que Pierre Provencher projetait d'exterminer les Ruff Riders, le gang de rue montréalais qui avait refusé de s'affilier de façon formelle aux Rockers. Provencher voulait dépêcher les membres du gang en Nouvelle-Écosse en leur disant que les Hells de Halifax avaient une mission à leur confier ; il leur tendrait ensuite une embuscade sur une route isolée du Nouveau-Brunswick. « La raison : ils étaient menteurs, crosseurs et faiseurs de trouble », de dire Kane.

La majorité des renseignements que Kane transmet à ses contrôleurs à la fin de juillet entrent dans la catégorie *nice to know*. Le 18 du mois, lors d'une discussion au Pro-Gym, Mom Boucher dit à Kane qu'il sent que les autorités sont sur le point de lancer une intervention majeure contre les Hells Angels. Selon Mom, il y a trop longtemps que la police n'a pas sévèrement sévi contre eux. Plus tard dans la journée, Robitaille admet qu'il craint lui aussi que les choses se gâtent, quoique sa hantise relève davantage de motifs personnels. « Je commence à faire affaire avec pas mal de monde, dit-il à Kane. J'ai peur de me faire ramasser. À un moment donné, y va bien y avoir un délateur, un *stool* ou un informateur qui va me donner. »

Même s'il est anxieux comme il le prétend, Robitaille ne peut s'empêcher de se vanter auprès de Kane de ses succès personnels : « Il m'a dit qu'il était fier de lui et qu'il ne pouvait pas être mieux placé dans le milieu criminel parce que les Hells, c'était le top. »

La semaine suivante, Kane passe une journée entière à conduire Robitaille à une série de meetings, d'abord dans un grand restaurant italien de Laval, puis dans un casse-croûte miteux de Verdun et enfin dans un café du centre-ville. Après avoir passé six heures à zigzaguer dans la ville et ses environs, les deux hommes se rendent sur la Rive-Sud. Sur le chemin du retour, Robitaille demande à Kane de le déposer au métro Longueuil, ce qui est étrange considérant que les motards n'utilisent jamais le transport en commun. Le Nomad n'explique pas à Kane pourquoi il veut emprunter ce moyen de transport. Peut-être veut-il simplement éviter de se retrouver coincé sur l'un ou l'autre des ponts qui relient la Rive-Sud à Montréal et qui sont toujours affreusement congestionnés à l'heure de pointe.

Avant de s'engouffrer dans le terminus, Robitaille retire ses bagues de Hells Angel et les confie à Kane, sans doute parce qu'il craint de se les faire voler ou d'être repéré dans le métro par quelque sympathisant des Rock Machine. Il confie ensuite à son subalterne ses trois téléavertisseurs et deux de ses trois téléphones cellulaires. Robitaille avertit Kane de veiller sur son porte-documents, lequel contient des papiers importants. Pour finir, le Nomad demande à Dany de venir le chercher quatre heures plus tard à une bouche de métro de l'est de Montréal.

Kane donne promptement rendez-vous à ses contrôleurs pour leur remettre le porte-documents de Robitaille. Dès qu'ils ont les papiers du Nomad en leur possession, Roberge et Legault se rendent en vitesse à un poste de police situé non loin de là pour les photocopier. Il s'agissait de toute évidence de dossiers de comptabilité puisque les pages étaient couvertes de chiffres, d'initiales et de noms de code. Les contrôleurs de Kane ignoraient ce que tout cela signifiait, mais une chose était certaine : c'était la première fois que la police mettait la main sur des documents de ce genre depuis qu'elle enquêtait sur les Hells Angels.

Kane ira chercher Robitaille à l'heure dite et lui rendra ses téléavertisseurs, ses téléphones, ses bijoux… et son porte-documents. Le Nomad était accompagné de deux Hells du chapitre de Trois-Rivières et ils étaient tous les trois un peu pompettes. Ils sont montés dans la fourgonnette de Kane et lui ont demandé de les reconduire sur la Rive-Sud – les gars de Trois-Rivières avaient laissé leur auto au métro Longueuil. Kane conduira ensuite Normand Robitaille chez lui.

La dernière semaine de la carrière d'agent source de Dany Kane ne différera en rien de celles qui l'avaient précédée. Le motard continuera de transmettre à ses contrôleurs le même type d'information qu'il leur avait fournie auparavant.

Les Rockers avaient laissé tomber leur projet d'embuscade contre les Ruff Riders ; un gang de rue rival, les Bo-Gars, leur réglerait leur compte en échange de certaines faveurs de la part des Rockers. Normand Robitaille aimait l'idée d'un affrontement entre gangs de rue ; cela détournerait l'attention de la police des Hells Angels.

Les Road Warriors de Kane filaient pleins gaz. La bande en devenir avait hérité de territoires dans le nord et l'est de Montréal, ce qui signifiait que son réseau de vente de stupéfiants ne se limiterait pas à l'Ontario. Kane avait fourni à l'ERM la liste des membres de la bande, incluant leurs numéros d'assurance sociale et de permis de conduire.

L'agent source avait été invité au domaine de Mom Boucher à Contrecœur. Le mariage du Nomad René Charlebois devait s'y dérouler la semaine suivante ; or, l'heureux événement soulevait des problèmes de sécurité. « Il y a 300 personnes invitées au mariage, avait dit Francis Boucher à Kane, et donc 300 personnes qui savent où est le mariage. » Mom avait confié à son fils la garde du domaine jusqu'au jour des noces. Lorsque Kane avait visité les quartiers personnels de Francis, celui-ci lui avait montré la mitraillette équipée d'une mire infrarouge qu'il utilisait pour protéger la propriété contre toute intrusion nocturne.

En ce qui avait trait aux affaires personnelles de Kane, l'événement le plus gratifiant de la semaine fut sans contredit la résolution du malentendu concernant la dette de François Houle envers Guy « Malin » Rodrigue. Le 28 juillet, Robitaille avait enjoint Kane à régler l'affaire en payant lui-même la somme due ; c'était là son deuxième avertissement. Selon Robitaille, cette foutue dette diminuait les Rockers et les Nomads dans l'esprit des Hells de Sherbrooke. Le 31 juillet, Malin exigera lui aussi que Kane règle la dette.

Dans la soirée du 1er août, Kane ira voir François Houle à Laval pour déterminer combien il avait emprunté et quelle somme avait été remboursée jusque-là. Kane constatera avec soulagement que les choses n'allaient pas en s'aggravant : alors que la dette avait atteint 130 000 $ à la fin de 1999, elle se trouvait maintenant à 80 000 $. Houle remettait présentement à son créancier 2 000 $ par semaine, dont 1 000 $ en intérêts.

Lorsque Kane parle à Malin deux jours plus tard, celui-ci exige le remboursement immédiat du montant total ; l'usurier en a assez de courir après les connards qui lui doivent de l'argent. Houle contacte Kane le soir même dans un état de panique parce que deux individus à la mine patibulaire sont venus frapper à sa porte. Le malheureux débiteur a fait semblant de ne pas être à la maison.

Le lendemain, soit le vendredi 4 août, Kane rencontrera ses contrôleurs vers 10 h du matin. Ceux-ci lui remettront les 1 000 $ qu'il présenterait à René Charlebois en guise de cadeau de mariage – les Rockers avaient été avertis que c'était le minimum acceptable –, ainsi que 650 $ pour que Kane puisse se prendre un avocat pour régler la question de son permis de conduire, lequel avait été suspendu une énième fois. La rencontre se terminera vers 10 h 45, mais avant de partir Kane évoquera son obligation envers Malin. En plus d'être un véritable casse-tête, la dette risquait de remettre en cause sa crédibilité et son statut dans le milieu motard, ce qui compromettrait sérieusement son utilité en tant qu'agent source. Roberge et Legault ne pouvaient offrir de solution immédiate au problème ; néanmoins, un peu plus tard dans la journée, ils plaideront la cause de leur agent auprès de leurs supérieurs.

Les deux policiers contacteront Kane à 16 h 30 pour lui annoncer que non seulement l'ERM avait accepté de payer sa dette, mais que l'argent ne serait « pas pris dans son compte », ce qui signifiait que la somme ne serait pas déduite de son salaire d'agent source ou de sa prime de 1,75 million de dollars. Les fonds seraient disponibles le lundi ou mardi suivant. Le seul hic, c'était que l'ERM se proposait de payer la somme en deux versements. Kane aurait préféré encaisser le montant d'un seul coup ; néanmoins, Roberge et Legault noteront qu'il était ravi et très soulagé d'apprendre la nouvelle. Avant de raccrocher, l'agent source et ses contrôleurs conviendront de se rencontrer le dimanche suivant.

Le dimanche soir en question, tandis que Kane est étendu sur son divan à écouter les Doors, Roberge tente de le contacter à plusieurs reprises et laisse sur son téléavertisseur deux messages qui resteront sans réponse. Vers 19 h 30, le policier essaie de le joindre de nouveau sur ses cellulaires, mais ils demeurent obstinément fermés. Le lendemain matin, Roberge et le sergent-détective René Beauchemin – qui remplace Legault ce jour-là – sont néanmoins « en position pour rencontrer l'agent source » dès 7 h du matin.

Roberge laissera un message sur le téléavertisseur de Kane à 7 h 15, puis un second 10 minutes plus tard, auquel il ajoutera un code numérique signifiant que le message est « semi-urgent ».

N'obtenant aucune réponse, les deux policiers se rendent à Saint-Luc pour voir de quoi il retourne. En passant devant la maison de Kane, Roberge note : « Van bleue dans la cour et porte de garage fermée. N'observons aucune activité. » Les enquêteurs passeront ensuite devant la résidence de Normand Robitaille à Candiac, mais n'observeront là non plus rien qui sorte de l'ordinaire. Roberge et Beauchemin ne peuvent rien faire sinon surveiller les différents lieux de fréquentations de Kane sur la Rive-Sud dans l'espoir de l'apercevoir. Ils demanderont à leurs collègues de surveiller de près les tables d'écoute au cas où Kane ferait un appel ; quelqu'un d'autre mentionnerait peut-être où il se trouvait.

Les policiers de Saint-Luc contactent l'ERM pour annoncer qu'ils ont découvert le corps sans vie de Dany Kane. Dans son dernier rapport concernant l'agent source IN-3683, le sergent-détective Benoît Roberge note froidement : « Au bureau, apprenons décès de l'A/S par suicide dans son garage. »

CHAPITRE 23

Guerre et paix

Ses compagnons motards et les quelques policiers qui ne pouvaient rien révéler de leur relation avec lui semblent avoir été les seules personnes, mis à part les membres de sa famille, à remarquer la mort de Dany Kane. Sa double vie ayant toujours été un secret et son suicide apparent, une simple anecdote dans la grande épopée de la guerre des motards, Kane n'était rien de plus aux yeux du public qu'un autre soldat du mal destiné à une fin tragique. Son souvenir s'estompera d'autant plus rapidement que les hostilités entre Hells Angels et Rock Machine reprendront de plus belle dans les derniers mois de l'année 2000.

Moins d'un mois après la mort de Kane, Michel Auger, chroniqueur judiciaire au *Journal de Montréal*, écrit une série d'articles traitant des luttes de pouvoir dans le milieu du crime organisé montréalais. Auger affirme que les Hells Angels sont hypocrites et sournois tant avec les leurs qu'avec les autres organisations criminelles. Cette déclaration, évidemment, irrite Mom Boucher. Aveuglé par la colère, le chef des Nomads a la mauvaise idée d'ordonner l'assassinat du journaliste. Cela s'avérera être l'une de ses pires décisions depuis le début de la guerre des motards.

Auger doit l'essentiel de sa réputation en tant que journaliste d'enquête à ses contacts dans la police de Montréal. Il affiche dans ses reportages un préjugé favorable envers la police, ce qui n'a rien d'étonnant considérant que les révélations que ses amis policiers lui font en secret sont à l'origine de la majorité de ses scoops. Si le lecteur moyen ne fait pas grand cas de ce parti pris, la communauté criminelle montréalaise, elle, en a pris bonne note et a Auger en aversion. Voici comment un officier supérieur du SPCUM, le commandant André Bouchard, décrit la relation de la police avec Auger :

« Tout ce qu'il écrivait, ça venait de nous. Les journalistes nous utilisent, mais on les utilise nous aussi. Auger avait l'habitude de venir au poste pour boire un café avec nous à 9 h tous les matins. Il nous demandait : "Pis, qu'est-ce que vous avez ?" [...] On lui répondait quelque chose comme : "On a fait deux arrestations hier, et puis tiens, publie donc ça aussi [...]" On lui donnait des renseignements et ça nous aidait en même temps. »

Les criminels de la métropole en sont venus à le considérer moins comme un observateur objectif que comme un agent provocateur et un propagandiste œuvrant pour la police. Les articles qu'il a publiés durant la deuxième semaine de septembre étaient basés sur des renseignements véridiques, mais pour Mom Boucher c'était tout de même la goutte qui faisait déborder le vase. Et sans doute était-ce une goutte qu'il attendait depuis longtemps puisqu'il avait déjà pris soin d'obtenir l'adresse d'Auger et le numéro de plaque de sa voiture par l'entremise d'un contact à la Société de l'assurance-automobile du Québec.

Le sinistre plan sera mis à exécution dès le lendemain de la parution du dernier article. Le mercredi 13 septembre, un peu avant 11 h, Auger revient de sa réunion quotidienne avec les enquêteurs de l'escouade antigang du SPCUM et gare sa Subaru familiale dans le parking du *Journal de Montréal*. Le reporter descend de voiture, puis va chercher son ordinateur portable dans le coffre arrière. Se penchant pour saisir l'objet, il est atteint d'une balle au dos. L'assassin fait feu sur lui à six reprises. Miraculeusement, le journaliste ne subira aucune blessure permanente, ses organes vitaux n'ayant pas été atteints. Il sera en mesure de reprendre le travail quatre mois plus tard.

Les milieux criminels souffriront bien plus que la victime elle-même des répercussions de l'attentat. La tentative d'assassinat contre Michel Auger, l'un des chroniqueurs judiciaires les plus connus de la province, enflammera les médias et l'opinion publique autant, sinon plus, que l'attentat à la bombe qui avait causé la mort du jeune Daniel Desrochers cinq ans auparavant et que les meurtres des gardiens de prison en 1997. L'attaque visant Auger était inexcusable :

ce n'était pas un accident comme cela avait été le cas avec Desrochers et, contrairement aux gardiens de prison qui côtoient chaque jour des criminels endurcis, les journalistes sont censés être à l'abri des élans vengeurs de pareils malfaiteurs.

L'attentat contre Auger était un geste calculé visant à intimider les médias et à terroriser l'ensemble de la société. Les citoyens québécois, qui pour la plupart n'avaient pas été touchés personnellement par la guerre des motards, avaient été jusque-là de l'avis de la police en ce sens qu'ils ne voyaient pas de mal à ce qu'on laisse des bandits et des meurtriers s'entretuer; ils se raviseront cependant après l'attaque contre le journaliste. Cette fois-là, les Hells avaient dépassé les bornes. La clameur publique atteindra son paroxysme lorsque la police révélera qu'elle détenait depuis plusieurs mois une longue liste des cibles que les Hells Angels comptaient éliminer, liste sur laquelle figurait le nom de Michel Auger. Tous se demanderont si le reporter avait été la première victime d'une série d'attentats à venir. Se sentant menacés, les journalistes de la province organiseront des manifestations et publieront des éditoriaux corrosifs dans lesquels ils exprimeront toute leur indignation, dans le but d'alimenter le tollé.

Comme cela avait été le cas avec la création de l'escouade Carcajou cinq ans auparavant, le gouvernement du Québec attendra de se trouver devant le fait accompli avant de réagir. Maintenant que Carcajou avait comblé certaines lacunes dans l'intervention policière de première ligne, le gouvernement comptait remédier aux faiblesses du système judiciaire. Il avait été prouvé à l'occasion de plusieurs procès – dont celui des cinq Rockers accusés du meurtre de Caissy, procès dans lequel Aimé Simard avait été pour la Couronne un témoin vedette pour le moins désastreux – que la machine judiciaire existante ne faisait pas le poids face aux équipes d'avocats redoutables qui défendaient motards et mafieux. Moins d'une semaine après l'assassinat manqué de Michel Auger, le ministère de la Justice créait le Bureau de lutte au crime organisé.

Grâce à cet organisme, les procureurs régionaux, à qui l'on confiait souvent des douzaines de dossiers à la fois, ne seraient plus débordés et n'auraient plus à préparer les causes liées au crime organisé sans aide extérieure. Une équipe spéciale composée des meilleurs procureurs de la province et disposant de toutes les ressources nécessaires se chargerait désormais d'élaborer les poursuites contre les Hells Angels, les Rock Machine et les autres organisations criminelles.

Mais ce n'était pas tout. Bien qu'une loi antigang – que la police et les procureurs n'avaient encore jamais éprouvée – eût été adoptée en 1998, le public réclamait des peines plus sévères pour les individus impliqués dans le crime organisé. Le gouvernement canadien reconnaissait par ailleurs qu'il fallait alléger le fardeau de la preuve afin que la Couronne puisse prouver plus aisément l'appartenance d'un individu à une organisation criminelle.

Si Mom Boucher ne fut pas impressionné outre mesure par l'indignation publique, la réaction des organisations criminelles avec lesquelles il faisait affaire lui fit bientôt réaliser l'ampleur de sa bévue. Ses clients et associés ne s'étaient pas formalisés que les Hells s'en prennent aux Rock Machine, car le conflit avait détourné l'attention de la police de leurs propres activités. Des gestes excessifs tels que l'attentat contre Auger risquaient par contre de compliquer la vie de tout le monde dans les sphères du crime organisé. Boucher fut informé en des termes non équivoques du mécontentement de la mafia italienne, de la West End Gang et d'autres groupes criminels. Même les hautes instances des Hells Angels aux États-Unis, qui ne seraient pourtant pas affectées par un raffermissement des lois antigangs canadiennes, ont averti leurs cousins québécois de se comporter comme des hommes d'affaires et non comme des hors-la-loi sanguinaires jouant dans quelque bestial western. La réprimande est d'autant plus étonnante que les relations entre les différents chapitres des Hells se déroulent généralement sous le signe de la permissivité, surtout lorsque les chapitres en question se trouvent dans des pays différents. Un chapitre est rarement critiqué ou condamné par l'organisation, et ce, même si ses activités portent atteinte à l'image internationale du club. Seules les plus flagrantes infractions au code de la bande – des rapports trop courtois avec la police ou le mauvais traitement d'un confrère, par exemple – peuvent entraîner un rappel à l'ordre. Or, l'attentat contre Auger – qui avait fait la manchette partout dans le monde – était un geste si grave aux yeux des Hells Angels américains que ceux-ci exigèrent de Mom et de ses acolytes qu'ils mettent fin séance tenante à la guerre contre les Rock Machine.

Même si le mal était fait, une trêve fortement publicisée entre les Hells et leurs rivaux pouvait tempérer le courroux du public et des autorités et retarder, au moins pour un temps, l'adoption de nouvelles lois antigangs. C'est dans cette optique que les deux bandes organisèrent une rencontre au sommet entre Mom Boucher et Fred Faucher, la jeune crapule qui avait hérité du leadership des Rock Machine, la majorité des membres haut placés de la bande étant morts ou en prison. La réunion eut lieu le mardi 26 septembre dans la salle 409 du Palais de justice de Québec, laquelle est réservée aux rencontres entre clients et avocats. Les motards ont choisi cette pièce parce qu'ils savent que la police n'obtiendrait jamais la permission d'y poser des micros ou des caméras cachées, mais aussi parce que l'événement serait fortement médiatisé.

Chaque fois qu'un journaliste demandait à Boucher et Faucher de quoi ils avaient parlé durant l'heure et demie qu'avait duré la réunion, ceux-ci répondaient invariablement : « Pas de commentaires pour le moment. » La réponse s'imposera d'elle-même moins de deux semaines plus tard : lors d'un repas copieusement arrosé au restaurant de fruits de mer Bleu Marin – qui avait récemment perdu son client le plus illustre en la personne de l'ex-premier ministre Pierre Elliott Trudeau –, Hells et Rock Machine annoncent officiellement qu'ils en sont arrivés à une entente qui marquera la fin des hostilités entre les deux bandes.

Les motards refileront le scoop à Claude Poirier, le reporter vedette d'*Allô Police*. Poirier est l'antithèse de Michel Auger en ce sens qu'il rencontre régulièrement Mom Boucher et que les motards se servent de lui comme la police se sert d'Auger. Le dimanche soir 8 octobre, Poirier reçoit un message lui disant de se rendre rue Bishop avec un photographe. Deux hommes l'attendent à l'endroit désigné pour l'escorter jusqu'à un salon privé du Bleu Marin. Dans le restaurant du centre-ville, une douzaine de membres haut placés des deux clubs, incluant Boucher, Robitaille et un autre Hells du nom de Richard Mayrand, festoient comme de vieux amis. Le photographe d'*Allô Police* immortalisera l'événement, captant entre autres images la poignée de main et l'accolade de rigueur que Boucher et Faucher se sont échangées.

Mais une paix négociée en l'absence de toute menace extérieure pouvait-elle réellement durer?

Les Rock Machine avaient de quoi être amers. Ils avaient essuyé des pertes considérables depuis qu'ils faisaient les frais des ambitions expansionnistes des Hells. De plus, ils se retrouvaient constamment dans la mire de la police, qui, dans son plan d'action visant à mettre un terme à la guerre des motards, avait choisi de commencer par les éliminer, eux plutôt que les Hells. La bande avait cependant bénéficié d'un coup de pouce inattendu en 1999 lorsque les Bandidos, principaux rivaux des Hells Angels sur la scène internationale, avaient accepté de s'affilier à elle en vue de l'assimiler. Certains spécialistes du milieu motard prédisaient que l'accord ne serait jamais conclu et que les Rock Machine disparaîtraient peu à peu; néanmoins, les pourparlers représentaient une première étape vers une pleine association avec les Bandidos, ce qui indiquait à tout le moins que les Rock Machine étaient dignes de susciter l'intérêt d'un club d'envergure internationale.

La bande gagnait du terrain en Ontario à cette époque. Toujours en 1999, les Rock Machine avaient fondé un chapitre à Kingston, lequel était composé presque exclusivement d'expatriés montréalais. Quelques motards indépendants de Toronto avaient également commencé à porter les couleurs du club. Il y eut des développements intéressants durant l'été 2000 lorsque les Rock Machine formèrent une alliance avec les Loners et avec ce qui restait des Outlaws ontariens. Peut-être les Loners avaient-ils choisi de s'associer aux Rock Machine parce que, comme les Loners, les Machine comptaient un grand nombre d'Italiens dans leurs rangs et entretenaient des relations étroites avec la mafia italienne; peut-être avaient-ils appris que Kane et Carroll envisageaient de les éliminer; peut-être les Loners s'identifiaient-ils à la féroce antipathie que les Rock Machine nourrissaient à l'égard des Hells Angels. Pour quelque raison que ce soit, les Rock Machine avaient su gagner l'allégeance des Loners et semblaient en voie de s'approprier l'ensemble du territoire ontarien.

Walter Stadnick et les autres Hells haut placés n'étaient pas en bonne position pour poursuivre leur avancée en Ontario à ce moment-là; par contre, les choses avaient beaucoup progressé avec Los Brovos au Manitoba depuis l'assassinat de David Boyko en 1996.

Stadnick achèvera de convaincre les Brovos de se joindre aux Hells Angels en promettant d'accorder immédiatement le statut de *prospect* à chacun de leurs membres pour leur donner leurs pleines couleurs au bout d'un an. Dès la mi-juillet, les Hells affichent une présence dans chacune des quatre provinces de l'Ouest. Maintenant que la bande a assuré sa suprématie au Québec et dans les Maritimes avec le chapitre dysfonctionnel quoique toujours très actif de Halifax, seul l'Ontario échappe encore à son emprise. À l'automne 2000, les Hells Angels et les Rock Machine semblaient destinés à faire la guerre et non la paix. Seule la perspective d'une nouvelle loi antigang qui les affecterait tous deux les a poussés vers cette hésitante et vacillante trêve.

Mais les motards se fourvoyaient royalement s'ils croyaient que leur armistice amadouerait les autorités. Le surlendemain de la déclaration de paix au Bleu Marin, trois juges de la Cour d'appel annulaient l'acquittement de Mom Boucher pour les meurtres des gardiens de prison. Les magistrats ont conclu que les recommandations du juge Jean-Guy Boilard au jury avaient été arbitraires et ont donc ordonné la tenue d'un second procès. Arrêté de nouveau, Boucher réintégrera la cellule que l'on avait fait construire à son intention dans une aile isolée de la prison de Tanguay, une institution carcérale pour femmes située tout près de la prison de Bordeaux dans le nord de Montréal. Deux jours plus tard, c'est au tour des Rock Machine de se faire coincer : lors d'un raid, la police fera main basse sur une quantité impressionnante d'armes de poing, de mitraillettes et d'explosifs que la bande stockait dans un mini-entrepôt qu'elle avait loué.

Il y aura cet automne-là des razzias quasi hebdomadaires à Québec et à Montréal, mais aussi sur la Côte-Nord, dans les Cantons de l'Est, en Abitibi et au Saguenay–Lac-Saint-Jean. Les motards décideront de se faire discrets, mais ils ne pourront contenir les purs psychopathes qui évoluent dans leurs rangs. Le 17 octobre, un membre d'un club-école des Hells Angels battra à mort Francis Laforest, 28 ans, un propriétaire de bar de Terrebonne qui avait refusé que les dealers de la bande vendent de la drogue dans son établissement. Survenant cinq semaines à peine après le meurtre raté d'Auger, le déplorable incident réduisait à néant l'impact positif que la déclaration de paix du Bleu Marin avait pu avoir dans l'esprit du public et des médias. De nouvelles manifestations populaires, menées cette fois par un Michel Auger toujours convalescent, envahirent les rues de la métropole.

À la fin de novembre, les Rock Machine entament officiellement leur période probatoire en tant que club affilié aux Bandidos. Les Hells du Québec avaient espéré que le pacte qu'ils avaient conclu avec leurs rivaux, même s'il avait été motivé par les impératifs de la survie, aurait mis fin à leur idylle avec les Bandidos. L'objectif de Boucher et compagnie était bien sûr d'assimiler les Rock Machine. Les deux bandes avaient effleuré le sujet lors des pourparlers au Palais de justice de Québec, mais les Rock Machine n'étaient pas chauds à l'idée de fusionner avec leurs ennemis jurés. On pourrait dire que l'issue, en ce cas-ci, était prévisible : la raison d'être des Rock Machine étant essentiellement de combattre les Hells Angels, il était tout naturel qu'ils se rallient aux Bandidos.

Trois membres haut placés des Rock Machine rejetteront l'offre des Bandidos et passeront dans le camp de Mom Boucher. L'accession de Salvatore Brunetti, de Paul «Sasquatch» Porter et de Nelson Fernandez – qui sont à la tête de réseaux bien établis en Ontario – au rang de membres en règle des Nomads marquera le début d'une intense période d'expansion et de recrutement pour les Hells. Au Manitoba, les anciens de Los Brovos obtiendront leurs couleurs de Hells Angels plus tôt que prévu : le 16 décembre, soit plus de six mois avant la fin de la période probatoire réglementaire d'un an, le chapitre de Winnipeg passe du statut de *prospect* à celui de chapitre à part entière. Mais les gars de Winnipeg ne seront pas les seuls à être «patchés» en vitesse. Moins de deux semaines plus tard, les Hells présentent une offre sans précédent à 168 membres des clubs ontariens Satan's Choice, Para-Dice Riders, Lobos et Last Chance : les motards ontariens seraient automatiquement sacrés membres en règle des Hells Angels s'ils renonçaient à leurs couleurs actuelles, ce qui leur éviterait d'avoir à gravir un à un les échelons de l'organisation. Le message des Hells était clair : soit vous êtes avec nous, soit vous êtes contre nous. Dans le cas d'un refus, ce serait la guerre.

L'offre des Hells sera acceptée. Le soir du 29 décembre, un convoi d'autobus, de VUS et de voitures de luxe arrivait au 153, rue Prince, déversant un flot ininterrompu de motards ontariens dans le repaire des Hells de Sorel. La majorité des arrivants portent des blousons de cuir qu'aucun écusson ne vient orner. À l'intérieur du repaire, au terme d'une cérémonie sommaire, ils se verront attribuer leurs *patches* de Hells Angels fraîchement importées d'Autriche, où se trouve le fournisseur exclusif de la bande. Vestes et écussons seront ensuite confiés à la seule femme présente, laquelle se chargera de coudre les nouvelles *patches* à l'aide d'une imposante machine industrielle.

Les Hells Angels hériteront ce soir-là de 10 chapitres en Ontario, soit 3 à Toronto, 1 à Oshawa, 1 à Woodbrige et 4 autres s'étalant de Thunder Bay à Windsor. La province aurait dorénavant son propre chapitre de Nomads, ce qui portait le compte à 10.

Ce sera encore une fois le reporter Claude Poirier d'*Allô Police* qui, à la demande des Hells, couvrira l'événement en compagnie d'un photographe de son choix. Mais même le style journalistique grandiloquent et outrancier de Poirier n'allait pas pouvoir alléger sur papier l'ambiance de morosité qui caractérisait cette grande cérémonie d'intronisation. Les motards n'avaient manifestement pas l'âme à la fête ; les serments d'amitié et de loyauté sonnaient creux. Bon nombre de Hells, les nouveaux comme les anciens, ont quitté le repaire de bonne heure pour réintégrer leur domicile ou leur chambre d'hôtel.

L'alliance avec les bandes ontariennes relevait davantage de l'union forcée que du mariage d'amour, mais qu'importait puisque le résultat était là : 23 ans après leur arrivée au Canada, les Hells Angels avaient enfin réussi à bâtir un empire qui s'étendait d'un océan à l'autre.

Ne pouvant égaler l'impressionnante expansion territoriale des Hells Angels en dépit de leur récente fusion avec les Bandidos, les Rock Machine s'emploieront à augmenter leur visibilité pour montrer à leurs rivaux qu'ils sont toujours dans le coup. Une semaine après la grande cérémonie d'intronisation des Hells, les Rock Machine invitent un reporter d'*Allô Police* à leur repaire de Kingston, à l'occasion d'une fête qui est censée célébrer la nouvelle affiliation avec les Bandidos, mais qui s'avère être en fait une démonstration de force. Plus d'une centaine de Bandidos venus du Canada, d'Europe et des États-Unis sont présents à l'événement. Lorsque le journaliste questionne les porte-parole de la bande au sujet des rapports qu'ils entretiennent avec les Hells Angels, ils font preuve de diplomatie et répondent invariablement : « Tout ce qu'on veut, c'est la paix. On ne cherche pas le trouble. On ne reculera pas si les problèmes arrivent, mais c'est pas nous qui allons déclarer la guerre. »

Malgré toutes ces belles déclarations publiques, il était clair que de fortes tensions divisaient toujours les deux clubs. Il suffisait de lire les commentaires que les membres des deux bandes rédigeaient dans les forums Internet dédiés aux motards pour comprendre que les choses n'étaient pas aussi roses qu'on le prétendait. La trêve sera rompue le 18 janvier 2001 avec l'assassinat d'un Bandido du nom de Réal « Tintin » Dupont, abattu dans le stationnement d'un bar situé non loin de l'aéroport de Dorval. Qualifié de « vrai dur » par ses pairs, Tintin n'avait jamais aimé les Hells Angels. Or, son aversion s'était transformée en haine en mai 1992 lorsqu'un Hells en herbe nommé Dany Kane avait incendié le bar de Saint-Luc dont il était propriétaire. Ce bar, c'était le Delphis.

Quinze jours après le meurtre de Dupont, le destin accorde aux Bandidos leur revanche : Nelson Fernandez, l'un des trois membres haut placés des Rock Machine qui s'étaient ralliés aux Nomads en décembre, succombe subitement à un cancer. Fernandez, Sasquatch Porter et Salvatore Brunetti avaient été les cibles favorites des Bandidos dans la guerre de mots qui se livrait sur Internet. Fernandez avait appris qu'il était atteint d'un cancer en phase avancée trois jours après être passé dans le camp des Hells : or, ses anciens collègues étaient convaincus que sa maladie était l'œuvre d'une quelconque puissance céleste qui avait voulu punir Fernandez de sa traîtrise.

Mais si des puissances célestes s'intéressaient aux motards, elles étaient manifestement du côté des Hells : au début de février, les Bandidos du chapitre de Toronto abandonnèrent leurs couleurs pour se rallier au chapitre de Woodbridge des Hells Angels. L'instigateur de cette désertion massive était Billy « Velcro » Miller, ainsi surnommé parce qu'il avait changé de *patch* quatre fois en 18 mois. Durant cette période, il avait porté successivement les couleurs des Outlaws, des Rock Machine, des Bandidos, puis des Hells Angels.

Après avoir pris connaissance des documents que Kane avait « empruntés » à Normand Robitaille une semaine avant sa mort, les autorités décident de remettre à plus tard la grande razzia prévue pour le début de l'automne 2000. Les documents en question laissaient entrevoir de nouvelles possibilités d'enquête visant le réseau financier extrêmement complexe que les Hells avaient mis sur pied. Ces nouveaux renseignements permettraient à la police de procéder à des douzaines d'arrestations supplémentaires et augmenteraient considérablement le nombre des accusations qui seraient portées contre les membres de la bande. Dans l'intervalle, la police continuerait de harceler les Hells en faisant des descentes de moindre importance qui n'empiéteraient pas sur la grande opération à venir. Plusieurs petits dealers montréalais associés à la bande furent arrêtés au début de février 2001 et un réseau de télémarketing frauduleux, peut-être celui-là même auquel Kane devait participer, fut démantelé.

Quelques jours plus tard, les autorités apprennent qu'une réunion des membres de la Table – excluant Mom Boucher, qui est toujours en prison – aura lieu dans un Holiday Inn du centre-ville de Montréal. La police appréhende d'abord discrètement Richard Mayrand alors qu'il quitte l'hôtel accompagné de son chauffeur et garde du corps. Le *prospect* des Nomads et le Rocker qui montent la garde dans le lobby seront ensuite arrêtés à leur tour ; ils sont tous deux armés de pistolets non enregistrés. Dans la chambre où se déroule la réunion, les policiers mettent la main sur Denis « Pas Fiable » Houle, Normand Robitaille, Gilles « Trooper » Mathieu et Michel Rose. Les quatre Nomads sont également en possession d'armes à feu non enregistrées et ont sur eux près de 40 000 $ en argent liquide.

Les motards étaient en train d'examiner des photos de membres des Bandidos lorsque la police les a surpris, ce qui indiquait que les Hells comptaient bientôt reprendre leurs ennemis en chasse. Le meurtre de Tintin Dupont en janvier et la tentative d'assassinat survenue deux jours avant les arrestations du Holiday Inn contre le Bandido Alain Brunette, chef du chapitre de Kingston, laissaient déjà présager que la guerre avait bel et bien repris son cours. La photo de Brunette figure d'ailleurs parmi celles que les membres de la Table ont en leur possession.

Les Nomads feront face à des accusations de gangstérisme et de possession illégale d'arme à feu. Cinq jours après leur arrestation, ils accepteront de plaider coupable à des accusations de possession non autorisée d'armes à feu prohibées, à condition que les charges de gangstérisme soient retirées. Ce marché que les autorités ont conclu avec les motards prouvait que la police jugeait la nouvelle loi antigang inutilisable ; il était en effet presque impossible de réunir la somme de preuves que cette loi exigeait pour démontrer une affiliation au crime organisé. Il faudra plus d'un an avant que la loi antigang élaborée après l'attentat de Michel Auger entre en vigueur ; néanmoins, l'existence même de ce nouveau projet de loi confirmait l'insuffisance de la loi antigang. La Couronne aurait sans doute pu faire valoir les accusations de gangstérisme dans le cas des cinq membres de la Table, considérant que ceux-ci étaient des Nomads notoires qui avaient été arrêtés alors qu'ils étudiaient des photos de leurs rivaux dans une chambre d'hôtel, armés de pistolets, tandis que des subalternes montaient la garde dans le lobby. Si les procureurs ont consenti à retirer les accusations de gangstérisme, c'est sans doute parce qu'ils savaient que l'élite des Nomads allait bientôt être inculpée de chefs d'accusation autrement plus sérieux.

À la mi-février, tout est en place pour cette série d'arrestations et de saisies concertées que serait l'opération Printemps 2001. La police surveillait depuis octobre la « banque des Nomads », un petit appartement de l'est de Montréal où les coursiers de la bande livraient l'argent de la drogue. Les enquêteurs avaient caché des micros et des caméras dans l'appartement même et les équipes de surveillance se relayaient pour épier et enregistrer les allées et venues de tout ce beau monde qui transbahutait les narcodollars par sacs entiers.

À l'étage du dessous, dans un second appartement où les Nomads entreposaient leur argent, les enquêteurs de la police mettront la main sur une disquette ZIP contenant les détails de transactions de haschisch et de cocaïne d'une valeur totale de plusieurs dizaines de millions de dollars ; toutes ces transactions avaient été compilées à l'aide d'un logiciel tableur. Se basant sur ces données ainsi que sur ses observations, la police estimera qu'entre 24 et 36 millions de dollars transitaient chaque mois dans ces deux appartements.

CHAPITRE 24

L'héritage de Dany Kane

La journée du mercredi 28 mars 2001 a commencé tôt pour les 2 000 policiers de la SQ, de la GRC, du SPCUM et des diverses escouades locales qui allaient prendre part à l'opération Printemps. On envisageait de réaliser des dizaines d'arrestations et de saisies au Québec et en Ontario, l'objectif des autorités étant d'appréhender tous les membres des Nomads et des Rockers ainsi que plusieurs dizaines d'autres membres et sympathisants des Hells Angels et de leurs clubs-écoles. L'opération avait débuté avant l'aube avec une série de réunions secrètes tenues un peu partout dans la Belle Province; à Montréal, les policiers s'étaient réunis dans un aréna de hockey de 5 000 places qui avait été réquisitionné pour l'occasion. Au terme de ces réunions, les équipes policières entrèrent en action, lançant une série de raids coordonnés comme on n'en avait jamais vu au pays.

L'opération se déroula sans bavures. Des 142 membres et sympathisants des Hells Angels qui avaient été ciblés, 128 furent arrêtés avant la fin de la journée. Tous se rendirent sans résister. Les Nomads et membres de la Table qui se trouvaient déjà sous les verrous – Mom Boucher, Richard Mayrand, Denis Houle, Normand Robitaille, Gilles Mathieu et Michel Rose – furent bientôt rejoints par presque tous les membres de leur clique criminelle, dont Pierre Provencher, Guillaume Serra, René Charlebois, Donald Stockford, Francis Boucher et Gregory Wooley. Walter Stadnick était en vacances en Jamaïque le jour de l'opération, mais il fut tout de même appréhendé grâce au concours des autorités locales. La police n'essaya pas de retrouver Paul « Fonfon » Fontaine, Louis « Melou » Roy ou les Rockers dissidents Stephen Falls et Stéphane Hilareguy puisque ceux-ci étaient présumés morts. Une poignée de Hells parvinrent à échapper à la police, notamment Wolf Carroll, qui se trouvait au Mexique à ce moment-là.

L'opération Printemps 2001 fut un succès retentissant et sera présentée comme telle dans les jours suivants. Les différents corps policiers qui avaient participé à l'opération n'hésiteront pas à se féliciter entre eux et se vanteront volontiers de la qualité de leur travail dans les médias. Seule une source anonyme, qui sera citée dans un court article du *Journal de Montréal* du 30 mars, aura l'honnêteté de reconnaître la contribution d'un motard qui s'était donné la mort six mois auparavant et qui avait été l'arme secrète des enquêteurs dans leur lutte contre les Hells. Ce motard informateur, disait l'article, se nommait Dany Kane.

Si la nouvelle fut un choc terrible pour la famille de Dany, les Hells, eux, ne furent pas trop étonnés d'apprendre que leur confrère avait mené une double vie. Bien qu'ils ne se soient jamais doutés de sa traîtrise du temps où il était vivant, ils étaient conscients que leur milieu grouillait d'informateurs de tout acabit. La vie, la mort, les peines de prison interminables sont autant d'enjeux dans la vie d'un motard. Or, ces enjeux vous forcent tôt ou tard à prendre des décisions difficiles pour sauver votre peau ou pour préserver votre liberté. Bon nombre de ses collègues et associés se diront tout de même qu'ils auraient dû deviner depuis longtemps que Dany était informateur pour le compte de la police. Cela expliquait le fait qu'il n'avait jamais manqué d'argent même s'il n'avait aucune source de revenus apparente. Cela expliquait le procès nul de Halifax en dépit des preuves accablantes qui pesaient contre lui. Cela expliquait pourquoi Kane avait tenu à ce qu'on lui confie les corvées et responsabilités que les autres motards évitaient – réserver les chambres d'hôtel et salles de banquet où devaient avoir lieu les messes de la bande, par exemple. Cela expliquait enfin pourquoi les Hells les plus intuitifs, notamment Denis Houle, avaient toujours éprouvé une méfiance viscérale à son égard.

Si l'annonce de la double vie de Kane expliquait bien des choses, sa mort, elle, demeurait une énigme. Dans les semaines qui avaient suivi la découverte de son corps, seule sa famille avait remis en cause le diagnostic de suicide avancé par le coroner. Plusieurs éléments avaient alimenté les doutes des Kane, notamment le comportement de Dany dans les jours précédant sa mort. Il avait renouvelé son permis de conduire, était allé chez le dentiste, s'était acheté des patins à roues alignées et avait planifié le baptême de Jesse ; or, rien de tout cela ne correspondait au comportement d'une personne mue par des intentions suicidaires. Ces activités de tous les jours dénotaient au contraire un désir de poursuivre l'existence, une volonté de progresser doucement et normalement dans la vie.

D'autres détails venaient brouiller les cartes. Comment Kane avait-il pu se rendre dans le garage sans ses lunettes – on les avait retrouvées dans la chambre –, lui qui ne pouvait même pas se frayer un chemin jusqu'à la salle de bain sans elles ? Pourquoi son téléavertisseur gisait-il sur le plancher du passage ? Pourquoi aurait-il pris la peine de sortir son nouveau permis de conduire de son portefeuille pour le déposer soigneusement à côté de lui sur le siège du passager juste avant de se suicider ? Comment se faisait-il que l'on ne retrouvait pas l'agenda électronique dont il ne se séparait jamais et dans lequel il consignait minutieusement ses notes personnelles, son emploi du temps, ainsi que les numéros de téléphone de ses contacts ? Et puis il y avait ce mystérieux oreiller de soie que quelqu'un avait abandonné sur le sol à côté de la Mercedes ; et cette empreinte de pied qui trônait en plein milieu de la porte du garage ; et le chat qui avait filé entre les jambes de Patricia lorsqu'elle avait ouvert la porte donnant accès au garage. Toutes les issues étant fermées, le chat serait mort lui aussi s'il était resté tout ce temps dans le garage ; les félins n'ont pas une plus forte tolérance que les humains au monoxyde de carbone.

Les parents de Dany et Gisèle, sa sœur cadette, l'ont vu le jour de sa mort et se souviennent qu'il était de très bonne humeur. Ghislain « Coyote » Guay, le président désigné des Road Warriors, avait accompagné Kane à Kingston le 5 août, soit deux jours avant sa mort. Coyote dira aux Kane que Dany s'était montré joyeux tout le long du trajet, qu'il avait chanté à peu près toutes les chansons qui lui passaient par la tête et lui avait raconté les mille et une péripéties de sa tumultueuse adolescence. Kane avait certes semblé maussade et préoccupé la veille de sa mort, mais il était loin d'être suicidaire. Il y avait aussi ce que la voyante avait dit aux Kane quelques jours après le décès de leur fils – une information peu crédible aux yeux de la police, mais à laquelle la famille du défunt accordait énormément de crédit. Cette femme qui avait déjà fait la démonstration de ses dons affirmait que Dany avait été assassiné. Gemma Kane raconte que, par la suite, elle avait contacté son fils à l'aide d'une planche Ouija. Son expérience avait révélé que quatre personnes, incluant une femme, se trouvaient dans la maison de Saint-Luc au moment de sa mort et qu'il y avait eu une dispute durant laquelle Dany avait été immobilisé sur une table à café.

Les Kane n'étaient par ailleurs pas convaincus de l'authenticité de la lettre que leur fils avait rédigée avant de se suicider. La police avait trouvé la missive en question dans l'ordinateur portable du défunt. Or, pourquoi Dany aurait-il écrit la lettre la plus intime et la plus difficile de sa vie sur un ordinateur, alors qu'il écrivait toujours à la main les messages adressés à Patricia et aux autres membres de sa famille ? Kane ne s'était jamais servi de l'appareil pour autre chose que surfer sur Internet.

Plusieurs détails dans la lettre elle-même laissent supposer que Kane ne l'a pas écrite. L'ultime message de Dany Kane, incluant les erreurs grammaticales, les fautes d'orthographe et l'absence quasi totale de ponctuation, va comme suit :

> Salut a mes enfants ce que j'ai fais vous ne le comprendrai probablement jamais mais je n'en pouvais plus de me faire tirer d'un coter et de l'autre. Peut importe ceque vous pouver entendre sur moi je vous le dis je vous aime tous egale et je vous aime plus que tout au monde.
>
> Patricia je peut te dire sans aucune hésitation que tu a ete la femme de ma vie tu a ete la seul que je peut dire sans esitation qui ma compris. Je vous aimes et veuiller m'excuser pour ce geste.

Les éléments suivants sont atypiques de Kane : il terminait toujours ses messages en écrivant « Dany » suivi de plusieurs « X » et « O ». Or, sa lettre de suicide n'est pas signée ; il écrit ici « Patricia » alors qu'il utilisait toujours le diminutif « Pat » ; Kane écrit que Patricia est « la femme de sa vie », une expression que, selon Jean-Paul et Gemma Kane, il n'employait que pour désigner Josée. De plus, les parents et les sœurs de Kane, et particulièrement Gisèle, ne croient pas que Dany aurait omis de les mentionner dans sa lettre de suicide, ce qui prouvait, dans leur esprit du moins, qu'elle n'était pas de lui.

Peu après la mort de Dany, la police annonce aux Kane la découverte d'une seconde lettre de suicide rédigée elle aussi sur l'ordinateur portable et que le défunt aurait adressée à ses amis. Lorsque Gisèle insiste pour obtenir une copie de la lettre, les autorités se ravisent, disant qu'il y avait eu erreur et qu'il n'y avait en fin de compte qu'une seule lettre. Puis, au mois d'avril, quelques semaines après les raids de l'opération Printemps, *Allô Police* publiera la seconde lettre de suicide de Dany Kane. Ses proches jugeront cette lettre aussi étrange et tout aussi improbable que la première.

Qui suis-je ? Tel est la question !
Suis-je un motard ?
Suis-je un p————- ? [policier ?]
Suis-je bon ou mechant ?
Suis-je hetero ou gay ?
Suis-je riche ou pauvres ?
Suis-je honnetre ou mal honnetre ?
Suis-je aimer ou craint ?
Ce que je fais est-il bien ou mal ?
Suis-je exploitant oubien exploiter ?
Suis-je un profiteur ou quelqu'un qui fais profiter de lui ?
Avec tout ce que je fais suis-je consient ou un inconsient ?
Ce que je fais esque je le fais pour moi oubien pour une societe qui elle meme est malade et violente d'elle meme ?
Qui est honnetre de nos jours, je dis bien QUI ?
Quesque ca va changer si nous arrivons a terme dans ceque nous avons commencer depuis 6 ans environs ?
Esque la seul chose qui va changer ces l'enfer que je vais vivre apres ou l'enfer que je ferai vivre a mes proches apres que le tout seras terminer ? Car esque la societe veux vraiment ce que je fais et si oui pourquoi n'a t'il que moi qui a le poids total sur ces epaules. Non pas que je sois le seul a se tourmenter pour le resultas de ce que je fais, mais tout les autres non pas la moitier du poids que j'ai sur les epaules (et je vous le dit avec tout modestie). Des ma plus tendre enfance je desire faire ceque je fais et plus que ca, je suis probablement l'envie de biens des gens mais aujourd'hui le tout a pris une toute autre tournure. Je suis moi meme satisfais a 100 % de ce que j'ai fais jusqu'a present, mais il ne sufit pas

seulement de bla bla dans ceque je fais il faut des actions concrete, quand ce n'ai qu'une question d'argent pour peut-etre sauver une societe en perile esque ces important de savoir compter?

Suis-je un CITRON?

Oui je le suis comme la plus part d'entre nous!

J'aurais bien aimer pouvoir continuer mon role principal, mes je n'ai plus la force de continuer!

J'espere pouvoir servir d'exemple a une societe qui se plain toujours de tout et de rien, tu est un motard tu est un bandit, tu est un policier tu est un mangeux de marde. Alors quesqui est bon est quesqui est mal. J'ai de la difficulter a jouer mon role et non pas parcque je ne suis pas un bon acteur mais plutot parcque je n'ai pas le budget et la maitrise de mon propre role. J'ai 3 roles a la fois et non pas 1 mais bien 3. Je dois jouer un acte dans un filme et par la suite revenir sur cette acte et la recommencer une autre fois car il y a un petit messieur assie sur son gros cul qui decide lui que ca va etre de cette facon la que nous allons jouer cette acte, mais le probleme ces que ce petit messieur la n'a jamais vue le scripte du filme et encore moins le filme que nous sommes entrain de tourner.

Alors je vous dit MERDE!!!!!!!!!!!!!!

Bonne chance a BOB, TINTIN, GAETAN, RENE et autres

Cette lettre suggère que Kane était toujours en conflit avec les dirigeants de la SQ sur des questions d'argent et qu'il n'était plus certain du bien-fondé de son rôle d'agent source, ce qui est tout à fait plausible. Les fautes d'orthographe sont également convaincantes puisqu'elles correspondent à celles qui apparaissent dans son journal d'agent source – Kane confondait constamment «c'est» avec «ces» ou «ses», et «n'est» avec «n'ai». Mais là s'arrête la crédibilité de la missive puisque, selon les Kane, cette lettre regorge de mots et d'expressions auxquels Dany n'avait jamais recours. Sa famille et ses proches ne l'ont par ailleurs jamais entendu exprimer quelque inquiétude que ce soit quant à l'état de la société.

Personne en dehors de la famille ne semblait se soucier de ces détails insolites et inexpliqués, de ces incongruités. Les parents de Kane, de même que Patricia, ne rencontrèrent qu'une seule fois les contrôleurs de leur fils. À cette occasion, les policiers n'ont pas sollicité l'avis de la famille sur quelque aspect que ce soit de l'enquête et n'ont pas pris au sérieux les points que les Kane ont soulevés, il faut le dire, avec hésitation.

Les anciens collègues motards de Kane concevront sa mort sous un jour différent lorsqu'ils apprendront qu'il était un informateur de longue date et qu'il avait été, du moins aux dires des journaux, la clé de voûte de l'opération Printemps. À la lumière de cette nouvelle information, les motards en viendront à croire tout comme les Kane que Dany ne s'est probablement pas donné la mort. Cela dit, ils ne croient pas pour autant qu'il ait été assassiné. La plupart d'entre eux pensent en fait que Kane est toujours vivant, que sa mort n'a été qu'une vaste mise en scène orchestrée par la police – ce genre d'histoire est tout à fait conforme au climat de paranoïa qui régnait dans le milieu des motards à cette époque. Bien qu'aucun fait ne soit venu appuyer cette hypothèse, les motards tiendront bientôt pour acquis que Kane vit quelque part en Floride ou en Colombie-Britannique, voire au Québec, et qu'il a eu recours à la chirurgie plastique pour changer sa physionomie et faire disparaître ses tatouages révélateurs.

Tout au long du printemps et de l'été 2001, Dany Kane sera un sujet chaud à la prison de Bordeaux. Tous les Nomads, Hells Angels et Rockers qui avaient été arrêtés durant les raids de l'opération Printemps, à l'exception d'un seul, n'avaient pas eu accès à la libération sous caution. Dans ce désœuvrement qu'on leur impose en attendant le début de leur procès, les motards se perdent en conjectures au sujet de Kane et n'hésitent pas à partager leurs hypothèses et théories avec leurs avocats. Ceux-ci en viendront à axer l'essentiel de leur stratégie de défense sur la relation complexe que Kane entretenait avec l'ERM, la SQ et la GRC, ainsi que sur les circonstances suspectes de sa mort.

Les arrestations massives découlant de l'opération Printemps présentaient un défi sans précédent pour le système judiciaire québécois. Comment s'y prendrait-on pour poursuivre un aussi grand nombre de prévenus qui étaient tous accusés des mêmes crimes, dont celui d'appartenir à une même organisation criminelle ? Il y avait bien sûr la possibilité de procéder cas par cas ou de rassembler deux ou trois motards au sein d'un même procès. Plus prudentes et pondérées, ces approches occasionneraient cependant d'énormes problèmes logistiques quand viendrait le temps d'assembler les nombreuses équipes de procureurs et les jurys nécessaires au déroulement de ces procès multiples.

Une autre éventualité consistait à organiser un mégaprocès où un grand nombre d'accusés seraient jugés simultanément dans une même salle d'audience. En plus d'avoir l'avantage de ne nécessiter qu'une seule équipe de procureurs, cette solution plus ambitieuse aurait le pouvoir d'attirer l'attention des médias, ce qui était une préoccupation légitime pour le gouvernement qui cherchait à se faire pardonner son inaction passée en ce qui concernait la guerre des motards. Mais d'un autre côté, un mégaprocès serait par définition difficile à gérer et risquait d'entraîner des querelles de procédure interminables. Il y aurait au bas mot une douzaine d'avocats défendeurs impliqués dans l'affaire ; or, chacun d'eux veillerait aux intérêts spécifiques de son ou de ses clients. Si le mégaprocès déraillait au point de devenir ingérable, les conséquences seraient beaucoup plus graves que s'il y avait plusieurs procès de moindre envergure dont seulement un ou deux se solderaient par un échec.

Confiant qu'il aurait gain de cause contre les motards, le ministère de la Justice du Québec opte pour la tenue de deux mégaprocès qui nécessiteront la construction d'un palais de justice de 17 millions de dollars adjacent à la prison de Bordeaux, bâtiment dont on ignorait s'il allait servir encore par la suite. Le premier mégaprocès viserait les individus arrêtés dans le cadre du projet Océan, l'enquête policière qui avait ciblé surtout les sympathisants de bas étage œuvrant en périphérie de la bande ; les accusations porteraient en ce cas-ci sur le trafic de drogue, le blanchiment d'argent et le gangstérisme. Le second mégaprocès s'intéresserait aux 42 Nomads, Hells Angels, Rockers et sympathisants de haut niveau qui avaient été appréhendés au terme de l'enquête qui avait pour nom «projet Rush». Les accusés, tous des personnages de premier plan dans la guerre des motards, seraient jugés pour trafic de drogue, gangstérisme, meurtre et complot pour meurtre ; certains d'entre eux feraient face à une dizaine de chefs d'accusation de meurtre au premier degré. C'étaient les résultats des enquêtes du projet Rush et du projet Océan qui avaient donné lieu à l'opération Printemps 2001.

Le ministère de la Justice décidera d'éviter une audience préliminaire longue et tortueuse en procédant par acte d'accusation privilégié, comme cela avait été le cas lors du procès de Kane à Halifax en 1997. La chose s'avérera toutefois beaucoup plus compliquée dans le cas des mégaprocès puisque les procureurs remettront aux avocats de la défense l'équivalent de 693 000 pages de documents. Les preuves de la Couronne s'étalaient en effet sur 177 disques compacts, 1122 cassettes audio et 211 vidéocassettes dont certaines avaient une durée de six heures.

Les avocats des motards se sont aussitôt objectés, prétendant que la poursuite tentait de les engloutir sous la paperasse pour les empêcher de préparer efficacement la défense de leurs clients. En cela, ils avaient probablement raison. Les procureurs savaient fort bien que les motards québécois se faisaient généralement représenter par des avocats indépendants qui travaillaient seuls ou en libre partenariat avec quelques confrères. N'œuvrant pas au sein de firmes importantes, ces avocats n'avaient pas toute une équipe d'assistants ou de subalternes pour étudier puis classifier tous ces dossiers à leur place et pour ensuite en tirer l'essentiel. «Au moins 60 % des documents qu'ils nous ont donnés étaient non pertinents», déclara l'un des avocats défendeurs.

En dépit de l'antipathie qui divisait en d'autres temps les avocats de motards, et malgré le fait que les intérêts de leurs clients respectifs ne concordaient pas toujours, ils choisiront de travailler en équipe et de se partager l'examen des documents. Certains se concentreront sur l'analyse des crimes eux-mêmes ; d'autres se pencheront exclusivement sur les différents aspects de la procédure policière, examinant par exemple les tables d'écoute et les mandats de perquisition, à l'affût de la moindre irrégularité. Les avocats détermineront d'entrée de jeu que Dany Kane pouvait potentiellement être le talon d'Achille dans le dossier de la Couronne.

Bien que les accusés du projet Océan eussent déjà tous plaidé coupables à ce point-ci, les autorités jugeaient l'approche du double mégaprocès toujours nécessaire. La méthode ne faisait cependant pas l'unanimité. Alors que la Couronne insistait pour que les 42 inculpés du projet Rush soient rassemblés dans un seul grand procès, les avocats de la défense exigeaient plutôt la tenue de plusieurs procès indépendants. Les motards qui n'étaient pas accusés de meurtre et qui croyaient qu'ils ne seraient pas condamnés faute de preuves voulaient passer devant les tribunaux le plus vite possible – Richard Mayrand était de ceux-là. Ceux qui croyaient que la Couronne détenait des preuves accablantes les concernant réclamaient davantage de temps pour préparer leur défense. Et puis il y avait le cas de Mom Boucher, dont le second procès pour les meurtres des gardiens de prison aurait lieu en même temps que le mégaprocès du projet Rush, procès dans lequel il était également impliqué.

Le juge Réjean Paul, à qui l'on avait confié la tâche herculéenne d'instruire le mégaprocès des inculpés du projet Rush, trancha en déclarant qu'il était impossible de traduire tous les motards en justice d'un seul coup et qu'il était donc nécessaire de les répartir en deux procès distincts. Il instruirait lui-même le procès des membres haut placés des Nomads et des Rockers qui étaient accusés de meurtre. Un second groupe de 17 prévenus – des motards des rangs inférieurs de l'organisation qui faisaient face à des charges moins sérieuses et étaient donc plus pressés de passer devant les tribunaux – serait confié au juge Jean-Guy Boilard, celui-là même qui avait présidé au procès principal du massacre de Lennoxville et au premier procès de Mom Boucher pour les meurtres des gardiens de prison.

Louis Belleau, qui représentait Gilles « Trooper » Mathieu dans le procès présidé par le juge Paul, et Lise Rochefort, avocate de Ronald « Popo » Paulin dans le procès du juge Boilard, se chargeront d'étudier chacun de leur côté le dossier de Kane. Leur objectif : en apprendre le plus possible sur son passé d'informateur, sur sa relation avec ses employeurs et sur les circonstances de sa mort. Belleau fut d'une ténacité à toute épreuve. N'ayant relevé qu'une seule mention du travail de Kane dans les centaines de milliers de pages de documents sous lesquelles ont avait enseveli la défense, l'avocat exigera que le Couronne lui remette les rapports rédigés par ses contrôleurs de la GRC en 2002 ainsi que le contrat d'agent source que Kane avait négocié avec l'ERM.

En prenant connaissance de ces nouveaux documents, Belleau aura le net sentiment que la relation que Kane avait entretenue avec ses contrôleurs de la GRC et de l'ERM était très peu orthodoxe. Qui plus est, tout cela lui donnera à penser que les rapports entre Kane et ces organismes policiers étaient à l'origine d'au moins une erreur judiciaire.

Rochefort s'intéressera davantage à la mort de Kane, mais elle découvrira elle aussi qu'il y avait peu d'information à ce sujet dans les documents fournis par la Couronne. Elle n'avait en fait à sa disposition qu'un résumé du rapport du médecin légiste, seule version du document accessible au public. L'avocate affirme qu'elle a fait la demande du rapport complet en décembre 2001, mais que l'on n'a donné suite à sa requête que six mois plus tard.

Au terme de leurs recherches, Belleau et Rochefort en sont tous deux arrivés à la conclusion que la police et les procureurs devaient être bien contents que Kane soit mort. Il aurait très certainement été appelé à témoigner aux mégaprocès s'il avait été encore vivant ; or, il est probable que les avocats des motards n'en auraient fait qu'une bouchée, ce qui était généralement le cas lorsqu'un informateur entaché d'un lourd passé criminel témoignait pour la Couronne.

Mais Kane n'était pas qu'un vulgaire criminel désireux de conclure un marché avec les autorités pour sauver la mise. Il avait travaillé en étroite collaboration avec la police pendant plusieurs années et avait commis dans le même intervalle les pires crimes répertoriés dans le Code criminel. Il savait exactement quelle information détenait la police et à quel moment elle était entrée en possession de cette information. Tout ce qu'il savait au sujet des manœuvres et pratiques douteuses de l'ERM et de la GRC aurait sans doute fait surface durant les jours, voire les semaines de son contre-interrogatoire. Les révélations de Kane auraient pu sérieusement compromettre la cause de la Couronne et auraient certainement soulevé des questions épineuses quant aux techniques d'enquête et de gestion de source des organismes policiers concernés.

« Il n'aurait jamais pu témoigner, affirme Danièle Roy. Ça aurait été impossible. Le juge aurait déclaré un arrêt de procédure dans le temps de le dire. Les crimes qu'il a commis pendant qu'il était informateur étaient trop gros, trop sérieux et trop nombreux pour que la Couronne puisse espérer gagner sa cause en se fiant à son témoignage. »

Kane aurait été en effet le plus beau cadeau que la Couronne aurait pu faire aux avocats de la défense. Compte tenu du rôle qu'il avait joué dans le processus de collecte de preuves de la police, aucun juge n'aurait pu s'opposer à ce que la défense l'appelle à la barre des témoins. Le décès de l'informateur était donc arrivé à point nommé pour les autorités, ce qui ne faisait qu'aiguillonner encore davantage la curiosité des avocats défendeurs quant aux circonstances de sa mort.

Même s'ils pouvaient utiliser Kane à leur avantage, les avocats des Hells se devaient d'admettre que la Couronne avait monté un dossier solide contre la majorité de leurs clients, si solide en fait qu'ils ne voulaient même pas se donner la peine de plaider leur innocence. Bon nombre d'entre eux envisageront d'emblée, et à la demande de leurs clients, de conclure un marché avec la poursuite. Quantité de coursiers et de petits dealers qui avaient été arrêtés dans la foulée du projet Océan avaient choisi cette option et avaient finalement écopé de peines relativement légères.

Mais la Couronne n'avait pas l'intention d'accorder aux généraux de la guerre des motards la même indulgence que celle dont elle avait fait preuve envers ses soldats et fantassins. Dans les mois qui ont précédé le début du procès, les avocats qui représentaient les membres en règle des Nomads, des Hells Angels et des Rockers ont tenté désespérément de négocier avec les procureurs, mais en vain. Consciente des enjeux, confiante qu'elle aurait gain de cause et sensible à l'opinion publique qui voulait que les motards soient punis aussi sévèrement que possible, la Couronne demeurait inflexible. En fait, les procureurs faisaient preuve d'une détermination inhabituelle à ne pas négocier.

Il faut savoir que le Québec investit moins par habitant dans son système judiciaire que toute autre province. Les procureurs québécois composent depuis belle lurette avec les conséquences de cette parcimonie et doivent faire de leur mieux même en l'absence d'équipements – ordinateurs, livres de référence, etc. – et d'effectifs adéquats. Les cas de surmenage professionnel et autres syndromes reliés au stress sont extrêmement fréquents dans leur milieu. Surmenés et sous-équipés, ils ont recours à la négociation de peine aussi souvent que possible afin d'alléger leur charge de travail et de soulager la congestion chronique qui afflige les tribunaux de la province. Dans les années qui ont précédé les mégaprocès, environ 95 % des causes se soldaient par une négociation de peine, souvent en faveur d'un accusé dont la culpabilité était un fait acquis. Consternée par cet état de choses, la population québécoise avait perdu toute confiance en son système judiciaire.

La mort accidentelle du jeune Daniel Desrochers, le meurtre manqué de Michel Auger, le funeste passage à tabac de Francis Laforest et tous les autres éclats fortement médiatisés de la guerre des motards avaient fait des Hells Angels les criminels les plus détestés de la Belle Province. Si le système judiciaire avait fait mine de négocier avec ces infâmes personnages, cela aurait déclenché un tollé assourdissant – d'autant plus que le sous-ministre de la Justice Mario Bilodeau avait représenté des membres de la bande durant sa carrière d'avocat. Les politiciens savaient fort bien qu'ils s'attireraient les foudres de leurs électeurs s'ils laissaient les motards s'en tirer à si bon compte.

Essuyant refus après refus, les avocats des motards concevront une stratégie visant à forcer la Couronne à négocier, stratégie qu'ils mettront en œuvre dès le début des argumentations préliminaires devant le juge Boilard en janvier 2002. Les avocats des Hells comptent exploiter la complexité du mégaprocès en ralentissant la procédure autant que possible ; si le juge et le jury donnent des signes d'impatience, les procureurs craindront une annulation de procès et se montreront d'autant plus disposés à négocier avec la défense. Les avocats envisagent par ailleurs de capitaliser sur les rapports peu orthodoxes que Kane avait entretenus avec la police tout en insistant sur le caractère opportun de son supposé suicide, et ce, afin d'ébranler la confiance de la Couronne et de la forcer à assouplir sa position.

Jacques Bouchard était l'avocat principal dans le procès présidé par le juge Boilard. Avec son impressionnante crinière grise, son éternelle Gauloise aux lèvres et sa voix de baryton rocailleuse, Bouchard est l'un des avocats criminalistes les plus connus et les plus imposants au Québec. Il avait déjà défendu des clients motards par le passé, notamment lors des procès découlant du massacre de Lennoxville. D'entrée de jeu, Bouchard multiplie les requêtes. Il demande d'abord que la loi antigang soit déclarée « inconstitutionnelle, invalide et inopérante ». Il réclame ensuite que la cour ordonne un arrêt de procédure sous prétexte que l'acte d'accusation privilégié représentait dans le cas présent une « violation des principes d'équité procédurale et de justice naturelle ». À peine le juge Boilard a-t-il rejeté cette requête que Bouchard en formule une autre : l'avocat des Hells prétend que l'acte d'accusation privilégié enfreint la Charte des droits et libertés et qu'il doit donc être déclaré inconstitutionnel. L'avocat demandera par ailleurs que l'on remplace les accusations actuelles, qui selon lui étaient trop vagues, par des charges plus spécifiques. Même si aucune de ses requêtes ne sera acceptée, Bouchard réussira par son stratagème à freiner le déroulement de la procédure.

L'avocat fera cependant une requête plus sérieuse : il demandera que les dépositions vidéo, ou KGB, que Kane avait enregistrées au mois de mai soient rayées de la liste des preuves. La police n'a jamais expliqué pourquoi elle avait demandé à Kane de lire le contenu de son journal d'agent source devant l'œil de la caméra. Bien que le meurtre de l'agent source Claude De Serres en février 2000 ait probablement incité les autorités à prendre cette précaution, les avocats des motards donneront une tout autre tournure à l'affaire en prétendant que la police avait réalisé l'enregistrement parce qu'elle savait déjà à ce moment-là que Kane ne serait pas disponible pour témoigner au présent procès.

Cela dit, les avocats de la défense ne voulaient pas pour autant que les vidéos de Kane soient enregistrées comme preuves puisqu'ils regorgeaient de témoignages accablants au sujet des Hells et des sympathisants avec qui le défunt motard avait fait affaire. Les vidéos ne révélaient en revanche aucun détail compromettant au sujet de la relation de Kane avec la police. Si les KGB étaient déclarés admissibles, de raisonner Bouchard, ce serait comme si le juge autorisait la Couronne à appeler son témoin vedette à la barre tout en refusant à la défense le droit au contre-interrogatoire.

Les arguments de l'avocat ne parviendront pas à convaincre le juge Boilard. Celui-ci déclarera les KGB admissibles.

Le premier mégaprocès commencera le 22 avril sous la présidence du juge Boilard et connaîtra des débuts pour le moins abrutissants. La Couronne appellera à la barre une série de policiers qui, l'un après l'autre, relateront les détails de telle ou telle arrestation, de telle ou telle saisie ou de telle ou telle opération policière. Le plus souvent, Bouchard et les autres avocats des motards ne se donnent même pas la peine de contre-interroger les témoins.

Bouchard réservait cependant une petite surprise à ses rivaux de la poursuite. Au dix-septième jour d'audience, la Couronne appelait

Gaétan Legault à la barre des témoins avec l'intention de lui poser quelques questions au sujet de l'arrestation de Jean-Richard « Race » Larivière, un *prospect* des Nomads qui avait été appréhendé à Boucherville en octobre 1999. La procureur en chef Madeleine Giauque interrogera Legault pendant six minutes, puis ce sera au tour de Bouchard. Pour l'avocat des Hells, c'est là une occasion en or d'amener le nom de Dany Kane dans l'affaire. Durant tout le reste de l'après-midi et tout au long des trois jours d'audience suivants, Bouchard tiendra Legault sur la sellette, l'interrogeant sans relâche sur ses rapports avec Kane. L'avocat en profitera pour suggérer que, contrairement à ce que la police avait prétendu, la mort de Kane n'était peut-être pas un suicide.

Les doutes de Bouchard à ce sujet ne sont pas que stratégiques. Il n'est pas entré en contact avec la famille de Kane ; néanmoins, il partage son scepticisme et est de l'avis que l'agent source est bel et bien vivant au sein d'un programme de protection des témoins ultra-secret. L'avocat voulait aussi savoir ce qui était advenu de Patricia. Vivait-elle toujours à Montréal ? Avait-elle quitté le pays ?

Bouchard voulait par ailleurs s'assurer que ses clients motards n'avaient pas été impliqués dans la mort de Kane – en admettant, bien sûr, que celui-ci soit effectivement décédé. Si les Hells Angels avaient découvert que Kane était un informateur, ils l'auraient très certainement tué, mais ils n'auraient pas déguisé son meurtre en suicide paisible. Au contraire, les motards auraient fait en sorte que sa mort paraisse aussi douloureuse et horrible que possible afin de dissuader les informateurs potentiels qui se cachaient dans leurs rangs de travailler un jour avec la police. Il restait quand même la possibilité que les Hells aient assassiné Kane, mais que la police ait travesti ce meurtre en suicide. Aussi tordue qu'elle semblait, l'idée de cette mise en scène pouvait être venue à l'esprit des autorités, qui redoutaient l'influence négative que le message des motards aurait excercée sur les autres informateurs potentiels : d'abord De Serres, ensuite Kane ; la seule chose que peut gagner celui qui joue le rôle de visage à deux faces, c'est une entrée gratuite et hâtive dans la tombe. Au terme d'une inquisition indirecte et officieuse auprès des motards emprisonnés à Bordeaux, Bouchard obtint une réponse catégorique : les Hells Angels n'avaient pas été impliqués dans la mort de Dany Kane.

Jacques Bouchard ne s'attendait pas à ce que Legault élucide le mystère entourant le décès de Kane; néanmoins, son contre-interrogatoire lui permit de soulever la possibilité que Kane ne soit pas vraiment mort, et que s'il l'était, il n'était pas mort de sa propre main. Legault n'a pas fait de bévues flagrantes durant son témoignage, mais il s'exprimait avec une telle prudence et mettait tant de temps à formuler ses réponses qu'il donnait l'impression d'avoir quelque chose à cacher. Il n'avait pu nier, lorsque Bouchard l'avait interrogé à ce sujet, que l'ERM avait engagé Kane en sachant très bien qu'il avait commis plusieurs crimes, dont au moins deux meurtres, du temps où il travaillait comme informateur pour la GRC.

Le contre-interrogatoire de Legault permettait aussi à Bouchard de produire comme preuve, et donc de rendre public, l'un des documents les plus explosifs du procès : le contrat d'agent source de Dany Kane. L'entente de 1,87 million de dollars éclatera en première page de plusieurs journaux et obligera la police – et par le fait même la Couronne – à expliquer pourquoi on avait accordé pareille manne à un meurtrier avoué.

Les contorsions de Legault dans le box des témoins étaient à la hauteur des attentes de Jacques Bouchard. En amenant le sujet de Kane sur le tapis, l'avocat avait espéré injecter une bonne dose de suspense au cœur de la procédure, ce qu'il a largement accompli. Dans les coulisses, Bouchard s'emploie à résoudre une autre partie de l'énigme: il veut obtenir les échantillons de tissus et fluides prélevés sur le corps de Kane durant l'autopsie. Ces échantillons avaient déjà fait l'objet d'une expertise au Laboratoire de sciences judiciaires et de médecine légale, un organisme gouvernemental; or, les résultats avaient révélé que le sang de Kane contenait effectivement une concentration mortelle de monoxyde de carbone. Deux des échantillons affichaient un niveau de saturation oscillant entre 63 et 69 %, en comparaison de 0 à 3 % pour un fumeur moyen vivant dans une grande ville, et de 8 à 12 % pour un fumeur chronique. Le seuil toxique se situe entre 25 et 50 %; une concentration de plus de 50 % cause fatalement la mort.

Dans le cas de Kane, l'analyse du laboratoire gouvernemental n'avait pas détecté de traces d'alcool, de drogues illicites ou de médicaments.

Bouchard voulait procéder à ses propres analyses pour déterminer tout d'abord si les échantillons provenaient bel et bien de Kane. Si la chose était confirmée, cela réfuterait la théorie selon laquelle l'agent source était toujours vivant et se cachait sous l'égide d'un programme de protection des témoins. Bouchard comptait en ce cas soumettre le sang, le fluide oculaire, l'urine et les échantillons de tissus de Kane à des tests de dépistage d'autres substances – le test effectué par le Laboratoire du gouvernement n'était conçu que pour détecter la présence d'alcool, de drogues illicites et de monoxyde de carbone. Bouchard voulait qu'un spécialiste indépendant détermine si d'autres substances étaient présentes au moment de la mort de Kane, le genre de substances que son ou ses meurtriers hypothétiques auraient pu utiliser pour le rendre inconscient avant de l'installer dans la Mercedes. Bouchard chargera un collègue du nom de Jacques Normandeau de contacter les bureaux du médecin légiste pour obtenir les échantillons, ainsi que le rapport complet du coroner, que la défense n'avait toujours pas en sa possession.

Les premiers échanges téléphoniques ou écrits entre Normandeau et le bureau du coroner remontent au 7 mai. Normandeau se montre d'abord patient, puis, le 11 juin, n'ayant toujours pas obtenu ce que Bouchard réclamait, il écrit une lettre sévère dans laquelle il dresse la liste des documents et échantillons exigés, incluant les photos prises durant l'autopsie de Kane. Normandeau menace finalement d'en appeler aux tribunaux « dans tous les cas où nous ne pourrions obtenir de réponse favorable d'ici le 15 juin prochain ».

Mais cette « réponse favorable » ne viendra pas. Le 20 juin, jugeant inexcusables les atermoiements du médecin légiste, le juge Boilard cite le coroner en chef à comparaître au mégaprocès le 8 juillet avec tous les échantillons et documents demandés.

Les questions de Bouchard concernant le suicide de Kane l'ayant menée à une impasse, la Couronne ne s'objectera pas à la citation. « Les procureurs ne s'attendaient pas à ce que quelqu'un invoque la possibilité que Kane ne soit pas mort », raconte Randall Richmond, sous-procureur en chef du Bureau de lutte au crime organisé. Anxieux de voir la question réglée une fois pour toutes, les procureurs aideront même la défense à rédiger la citation destinée au médecin légiste.

L'avocat du coroner en chef se présentera à la salle d'audience du mégaprocès le 8 juillet avant 9 h. Il dira au juge qu'il a tout ce que Bouchard et Normandeau avaient demandé «et plus encore». C'était malheureusement loin d'être le cas puisque les échantillons de sang, d'urine et de fluide oculaire manquaient à l'appel. L'avocat du coroner admettra qu'il ignorait où se trouvaient ces échantillons, ou même s'ils avaient été détruits. S'ils avaient été conservés, d'affirmer l'avocat, ils ne pouvaient être qu'au Laboratoire de sciences judiciaires et de médecine légale. Bien que le labo et les bureaux du coroner travaillent toujours en étroite collaboration, ceux-ci n'avaient rien fait pour tenter de récupérer les fameux échantillons.

Le 11 juillet, après deux jours passés à désembrouiller l'affaire, deux spécialistes du Laboratoire comparaissent devant le juge Boilard : il s'agit d'André Bourgault, le pathologiste qui a supervisé l'autopsie de Kane ; et de Pierre Picotte, le toxicologue qui a effectué les tests sur les échantillons. Picotte admet que les échantillons ont été détruits dans le courant de la semaine précédente, soit deux mois après la demande initiale des avocats de la défense.

Durant le contre-interrogatoire de Bouchard, Picotte explique que, normalement, les échantillons prélevés sur des individus dont la mort est jugée suspecte sont conservés pour une durée minimale de 18 mois après le rapport final du toxicologue. Une fois cette période écoulée, «tout dépendant de l'espace disponible dans nos congélateurs et de la disponibilité du personnel», les échantillons sont empaquetés et mis de côté pour être plus tard confiés à une firme spécialisée dans l'évacuation des déchets biomédicaux. Picotte avait complété le rapport de toxicologie de Kane le 14 septembre 2000, ce qui signifiait que les échantillons pouvaient être éliminés dès le 14 mars 2001. Sans doute le personnel du labo était-il très occupé ou les congélateurs remplis en deçà de leur capacité, car les échantillons de Kane ne furent empaquetés en vue d'être détruits que deux mois plus tard, c'est-à-dire environ un mois après que Normandeau eut formulé sa première demande. Mais le pire, c'était que le labo avait encore les échantillons en sa possession le 11 juin, date où Normandeau avait faxé sa lettre insistante aux bureaux du médecin légiste ; l'entreprise de déchets biomédicaux n'était venue les chercher qu'entre le 18 juin et le 2 juillet – le labo ne pouvait confirmer la date exacte. Picotte affirme que le bureau du coroner n'a contacté le Laboratoire au sujet des échantillons de Kane que le 18 ou le 19 juin, soit six semaines après la demande initiale de Normandeau. Le témoin confirmera que le bureau du coroner maintenait des contacts constants avec le labo et qu'il aurait suffi d'un simple coup de fil pour que les échantillons soient rayés de la liste d'élimination. Aux dires de Picotte, les requêtes de ce genre sont fréquentes, mais il n'y en avait eu aucune dans le cas de Dany Kane.

Bouchard et ses collègues sont estomaqués par ce qu'ils viennent d'apprendre. La séquence des événements et la disparition des échantillons renforcent l'idée que Kane ne s'est pas lui-même enlevé la vie ainsi que continuent de le prétendre la police et le bureau du médecin légiste. La défense déclare qu'il y a anguille sous roche et que la mort de Kane est le point central d'une vaste entreprise de dissimulation. Consciente qu'en l'absence des échantillons elle ne pourra jamais prouver que Kane ne s'est pas suicidé, la défense décide de tourner la situation à son avantage : le lendemain du témoignage de Picotte, Bouchard demande un arrêt des procédures pour cause de destruction de preuves.

Malheureusement pour les avocats des motards, le juge Boilard n'entendait pas se laisser si aisément appâter. Le magistrat a promptement déclaré qu'il ne saborderait pas le procès après quatre mois d'audiences et la présentation de 1013 pièces à conviction sous prétexte que la défense entretenait « des opinions fabuleuses, spéculatives et rocambolesques » au sujet de la mort de Kane.

Bouchard connaissait le juge Boilard depuis des années et respectait énormément son travail de magistrat ; néanmoins, il fut carrément insulté de sa décision dans ce cas-ci. Ce n'était pas tant le fait que Boilard avait rejeté sa requête, ce à quoi Bouchard s'attendait, que la façon dont il avait formulé son refus. Outré du ton sarcastique et méprisant qu'avait adopté le juge, Bouchard décide de prendre sa revanche : quelques jours plus tard, Radio-Canada diffuse un reportage exclusif basé sur un document qu'une source anonyme a fait parvenir au reporter qui assure la couverture du mégaprocès. Le reportage en question révèle que le juge Jean-Guy Boilard a été sévèrement réprimandé par le Conseil canadien de la magistrature à cause des remarques railleuses et humiliantes qu'il avait adressées à un avocat de la défense dans le courant de la procédure.

Boilard apprendra la nouvelle en même temps que tout le monde par l'entremise des médias. Le magistrat n'avait jamais pris connaissance de la lettre de réprimande du Conseil, car elle avait été envoyée à son bureau du Palais de justice de Montréal. Or, il n'y avait pas mis les pieds depuis le début du mégaprocès. Se sentant vexé et pris au piège, le juge se retire précipitamment du procès, abandonnant du même coup ces quatre mois d'audiences et ces centaines d'heures de témoignages qu'il avait tant tenu à préserver.

La Couronne fut très affectée de la démission du juge. « La poursuite estimait que le procès s'était très bien déroulé jusque-là, affirme le sous-procureur en chef Randall Richmond. Le départ de Boilard nous a complètement pris par surprise. » La déception des procureurs sera d'autant plus grande lorsque le remplaçant de Boilard décrétera qu'il ne pouvait reprendre la procédure au même point où son prédécesseur l'avait laissée et qu'il fallait tout recommencer à partir du début. Désabusés, les procureurs se résigneront à transiger avec les avocats des motards. Dans les semaines suivant le désistement de Boilard, sept des accusés, dont Francis Boucher, négocieront leur peine avec la Couronne. Les neuf autres accusés décideront de tenter leur chance avec Pierre Béliveau, le nouveau juge affecté à l'affaire. Le Rocker Normand Bélanger sera exempté de comparaître et libéré sous caution le 17 juillet pour des raisons de santé; il mourra des conséquences du sida en 2004.

Le client principal de Jacques Bouchard dans les mégaprocès était Denis « Pas Fiable » Houle, lequel faisait face à de multiples accusations de meurtre et devait donc être jugé lors du second mégaprocès, présidé par le juge Réjean Paul. Houle avait consenti à « prêter » son avocat à Richard Mayrand et Luc Bordeleau pour la durée du procès Boilard. À ce procès, Bouchard avait été désigné principal avocat plaidant par Boilard et par ses collègues de la défense; or, il ne pouvait remplir cette mission et représenter à la fois Denis Houle devant le juge Paul.

Mais Bouchard avait atteint les objectifs qu'il s'était fixés: il avait employé Kane pour semer le doute dans le cœur des procureurs, les obligeant à envisager l'éventualité d'une négociation de peine avec les accusés. Mais même s'il avait accompli son travail, Bouchard n'avait pas le droit de simplement abandonner Mayrand et Bordeleau.

Un avocat doit avoir une bonne raison de quitter son client au beau milieu d'un procès ; or, Bouchard n'en avait aucune. Le client peut par contre congédier son avocat à n'importe quel moment de la procédure, ce que Mayrand et Bordeleau auront l'obligeance de faire, laissant l'avocat libre de retourner défendre Denis Houle.

Louis Belleau, qui s'occupe du dossier Kane au second méga-procès, entend procéder d'une tout autre façon que Bouchard ne l'avait fait devant le juge Boilard. Belleau ne croit pas lui non plus la version officielle des faits en ce qui concerne la mort de l'agent source ; néanmoins, il ne voit pas l'utilité de remettre ces faits en cause. Selon lui, la défense paraîtrait désespérée et paranoïaque si elle usait de cette stratégie, sans compter qu'il était peu probable que ses collègues et lui obtiennent des preuves matérielles objectives prouvant que le suicide de Kane avait été une mise en scène.

Belleau compte plutôt explorer la relation douteuse que Kane avait entretenue avec la police en se concentrant plus spécifiquement sur le meurtre de MacFarlane et le procès de Halifax. Durant le printemps et l'été 2002, Belleau effectuera des recherches qui l'amèneront à rédiger une requête d'arrêt de procédure détaillée dans laquelle il dresse la liste des nombreux crimes que Kane a perpétrés alors qu'il était à l'emploi de la police. L'avocat précise qu'il était impossible que les contrôleurs de l'agent source n'aient pas été au courant de ses activités. Alors que les requêtes que Bouchard avait présentées au juge Boilard ne dépassaient jamais une douzaine de paragraphes étalés sur deux ou trois pages, celle de Belleau s'étend sur 40 pages et 401 paragraphes ; suit un appendice de 32 pages qui fait la chronique de la réponse inadéquate de la Couronne aux demandes formulées par la défense dans le but d'obtenir de la documentation additionnelle sur Kane – rapports de police concernant les attentats à la bombe dans lesquels il avait été impliqué ; correspondance et notes des policiers qui avaient été en contact avec lui ; etc.

Le juge Paul ordonnera que certains des documents demandés soient remis à la défense ; par contre, il refusera de signer les 27 citations à comparaître que Belleau avait préparées pour obliger les principaux protagonistes du procès de Halifax – des officiers de la GRC pour la plupart – à témoigner au présent procès. « Je refuse de changer ce procès en commission d'enquête sur Dany Kane », déclare le magistrat.

L'un des principaux arguments de Belleau était que la GRC s'était rendue coupable d'entrave à la justice en insistant pour que le rôle d'informateur de Kane ne soit pas dévoilé lors du procès de Halifax. Gaétan St-Onge aurait pu confirmer que Kane se trouvait dans les Maritimes avec Aimé Simard au moment du meurtre et aurait donc dû être appelé à témoigner pour la Couronne. En permettant que la GRC tienne secrète sa relation avec l'accusé et en omettant d'appeler St-Onge à la barre, la Couronne avait évité à Kane une condamnation certaine.

Le juge Paul accordera davantage d'attention à la requête d'arrêt de procédure de Belleau que Boilard ne l'avait fait avec celle de Bouchard, mais au bout du compte il la rejettera en disant que le mégaprocès avait pour mission de décider de l'innocence et de la culpabilité des collègues motards de Dany Kane, et non d'enquêter sur ses rapports avec la police ou sur les circonstances de sa mort.

La majorité des preuves que Kane avait fournies à la police, incluant son journal d'agent source et les vidéos KGB, sera plus tard retirée de la liste des pièces à conviction que la poursuite comptait présenter aux deux mégaprocès. La Couronne en est finalement arrivée à la conclusion que Kane ne pouvait que nuire à sa cause. Les procureurs qui plaidaient devant le juge Paul finiront par perdre courage eux aussi et se résigneront à négocier avec neuf des Nomads et sympathisants des Hells Angels les plus notoires du Québec, dont Normand Robitaille et Denis Houle. En septembre 2003, toutes les accusations de meurtre qui avaient été déposées contre les motards deux ans et demi auparavant seront retirées.

Le double jeu de Kane se poursuivait donc même après sa mort. D'une part, il avait aidé la police et les procureurs à épingler les grosses pointures des Hells Angels du Québec ainsi que des douzaines de leurs subalternes et sympathisants. D'autre part, il avait changé le cours des mégaprocès, ce qui avait permis à ces mêmes amis, confrères et associés qu'il avait trahis de négocier des peines moins sévères avec la Couronne.

ÉPILOGUE

Bien que dégagés des charges de meurtre qui pesaient contre eux, les anciens collègues Hells de Kane seront reconnus coupables de divers chefs de trafic de drogue, de complot et de gangstérisme, puis condamnés à de longues peines de prison.

Les Nomads Walter Stadnick, Normand Robitaille, Denis Houle, Gilles Mathieu, Richard Mayrand, René Charlebois, Michel Rose et Donald Stockford en prendront tous pour 20 ans. Mom Boucher avait été condamné à deux peines de prison à vie consécutives en mai 2002 pour les meurtres des gardiens de prison et s'attendait à écoper d'une sentence similaire à l'issue de son procès. Seul le vétéran Rock Machine Salvatore Brunetti, qui était passé dans le camp des Nomads trois mois à peine avant l'opération Printemps 2001, s'en tira avec une peine légère : condamné à six ans d'incarcération, il sera libéré sous condition durant l'été 2004. Une vingtaine de *prospects* des Rockers et des Nomads, dont Pierre Provencher, Guillaume Serra, Daniel St-Pierre et Francis Boucher, se verront attribuer des peines allant de 10 à 20 ans.

Toutes ces sentences, incluant les peines de 20 ans données aux Nomads, sont en vérité moins punitives qu'elles n'en ont l'air. Lorsqu'un accusé est reconnu coupable, le temps qu'il a passé en détention provisoire en attente de son procès est multiplié par deux, puis ce total est retranché de sa sentence. Et puis il y avait le fait que tous les motards condamnés dans les mégaprocès seraient admissibles à la libération conditionnelle après avoir purgé la moitié de leur peine. Il était peu probable qu'ils fassent plus de 10 ans de prison. Certains feront à peine la moitié de cela.

Des motards qui avaient échappé aux autorités en mars 2001 viendront plus tard rejoindre leurs collègues Hells et Nomads en taule. Parmi eux, André Chouinard, le Nomad qui avait été expulsé de la bande juste avant la mort de Kane et qui se trouvait au

Mexique au moment de la grande razzia. Chouinard sera arrêté en avril 2003 dans un chalet des Cantons de l'Est.

Quelques heures avant que Chouinard soit capturé, un autre Nomad avait été appréhendé. Richard Vallée vivait en fugitif depuis son évasion de prison en 1997, qui s'était déroulée comme suit. Alors qu'il était en détention provisoire en attente de son extradition aux États-Unis où il faisait face à des accusations de meurtre – il avait fait sauter un individu qui était censé témoigner contre lui dans une affaire de contrebande de drogue en installant une bombe dans sa Porsche –, Vallée s'était fait agresser par un autre détenu qui lui avait cassé la mâchoire. On l'avait emmené à l'hôpital, où un complice embusqué dans une armoire s'était manifesté au moment opportun et avait immobilisé les gardes de prison à la pointe du fusil tandis que Vallée prenait la fuite.

Le motard s'exila au Costa Rica pendant plusieurs années avant de revenir clandestinement au Québec. Il sera arrêté à Montréal le 11 avril 2003 pour conduite en état d'ébriété, avec en sa possession une arme chargée et une somme importante en argent liquide. Usant d'une fausse identité, Vallée sera relâché après que la police eut relevé ses empreintes digitales et l'eut inculpé de chefs d'accusation multiples. Les autorités découvriront toutefois sa véritable identité grâce à ses empreintes digitales et l'arrêteront une semaine plus tard.

Au printemps 2004, la police mettra la main sur deux motards que tous croyaient morts. On disait en effet que Paul Fontaine, le complice de Stéphane Gagné dans le meurtre d'un des gardiens de prison, et Stephen Falls avaient été éliminés par leurs confrères, mais en vérité les deux hommes étaient toujours vivants. Apprenant au début de mai que Falls vivait dans la région de Montebello, à environ une heure de route de Montréal en longeant la rivière des Outaouais, la police l'appréhendera presque aussitôt. Les autorités retrouveront Fontaine quelques semaines plus tard.

En octobre 1999, Dany Kane avait averti ses contrôleurs de l'ERM que la rumeur voulant que Fontaine ait été éliminé par la bande était fausse. Les Hells l'auraient au contraire récompensé de ses loyaux services en le sacrant membre en règle des Nomads. Cette version des faits avait été corroborée par le délateur Serge Boutin, qui était l'associé de Fontaine dans une affaire de drogue. Appelé à témoigner en 2002, Boutin avait affirmé avoir rencontré son ex-partenaire au Château Frontenac de Québec en décembre 1999. Boutin avait soutenu la femme et les enfants de Fontaine à raison de 1 000 $ par semaine durant ses 18 mois d'absence ; or, voilà que Fontaine réapparaissait soudain. Voulant passer Noël en famille, Fontaine avait chargé Boutin d'organiser une petite réunion avec ses proches. Durant son témoignage, Boutin ajoutera que quelques mois plus tard, soit en 2000, Normand Robitaille lui avait laissé entendre que Fontaine s'était récemment fait assassiner.

La police arrêtera Fontaine à Québec en mai 2004 alors qu'il sortait d'un restaurant de la Basse-Ville. L'ancien tueur à gages des Hells venait d'ouvrir un kiosque de vêtements dans un marché aux puces de la capitale ; l'entreprise avait pour nom Sweetie's Fashions. « Il avait l'air d'un gars bien correct, bien sympathique, raconte un de ses anciens voisins de kiosque. D'ailleurs, je me disais récemment que ce serait le fun que tous les exposants soient comme lui. Honnêtement, il avait plus l'air d'un jardinier que d'un meurtrier. »

Si Fontaine avait l'air d'un inoffensif jardinier, son âme demeurait celle d'un Nomad. Une autre commerçante du marché aux puces soutient qu'il l'avait menacée pour qu'elle cesse de vendre des jeans Pepe parce qu'il voulait avoir l'exclusivité de la marque.

À la mi-mars, soit deux mois avant les arrestations de Fontaine et de Falls, la police avait mis le grappin sur un ex-motard autrement plus notoire qui était lui aussi présumé disparu. Apprenant que ses propres confrères avaient décidé de l'éliminer, Yves « Apache » Trudeau était devenu délateur en 1985. L'entente controversée qu'il avait conclue avec les autorités l'obligeait à avouer ses crimes passés, si bien qu'il avait été condamné pour les meurtres de 43 personnes. Relâché en 1994 après avoir purgé huit ans de sa sentence – quatre en prison, quatre en centre de transition –, Apache avait hérité d'une nouvelle identité et vivait à Valleyfield sous le nom de Denis Côté avec sa femme et ses enfants. La SQ avait continué de le surveiller discrètement pour s'assurer qu'il restait dans le droit chemin, mais Trudeau avait néanmoins commencé, à l'insu de la police, à agresser sexuellement un jeune garçon en 2000. Ces agressions se poursuivront jusqu'au début de 2004, c'est-à-dire jusqu'à ce que Trudeau soit arrêté et inculpé de 10 chefs d'agression sexuelle, d'immixtion sexuelle, d'exploitation sexuelle et d'invitation au toucher sexuel. Comme aucun avocat ne voulait le représenter, Trudeau défendra lui-même sa cause. Il plaidera coupable et écopera d'une peine de quatre ans. «Vous avez tué plus de personnes que l'armée canadienne en a tué pendant la guerre du Golfe, avait déclaré le juge à son procès. Vous avez un passé déplorable et un avenir chétif. »

À cette même époque, la GRC obtenait enfin une condamnation dans l'affaire MacFarlane.

Le meurtre de Robert MacFarlane avait mené indirectement à deux autres morts. William St. Clair Wendelborg était un dealer de coke associé aux Hells du chapitre de Halifax ; or, il avait eu la mauvaise idée de raconter à tous vents que c'était Paul Wilson qui avait fait buter MacFarlane. Informé du manque de discrétion du dealer, Wilson charge deux criminels néo-écossais de l'éliminer en échange de 2 kg de hasch et d'une prime de 20 000 $. Craignant que le meurtre de Wendelborg n'attire sur lui l'attention de la police, Wilson se ravise et annule le contrat. Admettant que les assassins furent informés directement de la chose, ils péchèrent par excès de zèle puisqu'ils battirent sauvagement Wendelborg avant de lui injecter une dose létale de cocaïne. Un chasseur trouva son corps dans les bois en octobre 1998. Les tueurs furent dénoncés et appréhendés peu après. Par quelque bizarre coïncidence, Billy Marriott, l'un des deux assassins de Wendelborg, se suicidera au centre correctionnel de Halifax le 7 août 2000, jour du suicide apparent de Dany Kane.

On se souviendra que Paul Wilson était lui aussi la cible de représailles. S'étant montré trop bavard au sujet de l'implication de Wolf Carroll et de Kane dans le meurtre de MacFarlane, Wilson s'était attiré les foudres de Carroll qui avait à son tour engagé des tueurs pour l'éliminer. Soucieux de sauver sa peau, Wilson s'était réfugié en Colombie-Britannique, puis sur l'île de Grenade dans les Caraïbes où il espérait couler des jours paisibles sous le nom de Paul Michaud. Wilson avait perdu beaucoup de poids pour changer son apparence et parfaire l'illusion de sa fausse identité, mais il ne s'était pas délesté de ses anciennes habitudes : lors de son arrestation en novembre 2000, il avait en sa possession plus de 20 kg de cocaïne.

Wilson fut rapatrié à Halifax. Au début de 2004, à la suite d'interminables manœuvres judiciaires, il plaidera coupable à des charges réduites de meurtre au second degré dans le cas de MacFarlane, de complot en vue de commettre un meurtre dans le cas de Wendelborg, ainsi qu'à de nombreuses accusations reliées au trafic de la drogue et aux produits de la criminalité. Il sera condamné à 12 ans de prison.

Au même moment où Wilson était accusé d'avoir commandé le meurtre de MacFarlane, l'homme qui avait appuyé sur la gâchette achevait la troisième année de sa sentence ferme de 12 ans. Ces trois années d'incarcération s'étaient révélées difficiles pour Aimé Simard, en partie parce que, fidèle à sa nature, il avait été un prisonnier difficile. Les informateurs occupent avec les pédophiles le plus bas échelon de cet univers tendu et hypermacho qu'est le milieu carcéral ; ils sont méprisés par les autres détenus, mais aussi par les gardiens eux-mêmes. Or, Simard était le plus méprisé de tous : les autorités l'avaient pris en grippe parce qu'aucune condamnation n'avait résulté de son témoignage ; les gardiens et les autres prisonniers le détestaient parce qu'il était gai et agaçant au plus haut point.

Simard contactait régulièrement des journalistes pour se plaindre du mauvais traitement qu'on lui faisait subir et pour commenter la piètre performance de la police et des procureurs dans leur lutte contre les Hells Angels. Il mettait souvent à profit les techniques criminelles qu'il avait perfectionnées dans sa jeunesse en commandant par téléphone et de façon frauduleuse divers articles et produits. Il avait par exemple commandé à son nom des suppléments alimentaires d'une valeur de plusieurs centaines de dollars, mais en persuadant la compagnie de facturer le tout aux services administratifs du pénitencier. Non content d'être détenu en isolement – un sort que l'on réserve aux informateurs pour les protéger des autres prisonniers –, Simard était parfois envoyé « au trou », une cellule exiguë où l'on place les fauteurs de trouble de sa trempe. Aucune institution ne voulait de lui, aussi Simard l'indésirable se faisait-il constamment transférer d'un pénitencier à un autre. Après avoir témoigné contre Kane, il avait été expédié au pénitencier de Port-Cartier, une prison moderne à sécurité maximum située sur la Côte-Nord. Il avait d'abord fait preuve de bonne volonté en prenant des cours de perfectionnement et en se convertissant à l'islam, religion pour laquelle il s'était découvert une passion subite. Sa ferveur religieuse ne dura toutefois que quelques mois. Il s'était lié d'amitié avec les autres prisonniers qui, comme lui, étaient détenus en isolement et avait même trouvé l'amour en la personne de Tommy Berger. En mai 2001, Simard et Berger ont tenté de se marier en utilisant des documents frauduleux obtenus d'un pasteur montréalais spécialisé dans les unions gaies.

Avec la venue de l'automne, le comportement de Simard s'était détérioré de façon alarmante. Il passait de plus en plus de temps au trou parce qu'il menaçait constamment les autres détenus et le personnel de l'institution, tant en paroles qu'en gestes – un rapport des services correctionnels précise qu'il aimait tout particulièrement s'en prendre aux gardiennes de prison. Simard fera deux tentatives de suicide à cette époque, l'une d'entre elles se soldant par un séjour de trois jours à l'hôpital de Sept-Îles.

En juin 2002, Simard fut transféré à la prison Kent située dans la vallée de la rivière Fraser, en Colombie-Britannique. Il s'agissait officiellement d'un « transfert involontaire », mais Simard ne s'y est pas opposé, car il savait que ses jours étaient comptés à Port-Cartier. « Depuis que les motards ont mis un contrat de 100 000 $ sur ma tête, racontait-il à l'hebdo *Dernière Heure*, certains ici me voient comme un guichet automatique. »

Les autorités de Kent espéraient que la réputation de Simard ne l'avait pas précédé en Colombie-Britannique et qu'il pourrait circuler librement parmi la population carcérale. Il suffit d'une journée pour les faire déchanter : le lendemain de son arrivée, Simard est impliqué dans une altercation à la cafétéria et doit être placé de nouveau en isolement. Il passera d'ailleurs l'essentiel de son séjour à Kent en isolement. Les autorités carcérales notaient qu'en ces rares occasions où il était autorisé à se mêler aux autres prisonniers, Simard « jouait les durs et s'adonnait aux jeux de hasard et à la contrebande (tabac) ». Il se lamentait continuellement des conditions de vie à l'intérieur de la prison et insistait pour qu'on lui permette de téléphoner à son petit ami qui se trouvait toujours à Port-Cartier.

Six mois après son arrivée à Kent, Simard demande à être transféré au pénitencier de la Saskatchewan, qui est situé dans la municipalité de Prince Albert. « C'est l'institution la plus sécuritaire pour moi parce qu'il n'y a presque pas, voire pas du tout de motards et que je n'y ai pas d'incompatibles », expliquait-il dans sa demande en prenant soin d'utiliser le mot «incompatible», terme que les Services correctionnels du Canada emploient pour désigner un ennemi. Simard prétendait vouloir suivre le cours de contrôle de la colère que cette prison offre à ses détenus, mais il avouera que des considérations d'ordre romantique et spirituel motivaient également sa requête. «J'embrasse la philosophie autochtone depuis 1999 et j'ai un petit ami autochtone qui sera là. Je suis avec lui depuis 1999 et j'ai l'intention de l'épouser aussitôt que possible.» Les autorités correctionnelles ne sont tout d'abord pas chaudes à l'idée de déplacer à nouveau Simard; néanmoins, elles consentiront lorsque celui-ci menacera de se suicider si on n'accédait pas à sa demande. Il sera transféré à Prince Albert au début de juin 2003.

Simard manifestait en somme le même comportement de fuite qui avait marqué sa jeunesse: il se soumettait lui-même à de constantes migrations, tantôt poursuivant un rêve fantaisiste et tantôt suivant le fil d'une autre magouille biscornue, convaincu toujours que le hasard et les autres, et non lui-même, étaient à la source de tous ses problèmes.

Comme cela avait été le cas à Kent, Simard ne sera pas placé en isolement dès son arrivée au pénitencier de la Saskatchewan. Bien qu'il ait lui-même demandé à être incorporé à la population générale, les autorités de la prison auraient dû se douter qu'une confrontation avec les autres prisonniers était inévitable. À son arrivée dans ce pénitencier à sécurité moyenne, Simard est incarcéré dans une enclave à sécurité maximum avec 15 autres prisonniers qui sont pour la plupart, sinon tous, des meurtriers. Ces hommes sont isolés des détenus qui occupent les autres pavillons cellulaires; cependant, ils peuvent frayer entre eux. Inévitablement, les nouveaux compagnons de Simard découvriront qui il est. Du coup, Aimé redevient un homme marqué. Qui plus est, son nouvel environnement fait de lui une cible plus facile qu'il ne l'avait été à Kent ou à Port-Cartier.

À la mi-juillet, un détenu avertit les gardiens de l'établissement que des attaques ont été planifiées contre Simard et trois autres prisonniers. Simard doit se douter que la menace qui le suit de prison en prison depuis le début de sa sentence est sur le point de se concrétiser puisque, le 16 juillet, il demande de nouveau à être transféré. Deux jours plus tard, vers 22 h, des gardes le découvrent baignant dans une mare de sang sur le sol de sa cellule. On l'a poi-gnardé à 70 reprises.

Les gardes tentèrent en vain de le réanimer. « Un autre rat mort ! » scandaient pendant ce temps les autres détenus.

Les autorités carcérales n'eurent aucun mal à démasquer le meur-trier de Simard : une piste d'empreintes de pas sanglante menait droit à la cellule d'un assassin reconnu qui entretenait des liens étroits avec une bande autochtone et, par le biais de cette bande, avec les Hells Angels. L'individu en question ne sera jamais inculpé du meurtre d'Aimé Simard.

Au début de 2005, tous les individus impliqués dans le meur-tre de MacFarlane étaient morts ou en prison, sauf l'artisan du meurtre lui-même. Wolf Carroll était aussi le seul membre des Nomads toujours en liberté.

À l'instar de Chouinard, Carroll se trouvait au Mexique le 28 mars 2001 et avait réussi à échapper aux autorités mexicaines. Mais contrairement à Chouinard, Carroll n'avait pas eu le mal du pays au point de tenter un retour au Canada. S'il était revenu, il avait pris garde de ne pas se faire prendre. Certains prétendent l'avoir aperçu à Halifax et en Colombie-Britannique, mais il ne faut pas oublier que les rumeurs de ce genre sont monnaie courante dans le milieu motard.

Le fait que Carroll ait été à l'extérieur du pays au moment précis où se déroulait la grande razzia de l'opération Printemps et qu'il continue à ce jour d'échapper aux autorités est également matière à conjectures. Lorsque la chance semble marquer l'ensemble d'une carrière criminelle comme cela a été le cas avec Carroll – ou avec Claude-Grégoire McCarter, l'ami de Kane –, cela soulève inévita-blement certains doutes. Or, plusieurs faits venaient soutenir les soupçons dirigés vers Carroll. D'un, son frère travaillait pour la GRC dans les Maritimes. Cela peut sembler louche de prime abord, mais en fait ce genre de situation est plus courant qu'on pourrait le croire dans le milieu des motards. Wolf n'était en effet pas le seul Hells à avoir de la famille dans la police. Il y avait par exemple un membre du chapitre de Sherbrooke dont le père, le frère et l'oncle travaillaient respectivement pour la SQ, la police munici-pale locale et la GRC. (Ces liens familiaux n'avaient pas empêché le Hells en question de se retrouver en prison parce qu'il pratiquait le prêt usuraire.)

Cela dit, il est curieux que Carroll n'ait jamais été placé sur la liste des criminels recherchés par la GRC alors que de nombreuses accusations de meurtre au premier degré, de complot, de trafic de drogue et de gangstérisme pesaient contre lui. Distribuée sous forme d'affiches et aisément accessible par Internet, cette liste alerte les diverses forces policières du pays quant aux cibles prioritaires de la GRC. Sur la vingtaine d'individus qui y figurent présentement, aucun ne fait face à des accusations aussi graves que celles visant Carroll. Certains d'entre eux sont recherchés pour complot en vue d'importer ou de faire le trafic des stupéfiants; d'autres sont recherchés pour vol à main armé. Dans certains cas, les crimes remontent à plusieurs années – un Hells qui avait participé au massacre de Lennoxville figure toujours sur la liste.

Chose étrange, la police avait rendu visite à Carroll juste avant les raids de l'opération Printemps; le Nomad s'était envolé pour le Mexique peu après cette rencontre. Alors que certains des avocats de la bande prétendent que la police est allée voir Carroll simplement pour essayer de le convaincre de devenir informateur, nombreux sont ceux qui croient que le motif de la visite était d'alerter Wolf de l'imminence des arrestations.

N'ayant jamais été arrêté ou inculpé de quelque crime que ce soit, Pat Lambert fait l'objet de soupçons similaires. Il est possible que la police ne s'intéressait plus à lui à l'époque de l'opération Printemps 2001. Quoi qu'il en soit, Lambert s'était progressivement retiré du cercle des Hells Angels en 1997.

L'opération Printemps a bel et bien marqué la fin de la guerre des motards. Le dernier acte du conflit se déroulerait exclusivement dans les confins du palais de justice qui avait été bâti spécialement pour abriter les mégaprocès. On n'assisterait plus au Québec qu'à une poignée de meurtres liés aux hostilités entre les bandes, dont seulement quelques-uns à Montréal, ancien foyer des rivalités. La majorité de ces meurtres sont des règlements de compte entre individus et non la manifestation violente de plus vastes enjeux.

La grande razzia n'était cependant pas parvenue à annihiler complètement les Hells Angels du Québec, puisque seuls les hauts dirigeants qui avaient voulu monopoliser par la violence le trafic de stupéfiants au Canada furent touchés. Une fois ces éléments cupides et belliqueux sous les verrous, des Hells plus raisonnables et moins ambitieux ont pris les rênes de l'organisation. Le fait que la bande ne contrôlait plus aussi strictement qu'auparavant le commerce de la drogue à Montréal et sur ses autres territoires aura pour effet de stimuler la concurrence, si bien que l'on assistera à une chute des prix et à une augmentation de la qualité. Les amateurs de drogue n'avaient rien à craindre : les raids de l'opération Printemps n'avaient affecté en rien la disponibilité de leurs substances illicites favorites. Les Hells Angels poursuivront l'expansion de leur réseau de trafic à l'extérieur du Québec, notamment en consolidant les opérations de distribution dont ils avaient hérité en fusionnant avec les bandes ontariennes.

Les Hells Angels doivent certains de leurs nouveaux territoires aux Road Warriors, le club-école fondé par Dany Kane. Deux ans après la mort de Kane, les Warriors ont évolué tant et si bien qu'ils écoulent maintenant 3 kg de cocaïne par semaine à Belleville, ce qui équivaut à 250 000 $ au prix de la rue. Le succès de la bande est dû en partie à leur association avec les Hells Angels, désormais les maîtres motards incontestés de l'Ontario, et en partie à leur capacité d'inspirer la terreur. Ceux qui refusaient de payer une dette de drogue ou contrariaient de quelque façon que ce soit les Road Warriors étaient punis sévèrement. Un officier de la Police provinciale de l'Ontario appelé à témoigner à l'enquête sur le cautionnement d'un des membres de la bande décrira comment les Warriors avaient kidnappé et torturé un homme de Cornwall qui n'avait pu régler le solde de sa dette : « Ils l'ont attaché, lui ont arraché les ongles d'orteil avec une paire de pinces, puis ont versé de l'eau de Javel sur ses blessures. La victime a été fouettée, battue avec un objet contondant et a reçu de nombreux coups de pied. »

À la fin d'avril 2003, 70 officiers de police participèrent à une série de raids coordonnés visant la région de Belleville. Seize membres et sympathisants de la bande furent arrêtés et un impressionnant stock de stupéfiants, d'armes et d'explosifs fut saisi. Le coup portera, mais il ne sera pas mortel. Pour les motards, les raids et arrestations de ce genre font partie des risques du métier, si bien qu'à ce jour les Road Warriors poursuivent leur avancée.

La carrière des contrôleurs de Kane à l'ERM et à la GRC a connu des hauts et des bas depuis l'époque où ceux-ci cultivaient activement leur précieuse source. Loin d'ajouter du relief à leur réputation professionnelle, C-2994 a teinté de doutes et de controverses les feuilles de route de Pierre Verdon, de Gaétan St-Onge et, dans une moindre mesure, de Jean-Pierre Lévesque. Bien qu'il ait payé chèrement la fameuse lettre qu'il avait adressée à Kane du temps où celui-ci était emprisonné à Halifax, c'est surtout son incapacité à collaborer efficacement avec ses homologues des autres forces policières, et particulièrement celles du Québec, qui a miné la confiance que lui portaient ses supérieurs. Jadis le porte-parole le plus visible de la GRC, Lévesque a vu son rôle médiatique s'étioler peu à peu au fil des années. En tant que spécialiste des motards au Service canadien des renseignements criminels, ses responsabilités sont aujourd'hui surtout d'ordre bureaucratique.

Kane a nui davantage aux carrières de Verdon et de St-Onge, sans doute parce que ceux-ci entretenaient avec l'agent source des liens plus étroits que Lévesque. Le rapport cinglant que le sergent d'état-major Pierre Bolduc avait rédigé à leur sujet avait remis en cause leur capacité à bien s'occuper d'une source ainsi que leur intégrité professionnelle. Heureusement pour eux, l'enquête interne que Bolduc réclamait à grands cris n'aura jamais lieu. Les deux policiers soumettront leur réponse à l'évaluation du sergent d'état-major, après quoi la GRC choisira de mettre fin à la controverse : le directeur Rowland Sugrue, arbitre dans l'affaire, présentera en juin 1999 un rapport peu concluant dans lequel il applaudissait à la fois l'analyse de Bolduc et les efforts déployés par St-Onge et Verdon.« Ceux-ci ont effectué un bon travail dans des conditions difficiles et stressantes, écrivait Sugrue au sujet des deux contrôleurs. Cette expérience nous servira à l'avenir et nous confirme qu'il faut être extrêmement prudent lorsqu'on infiltre une source dans le monde des motards ou qu'une personne du milieu nous offre ses services. »

En dépit de cette absolution officielle, Verdon et St-Onge ont vu leur carrière entrer dans une impasse ; leur étoile ne s'élèvera pas au firmament de la GRC. Par après, au lieu de les affecter à des projets importants comme celui de Carcajou, leurs supérieurs les ont cantonnés dans des enquêtes de routine. St-Onge a finalement pris sa retraite au printemps 2005, tandis que Verdon a été envoyé en Haïti pour contribuer à la formation des policiers locaux.

Benoît Roberge et Gaétan Legault de l'ERM n'ont pas été sujets au même examen féroce que leurs prédécesseurs de la GRC; néanmoins, ils ont également connu de cuisants échecs professionnels. Un motard informateur dont Roberge avait été le contrôleur dans les années 1990 a formulé contre lui des allégations d'irrégularités, si bien que le policier fut démis de ses fonctions et fit l'objet d'une enquête interne. Par la suite, Roberge reprendra du service, mais il sera affecté aux enquêtes générales. Legault continuera de combattre les Hells Angels, mais un incident survenu en 2003 tempérera quelque peu ses ardeurs. Un soir où ils avaient mené avec succès une opération majeure visant les Hells de Trois-Rivières, Legault et ses confrères sont allés festoyer dans les bars. À la fin de la soirée, Legault prend le volant puis est arrêté un peu plus loin par la police. Il sera inculpé de conduite avec facultés affaiblies.

Dès que Patricia a appris que Dany avait été le principal agent source de l'ERM, elle fut déterminée à en savoir davantage. Ce qui l'intéressait par-dessus tout, c'était de voir le contrat qu'il avait signé avec la Sûreté du Québec. Elle a écrit et téléphoné à la SQ à plusieurs reprises en insistant sur le fait que, en tant que conjointe de fait, veuve et mère d'un des enfants de Dany Kane, elle avait le droit de prendre connaissance du document dans son intégralité.

Le Service de protection des témoins de la SQ refusera sa requête sous prétexte que le contrat était confidentiel et donc accessible aux seules parties concernées. Patricia s'adressera ensuite au service d'accès aux documents du ministère de la Sécurité publique, mais sera rabrouée là aussi. Le capitaine Bruno Beaulieu, qui avait participé à la négociation du contrat, avait fait parvenir à la responsable du service une lettre disant ceci : « En se suicidant, il [Kane] a provoqué un bris d'entente, mettant fin ainsi aux engagements de la Sûreté du Québec. Il est important de souligner que cette entente ne concerne que M. Kane et la Sûreté. » Beaulieu ajoutait que le contrat ne pouvait pas être divulgué parce qu'il s'agissait d'un « document d'enquête » et il citait cinq articles de la Loi sur l'accès à l'information qui permettaient à la SQ de refuser de communiquer le document à Patricia.

Que Beaulieu ait oublié les conditions exactes du contrat ou qu'il ait choisi de l'interpréter à sa guise, reste que rien dans l'entente ne spécifie que la SQ et l'ERM seraient dégagées de leurs obligations si Kane mourait, que ce soit par voie de suicide ou autrement. Bien au contraire, l'article 93 du contrat stipule que «la Sûreté remettra à la succession de l'agent source les indemnités qui lui sont dues au moment du décès, s'il en est».

Il semblerait toutefois que la SQ était consciente de la précarité de sa position et qu'elle s'attendait à ce que l'entente soit un jour rendue publique. Voulant mettre un frein aux demandes répétées de Patricia, la SQ engage une firme d'avocats en lui donnant pour mission de trouver une raison légale de ne pas payer à la succession de Kane les sommes stipulées dans le contrat. Le 23 mai 2001, une semaine après que Beaulieu eut refusé de procurer une copie de l'entente à Patricia, la SQ obtenait l'avis juridique escompté: la SQ ne devait rien à Kane et donc à sa succession vu que les arrestations de l'opération Printemps n'avaient pas encore été réalisées au moment de sa mort.

L'échappatoire n'était pas très convaincante et ne réussit d'ailleurs pas à clore l'affaire. Lorsque Patricia a pris connaissance de la version fortement abrégée de l'entente que la SQ rendait publique un an plus tard, elle a immédiatement consulté un avocat. Celui-ci lui a conseillé de s'associer à Josée, qui était somme toute la gardienne légale de trois des quatre héritiers de Kane, et d'écrire avec elle une lettre dans laquelle elles exigeraient que la SQ honore son contrat. La Sûreté donnera suite en offrant aux deux femmes une compensation dérisoire. Josée et Patricia refuseront la somme et intenteront une poursuite contre la SQ. Le corps policier ripostera en exigeant un interrogatoire préalable, une procédure qui donne à chaque partie concernée le loisir d'interroger l'autre avant le procès proprement dit. Au bout du compte, cette manœuvre dilatoire de la SQ se retournera contre elle puisque, durant son interrogatoire, l'avocat de Josée et Patricia parviendra à mettre Beaulieu et Gaétan Legault, l'ancien contrôleur de Kane, dans une position compromettante. Les dirigeants de la Sûreté n'auront finalement d'autre choix que de se plier aux exigences des deux femmes; Kane leur avait attiré suffisamment de publicité négative lors des méga-procès. À la fin de 2003, la SQ consentait à remettre aux héritiers de

Dany Kane un dédommagement substantiel dont elle ne dévoilera pas le montant. Mais avant que les fonds soient libérés, Patricia, qui agissait en tant que liquidatrice de la succession, devait régler les impôts impayés sur les revenus d'agent source de Kane – une somme appréciable considérant que le motard avait touché, d'abord avec la GRC puis avec l'ERM, 2 000 $ par semaine pendant plusieurs années.

Josée et Patricia avaient déjà commencé à refaire leur vie avant d'obtenir le règlement de la SQ. Dotée d'un puissant instinct de survie, Patricia s'était déniché un emploi dans une société point-com et songeait à lancer sa propre entreprise de commerce sur Internet. Avec l'aide de sa mère et de ses tantes, elle s'occupe merveilleusement bien de ses fils, Steve et Jesse.

La vie sans Dany s'avéra plus difficile pour Josée qui avait pourtant ressenti un grand soulagement en apprenant la nouvelle de sa mort. «Mon premier réflexe a été de crier de joie. Il ne pourrait plus jamais me gueuler après ou m'insulter. Puis j'ai réalisé que ça voulait dire que les enfants n'avaient plus de père.» Même si le soutien financier que Dany lui avait accordé de son vivant n'était pas toujours adéquat, Josée en serait désormais privée et devrait se débrouiller toute seule, ce qui n'est pas facile quand on a trois enfants sur les bras. Demeurer à Saint-Jean-sur-Richelieu était devenu pour elle une pénible épreuve: connaissant son histoire pour l'avoir lue dans *Allô Police* et autres publications du genre, les gens du coin ne tarissaient pas de ragots à son sujet et fixaient sur elle leurs regards indiscrets. La jeune mère avait même songé à changer le nom de famille des enfants pour leur épargner les méchancetés de leurs camarades de classe. Plus que jamais, Josée rêvait de quitter Saint-Jean pour aller vivre à la campagne, chose que l'argent de la SQ lui permettra peut-être de faire.

Patricia et Josée se sont faites à l'idée qu'elles ne sauront jamais comment Dany est mort. Elles parlent de son décès tantôt comme d'un suicide, tantôt comme d'un meurtre. Dans l'esprit des deux femmes, le mystère demeure entier.

Certaines personnes ont par contre une idée très précise de ce qui s'est passé ce soir-là dans la maison de Saint-Luc, et ce, en dépit de la rareté des preuves matérielles. Bien des gens sont convaincus que la police a joué un rôle dans la mort de Dany Kane – une opinion qui ne prévaut pas uniquement dans le milieu des motards.

Ces gens croient que la police avait à la fois le motif – se débarrasser d'un témoin potentiellement gênant –, les moyens et l'opportunité de l'éliminer. Plusieurs avocats de motards qui connaissent l'affaire dans ses moindres détails estiment que sa mort arrivait à point nommé pour les autorités. Quelques jours avant son présumé suicide, Kane avait fourni à la police des documents-clés dans lesquels les transactions de drogue des Nomads étaient exposées. Or, il est possible que la police se soit mise à considérer Kane d'un autre œil après avoir obtenu ce qu'elle désirait : l'agent source avait été un atout en tant qu'espion, mais deviendrait un handicap s'il était appelé à la barre des témoins. Ceux qui adhèrent à cette théorie soutiennent que la police a le savoir-faire nécessaire pour déguiser un meurtre en suicide et suffisamment d'influence pour convaincre un coroner de faire disparaître des échantillons de tissus et fluides corporels. Les tenants de cette hypothèse écartent d'emblée la possibilité d'un meurtre interne commandé par la bande. Lorsque les Hells Angels éliminent un des leurs, ils ne maquillent pas la chose en suicide ; les représailles de ce genre tiennent généralement lieu d'avertissement, aussi le message doit-il demeurer aussi clair que possible.

Nombreux sont ceux qui refusent de se rallier à l'idée d'une magouille policière. Selon eux, la police canadienne n'oserait jamais faire ce genre de chose. En Amérique latine, en Europe de l'Est, en Asie, peut-être ; mais pas au Canada ! Et même si la police en tant qu'institution avait eu intérêt à ce que Kane disparaisse, de dire ces gens, quel policier, en tant qu'individu et en son âme et conscience, aurait consenti à mettre ce plan morbide à exécution ?

Après que les photos de l'autopsie de Kane furent rendues publiques à la demande de Jacques Bouchard lors du procès présidé par le juge Boilard, peu de gens persistèrent à croire que son suicide avait été une mise en scène et qu'il vivait sous l'égide d'un programme de protection des témoins. Si les photos prouvaient une fois pour toutes que l'agent source était mort, elles soulevaient d'autres questions tout aussi épineuses : comment expliquer tout ce sang qui s'écoulait de sa bouche, de son nez et de ses yeux ? Et pourquoi avait-on collé des électrodes sur sa poitrine puisqu'on n'avait pas tenté de le réanimer ?

Certaines personnes continuent de croire que Kane est toujours vivant. C'est l'avis d'un infiltrateur professionnel qui travaille depuis 25 ans en étroite collaboration avec diverses forces policières, dont la GRC, tant au Canada qu'à l'étranger. Cet agent d'expérience prétend avoir participé à au moins deux faux suicides dans le courant de sa carrière. Mais si le suicide de Kane était effectivement une pure fabrication, pareille mise en scène aurait nécessité la complicité d'un vaste cercle de conspirateurs – incluant le médecin légiste, son personnel ainsi que l'ensemble du corps policier de Saint-Luc. Or, chacun d'eux aurait été susceptible de dévoiler la supercherie. Tout cela aurait finalement été si compliqué qu'on en arrive à se demander pourquoi la police se serait donné toute cette peine. Si le procès contre les Hells ne pouvait réussir que si Kane disparaissait, alors pourquoi se donner tant de mal pour simuler son suicide et le garder vivant ? Il est peu probable que la police l'aurait employé dans des opérations similaires à l'extérieur du Québec. L'utilité de Kane se limitait presque certainement à la Belle Province.

Lorsque le rôle que Dany avait joué dans l'opération Printemps 2001 fut révélé, ses parents crurent d'abord qu'il était toujours vivant, mais leurs espoirs se sont peu à peu dissipés. Jean-Paul et Gemma Kane sont convaincus que si leur fils vivait toujours, il les aurait contactés. Cela dit, ils ne croient pas qu'il s'est suicidé. Persuadés qu'il s'agit d'un meurtre, les Kane ont dressé au fil du temps une liste de suspects longue et bigarrée, alimentée tant par les voyantes qu'ils continuent de consulter que par les circonstances de la vie et de la mort de leur fils unique. Alors que Josée et Patricia se sont tournées vers l'avenir, Jean-Paul et Gemma restent accrochés au passé.

Ces attitudes diamétralement opposées n'ont pas facilité les rapports entre Josée et Patricia d'une part, et les Kane de l'autre. Qui plus est, le règlement avec la SQ viendra exacerber encore davantage les différends opposant les deux femmes à la famille immédiate de Dany. L'entente ayant été négociée à leur insu, Jean-Paul et Gemma eurent l'impression qu'on les tenait à l'écart tant financièrement qu'émotionnellement. Josée et Patricia ne vont plus au duplex de Saint-Jean que lorsque leurs enfants insistent pour voir leurs grands-parents.

Le duplex a subi quelques transformations mineures depuis la mort de Dany. L'extérieur a été repeint et les Kane ont refait le plancher de leur appartement du rez-de-chaussée. Au salon, des meubles africains et pièces de bois exotique ayant appartenu à Dany se mêlent désormais aux fauteuils et sofas de style conventionnel. Gisèle occupe maintenant l'appartement du dessus.

On pourrait difficilement passer à côté des nombreuses photos de Dany qui ornent tables et étagères, trop à l'étroit dans les cadres où les Kane les ont glissées. Certaines images nous révèlent l'enfant souriant et d'autres, l'adolescent maigrichon qu'il avait été. Sur les photos plus récentes, il exhibe ses tatouages et sa musculature gonflée aux stéroïdes, icônes essentielles de son personnage de motard menaçant. Un étranger aurait eu du mal à deviner que tous ces clichés représentaient une seule et même personne. En photo comme dans la vie, Kane aura décidément toujours joué les caméléons.

Le visiteur remarquera peut-être l'urne rouge et cubique qui sommeille sur une étagère, juste à côté d'un énorme haut-parleur. Dany Kane n'aura finalement laissé derrière lui qu'un litre ou deux de cendres, de même qu'un mystère qui lui survit toujours.

UN MOT SUR MES SOURCES

L'essentiel de l'information contenue dans ce livre provient de deux sources principales. Je me suis tout d'abord basé sur les douzaines d'entrevues que j'ai réalisées auprès d'avocats, de policiers et de personnes du milieu judiciaire, mais aussi auprès des amis, associés, parents et proches de Dany Kane. Je me suis référé également aux centaines de documents obtenus de la police, des tribunaux, des journaux et d'autres sources. Certains de ces documents étaient accessibles au public alors que d'autres ne l'étaient pas.

Dans l'ensemble, les institutions se sont montrées peu communicatives à mon égard. La GRC a interdit à ses membres de me dire quoi que ce soit concernant Kane; les autres services de police furent à peine plus coopératifs. Cela dit, plusieurs officiers de la GRC et d'autres corps policiers ont accepté que je les interviewe à condition que je taise leur identité.

Les livres qui s'intéressent aux bandes de motards sont peu nombreux, ce qui est étrange considérant que la culture populaire a toujours été fascinée par les motards, et ce, depuis leur émergence en Californie dans les années 1940. La vérité est qu'aucun motard rebelle ou criminalisé qui se respecte n'accueillerait un journaliste d'enquête dans son quotidien ou ne consentirait à se confier à lui. Les bandes de motards hors-la-loi sont notoirement coupées du monde extérieur; le mépris et la méfiance qu'elles éprouvent à l'égard de la société constituent le ciment qui unit leurs membres.

C'est ce qui explique le fait que des études sociologiques et anthropologiques sur les motards sont presque inexistantes; néanmoins, chacune d'elles souligne l'aspect secret de leur confrérie. En Amérique du Nord, un seul chercheur est parvenu à s'immiscer dans la culture des motards hors-la-loi et à la documenter de façon rigoureuse. Il faut dire que Daniel Wolf, le chercheur en question, a réussi cet exploit dans des circonstances très particulières.

Issu d'une famille ouvrière de l'Alberta, Daniel Wolf n'en a pas moins fait des études en anthropologie psychologique. Besognant dans les usines et les abattoirs de sa province natale pour financer ses études, Wolf réalise suffisamment d'économies pour s'acheter une moto et commence à fréquenter occasionnellement les bandes de motards de la région. Lorsque vient le temps de choisir un sujet pour sa thèse de doctorat, il décide de se pencher sur cette sous-culture « inexplorée d'un point de vue ethnographique » qu'est, selon lui, la culture des motards.

Wolf se pliera aux règles de cette culture, adoptera ses codes vestimentaires et s'affublera même d'un surnom. Il se fera même accepter des Rebels d'Edmonton, un club qui avait été fondé à la fin des années 1960. Au début des années 1980, époque où Wolf fait partie du groupe, il aurait été exagéré de parler des Rebels en termes d'« organisation criminelle » ; néanmoins, il était évident que la bande s'engageait sur cette voie. De fait, plusieurs membres des Rebels se joindront aux Hells Angels lorsque ceux-ci s'implanteront en Alberta en 1999.

Le livre que Daniel Wolf écrira à partir de sa thèse, *Les « Rebels » : une fraternité de motards hors-la-loi* (Édtions Balzac, 1995), constitue une étude approfondie de l'univers secret des motards. Le ton théorique de l'ouvrage est parfois décevant et ne rend pas pleinement justice au thème. On a l'impression que Wolf aurait dû s'impliquer davantage dans l'histoire en tant que sujet et narrateur plutôt que de se désengager par souci d'objectivité. Cela dit, il est manifestement fasciné par ce style de vie qu'il a lui-même embrassé dans le but d'enrichir et de redéfinir sa propre existence. La grande qualité de ce livre est qu'il nous présente les motards comme des êtres humains qui sont mus comme nous tous par des désirs et des motivations précises ; c'est cet aspect humain qui manque à la plupart des ouvrages populaires sur le sujet.

D'autres ouvrages sont dignes de mention, notamment l'excellent *Hell's Angels* (10/18, 2000) de Hunter S. Thompson et *Conspiracy of Brothers* (MacMillan of Canada, 1988) de Mick Lowe. Lors de sa parution en anglais en 1966, le livre de Thompson annonçait une nouvelle forme de journalisme ; cet ouvrage considéré aujourd'hui comme un grand classique est presque aussi connu que la bande elle-même. *Hell's Angels* fait la chronique de la bande à une époque où elle se voulait une fraternité de fêtards féroces et non une organisation criminelle. L'ouvrage de Lowe nous fait entrer pour sa part dans l'univers du club ontarien Satan's Choice. Le lecteur découvre comment plusieurs membres de la bande ont été accusés, à la suite d'une enquête sommaire, d'un meurtre ayant eu lieu à Port Hope en 1978.

De façon générale, je trouve que la plupart des livres qui traitent du milieu des motards au Québec sont très volumineux mais peu étoffés. Bien qu'il n'échappe pas à cette règle et que ce soit un ouvrage frôlant le sensationnalisme et que tout y soit blanc ou noir, mais surtout noir, *Hell's Angels, le clan de la terreur* (Éditions de l'Homme, 1988) du journaliste torontois Yves Lavigne s'avère tout de même une lecture instructive et divertissante. L'auteur tente de déclencher l'alarme concernant la menace que représentent, selon lui, les bandes de motards partout à travers le monde, mais je trouve sa démonstration peu convaincante du fait qu'il accorde une importance disproportionnée aux motards du Québec. En fait, à mon sens, c'est son chapitre sur le massacre de Lennoxville qui est le plus intéressant. Dans *Hells Angels at War* (HarperCollins, 1999), Lavigne applique le même traitement manichéen aux premières années de la guerre des motards au Québec, ainsi qu'au conflit opposant Hells Angels et Bandidos en Scandinavie. Ce livre, auquel manque l'intensité narrative de l'ouvrage précédent, s'appuie en grande partie sur de l'information glanée dans des reportages et bulletins de nouvelles. L'auteur y offre par ailleurs des solutions de son cru quant à la façon de combattre la menace des motards.

Deux délateurs qui ont participé à la guerre des motards au Québec – Peter Paradis des Rock Machine et Serge Quesnel, tueur à gages des Hells Angels – sont à l'origine d'ouvrages révélateurs qui ont le mérite de nous présenter l'univers des motards du point de vue de l'initié. Le livre de Paradis, *Sale job* (Éditions de l'Homme, 2003), raconte les escapades du Rock Machine dans le Sud-Ouest montréalais ; écrit par le journaliste Pierre Martineau, *Testament d'un tueur des Hells* (Les Intouchables, 2002) relate les frasques du Hells Serge Quesnel dans les régions de Québec et de Trois-Rivières.

Dans *La route des Hells : comment les motards ont bâti leur empire* (Éditions de l'Homme, 2003), Julian Sher et William Marsden, deux journalistes montréalais de renom, brossent le tableau de la menace des motards au Canada et relatent dans le détail les événements qui ont marqué la guerre des motards au Québec. S'appuyant exclusivement sur le point de vue de la police, les auteurs n'essaient pas d'aborder l'univers intime et intérieur des motards et ne remettent pas en cause le suicide présumé de Dany Kane.

INDEX

REMERCIEMENTS

L e présent ouvrage est né d'un article publié dans le magazine *Saturday Night* dont je tiens à remercier les éditeurs, Dianna Symonds, Mark Stevenson et Matthew Church, qui m'ont beaucoup encouragé dans mes recherches initiales ; merci également à Matthew Church, Cynthia Brouse, Jay Teitel, Dré Dee, Josh Knelman et Chris Debicki qui ont assuré le montage, la correction et la publication de l'article en question.

Merci à tous les reporters montréalais – notamment George Kalogerakis, Christiane Desjardins et Stéphane Giroux – qui ont assuré la couverture des mégaprocès et qui m'ont fourni de précieux renseignements à ce sujet, et ce, même si ma fascination envers Dany Kane les laissait parfois perplexes. Mes remerciements les plus chaleureux à Bernard Tétrault d'*Allô Police*, véritable fontaine d'information en ce qui concerne l'actualité présente et passée des milieux criminels à Montréal ; et à Gary Francœur, dont le site Internet (http://www.geocities.com/wiseguywally/) est ni plus ni moins qu'une banque de données centralisée sur les organisations criminelles montréalaises. Je dois également remercier les journalistes suivants de leurs contributions : Dan Kerslake, de la CBC de la Saskatchewan ; Richard Dooney du *Halifax Daily News* ; Bill Hunt de l'*Intelligencer* de Belleville ; et Rob Roberts du *National Post* de Toronto.

Il y a beaucoup de gens issus des milieux policiers, judiciaires et criminels qui m'ont aidé de façon significative, mais que je ne peux nommer pour des raisons évidentes. Parmi ceux que je peux nommer, Guy Ouellette, anciennement de la Sûreté du Québec, est le premier que je tiens à remercier ; s'il était motard, son surnom serait sûrement « Encyclopédie ». Je nommerai également les procureurs Randall Richmond et Keith Riti du Bureau de lutte au crime organisé, ainsi que leur collègue Annie Lemieux. Merci aux avocats

Peter Jacobsen de Toronto, Peter Girard de Belleville, Narissa Somji d'Ottawa, Kurt Johnson de Montréal et Michael Cooke de Halifax. Bien que surmenée, France Côté, de la salle d'archivage des preuves du Palais de justice de Montréal, s'est toujours montrée aimable et obligeante à mon égard. Merci aux greffiers du Palais de justice Gouin qui se sont montrés eux aussi très conciliants.

Merci à Carlo Morselli du département de criminologie de l'Université de Montréal pour avoir partagé avec moi sa vision très particulière du crime organisé, et tous mes remerciements à son étudiante, Nadine Deslauriers, qui a passé au peigne fin des milliers de pages de documents relatifs aux mégaprocès pour m'en communiquer ensuite les bribes les plus intéressantes.

Pour leur intérêt et leur encouragement, je remercie mes amis dans l'industrie du cinéma : le producteur Pierre Gendron et les réalisateurs Christian Larouche et Érik Canuel à Montréal ; et Pat Sherman à Los Angeles.

Plusieurs bons amis m'ont encouragé pendant que j'écrivais ce livre. Certains d'entre eux m'ont même rendu de fiers services, notamment Max Wallace, Robbie Dillon et Julien Feldman – sans oublier Eric Siblin et Alex Roslin, qui ont eu la patience de lire les premiers jets du manuscrit. Babak Salari, mon photographe préféré, m'a fait découvrir que prendre des photos de photos était un art en soi.

Pour finir, je voudrais exprimer ma gratitude à Alex pour sa perspicacité et à Patkevco Inc. pour sa transparence. Merci à Catherine, Ariel et Augie de leur chaleur et de leur soutien.

Tous mes remerciements et mon amour à Penny et Clyde, qui ont su me montrer la voie. C'est à eux que je dédie ce livre.

TABLE DES MATIÈRES

Achevé d'imprimer au Canada
sur les presses des Imprimeries Transcontinental Inc.